Port au Port
Peninsula

**TERRE-NEUVE-
ET-LABRADOR**

Voir encadré

480

Channel-Port
aux Basques

Burgeo

Îles de la Madeleine
(Québec)

Île Brion

Cap-aux-Meules

Golfe
du Saint-Laurent

Meat Cove
Bay St. Lawrence

**ÎLE-
DU-PRINCE-ÉDOUARD**

Parc national des
Hautes-Terres-du-
Cap-Breton

Parc national
de l'Île-du-Prince-Édouard

East Point
Basin Head

St. Peters Bay

New Glasgow

Souris

New Waterford

Charlottetown

Île du
Cap-Breton

Rocky
Point

1

Montague

Panmure Island

Wood Islands

Détroit de
Thumberland

Inverness

North
Sydney

Glace Bay

105

Sydney

New Glasgow

Mabou

Port Hood

19

Baddeck

22

Marion Bridge

Caribou

Pictou Island

St.
Georges
Bay

Lac
Bras d'Or

Louisbourg

Pictou

Antigonish

104

New Glasgow

Mulgrave

16

Truro

Isle Madame

7

374

Sherbrooke

224

- - - - - - - Cabot Trail

107

LABRADOR

Red Bay

TERRE-NEUVE-ET-LABRADOR

QUÉBEC

L'Anse au Clair

Blanc-Sablon

430

Big Brook

Lieu historique national
de L'Anse aux Meadows

St. Anthony

St. Barbe

Brig Bay

St. Julien's

Mutton Bay

Port au Choix

430

Golfe du
Saint-Laurent

Long Range Mountains

White Bay

Fleur de Lys

Cow Head

Baie Verte

OCÉAN ATLANTIQUE

Rocky Harbour

Parc national
Gros-Morne

410

Notre Dame
Bay

Twillingate

Trout River

331

330

**Blow Me Down
Provincial Park**

430

Deer Lake

South Brook

Lewisporte

Wesleyville

Frenchman's Cove

Pasadena

Badger

Gander

Corner Brook

Grand Falls Windsor

Bonavista
Bay

Bonavista

Péninsule de
Port au Port

TERRE-NEUVE

Parc national
Terra Nova

Péninsule de
Bonavista

Stephenville

Long Range Mountains

360

Port
Blandford

230

Trinity

Grates Cove

Bay du Nord
Wilderness Reserve

480

St. Alban

Channel-Port
aux Basques

Burgeo

Harbour
Breton

N. Sydney (N.-É.)

Île Miquelon
(France)

Île Saint-Pierre
(France)

D1057734

50   100km

N

N

Provinces atlantiques du Canada

6e édition

C'est tchurieux la vie, pareil! Tout un
chacun charche son bounheur, ça ya pas à
se tromper. Ben coument
ça se fait ben que d'autchuns le
trouvront et d'autchuns le trouvront point?

Antonine Maillet
La Sagouine

C'est tout de même
curieux la vie! Il n'y a
pas à dire, chacun cherche
son bonheur. Alors, comment se fait-il
que certains le trouvent et d'autres pas?

ULYSSE

Le plaisir de mieux voyager

Nouveau-Brunswick

▲ Les fameux «pots de fleurs» dénommés Hopewell Rocks, une des curiosités les plus populaires de la province. (page 95)
©Tourisme et Parcs Nouveau-Brunswick

▲ Le port de la ville de Saint John, en eaux profondes, idéales pour accueillir les paquebots de croisière. (page 90)
©Tourisme et Parcs Nouveau-Brunswick

Page précédente

◀ La dune de Bouctouche sillonnée par une longue passerelle permettant l'observation de sa flore et de sa faune. (page 118)
© Tourisme et Parcs Nouveau-Brunswick

Nouvelle-Écosse

◄ Peggy's Cove, l'un des sites touristiques les plus photographiés au Canada. (page 209)
© Dreamstime.com/Norman Pogson

▲ Le port d'Halifax accueille quelque 2 000 navires chaque année. (page 141)
© Dreamstime.com/Denis Pépin

▲ Le superbe parc national des Hautes-Terres-du-Cap-Breton. (page 226)
© Nova Scotia Tourism, Culture and Heritage

Île-du-Prince-Édouard

▲ Au loin, le pont de la Confédération relie le Nouveau-Brunswick à l'Île-du-Prince-Édouard. (page 248)
© iStockphoto.com/Denis Jr. Tangney

▲ Le village de New London fut le lieu de naissance de l'auteure à succès Lucy Maud Montgomery. (page 249)
© Dreamstime.com/Alain Lee

◄ Le pluvier siffleur, un petit oiseau de 20 cm, est une espèce sous haute surveillance. (page 259)
© iStockphoto.com/Michael Stubblefield

Terre-Neuve-et-Labrador

▲ Des bateaux de pêche baignent dans le décor paisible du fjord du parc national Gros-Morne. (page 296)
© iStockphoto.com/Sandra Calderbank

▲ Chaque été, des centaines d'icebergs longent la côte du Labrador. (page 299)
© Catherine Raoult et Marc Poirel

▶ Un alignement inusité de maisons colorées à St. John's. (page 285)
© iStockphoto.com/Jerry Carpenter

Localisation des circuits

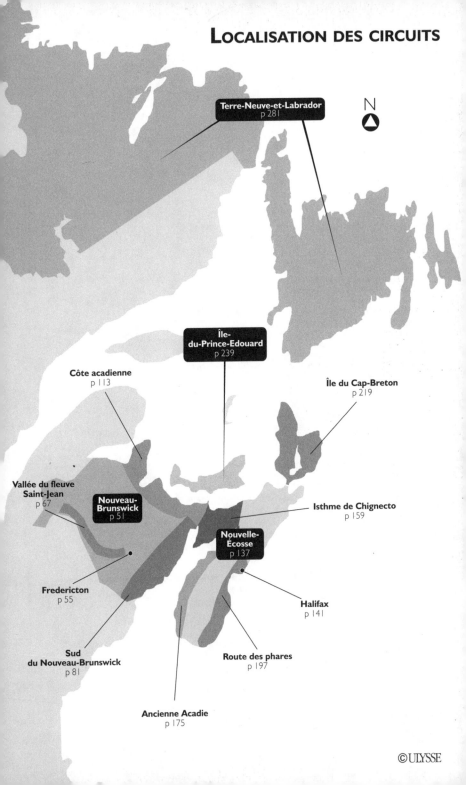

N

Terre-Neuve-et-Labrador
p 281

Île-
du-Prince-Edouard
p 239

Côte acadienne
p 113

Île du Cap-Breton
p 219

Vallée du fleuve
Saint-Jean
p 67

Nouveau-
Brunswick
p 51

Isthme de Chignecto
p 159

Nouvelle-
Écosse
p 137

Fredericton
p 55

Halifax
p 141

Sud
du Nouveau-Brunswick
p 81

Route des phares
p 197

Ancienne Acadie
p 175

©ULYSSE

Auteur: Benoit Prieur

Mise à jour de la sixième édition: Julie Brodeur

Collaboration à la mise à jour: Thierry Ducharme, Marie-Josée Guy

Éditeur: Pierre Ledoux

Adjointe à l'édition: Annie Gilbert

Correcteur: Pierre Daveluy

Infographistes: Marie-France Denis, Philippe Thomas

Cartographe: Kirill Berdnikov

Recherche iconographique: Nadège Picard

Collaboration aux éditions antérieures: Caroline Béliveau, Pascale Couture, Alexandra Gilbert, John Hull, François Rémillard, Maxime Soucy

Photographies: Page couverture - © First Light / John Sylvester Photography; Page de titre - Trinity © iStockphoto.com / Marketa Ebert - Phoques © Dreamstime.com / Uwe Blosfeld

Cet ouvrage a été réalisé sous la direction d'Olivier Gougeon.

Remerciements:

Remerciements spéciaux à Diane Rioux et Kim C. LeBlanc de Tourisme Nouveau-Brunswick; Holly Kirkpatrick de Tourisme Fredericton; Charlene Fox de Tourisme Moncton; Kristen Pickett et Pam Wamback de Tourisme Nouvelle-Écosse; Robert Ferguson, Pamela Vienneau et Claudette MacDonald de Tourism Prince Edward Island; Ed Kirby de Newfoundland and Labrador Tourism.

Guides de voyage Ulysse reconnaît l'aide financière du gouvernement du Canada par l'entremise du Programme d'aide au développement de l'industrie de l'édition (PADIÉ) pour ses activités d'édition.

Guides de voyage Ulysse tient également à remercier le gouvernement du Québec – Programme de crédit d'impôt pour l'édition de livres – Gestion SODEC.

Guides de voyage Ulysse est membre de l'Association nationale des éditeurs de livres.

Catalogage avant publication de Bibliothèque et Archives nationales du Québec et Bibliothèque et Archives Canada

Prieur, Benoit, 1965-
        Provinces atlantiques du Canada
        (Guide de voyage Ulysse)
        Comprend un index.
        ISBN 978-2-89464-808-7
        1. Provinces de l'Atlantique - Guides. I. Titre. II. Collection.
FC2004.P74   917.1504'5   C2001-301669-5

À moi...

les provinces atlantiques!

Que ce soit pour une semaine ou un mois, vivez au rythme marin et célébrez l'art de vivre des provinces atlantiques. Pour le plaisir de contempler des paysages côtiers grandioses et de découvrir une mosaïque de cultures des plus vivantes, les provinces atlantiques vous révèlent une région pittoresque ponctuée de villages de pêcheurs aux maisons colorées, de plages somptueuses, de formidables phénomènes naturels et de lieux historiques marquants.

En temps et lieux

Une semaine

Pour un voyage d'une semaine, nous vous conseillons de vous concentrer soit sur le Nouveau-Brunswick ou sur la Nouvelle-Écosse.

Au Nouveau-Brunswick

Au Nouveau-Brunswick, entamez votre voyage à **Moncton**, une ville dynamique au centre du renouveau acadien. Gagnez ensuite la côte afin de visiter le **parc de Hopewell Rocks** et admirer ses impressionnantes formations rocheuses en forme de pots de fleurs, sculptées par la marée. Poursuivez votre route jusqu'au **parc national Fundy**, où vous pourrez emprunter l'un des sentiers qui mènent aux magnifiques falaises de **Point Wolfe** et qui offrent des points de vue magnifiques sur le littoral.

Sur la route de Saint John, les amateurs d'histoire marqueront une pause dans le pittoresque village de pêcheurs de **St. Martins**. À marée basse, il est possible d'y explorer les célèbres **cavernes marines**, accessibles depuis l'un des ponts couverts du village. Terminez enfin la semaine à **Saint John**, sillonnez son centre-ville aux rues étroites et bordées de bâtiments historiques, et imprégnez-vous de l'ambiance pétillante qu'offre son **marché public**, ouvert depuis 1876.

Autour de Saint John, le **Lieu historique national de la Tour-Martello-de-Carleton** et le **parc naturel Irving** s'avèrent d'agréables escapades. Ce circuit peut également s'effectuer au départ de **Fredericton**, élégante capitale du Nouveau-Brunswick, dotée de grands espaces verts et de magnifiques édifices religieux et gouvernementaux.

En Nouvelle-Écosse

En Nouvelle-Écosse, débutez votre périple à **Halifax**, une ville portuaire cosmopolite, au riche patrimoine historique et architectural. Ne manquez pas d'y visiter le **Lieu historique national de la Citadelle-d'Halifax** et d'aller flâner dans les boutiques des **Historic Properties**. Longez ensuite la côte jusqu'à **Lunenburg**, l'un des ports de pêche les plus pittoresques des provinces atlantiques.

En rejoignant la baie de Fundy par la route 8, vous passerez par le **parc et lieu historique national Kejimkujik**, qui constitue une halte de choix pour les amateurs de canotage et de randonnée pédestre. Visitez aussi le **Lieu historique national du Fort-Anne** à **Annapolis Royal**, le cœur de l'**ancienne Acadie**. Prenez la route 1 vers l'est et longez la vallée d'Annapolis jusqu'à **Cape Split**, pour une superbe vue d'ensemble de la baie de Fundy.

Avant de reprendre la route vers Halifax, rendez-vous enfin au **Lieu historique national de Grand-Pré**, qui commémore l'histoire des Acadiens, puis offrez-vous un repas raffiné dans le site enchanteur du vignoble du **Domaine de Grand Pré**.

Deux semaines

Disposant de deux semaines, vous pourrez aisément combiner les circuits précédents en prenant le traversier depuis Saint John (N.-B.) jusqu'à Digby (N.-É.). Si vous visitez la région entre les mois de juin et d'octobre, profitez de votre arrivée à **Digby**, un port de pêche animé, pour prendre part à une excursion d'**observation des baleines** dans la baie de Fundy.

Dirigez-vous ensuite vers **Annapolis Royal** et prenez le temps de vous arrêter à **Wolfville**, une mignonne bourgade universitaire à l'atmosphère victorienne, avant d'atteindre **Grand-Pré**. Rejoignez enfin **Halifax**, d'où vous pourrez faire une excursion jusqu'à **Lunenburg**, en passant cette fois-ci par le pittoresque village de **Peggy's Cove** et son célèbre phare.

Trois semaines et plus

Un séjour de trois semaines et plus vous donnera le loisir d'entreprendre la grande tournée des provinces atlantiques et vous conduira hors des sentiers battus.

La côte acadienne (N.-B.)

En plus de vous permettre de visiter les attraits suggérés ci-dessus, un voyage d'au moins trois semaines vous donnera notamment l'occasion de partir à la découverte de la côte acadienne du Nouveau-Brunswick. Ici, vous pourrez vous rendre au **parc national Kouchibouguac** pour contempler ses dunes et ses plages de sable doré bordées par des eaux chaudes.

Vous pourrez également vous arrêter au **Pays de la Sagouine** de **Bouctouche**, afin de revivre l'Acadie du début du XXᵉ siècle, ou à l'**Éco-Centre Irving de la Dune de Bouctouche**, pour une randonnée pédestre dans un environnement exceptionnel.

Après avoir descendu la côte du Nouveau-Brunswick jusqu'à Cape Tourmentine, vous pourrez prendre le **pont de la Confédération**, le plus long pont ininterrompu à appuis multiples au monde, pour traverser le détroit de Northumberland et vous rendre à Borden-Carleton, sur l'Île-du-Prince-Édouard.

L'Île-du-Prince-Édouard

Sur l'île, vous pourrez vous rendre à **Cavendish**, destination familiale par excellence, pour visiter l'**Avonlea Village of Anne of Green Gables** et le **Site patrimonial de la Maison Green Gables**, installé sur les lieux mêmes où Lucy Maud Montgomery situe l'action de son célèbre roman *Anne of Green Gables*. Cavendish est aussi la porte d'entrée du **parc national de l'Île-du-Prince-Édouard**, qui se prête bien aux randonnées à vélo, particulièrement le long du **sentier Homestead**. Les **plages** du parc sont idéales pour la baignade et comptent parmi les plus belles de l'est du continent. Dirigez-vous ensuite vers **Charlottetown**, coquette capitale provinciale, qui abrite le **Lieu historique national Province House**, lieu de naissance de la Confédération canadienne.

L'isthme de Chignecto et l'île du Cap-Breton (N.-É.)

De Wood Islands sur l'Île-du-Prince-Édouard, vous pourrez prendre le traversier jusqu'à Caribou, sur l'isthme de Chignecto en Nouvelle-Écosse. Tout près, le centre de **Pictou** a conservé plusieurs jolis bâtiments bordant ses rues animées, et vous pourrez notamment y visiter le **Hector Heritage Quay**, un centre d'interprétation consacré à l'histoire de la goélette qui amena à Pictou les premiers colons d'origine écossaise en 1773.

De Pictou, vous pourrez suivre la route 104 pour atteindre l'étonnante île du Cap-Breton. Sur l'île, vous pourrez explorer le **Ceilidh Trail**, qui sillonne une région empreinte de la culture gaélique et ponctuée de superbes plages, puis le **Cabot Trail**, une route construite le long de falaises escarpées se jetant dans l'océan Atlantique et parsemée de hameaux pittoresques. L'un d'eux, **Chéticamp**, est la porte d'entrée du magnifique **parc national des Hautes-Terres-du-Cap-Breton**, où les amateurs de randonnée pédestre peuvent notamment explorer le spectaculaire **Skyline Trail**.

Vous croiserez ensuite sur votre route le charmant village de pêcheurs de **Bay St. Lawrence**, puis le village de **St. Ann's**, qui abrite le **Gaelic College of Celtic Arts and Crafts et son musée**.

L'île de Terre-Neuve

Sur l'île du Cap-Breton, dirigez-vous vers North Sydney, d'où un traversier vous amènera à Argentia, sur l'île de Terre-Neuve (**Terre-Neuve-et-Labrador**). Prenez ensuite la route de St. John's. Abritant des maisons de bois aux couleurs éclatantes, **St. John's** occupe un site spectaculaire.

Parmi les attraits que compte cette ville portuaire charmante, ne manquez pas de visiter le complexe muséal **The Rooms** ainsi que le **Lieu historique national de Signal Hill**. À l'est de Signal Hill, et bordé de parois rocheuses, se dresse **Quidi Vidi**, l'un des lieux les plus pittoresques de la province, dont le port de pêche est actif depuis le XVIIe siècle.

Au sud de St. John's, la **péninsule d'Avalon** s'avère l'un des lieux privilégiés pour assister à un phénomène naturel fascinant: la **dérive des icebergs** (avril, mai et juin). Toujours plus au sud, faites une halte à la **Cape St. Mary's Ecological Reserve**, qui protège la colonie d'oiseaux de mer la plus spectaculaire d'Amérique du Nord.

Enfin, bien qu'il faille traverser l'île de Terre-Neuve d'est en ouest pour l'atteindre, le **parc national Gros-Morne** s'avère à la hauteur de l'expédition. Ce parc présente des paysages grandioses, et une excursion en bateau constitue la façon la plus agréable de découvrir la beauté prodigieuse de son fjord.

À moi... les provinces atlantiques!

Sommaire

Sommaire

Liste des cartes

Liste des encadrés

Légende des cartes

★ Attraits
▲ Hébergement
● Restaurants
■ Mer, lac, rivière
■ Forêt ou parc
□ Place
✪ Capitale d'État
✭ Capitale provinciale ou régionale
–·–·–·– Frontière internationale
············ Frontière provinciale ou régionale
– – – – Chemin de fer
▨▨▨▨ Tunnel

✈ Aéroport international
✛ Aéroport régional
🛡 Cimetière
✝ Église
🛈 Information touristique
🎪 Marché
▲ Montagne
🏛 Musée

🚩 Parc national ou provincial
🗼 Phare
🏖 Plage
▣ Point d'intérêt
⅄ Terrain de golf
🚢 Traversier (navette)
🚢 Traversier (ferry)

◆ Route transcanadienne
⑥ Route principale
97 Route secondaire

Symboles utilisés dans ce guide

@ Accès Internet
♿ Accessibilité totale ou partielle aux personnes à mobilité réduite
≡ Air conditionné
🐾 Animaux domestiques admis
◎ Baignoire à remous
🏋 Centre de conditionnement physique
● Cuisinette
△ Foyer
◎ Label Ulysse pour les qualités particulières d'un établissement
☕ Petit déjeuner inclus dans le prix de la chambre
≈ Piscine
✳ Réfrigérateur
♨ Restaurant
bc Salle de bain commune
bc/bp Salle de bain privée ou commune
))) Sauna
Y Spa
☰ Télécopieur
☎ Téléphone
tlj Tous les jours
↯ Ventilateur

Classification des attraits touristiques

★★★ À ne pas manquer
★★ Vaut le détour
★ Intéressant

Classification de l'hébergement

L'échelle utilisée donne des indications de prix pour une chambre standard pour deux personnes, avant taxe, en vigueur durant la haute saison.

$ moins de 60$
$$ de 60$ à 100$
$$$ de 101$ à 150$
$$$$ de 151$ à 225$
$$$$$ plus de 225$

Classification des restaurants

L'échelle utilisée dans ce guide donne des indications de prix pour un repas complet pour une personne, avant les boissons, les taxes et le pourboire.

$ moins de 10$
$$ de 11$ à 20$
$$$ de 21$ à 30$
$$$$ plus de 30$

Tous les prix mentionnés dans ce guide sont en dollars canadiens.

Les sections pratiques aux bordures grises répertorient toutes les adresses utiles.
Repérez ces pictogrammes pour mieux vous orienter:

▲ Hébergement   🎵 Sorties

♨ Restaurants   🎁 Achats

Situation géographique dans le monde

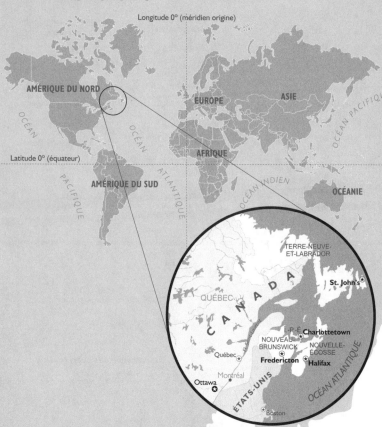

Longitude 0° (méridien origine)

AMÉRIQUE DU NORD

EUROPE

ASIE

OCÉAN PACIFIQUE

OCÉAN

OCÉAN ATLANTIQUE

Latitude 0° (équateur)

AFRIQUE

AMÉRIQUE DU SUD

OCÉAN INDIEN

OCÉANIE

PACIFIQUE

TERRE-NEUVE-ET-LABRADOR

CANADA

St. John's

QUÉBEC

Î.-P.-É. Charlottetown

NOUVEAU-BRUNSWICK

NOUVELLE-ÉCOSSE

Québec

Fredericton Halifax

Montréal

Ottawa

OCÉAN ATLANTIQUE

ÉTATS-UNIS

Boston

Les provinces atlantiques

Nouveau-Brunswick

Superficie: 72 908 km^2
Population: 751 000 hab.
Densité: 10,3 hab./km^2
Capitale: Fredericton
Le Nouveau-Brunswick est la seule province canadienne officiellement bilingue.

Île-du-Prince-Édouard

Superficie: 5 660 km^2
Population: 139 000 hab.
Densité: 21 hab./km^2
Capitale: Charlottetown

Nouvelle-Écosse

Superficie: 55 284 km^2
Population: 935 000 hab.
Densité: 16,9 hab./km^2
Capitale: Halifax

Terre-Neuve-et-Labrador

Superficie: 405 720 km^2
Population: 508 000 hab.
Densité: 1,4 hab./km^2
Capitale: St. John's

Portrait

L es provinces atlantiques du Canada, soit le Nouveau-Brunswick, la Nouvelle-Écosse, l'Île-du-Prince-Édouard et Terre-Neuve-et-Labrador, forment une région pittoresque qui conjugue la splendeur de milliers de kilomètres de paysages côtiers à de riches traditions locales et à un art de vivre fascinant.

Il y a ici certains des plus beaux sites naturels de l'est du continent américain, que ce soit les paysages spectaculaires des Hautes-Terres du Cap-Breton en Nouvelle-Écosse, les magnifiques plages et dunes de l'Île-du-Prince-Édouard, les falaises et les fjords du parc national Gros-Morne à Terre-Neuve-et-Labrador, ou les paysages étonnants que les plus puissantes et les plus hautes marées du monde ont sculptés dans la baie de Fundy, au Nouveau-Brunswick.

Mais l'attrait particulier des provinces atlantiques tient aussi beaucoup à ses scènes toutes simples de la vie quotidienne, comme celles, par exemple, de ces flottes de navires multicolores quittant les petits ports de pêche de la côte, enveloppés d'un brouillard matinal.

La visite des provinces atlantiques donne donc l'occasion de découvrir de magnifiques paysages tout en s'initiant à la richesse de la culture et de l'histoire locales. Mais la région offre aussi beaucoup d'autres plaisirs, dont les plages, caressées par les eaux les plus chaudes au nord de la Virginie (États-Unis), ainsi que le homard et les autres fruits de mer frais, apprêtés savoureusement, ne sont pas parmi les moindres.

Géographie

Le territoire canadien s'étend sur 9 093 507 km² de terres et 891 163 km² d'eaux douces, pour un total de 9 984 670 km². Les provinces atlantiques sont situées dans l'est de cet immense pays qu'est le Canada, le deuxième au monde en termes de superficie, derrière la Russie. Les côtes de ces quatre provinces, le Nouveau-Brunswick, la Nouvelle-Écosse, l'Île-du-Prince-Édouard et Terre-Neuve-et-Labrador, baignent dans le golfe du Saint-Laurent ou dans l'océan Atlantique.

■ Le Nouveau-Brunswick

Le Nouveau-Brunswick (N.-B.) a une superficie de 72 908 km² et possède une frontière commune au nord avec le Québec et à l'ouest avec le Maine (États-Unis); il est relié à la Nouvelle-Écosse par l'isthme de Chignecto et à l'Île-du-Prince-Édouard par le pont de la Confédération.

Sa côte Est donne sur la baie des Chaleurs, sur le golfe du Saint-Laurent et sur le détroit de Northumberland, et sa côte Sud, sur la baie de Fundy. En outre, deux cours d'eau majeurs pénètrent à l'intérieur de ses terres: le fleuve Saint-Jean et la rivière Miramichi.

Le nord du Nouveau-Brunswick est marqué par de hautes terres pouvant s'élever à 820 m qui font partie de la chaîne des Appalaches, et le centre de la province est ponctué de quelques collines. Une dense forêt composée en bonne partie de conifères, mais aussi de feuillus, couvre environ 85% du territoire et constitue une ressource naturelle importante qui a d'ailleurs permis au Nouveau-Brunswick de développer une industrie papetière exportatrice. La capitale du Nouveau-Brunswick est Fredericton. La population du Nouveau-Brunswick s'élève à plus de 751 000 habitants.

De la terre rouge

Au début des temps, la lente collision entre plusieurs plaques continentales donne naissance à une gigantesque chaîne de montagnes: les Appalaches. Puis tous les continents se rassemblent en un énorme supercontinent dénommé «Pangée». L'essentiel de la partie nord des provinces maritimes est alors formé de basses terres couvertes de marais de forêt tropicale.

Plus tard, la Pangée, sous la pression des plaques tectoniques, commence à se subdiviser. C'est la naissance de ce qui deviendra l'océan Atlantique. Avec le climat qui change dramatiquement, les forêts tropicales cèdent rapidement le pas à un désert rouge brique: la célèbre terre rouge de l'Île-du-Prince-Édouard, comme celle des dunes de sa côte nord, en face du golfe du Saint-Laurent, en est un vestige.

Cette terre rouge est en réalité constituée de grès, composé de grains de sable solidifiés en une couche de roche sédimentaire, et de particules de fer qui se sont oxydées au contact de l'oxygène (qui les a transformées chimiquement en rouille, ou oxyde ferrique: Fe_2O_3). La rouille étant de couleur rouge, cette roche, le grès ferrugineux, revêt donc aussi une couleur rouge.

Le sol rougeâtre qui distingue l'Île-du-Prince-Édouard a toujours représenté son trait le plus frappant et sa principale ressource. Jacques Cartier, de passage en 1534, en est ébloui: *C'est la terre la plus belle que l'on puisse imaginer*.

■ La Nouvelle-Écosse

La Nouvelle-Écosse (N.-É.) n'est reliée au territoire canadien que par une étroite langue de terre, l'isthme de Chignecto, et ses côtes baignent dans la baie de Fundy au nord-ouest, dans l'océan Atlantique au sud, dans le golfe du Saint-Laurent au nord-est et dans le détroit de Northumberland au nord. La province compte en outre pas moins de 3 000 lacs et plusieurs ruisseaux et rivières. La superficie de la province est de 55 284 km², dont environ 10% est propice à l'agriculture.

Cependant, tout comme le Nouveau-Brunswick, la Nouvelle-Écosse possède une dense forêt majoritairement composée de conifères. Les paysages de la province sont relativement plats, sauf à l'île du Cap-Breton, où ils sont très accidentés. La capitale de la Nouvelle-Écosse est Halifax. La Nouvelle-Écosse est la province la plus populeuse des provinces atlantiques avec environ 935 000 habitants.

■ L'Île-du-Prince-Édouard

La plus petite de toutes les provinces canadiennes, l'Île-du-Prince-Édouard (Î.-P.-É.) n'a qu'une superficie de 5 660 km², mais compte la plus haute densité de population au pays, soit 21 habitants au kilomètre carré.

L'agriculture est une activité très importante à l'Île-du-Prince-Édouard, dont près de 50% du territoire est couvert d'une terre très fertile. La pomme de terre en constitue l'une des principales cultures. Ces vastes champs ont d'ailleurs pris la place de la forêt, autrefois composée de hêtres, de bouleaux, d'érables, de chênes et de pins, laquelle a aujourd'hui beaucoup diminué.

Cette île, séparée de la Nouvelle-Écosse et du Nouveau-Brunswick par le détroit de Northumberland, baigne dans le golfe du Saint-Laurent. Elle ne possède que de petits étangs et d'étroites rivières. La capitale de l'Île-du-Prince-Édouard est Charlottetown. L'île-du-Prince-Édouard est la moins populeuse de toutes les provinces canadiennes; elle compte 139 000 habitants.

■ Terre-Neuve-et-Labrador

La province de Terre-Neuve-et-Labrador (T.-N.-L.) comprend deux entités distinctes: l'île de Terre-Neuve et l'immense territoire du Labrador. L'île de Terre-Neuve a une superficie de 111 390 km². Comme elle est l'île la plus à l'est du continent nord-américain, Terre-Neuve a très tôt joué un rôle de pivot dans les communications entre l'Europe et le Nouveau Monde.

L'île est séparée du continent par le détroit de Belle-Isle; elle est également bordée par les eaux du golfe du Saint-Laurent et de l'océan Atlantique. La population se concentre sur les côtes, afin d'y pratiquer la pêche, ou dans quelques centres urbains de l'intérieur de l'île dont l'économie repose principalement sur l'industrie forestière et minière.

La partie ouest de l'île est marquée par la chaîne de montagnes Long Range, qui constitue l'extrémité nord de la chaîne des Appalaches et dont le plus haut sommet atteint 815 m d'altitude. Pour le reste, les paysages de l'île sont légèrement vallonnés ou plats, et les côtes, en maints endroits, sont découpées de falaises spectaculaires.

Le Labrador, près de trois fois plus vaste que l'île, a une superficie de 294 330 km². La plus grande partie du Labrador présente des paysages légèrement ondulés, aux innombrables lacs et rivières, et typiques du Bouclier canadien.

Plus au nord, les paysages sont façonnés par les monts Torngat, qui atteignent jusqu'à 1 729 m d'altitude. Le Labrador est couvert de forêts subarctiques et, dans sa partie la plus septentrionale, de la toundra. Ses côtes, de près 8 000 km de long, donnent sur le détroit de Belle-Isle et sur la mer du Labrador (océan Atlantique). Le Labrador partage, à l'ouest et au sud, une longue frontière avec le Québec. La capitale de la province de Terre-Neuve-et-Labrador est St. John's. La population totale de Terre-Neuve, incluant le Labrador, s'élève à 508 000 habitants.

Histoire

L'arrivée des explorateurs européens aux XVᵉ et XVIᵉ siècles ne constitue pas le début de l'histoire humaine de ce qu'on dénomme aujourd'hui les «provinces atlantiques». Elle en est plutôt un moment de rupture, car, lorsque débarquent les premiers envoyés officiels des puissances européennes, la région est habitée depuis plus de 10 000 ans, sans interruption, par les descendants de nomades ayant franchi le détroit de Béring à la fin de l'ère glaciaire.

En outre, les explorations de John Cabot, puis celles de Jacques Cartier, ne sont pas les tout premiers contacts des Européens avec cette partie de l'Amérique septentrionale. Selon la tradition, dès la fin du Vᵉ siècle de notre ère, le moine irlandais Brendan le Navigateur, à la recherche de nouvelles terres à christianiser, aurait franchi l'Atlantique et mis les pieds sur l'île de Terre-Neuve.

Les premiers Européens dont nous avons la preuve qu'ils ont séjourné dans la région sont toutefois les Vikings, qui, vers l'an 1000, se servaient de l'île de Terre-Neuve comme base de leur exploration de la côte est du continent. Le «camp de Leif», à l'Anse aux Meadows (Terre-Neuve-et-Labrador), est d'ailleurs le plus ancien site européen mis au jour en Amérique.

Par la suite, au XVe siècle, les pêcheurs basques sont venus en grand nombre pêcher la morue dans les bancs de Terre-Neuve et chasser la baleine dans le détroit de Belle-Isle. Les voyages de Cabot et de Cartier n'en demeurent pas moins des épisodes historiques déterminants, car ils seront le prélude à des efforts de colonisation européenne de la région et du reste de l'Amérique du Nord.

John Cabot (né Giovanni Caboto), après avoir trouvé des appuis financiers en Angleterre, quitte Bristol en 1497. Cabot est alors à la recherche d'une route qui le mènera directement vers les richesses de l'Orient. Il aborde, le 24 juin 1497, la côte atlantique de l'Amérique du Nord, fort probablement dans la partie nord de l'île de Terre-Neuve, puis retourne en Angleterre.

Son voyage ne sera pas vain puisqu'il contribuera à mieux faire connaître une grande richesse de cette partie du monde: les inépuisables bancs de morues au large des côtes nord du Nouveau Monde. À partir de ce moment, les pêcheurs anglais, français, basques, portugais et espagnols quittent en plus grand nombre que jamais les ports d'Europe pour venir pêcher la morue au large de l'île de Terre-Neuve et de la Nouvelle-Écosse.

En 1534, c'est au tour du navigateur breton Jacques Cartier de lancer la première de ses trois expéditions en Amérique du Nord. Cartier est alors chargé par François Ier, roi de France, de trouver de l'or et un passage vers l'Asie. Il ne trouvera ni l'un ni l'autre. Ces expéditions lui permettent toutefois de découvrir les côtes d'un vaste territoire.

Dès son premier voyage, Cartier explore le littoral des provinces atlantiques, longeant la pointe ouest de l'Île-du-Prince-Édouard et s'arrêtant à l'embouchure de la rivière Miramichi, au Nouveau-Brunswick. Plus loin, dans la baie des Chaleurs, au Québec, Cartier rencontre des Amérindiens et échange avec eux. À cet endroit, il élève une croix, prenant ainsi possession, de façon symbolique, de ce territoire au nom du roi de France.

Les Amérindiens rencontrés par Jacques Cartier dans la baie des Chaleurs sont de la nation micmaque. Les Micmacs (Mi'gmaq) occupent non seulement cette région, mais aussi, et surtout, toutes les provinces maritimes, soit la Nouvelle-Écosse, le Nouveau-Brunswick et l'Île-du-Prince-Édouard, qu'ils partagent avec une autre nation autochtone, les Malécites (Welustuk).

Micmacs et Malécites sont de culture algonquine, et leurs ancêtres directs se sont établis dans cette région il y a environ 2 500 ans. En été, ils habitaient le long des côtes en groupes assez importants et vivaient principalement de la pêche. Lorsque arrivait l'hiver, ils quittaient les côtes et s'enfonçaient dans les forêts pour chasser le gibier.

L'île de Terre-Neuve fut, quant à elle, peuplée dès le IIe siècle de notre ère par les Béothuks, dont le mode de vie s'apparentait à celui des Micmacs et des Malécites. Pour ces premiers habitants, l'arrivée des explorateurs, puis des pêcheurs européens, mènera à un bouleversement considérable de leur mode de vie traditionnel.

À partir de la seconde moitié du XVIe siècle, les échanges entre Européens et Amérindiens s'intensifient dans cette région, alors qu'en Europe la mode des vêtements de fourrure crée un marché extrêmement lucratif. Plusieurs pêcheurs européens répondent alors à la demande et deviennent commerçants, échangeant contre leurs fourrures surtout des outils de métal.

Les Micmacs et les Malécites, qui vivent près des côtes, sont les plus favorisés par ce commerce. Mais ils sont aussi les plus rapidement touchés par les maladies transmises par les Européens, que leur système immunitaire ne peut combattre. Ces maladies auront tôt fait de provoquer une hécatombe chez ces Amérindiens. Les Béothuks de Terre-Neuve ont pour leur part tenté d'éviter le contact avec les Européens. Il n'y eu, chez les Béothuks, ni commerce de fourrure ni conversion de masse au christianisme. Les conflits territoriaux avec les Européens qui menèrent ces pêcheurs et chasseurs de phoque de plus en plus loin de la côte et de leurs principales ressources alimentaires sont grandement responsables de la disparition des Béothuks, que les Européens avaient surnommés «Peaux-Rouges» parce qu'ils se peignaient d'ocre rouge, expression qui a été employée plus tard pour décrire les Autochtones d'Amérique.

Dans les Maritimes (N.-B., N.-É. et Î.-P.-É.), on évalue que les Micmacs n'étaient plus que 3 500 vers l'an 1600. Un siècle plus tôt, avant les premiers contacts avec les Européens, ils étaient 10 fois plus nombreux.

■ La colonisation de l'ancienne Acadie

Le développement des pêcheries amène les Européens à établir des postes de séchage et de salaison sur les côtes de l'île de Terre-Neuve. Dès 1558, les Anglais fondent un premier poste à Trinity, sur la péninsule de Bonavista, et prennent officiellement possession du port de St. John's en 1583. Les Français s'établiront également sur les côtes de l'île de Terre-Neuve, pour servir d'appui à leurs activités de pêche saisonnière.

La traite des fourrures avec les fournisseurs amérindiens nécessite cependant une présence permanente des Européens sur le continent. Les efforts pour établir des postes le long des côtes de cette partie de l'Amérique du Nord sont surtout déployés par la France.

Quelques tentatives infructueuses sont lancées, notamment celles de l'île de Sable, au large de la Nouvelle-Écosse, et de Tadoussac, au Québec. Puis, en 1604, une année après que le roi de France, Henri IV, lui en eut donné l'autorisation, Pierre Dugua, sieur de Mons, fonde la première véritable colonie française en Amérique du Nord. On la désigne du nom d'«Acadie», un terme venant vraisemblablement d'une déformation du mot «Arcadie» (région de la Grèce antique) que l'explorateur Verrazano avait déjà utilisé pour dénommer la côte atlantique de l'Amérique du Nord.

C'est en mars 1604 que de Mons quitte le port du Havre, en France, pour l'Acadie, amenant avec lui environ 80 hommes, dont Samuel de Champlain, qui fondera quelques années plus tard l'établissement de Québec.

Comme premier emplacement pour passer l'hiver, de Mons et ses hommes choisissent la petite île Sainte-Croix, à l'embouchure de la rivière Sainte-Croix (aujourd'hui dans l'État du Maine), dans la baie de Fundy. Ce site s'avère inapproprié, car, lorsque l'hiver arrive, il devient impossible de franchir le détroit qui la sépare du continent pour aller chasser, couper du bois de chauffage ou trouver de l'eau potable. Des premiers colons, au moins 35 ne survivront pas jusqu'au printemps suivant. Dès le dégel des glaces, les survivants quittent en hâte les lieux pour trouver ailleurs un nouveau site de colonisation. Ils traversent alors la baie de Fundy et s'installent à l'embouchure de la rivière Annapolis, fondant l'établissement de Port-Royal (aujourd'hui en Nouvelle-Écosse).

Le site est pourvu d'un port naturel sécuritaire. Il a aussi l'avantage d'occuper les terres d'une tribu micmaque très réceptive à la présence des Français. Le chef Membertou est favorable au commerce avec la France, y voyant une excellente occasion d'accroître la puissance de sa tribu en servant d'intermédiaire commercial entre ces Européens et les autres tribus et nations amérindiennes.

Très tôt, des relations personnelles très étroites se tissent entre Membertou et l'un des principaux officiers de la colonie, le baron Jean de Biencourt de Poutrincourt. Sans l'assistance directe de cette tribu micmaque, Port-Royal n'aurait probablement jamais pu voir le jour.

En France, cependant, les efforts déployés par de Mons n'impressionnent guère Henri IV, qui, au printemps de 1607, annule le monopole de la traite des fourrures qu'il lui avait accordé. Ce décret du roi amène l'abandon provisoire de Port-Royal, qui renaîtra quelque temps après, principalement grâce aux efforts du baron de Poutrincourt.

Pour relancer la colonisation de Port-Royal, de Poutrincourt a choisi de s'allier à de riches catholiques français en leur promettant de travailler à la christianisation des Amérindiens. En 1610, il quitte le port de Dieppe, en France, accompagné du prêtre Jessé Flesché et d'une vingtaine d'hommes.

Arrivé à Port-Royal en juin, il retrouve presque intact l'habitation abandonnée trois ans plus tôt. Dans un effort pour satisfaire les alliés catholiques du baron de Poutrincourt, Jessé Flesché baptise une vingtaine de Micmacs, dont Membertou, qui se prêtent assez facilement à cette conversion, n'y voyant, semble-t-il, qu'un ajout à leurs croyances religieuses traditionnelles.

Par contre, en France, on accueille ces conversions avec enthousiasme, si bien que l'année suivante les missionnaires jésuites Pierre Biard et Edmond Massé, ainsi qu'une quarantaine d'hommes, viennent renforcer la colonie de Port-Royal.

■ Les conquérants britanniques

Le maintien d'une présence française dans cette partie de la côte de l'Atlantique Nord ne sera jamais chose facile. Sa situation géographique, isolée de la France et de la Nouvelle-France, la rend particulièrement vulnérable aux attaques de la Grande-Bretagne et de ses colonies, qui commencent à voir le jour plus au sud. Dès 1613, un aventurier de la Virginie, Samuel Argall, s'empare de Port-Royal et en chasse la plupart des colons. Ce n'est qu'en 1632, avec le traité de Saint-Germain-en-Laye, que la France peut récupérer l'Acadie.

Cet épisode ne devait être que le premier d'une longue série où les Acadiens furent maintes fois les premières victimes de la rivalité des empires français et britannique. L'Acadie passe ainsi de nouveau aux mains des Britanniques en 1654, puis redevient française en 1667 grâce au traité de Breda. La Grande-Bretagne reprend l'Acadie une nouvelle fois en 1690 à la suite de l'attaque navale menée par le général Phips. Puis, l'Acadie retourne à la France en 1697 avec le traité de Ryswick. Enfin, en 1710, elle tombe définitivement entre les mains des Britanniques. Son statut de colonie britannique sera confirmé en 1713 par le traité d'Utrecht.

Pendant toute cette période, la petite colonie continue néanmoins à croître. La plupart de ses premiers colons, arrivés dans les années 1630, 1640 et 1670, sont originaires du sud de la Loire, principalement du Poitou. La société acadienne devient très tôt autosuffisante, pratiquant autant l'agriculture, l'élevage, la pêche et la chasse que la traite et le commerce.

Si, au début, ils restent confinés dans la région immédiate de Port-Royal, à partir des années 1670 et 1680, les Acadiens, attirés par d'excellentes terres, construisent de nouveaux établissements sur le pourtour de la baie de Fundy, dont le plus important est Grand-Pré, sur le bassin Minas. Le succès des agriculteurs acadiens tient à ce qu'ils ont réussi à développer d'ingénieux systèmes de digues et d'aboiteaux qui permettent d'assécher d'excellentes terres en les protégeant des marées de la baie de Fundy.

■ Le traité d'Utrecht de 1713

Par le traité d'Utrecht de 1713, l'Acadie passe définitivement sous la coupe de la Grande-Bretagne. Cette perte, combinée à celle du port de Plaisance à Terre-Neuve et du contrôle de la baie d'Hudson, ébranle considérablement les positions de la France en Amérique du Nord.

Pour faire contrepoids à cette présence de la Grande-Bretagne sur la côte atlantique, les autorités françaises décident alors de mettre en valeur l'île Saint-Jean (Î.-P.-É.) et

Portrait - Histoire

l'île Royale (île du Cap-Breton), qui sont toujours en leur possession. La première ne sera qu'une colonie de peuplement vouée à l'agriculture, mais, dans l'île Royale, la France érigera le plus important système de fortifications de son empire en Amérique: Louisbourg, une ville fortifiée qui, à son apogée, comptera plus de 10 000 habitants.

Quant aux Acadiens, le bras de fer auquel se livrent la Grande-Bretagne et la France pour le contrôle de l'Amérique du Nord les place dans une situation délicate. D'origine française, ils subissent de plus en plus de pression de la part des autorités coloniales désireuses de leur faire prêter un serment d'allégeance inconditionnel à la Grande-Bretagne.

Les leaders acadiens sont prêts à accepter l'autorité britannique, mais à la condition de pouvoir rester neutres dans l'éventualité d'un conflit opposant les deux puissances coloniales. Le gouverneur britannique Philips (1729-1731) accepte cette neutralité des Acadiens. La vie continue, et sous le Régime britannique la population acadienne passe d'environ 2 500 habitants en 1713 à quelque 14 000 en 1755.

Pendant toute cette première moitié du XVIIIe siècle, la tension reste néanmoins vive entre les deux puissances coloniales, et l'on sait qu'un affrontement décisif pour le contrôle de l'Amérique du Nord est imminent. En 1745, des troupes venues de la Nouvelle-Angleterre frappent un grand coup par l'étonnante et rapide conquête de la forteresse de Louisbourg, dans l'île Royale. Mais au grand désenchantement des colons britanniques, Louisbourg est rendue à la France trois ans plus tard à la suite du traité d'Aix-la-Chapelle.

■ Le Grand Dérangement

En 1749, afin de raffermir leur emprise sur la Nouvelle-Écosse (l'ancienne Acadie), toujours peuplée par une majorité acadienne, 2 500 militaires britanniques débarquent sur la côte atlantique et construisent la citadelle d'Halifax.

De leur côté, les Français accélèrent leur préparation de guerre en érigeant le fort Beauséjour (N.-B.) sur l'isthme de Chignecto en 1750. La réplique britannique a lieu l'année suivante par la construction de Fort Lawrence, à seulement 3 km à l'est du fort Beauséjour.

Dans ce contexte, la neutralité des Acadiens devient un facteur de plus en plus irritant pour les autorités britanniques. On craint qu'ils ne viennent en aide à la France d'une façon ou d'une autre dans l'éventualité d'un conflit. En 1755, le Conseil législatif de la Nouvelle-Écosse, présidé par Charles Lawrence, décide de régler la question définitivement: on ordonne que soient déportés tous les Acadiens.

De 1755 jusqu'en 1762, la plupart des villages acadiens sont détruits, les maisons et les églises incendiées, et le bétail est confisqué. Environ la moitié des 14 000 Acadiens est mise à bord de bateaux et déportée vers les ports de la Côte Est américaine, de l'Angleterre ou de la France. Les autres parviennent à fuir et à trouver refuge dans les bois.

■ Le traité de Paris de 1763

Lorsque la guerre franco-britannique se termine par la signature du traité de Paris en 1763, l'ancienne Acadie n'existe déjà plus.

Par ce traité de Paris, la France cède à la Grande-Bretagne la Nouvelle-France et ses autres possessions en Amérique du Nord, dont l'île Saint-Jean et l'île Royale. La France ne gardera de son empire en Amérique du Nord que les deux petites îles de Saint-Pierre et Miquelon ainsi que des droits de pêche sur les côtes de Terre-Neuve.

La Déportation a dispersé les Acadiens et, dans bien des cas, a divisé des familles. Plusieurs iront élire domicile sur la côte est et nord-est du Nouveau-Brunswick, qui rassemble aujourd'hui la plus forte proportion d'Acadiens dans les Maritimes. D'autres prendront racine ailleurs dans les provinces atlantiques, au Québec, en Louisiane, où ils seront les ancêtres des Cajuns, et ailleurs en Amérique ou en Europe.

L'ancienne Acadie venait de disparaître à tout jamais. Il faudra plus d'un siècle aux Acadiens des Maritimes pour se doter à nouveau d'institutions communes.

■ L'arrivée des loyalistes

Après les guerres franco-britanniques pour le contrôle de l'Amérique du Nord, un autre conflit aura des répercussions importantes sur les provinces maritimes. La guerre de l'Indépendance américaine (1775-1783), à son début tout au moins, est une véritable guerre civile opposant deux factions rivales: d'un côté les tenants de l'indépendance, de l'autre les loyalistes désirant conserver leurs liens coloniaux avec la Grande-Bretagne. De ces loyalistes, plus de 350 000 prennent part directement au conflit en s'engageant aux côtés de la Grande-Bretagne.

En 1783, après un long conflit déchirant, les forces britanniques doivent s'avouer vaincues. La défaite aux mains des forces révolutionnaires américaines pousse environ 100 000 loyalistes à quitter les États-Unis pour aller chercher refuge ailleurs. De ce nombre, environ 35 000 vont choisir les Maritimes comme nouvelle terre d'accueil.

En l'espace de quelques mois, cette arrivée massive de nouveaux colons sur un territoire qui ne compte alors pas plus de 20 000 habitants a des répercussions qui se font ressentir presque partout. Les principaux ports d'entrée des loyalistes sont alors Shelburne, sur la côte atlantique de la Nouvelle-Écosse, et l'embouchure du fleuve Saint-Jean, dans la baie de Fundy.

■ Les loyalistes s'organisent

Shelburne devient alors soudainement l'une des villes les plus peuplées d'Amérique du Nord avec environ 9 000 habitants. L'embouchure du fleuve Saint-Jean, au Nouveau-Brunswick, voit passer plus de 14 000 loyalistes, dont la plupart remontent le fleuve pour aller s'installer sur les terres très fertiles de la vallée. Certains autres ports sont également pris d'assaut par bon nombre de loyalistes, entre autres St. Andrews, St. Stephen, Annapolis Royal et Halifax.

L'impact sur la vie économique et politique de l'arrivée des loyalistes varie d'une région à l'autre, selon la proportion démographique qu'ils représentent. Par exemple, les quelques centaines de loyalistes qui choisissent l'île Saint-Jean (baptisée Île-du-Prince-Édouard en 1798) et l'île du Cap-Breton se fondent rapidement à la population déjà résidante et ne provoquent que très peu de changements. À l'opposé, au Nouveau-Brunswick, les loyalistes représentent plus des trois quarts de la population et vont rapidement investir les postes de pouvoir politique et économique.

En Nouvelle-Écosse, où ils forment environ la moitié de la population, leur intégration cause certaines frictions, dans les premières années tout au moins. Quoi qu'il en soit, l'arrivée des loyalistes est un moment charnière dans l'histoire des provinces atlantiques. Elle transforme radicalement la réalité locale, ne serait-ce que par le bond démographique qu'elle provoque.

■ L'âge d'or

Les provinces atlantiques connaissent pendant la première moitié du XIXe siècle une période de croissance économique et démographique remarquable. La croissance naturelle de même qu'un apport migratoire substantiel, en provenance surtout des îles Britanniques, ont permis à la population de la région de se multiplier par plus de 10 en moins d'un siècle. Ce bond démographique est soutenu par une excellente croissance de l'activité économique reposant, en bonne partie, sur la capacité d'exportation des produits régionaux.

Plusieurs personnes y trouvent leur compte, mais les marchands, armateurs ou constructeurs de navires sont particulièrement en bonne position pour amasser des fortunes colossales. On trouve des marchés à l'étranger pour bon nombre de produits, que ce soit les produits agricoles de l'Île-du-Prince-Édouard ou le minerai de charbon du Cap-Breton et de l'isthme de Chignecto, les billes de bois de la région de la rivière Miramichi ou encore les produits de la pêche de la Nouvelle-Écosse et de Terre-Neuve.

Ces exportations sont rendues possibles par l'importante flotte de la marine marchande des provinces atlantiques, qui sillonne toutes les mers du monde. Les villes et villages du littoral comptent, dans bien des cas, plusieurs chantiers navals. Les provinces atlantiques traversent alors une période exaltante.

■ Le déclin

La seconde moitié du XIXe siècle est toutefois moins prospère pour la région, qui vit un graduel ralentissement de ses activités économiques. Si plusieurs phénomènes en sont à l'origine, le développement de nouvelles technologies dans le secteur du transport en est certainement un élément important. C'est à cette époque que les bateaux à vapeur commencent à offrir une concurrence impitoyable à la flotte des navires traditionnels, qui étaient jusqu'alors l'un des joyaux de l'économie régionale.

Cette même époque est aussi marquée par le développement du chemin de fer, un nouveau réseau de transport très efficace dans lequel les provinces atlantiques ne jouent qu'un rôle de second plan. Cette marginalisation de l'économie des provinces atlantiques et de ses pouvoirs politiques sera accentuée par la Confédération canadienne de 1867, à laquelle adhèrent dès le début, malgré la controverse, la Nouvelle-Écosse et le Nouveau-Brunswick, suivies de l'Île-du-Prince-Édouard en 1873. Terre-Neuve, incluant le Labrador, ne se joindra à la Confédération qu'en 1949.

La Confédération aura tôt fait de créer un grand marché intérieur s'étendant de l'Atlantique au Pacifique, lequel favorisera les régions centrales qui serviront de carrefour au système de transport et de communication pour l'ensemble du Canada. Le pouvoir politique des provinces atlantiques sera ainsi largement diminué par la Confédération canadienne, alors que leur économie sera de plus en plus sous le joug des provinces centrales.

■ Le XXe siècle

Le XXe siècle a été marqué par certaines pointes de croissance économique, notamment lors des deux guerres mondiales, pendant lesquelles la région a été amenée à jouer un rôle important. C'est principalement de la ville d'Halifax que partaient les convois militaires transportant les troupes canadiennes jusqu'en Europe. Halifax a d'ailleurs toujours conservé son rôle de principal port d'attache de l'est du pays pour la Marine canadienne.

L'île de Terre-Neuve a, quant à elle, largement été utilisée comme base des forces alliées pour la défense aérienne et navale de l'Atlantique Nord. L'entre-deux-guerres a cependant été beaucoup plus difficile pour les provinces atlantiques. La grande dépression des années 1930 a frappé de plein fouet leur économie, et ce, peut-être plus durement qu'ailleurs au Canada en raison de la grande dépendance de la région envers les décideurs du Canada central.

Les Béothuks

Avant l'arrivée des colons européens, l'île de Terre-Neuve est peuplée d'Amérindiens, les Béothuks, venus s'y installer autour de l'an 200 apr. J.-C. Cette famille linguistique disparaît malheureusement au début du XIXe siècle. Ce sont d'abord les maladies apportées par les Européens qui les affaiblissent. Puis, repoussés de leurs terres ancestrales par l'arrivée des Micmacs, eux-même repoussés par les colons européens, les Béothuks n'ont plus qu'un accès limité à la mer, d'où ils tirent leur subsistance. Peu à peu, les Béothuks s'éteignent; Shaw-nawdithit, la dernière représentante de ce peuple, meurt de tuberculose en 1829, emportant avec elle leurs derniers secrets.

L'événement politique le plus marquant de l'après-guerre est survenu au Nouveau-Brunswick dans les années 1960 et 1970, avec la promotion des droits et de la condition économique des Acadiens. En 1968, le gouvernement provincial adopte la Loi sur les langues officielles du Nouveau-Brunswick. Sous cette loi, les services publics doivent désormais être offerts en français comme en anglais. Ces efforts du gouvernement auront des effets concrets, les Acadiens étant aujourd'hui des acteurs économiques très dynamiques.

Mais dans la dernière décennie du XXe siècle, l'actualité aura surtout été marquée par les difficultés éprouvées par certains secteurs traditionnels et importants de l'économie régionale. Ce fut particulièrement le cas des pêcheries, qui ont été durement touchées par une mauvaise gestion de la ressource, ce qui amena même les pouvoirs publics à décréter un moratoire sur la pêche de certaines espèces dont la morue.

L'économie régionale en a été fortement affectée, en particulier à Terre-Neuve-et-Labrador, qui est très dépendante des pêches. Les provinces atlantiques ont réagi en poursuivant leurs efforts pour diversifier leur économie par le développement de nouvelles expertises.

Politique et économie

■ Le Nouveau-Brunswick

Du point de vue politique, ce qui distingue le plus le Nouveau-Brunswick (en anglais, *New Brunswick*) des autres provinces atlantiques est la Loi sur les langues officielles, qui en fait la seule province canadienne officiellement bilingue.

Les services gouvernementaux y sont donc présentés dans les deux langues, l'anglais comme le français, les francophones représentant environ 33% de la population totale de la province. Cette loi et, de façon générale, la promotion de l'égalité pour les Acadiens ont été constamment soutenues par les gouvernements provinciaux depuis les années 1960.

L'économie du Nouveau-Brunswick gravite autour des secteurs des produits forestiers, des industries pétrolières, de l'agriculture, de la pêche, des mines et du tourisme.

Grâce au système téléphonique très efficace de la province et à la qualité de la main-d'œuvre, le Nouveau-Brunswick a pu attirer les centrales téléphoniques de plusieurs grandes entreprises. Au cours des récentes années, on constate également dans cette province le nouveau dynamisme entrepreneurial des Acadiens. Shawn Graham, du Parti libéral, est l'actuel premier ministre de la province.

■ La Nouvelle-Écosse

La Nouvelle-Écosse (en anglais, *Nova Scotia*) s'avère la plus prospère des provinces atlantiques et présente l'économie la plus diversifiée. Sa capitale, Halifax, est le principal port de mer de la région ainsi que son plus important centre financier et commercial. Halifax constitue également le principal port d'attache de la Marine canadienne.

La pêche, les industries minières et la construction de navires, qui ont longtemps été des secteurs importants de l'économie locale, ne représentent plus qu'une portion congrue du produit intérieur brut de la Nouvelle-Écosse. Ce sont désormais les secteurs des services et des produits manufacturés qui prédominent. Le premier ministre actuel est Rodney Joseph MacDonald, du Parti conservateur.

■ L'Île-du-Prince-Édouard

L'industrialisation de l'Île-du-Prince-Édouard (en anglais, *Prince Edward Island*) n'a commencé qu'avec la fin de la Seconde Guerre mondiale. Loin des grands centres, et coupée des principaux réseaux de transport, l'île a toujours éprouvé des difficultés à développer un secteur manufacturier fort. Mais depuis 1997, le pont de la Confédération relie l'île au Nouveau-Brunswick, ce qui a résolu en partie ces problèmes.

Actuellement, une portion importante de l'économie réside dans le secteur des services, de l'agriculture, surtout de la culture des pommes de terre, de la pêche et du tourisme. Le premier ministre de l'île est Robert W.J. Ghiz, du Parti libéral.

■ Terre-Neuve-et-Labrador

L'économie de Terre-Neuve-et-Labrador (en anglais, *Newfoundland and Labrador*), toujours largement tributaire des pêcheries, a été durement secouée au cours des dernières années lorsqu'un moratoire sur la pêche à la morue a dû être imposé. Après des années de pêche industrielle, les stocks de morue des bancs de Terre-Neuve avaient alors été pratiquement épuisés. Les Terre-Neuviens sont très frustrés de cette situation, car ils peuvent difficilement contrôler la pêche dans les bancs de Terre-Neuve, qui se trouvent à la fois dans les eaux canadiennes et internationales.

Outre la pêche, la province compte également une importante industrie de coupe et de transformation du bois, ainsi que l'une des plus grandes mines de fer au monde, située au Labrador. On a également commencé à mettre à profit les impétueuses rivières du Labrador en créant d'immenses barrages hydroélectriques.

Par ailleurs, les Terre-Neuviens comptent beaucoup sur l'exploitation d'un gisement de pétrole situé en haute mer, à plus de 300 km de l'île. La plateforme de forage Hibernia, la plus lourde jamais construite, exploite ce gisement de plus de 600 millions de barils de pétrole. La province est actuellement dirigée par le premier ministre Danny Williams, du Parti conservateur.

Architecture

Poussées par des vents favorables, quelques barques vikings parviennent sur les côtes de Terre-Neuve dès l'an 1000 de notre ère. Les solides gaillards aux épaisses moustaches blondes qui en débarquent érigent bientôt un véritable village près de la plage. Leurs maisons, faites de pierre et de bois, sont recouvertes d'une toiture formée d'une épaisse couche de terre sur laquelle pousse un tapis d'herbe folle.

Vers 1960, un explorateur norvégien découvre les ruines de ce village alors considéré comme un ancien campement amérindien. Au cours des années 1970, les archéologues de Parcs Canada ont mené des fouilles et dévoilé quelques bâtiments et objets-clés confirmant l'établissement d'un village viking sur le site. Aujourd'hui protégé en tant que lieu national historique du Canada et patrimoine mondial de l'UNESCO, L'Anse aux Meadows attire les visiteurs du monde entier. Par cette découverte, les provinces atlantiques peuvent donc, à juste titre, s'enorgueillir de posséder le plus ancien établissement européen de toute l'Amérique.

À la même époque, l'hinterland terre-neuvien est occupé par des Amérindiens et des Inuits chez qui l'on retrouvera d'ailleurs des objets en fer ayant appartenu aux Vikings. Plusieurs nations, tels les Béothuks, premiers habitants de Terre-Neuve, vivent alors de la chasse et de la pêche. Elles se déplacent d'une région à l'autre selon les saisons et selon la disponibilité de la nourriture. Ces Autochtones reconstruisent donc régulièrement leur campement nomade. Ils utilisent des matériaux légers, comme des branchages et de l'écorce de bouleau, pour former des tentes appelées «wigwams».

Quant à eux, les Inuits du Labrador vivent en hiver dans des igloos en forme de dôme faits de glace et de neige, et en été dans des tentes recouvertes de peaux. Ces habitations traditionnelles sont l'objet de reconstitutions épisodiques lors de festivals folkloriques.

Au XIXe siècle, les Amérindiens ont été sédentarisés par les missionnaires. Ils vivent maintenant à l'occidentale, dans de petites maisons de bois recouvertes d'aluminium. Celles-ci sont regroupées dans des villages aménagés dans des réserves fédérales. Seuls les Inuits se logent et se déplacent encore en partie comme autrefois.

Après le départ des Vikings, il faudra attendre plus de 500 ans avant que les Européens n'érigent de nouveaux établissements en Amérique. Pendant que les Espagnols et les Portugais s'installent au sud, les pêcheurs basques et français ouvrent des comptoirs sur les côtes de l'île de Terre-Neuve, ainsi que dans la vallée du fleuve Saint-Laurent.

Les quelques vestiges qui subsistent de leur passage annuel, pendant la belle saison, sont minces et peu mis en valeur. Ce n'est qu'en 1605, avec la fondation de la colonie de Port-Royal, que l'on voit apparaître dans les provinces atlantiques une architecture de nature permanente.

L'Habitation de Port-Royal a fait l'objet d'une reconstitution fort intéressante (Annapolis Royal, Nouvelle-Écosse). Ses corps de logis, aux murs constitués de troncs d'arbres équarris, sont regroupés sur le pourtour d'une cour au centre de laquelle se trouve le puits d'eau potable.

Les bâtiments disposent de peu d'ouvertures et sont regroupés afin de combattre le froid, le vent du large et de possibles incursions amérindiennes ou britanniques. Leurs hautes toitures à croupes revêtues de planches et leurs cheminées massives faites de gros cailloux ramassés dans les champs environnants en font des structures de tradition médiévale.

Une palissade de pieux délimite une partie du site, permettant de s'avancer hors de la cour centrale pour voir venir l'ennemi tout en demeurant bien protégé. Les paysans qui cultivent la terre dans les alentours vivent dans des masures aux murs de pieux ancrés directement au sol, donc sans fondations. La cheminée unique, seule portion maçonnée de ces structures, en occupe le centre.

Le XVIIIe siècle verra l'apparition d'une architecture beaucoup plus substantielle. La France, qui a perdu une partie de l'Acadie aux mains des Britanniques en 1713, renforce ses positions dans ce qui lui reste du territoire côtier. Quant aux nouveaux propriétaires britanniques de l'Acadie, ils ont tôt fait de mettre les lieux en valeur en fondant de nombreux villages. Ils s'assurent ainsi de l'irréversibilité de leur statut.

Les Français érigent la forteresse de Louisbourg à l'entrée du golfe du Saint-Laurent. Bien plus qu'un simple fort, Louisbourg est une véritable ville fortifiée dotée d'un havre important. Les travaux de construction sont entrepris sous la Régence et se poursuivent jusqu'en 1745. Au total, le Trésor royal investira plus de trois millions de livres dans ce projet, le plus important jamais entrepris en Nouvelle-France.

À son apogée, en 1745, la ville compte quelque 10 000 habitants, soit 2 000 de plus que Québec, qui est pourtant la capitale de la colonie française. Une enceinte bastionnée à la Vauban, percée de portes au décor baroque en pierres taillées, enserre l'agglomération où se blottissent non seulement plusieurs habitations en colombage maçonné, mais aussi quelques bâtiments plus prestigieux, telle la caserne du bastion du Roi, un long rectangle de moellons et de briques françaises d'esprit Louis XV.

Louisbourg sera malheureusement rasée par l'armée anglaise lors de la guerre de Sept Ans. Des fouilles archéologiques, entreprises en 1960, permettront de reconstituer une partie de la forteresse, maintenant ouverte aux visiteurs.

Pour faire contrepoids à Louisbourg, les Britanniques fondent Halifax en 1749. Dès ses premières années d'existence, ce sont ses bâtiments civils qui impressionnent, bien davantage que ses maigres fortifications, traduisant de la sorte l'assurance et la force des colonies anglaises qui ne craignent pas les fragiles flottilles venues de France.

Plusieurs églises georgiennes en bois, peintes en blanc, semblables à celles qui parsèment déjà la Nouvelle-Angleterre, dominent le paysage. Leur simplicité n'a d'égal que leur élégance. La St. Paul's Anglican Church, construite en 1750, est représentative de cette époque. Quant aux confortables maisons, elles présentent toutes une généreuse fenestration à guillotine, subdivisée en petits carreaux de verre.

L'arrivée massive de loyalistes en 1783 fera doubler la population des territoires maritimes continentaux. Ces nouveaux arrivants d'origine urbaine vont raffiner encore davantage l'architecture locale, notamment en dotant les façades d'un décor palladien en bois sculpté. Les fenêtres palladiennes, avec deux ouvertures rectangulaires encadrant une troisième ouverture cintrée, constituent sans contredit l'élément le plus représentatif de ce style connu aux États-Unis sous le nom de «Federal Style».

Au début du XIXᵉ siècle, la prospérité économique de la région, assortie d'une importance démographique et politique qu'elle a perdue depuis, va encourager la construction de vastes bâtiments publics et gouvernementaux revêtus de pierres de taille. La Province House d'Halifax (N.-É.) et la Government House de Charlottetown (Î.-P.-É.) figurent parmi les plus beaux édifices de cette époque au Canada. Leur décor, digne de Dublin ou d'Édimbourg, allie adroitement les courants georgien, palladien et néoclassique.

Au même moment, la campagne se pare de luxueuses résidences construites pour de riches armateurs et capitaines de navires (Prescott House Museum de Port Williams, Nouvelle-Écosse). Terre-Neuve, isolée dans son coin, fait bande à part. Son territoire, peu propice à l'agriculture, demeure encore largement inhabité. Seuls quelques villages de pêcheurs d'origine irlandaise ponctuent ses côtes rocailleuses. Leurs premières maisons de pierre, coiffées de toitures à deux versants revêtues d'ardoise bleutée, évoquent les habitations des hameaux de la verte Eire.

Après une brève période, au cours de laquelle on assiste à l'éclosion d'une économie diversifiée, l'ensemble des provinces atlantiques se tourne définitivement vers les ressources de la mer à partir de 1830. On voit alors apparaître une architecture vernaculaire qui entretient un rapport étroit avec l'océan Atlantique. Les entrepôts de pêche, à structure de bois recouverte de clins ou de bardeaux de cèdre, se multiplient le long des plages. Ces bâtiments reposent fréquemment sur des pilotis faits de troncs d'arbres fouettés par les vagues à marée haute.

Portrait - Architecture

De nombreux phares, en forme de pyramide tronquée, sont érigés sur les caps afin de mieux contrôler une circulation maritime accrue. Ces hautes tours revêtues de clins de bois peints en blanc ponctuent les côtes, de la frontière américaine jusqu'au sud du Labrador.

Enfin, les combles des maisons se transforment pour recevoir de larges lucarnes en forme de «triptyques» ou de *bow-windows*. À cela, il faut ajouter quelques *widow's walks* (promenades de veuve). Ce dernier élément consiste en une plateforme entourée d'une balustrade que l'on dispose au sommet de la toiture. Grâce à ces transformations, l'occupant de la maison peut mieux observer les allées et venues des bateaux qui se déplacent à l'entrée des ports. Madame saura donc si son capitaine de mari rentrera pour le dîner!

Dans la seconde moitié du XIXe siècle, les villes peuplées d'immigrants britanniques de fraîche date se tournent rapidement vers l'architecture victorienne. Leur affection pour la chère Albion se reflète dans le choix des styles et des architectes. Le style néogothique est privilégié pour l'architecture religieuse, comme en témoigne éloquemment la cathédrale Christ Church de Fredericton (N.-B.), dotée d'arcs en ogive ainsi que d'une haute flèche au transept. Cette œuvre (1853) de l'Anglais Frank Wills, originaire de Salisbury, n'est pas sans rappeler son église éponyme destinée à abriter le siège de l'évêché épiscopalien de Montréal.

Quant à l'Anglican Cathedral of St. John the Baptist, à Terre-Neuve-et-Labrador, elle fait classe à part, ayant été dessinée par le célèbre architecte britannique Sir George Gilbert Scott, qui compte parmi ses nombreuses réalisations l'Albert Memorial et le Foreign Office, tous deux situés à Londres.

Au sein de cet impressionnant palmarès, le style néo-Renaissance n'est pas en reste puisqu'on peut lui associer les corniches débordantes, les bossages variés et les colonnettes de nombre d'édifices commerciaux de Saint John au Nouveau-Brunswick et d'Halifax en Nouvelle-Écosse (Historic Properties).

Le style Second Empire est, quant à lui, employé pour donner un certain chic parisien aux demeures bourgeoises des quartiers riches. Ses toitures mansardées, couronnées de crêtes de fonte ou de fer forgé, sont visibles entre les grands arbres, en bordure des rues paisibles de Fredericton (N.-B.) et de Charlottetown (Î.-P.-É.).

L'influence de l'architecture institutionnelle québécoise de la fin du XIXe siècle est nettement perceptible dans les zones habitées par les Acadiens, soit principalement dans le nord du Nouveau-Brunswick. Les parements de pierres calcaires à bossage des collèges, les clochers argentés des églises et les galeries enveloppantes des presbytères en sont les principales caractéristiques.

Parallèlement, les Néo-Écossais de l'île du Cap-Breton importent une architecture à forte saveur écossaise, faite de parements de grès rouge ou beige, de pignons à redents et de gargouilles fantaisistes.

À mesure que le XIXe siècle progresse, l'architecture américaine gagne du terrain dans les provinces atlantiques. Déjà, les dessins de Downing et de Davis, publiés au milieu du siècle, inspirent plus d'un constructeur. Grâce à ces catalogues, les propriétaires de maisons agrémentent leurs corniches et vérandas d'une charmante dentelle de bois d'inspiration médiévale ou italienne, dans le goût du Midwest américain. Il faut dire que les Maritimes attirent de plus en plus d'estivants des États-Unis, mais également des autres provinces du Canada. Ainsi, on verra se développer, à partir de 1880, une architecture de villégiature qui prend pour modèle celle des stations balnéaires de la Côte Est américaine. St. Andrews au Nouveau-Brunswick et Summerside à l'Île-du-Prince-Édouard en sont les meilleurs exemples. Ces villages se parent soudainement de vastes résidences secondaires en bois de styles Queen Anne, Shingle et Stick, dessinées par des architectes montréalais tels que les frères Edward et William S. Maxwell, ou encore par des architectes locaux comme William Crithlow Harris. Leurs maisons

Portrait - Architecture

aux multiples pignons sont enveloppées de larges vérandas qui se transforment, pendant la belle saison, en autant de pièces supplémentaires de la maison.

Toutefois, le climat rude de Terre-Neuve n'attire pas les estivants. En outre, les habitants de l'île doivent rivaliser d'invention pour trouver des moyens de se protéger à bon compte du froid et du vent. Ils conçoivent des habitations cubiques faciles à construire, sur lesquelles ils appliquent un revêtement de clins de bois multicolores. Ces maisons sont la plupart du temps érigées directement en bordure du trottoir. Leurs murs sont parfois percés de *bow-windows* ou de fenêtres en losange, donnant une saveur bon enfant aux artères sinueuses et pentues de St. John's.

La première moitié du XX\ :sup:`e` siècle s'avère difficile pour l'ensemble des provinces atlantiques. Le développement à grande échelle se fait dorénavant ailleurs au Canada. On voit cependant s'élever quelques bâtiments significatifs qui adoptent les styles néo-Tudor (Algonquin Hotel de St. Andrews, Nouveau-Brunswick), Arts and Crafts (Hydrostone, secteur d'Halifax, Nouvelle-Écosse) et Art déco (Bank of Nova Scotia de l'architecte John M. Lyle, Halifax).

Les investissements massifs de fonds gouvernementaux provinciaux et fédéraux entre 1960 et 1980, associés à un profond malaise face aux succès des grandes villes canadiennes comme Montréal et Toronto, auront pour conséquence la dilapidation d'un patrimoine architectural précieux. Celui-ci sera remplacé par des immeubles modernes insignifiants destinés à abriter les succursales régionales de compagnies dont les intérêts véritables sont ailleurs.

Heureusement, depuis 1980, la tendance semble s'être inversée, les résidants des provinces atlantiques ayant graduellement pris conscience des richesses de leur architecture ancienne. Le mot d'ordre est dorénavant l'intégration au bâti ancien à travers des projets de taille plus modeste. Parmi les projets les plus réussis, mentionnons le Market Square de St. John, au Nouveau-Brunswick, et les Historic Properties d'Halifax, en Nouvelle-Écosse.

Arts et culture

■ Musées et galeries d'art

Plusieurs villes des provinces atlantiques se sont dotées d'institutions muséales prestigieuses qui visent à promouvoir localement l'expression artistique et à offrir une plus large diffusion des arts. Au Nouveau-Brunswick, grâce au mécène Lord Beaverbrook, Fredericton a été pourvue, dès 1958, de la remarquable Galerie d'art Beaverbrook, qui abrite désormais les œuvres de certains des plus grands artistes des provinces atlantiques, d'ailleurs au Canada et de l'étranger. On peut notamment y contempler des œuvres fort impressionnantes de Salvador Dalí.

À Moncton, l'excellente Galerie d'art Louise-et-Reuben-Cohen de l'Université de Moncton présente principalement les œuvres d'artistes acadiens.

On peut voir à la galerie d'art Owens de l'université Mount Allison de Sackville, dans le sud du Nouveau-Brunswick, plusieurs œuvres d'Alex Colville, un peintre de réputation internationale.

À Charlottetown, capitale de l'Île-du-Prince-Édouard, a été inauguré en 1964 le Conferedation Centre for the Arts, un important complexe artistique qui regroupe des salles de spectacle, une bibliothèque publique de même qu'une galerie d'art présentant les œuvres d'artistes locaux ou d'ailleurs, notamment une excellente collection de peintures du célèbre portraitiste Robert Harris.

Fondée à Halifax en 1975, la Nova Scotia Art Gallery est le plus riche musée des beaux-arts des provinces atlantiques. Ses collections de peintures et de sculptures de diverses époques sont réputées mondialement.

■ Musées d'histoire et lieux historiques

On peut revivre les principaux épisodes de l'histoire humaine des provinces atlantiques grâce à un excellent réseau de musées d'histoire et de lieux historiques. Certains des sites les plus impressionnants sont la reconstitution, à L'Anse aux Meadows (T.-N.-L.), d'un camp érigé par les Vikings vers l'an 1000; la reconstitution de l'Habitation de Port-Royal (N.-É.), premier poste permanent français en Amérique du Nord, fondé en 1605; la reconstitution de la forteresse de Louisbourg (île du Cap-Breton, Nouvelle-Écosse), qui, de 1719 à 1758, a été la plus importante ville fortifiée de la Nouvelle-France; le village historique de King's Landing (N.-B.), une formidable reconstitution d'un village loyaliste du début du XIXe siècle, situé sur les berges du fleuve Saint-Jean; le Village historique acadien (N.-B.), qui permet de mieux connaître le mode de vie des Acadiens au cours du XIXe siècle par la visite d'une vingtaine de bâtiments d'époque; et la citadelle d'Halifax (N.-É.), le meilleur témoignage de l'importance stratégique de cette ville au cours des deux derniers siècles.

En outre, plusieurs excellents musées sont consacrés à l'histoire de la pêche ou de la navigation dans la région, dont le Maritime Museum of the Atlantic à Halifax et le Fisheries Museum of the Atlantic à Lunenburg (N.-É.) sont les plus importants.

Par ailleurs, ce qui étonne le plus dans les provinces atlantiques, ce sont les nombreux petits musées consacrés à l'histoire régionale qu'on retrouve même dans de toutes petites bourgades.

■ Théâtre

Au fil des années se sont constituées dans la région quelques excellentes troupes de théâtre professionnelles. Depuis 1969, le Theatre New Brunswick, une troupe de théâtre anglophone de cette province, présente des pièces contemporaines ou classiques au Playhouse, à Fredericton. Les représentations se déroulent principalement au cours des mois d'hiver.

La troupe du Live Bait Theatre de Sackville (N.-B.) monte surtout des pièces d'été, et le Théâtre populaire d'Acadie, à Caraquet (N.-B.), offre un vaste éventail de pièces en français depuis plus de 30 ans.

À Halifax, le Neptune Theatre, la plus ancienne troupe professionnelle du Canada, présente également des pièces classiques ou contemporaines du répertoire canadien ou international.

À Wolfville, en Nouvelle-Écosse, on peut assister, au cours des mois d'été, à d'excellentes représentations offertes par l'Atlantic Theatre Festival, qui s'est taillé une solide réputation au cours des dernières années.

Des pièces de théâtre sont également présentées au cours des mois d'été dans d'autres petites localités, notamment Chester, en Nouvelle-Écosse, ainsi que Victoria et Georgetown, à l'Île-du-Prince-Édouard. Enfin, plusieurs profitent d'une visite à Charlottetown (Î.-P.-É.) pour assister à la pièce *Anne of Green Gables*, tirée du célèbre roman de Lucy M. Montgomery. Depuis maintenant plus de quatre décennies, cette pièce est à l'affiche, chaque été, au Confederation Centre for the Arts.

Portrait – Arts et culture

■ Musique

Les nombreux festivals de musique qui se tiennent au cours des mois d'été dans les différentes régions permettent aux mélomanes d'assister à d'excellentes représentations. Au cours des deux premières semaines du mois de juin, le Scotia Music Festival, qui a lieu dans différents lieux d'Halifax (N.-É.), est le grand rendez-vous des amateurs de musique classique.

Le Festival international de la musique baroque de Lamèque se tient, quant à lui, au cours de la troisième semaine du mois de juillet dans le cadre enchanteur de l'église Sainte-Cécile, sur l'île Lamèque (N.-B.); il offre une excellente programmation.

Les principaux festivals de jazz ont lieu à Edmundston (N.-B.) à la mi-juin et à Fredericton (N.-B.) à la mi-septembre, ainsi qu'à Halifax (N.-É.) à la mi-juillet.

■ Cinéma

La ville d'Halifax (N.-É.) possède une industrie cinématographique en pleine croissance. C'est d'ailleurs dans cette ville qu'a lieu chaque année l'Atlantic Film Festival, la principale manifestation de ce genre dans les provinces atlantiques. Ce festival présente des films canadiens et étrangers.

■ Culture acadienne

Au cours des dernières décennies, l'Acadie, au Nouveau-Brunswick, a connu un foisonnement culturel sans précédent qui s'est exprimé non seulement dans les domaines de la chanson et de la littérature, mais aussi dans les arts visuels et le cinéma. L'expression artistique sous toutes ses formes est depuis les années 1960 la plus grande ambassadrice de l'Acadie à l'étranger.

Parmi les artistes qui se sont fait le plus connaître, il y eut les chansonniers Donat Lacroix, Calixte Duguay, Édith Butler, Angèle Arseneault, Marie-Jo Thério, Wilfred LeBouthillier et Roch Voisine (de la région de Madawaska), le groupe 1755, l'auteure Antonine Maillet, lauréate du prestigieux prix Goncourt en 1979 pour *Pélagie-la-Charrette*, la sculpteure Marie-Hélène Allain, le cinéaste Phil Comeau et Herménégilde Chiasson, un artiste remarquable qui a touché à la fois au cinéma et au théâtre, a écrit de la poésie et des romans et a fait de la peinture. Entre autres choses, la vitalité culturelle des Acadiens a permis l'ouverture de plusieurs galeries d'art et l'émergence du secteur de l'édition, et a donné naissance au Théâtre populaire d'Acadie, à Caraquet, et au Théâtre l'Escaouette, à Moncton.

Au cours de l'été 2009, le Nouveau-Brunswick sera l'hôte du 4e Congrès mondial acadien. Ce formidable rassemblement, tenu dans un lieu différent tous les cinq ans, permet de mettre en valeur les diverses facettes de la culture acadienne moderne.

Renseignements généraux

L'information contenue dans ce chapitre a pour but de vous aider à planifier votre voyage avant votre départ et une fois sur place. Ainsi, il offre une foule de renseignements précieux aux visiteurs venant de l'extérieur quant aux procédures d'entrée au Canada et aux formalités douanières. Il renferme aussi plusieurs indications générales qui pourront vous être utiles lors de vos déplacements. Nous vous souhaitons un excellent voyage dans les provinces atlantiques!

Formalités d'entrée

■ Passeport et visa

Pour la plupart des citoyens des pays de l'Europe de l'Ouest, un passeport valide suffit, et aucun visa n'est requis pour un séjour de moins de trois mois au Canada. Il est possible de demander une prolongation de trois mois (voir ci-dessous). Un billet de retour ainsi qu'une preuve de fonds suffisants pour couvrir le séjour peuvent être requis. Pour connaître la liste des pays dont le Canada exige un visa de séjour, consultez le site Internet de **Citoyenneté et Immigration Canada** *(www.cic. gc.ca)* ou prenez contact avec l'ambassade canadienne la plus proche.

Prolongation du séjour

Il faut adresser sa demande par écrit au moins trois semaines avant l'expiration du visa (date généralement inscrite dans le passeport) à l'un des centres de Citoyenneté et Immigration Canada. Votre passeport valide, un billet de retour, une preuve de fonds suffisants pour couvrir le séjour ainsi que 75$ pour les frais de dossier (non remboursables) vous seront demandés.

Avertissement: dans certains cas (études, travail), la demande doit obligatoirement être faite avant l'arrivée au Canada. Communiquez avec **Citoyenneté et Immigration Canada** *(☎888-242-2100 de l'intérieur du Canada, ☎514-496-1010, 416-973-4444 ou 604-666-2171 de l'extérieur du Canada, www. cic.gc.ca).*

Séjour aux États-Unis

Pour entrer aux États-Unis par avion, les citoyens canadiens ont besoin d'un passeport depuis le 23 janvier 2007. Cependant, et ce, jusqu'au 1er juin 2009, ceux qui y vont par voiture ou par bateau peuvent présenter soit leur passeport ou une pièce d'identité avec photo émise par un gouvernement (par exemple, un permis de conduire) et un certificat de naissance ou une carte de citoyenneté.

Les résidants d'une trentaine de pays dont la France, la Belgique et la Suisse, en voyage de tourisme ou d'affaires, n'ont plus besoin d'être en possession d'un visa pour entrer aux États-Unis à condition de:

• avoir un billet d'avion aller-retour;

• présenter un passeport électronique sauf s'ils possèdent un passeport individuel à lecture optique en cours de validité et émis au plus tard le 25 octobre 2005; à défaut, l'obtention d'un visa sera obligatoire;

• projeter un séjour d'au plus 90 jours (le séjour ne peut être prolongé sur place: le visiteur ne peut changer de statut, accepter un emploi ou étudier);

• présenter des preuves de solvabilité (carte de crédit, chèques de voyage);

• remplir le formulaire de demande d'exemption de visa (formulaire I-94W) remis par la compagnie de transport pendant le vol;

• le visa est toujours nécessaire pour certaines catégories de voyageurs (étudiants ou visa précédemment refusé).

L'ESTA (Electronic System for Travel Authorization) a remplacé le formulaire I-94W à partir du 12 janvier 2009. Il s'agit d'un questionnaire, identique à l'I-94W, à remplir impérativement sur Internet au moins 72h avant un déplacement aux États-Unis afin de recevoir une autorisation de voyage. Information sur la procédure: *www.cbp.gov/esta.*

■ Douane

Si vous apportez des cadeaux à des amis canadiens, n'oubliez pas qu'il existe certaines restrictions.

Pour les **fumeurs** *(au Nouveau-Brunswick, en Nouvelle-Écosse, à l'Île-du-Prince-Édouard et à Terre-Neuve-et-Labrador, l'âge légal pour acheter des produits du tabac est de 19 ans)*, la quantité maximale est de 200 cigarettes, 50 cigares, 200 g de tabac ou 200 bâtonnets de tabac.

Pour les **alcools** *(dans les provinces atlantiques, l'âge légal pour acheter et consommer de l'alcool est de 19 ans)*, le maximum permis est de 1,5 litre de vin (en pratique, on tolère deux bouteilles par personne), 1,14 litre de spiritueux et, pour la bière, 24 canettes ou bouteilles de 355 ml.

Pour de plus amples renseignements sur les lois régissant les douanes canadiennes, contactez l'**Agence des services frontaliers du Canada,** (☎ 800-959-2036 de l'intérieur du Canada, ☎ 204-983-3500 ou 506-636-5067 de l'extérieur du Canada, www.cbsa-asfc.gc.ca).

Il existe des règles très strictes concernant l'importation de **plantes** ou de **fleurs**; aussi est-il préférable, en raison de la sévérité de la réglementation, de ne pas apporter ce genre de cadeau. Si toutefois cela s'avère «indispensable», il est vivement conseillé de s'adresser au service de l'**Agence canadienne d'inspection des aliments** *(www.inspection.gc.ca)* ou à l'ambassade du Canada de son pays **avant** de partir.

Si vous voyagez avec un **animal de compagnie**, il vous sera demandé un certificat de santé (document fourni par un vétérinaire) ainsi qu'un certificat de vaccination contre la rage. La vaccination de l'animal devra avoir été faite **au moins 30 jours avant** votre départ et ne devra pas être plus ancienne qu'un an.

Accès et déplacements

■ En avion

Aéroports

Il existe plusieurs aéroports internationaux dans les provinces atlantiques. Pour de plus amples renseignements sur chacun d'entre eux, référez-vous à la section «Accès et déplacements», au début de chaque chapitre.

Vols intérieurs

Certaines compagnies aériennes assurent des liaisons entre les différentes provinces canadiennes. C'est le cas d'Air Canada, qui dessert les principales villes canadiennes à partir de Toronto ou de Montréal. D'autres compagnies se spécialisent dans les liaisons régionales.

■ En voiture

Le **permis de conduire** des pays d'Europe de l'Ouest est valide tant au Canada qu'aux États-Unis. Tandis que le voyageur américain n'aura aucune difficulté à s'habituer au Code de la sécurité routière au Canada, il n'en sera pas de même pour le visiteur européen. En effet, le Code de la sécurité routière est sensiblement différent entre les deux continents et nécessite quelques adaptations pour l'automobiliste du Vieux Continent.

L'hiver: bien que les routes soient en général très bien dégagées, il faut tout de même considérer les dangers que peuvent entraîner les conditions climatiques, en particulier la chaussée glissante et la visibilité réduite.

Le Code de la sécurité routière: il n'y a pas de priorité à droite. Ce sont les panneaux de signalisation qui indiquent, à chaque intersection, la priorité. Les panneaux marqués «ARRÊT» ou «STOP» sur fond rouge sont à respecter scrupuleusement! Il faut que vous marquiez l'arrêt complet même s'il vous semble n'y avoir aucun danger apparent.

Les feux de signalisation: ils sont le plus souvent situés de l'autre côté de l'intersection. Donc, faites attention où vous marquez l'arrêt.

Virage à droite au feu rouge: dans toutes les provinces canadiennes, sauf sur l'île de Montréal, au Québec, il est permis de tourner à droite au feu rouge, lorsque la voie est libre, après avoir au préalable marqué un arrêt complet.

Lorsqu'un **autobus scolaire** (de couleur jaune) est à l'arrêt (feux clignotants allumés), **vous devez vous arrêter, quelle que soit la voie où vous circulez**. Tout manquement à cette règle est considéré comme une faute grave!

Le port de la **ceinture de sécurité est obligatoire** pour le conducteur et les occupants.

Presque toutes les **autoroutes** sont gratuites, et il n'existe que quelques ponts à péage. La **vitesse** y est généralement limitée à 100 km/h. Sur les routes principales, la vitesse est de 90 km/h, et de 50 km/h dans les zones urbaines.

Les postes d'essence: le Canada étant un pays producteur de pétrole, l'essence y est nettement moins chère qu'en Europe. À certains postes d'essence (surtout en ville), il se peut qu'après 23h on vous demande de payer d'avance. Cela est fait par souci de sécurité.

Location de voitures

Un forfait incluant avion, hôtel et voiture ou simplement hôtel et voiture peut être moins cher que la location sur place. Nous vous conseillons de comparer les diverses offres de forfaits. De nombreuses agences de voyages travaillent de concert avec les firmes les plus connues (Avis, Budget, Hertz et autres) et proposent des promotions avantageuses.

Sur place, vérifiez si le contrat comprend le kilométrage illimité ou non, et si l'assurance proposée vous couvre complètement (accident, dégâts matériels, frais d'hôpitaux, passagers, vols).

Certaines cartes de crédit vous assurent automatiquement contre les collisions et le vol du véhicule; avant de louer un véhicule, vérifiez que votre carte vous offre bien ces deux protections.

Il faut avoir au moins 21 ans et posséder son permis depuis **au moins un an** pour louer une voiture. De plus, si vous avez entre 21 et 25 ans, certaines entreprises de location imposeront une franchise collision de 500$ et parfois un supplément journalier. À partir de l'âge de 25 ans, ces conditions ne s'appliquent plus.

Dans la majorité des cas, les voitures louées sont dotées d'une transmission automatique.

Les sièges de sécurité pour enfants sont en supplément dans la location.

Accidents et pannes

En cas d'accident grave, d'incendie ou d'autre urgence, faites le ☎911 ou le **0**. Si vous vous trouvez sur l'autoroute, rangez-vous sur l'accotement et faites fonctionner vos feux de détresse.

S'il s'agit d'une voiture de location, vous devrez avertir au plus tôt le centre de location. N'oubliez jamais de remplir une déclaration d'accident (constat à l'amiable). En cas de désaccord, demandez l'aide de la police.

Si vous projetez de faire un long voyage et que vous avez résolu d'acheter une voiture, sachez qu'il serait sage de devenir membre de la Canadian Automobile Association (CAA), qui offre un service d'assistance aux automobilistes partout au Canada. Si vous êtes déjà membre d'une association comparable dans votre pays d'origine (Automobile Club de Suisse, Royal Automobile Touring Club de Belgique, etc.), vous pourrez également vous prévaloir de certains des services de la CAA. Pour de plus amples renseignements, adressez-vous directement à votre association ou encore à la **CAA** (☎800-564-2222).

■ En autocar

Avec la voiture, il s'agit du meilleur moyen de transport pour se déplacer. Bien répartis, les circuits d'autocars couvrent la majeure partie des grands axes des provinces atlantiques. Plusieurs compagnies d'autocars se partagent le territoire.

Il est interdit de fumer sur toutes les lignes. Les animaux ne sont pas admis. En général, les enfants de cinq ans et moins sont transportés gratuitement. Les personnes de 60 ans et plus ont droit à des rabais.

Greyhound
☎800-661-8747
www.greyhound.ca

Le service de Greyhound s'étend au Nouveau-Brunswick et à la Nouvelle-Écosse. Il est à noter que des rabais s'appliquent automatiquement aux billets réservés une journée à l'avance. Une façon plus économique de voyager dans les grands espaces canadiens et américains sans se ruiner est de se procurer le **Greyhound Discovery Pass** *(www.discoverypass.com)*, qui permet l'exploration du Canada et des États-Unis selon des tarifs forfaitaires s'appliquant sur des séjours variant entre sept jours et deux mois. Les billets peuvent être achetés au Canada ou en Europe *(Voyageurs du monde, 55 rue Ste-Anne, 75002 Paris, ☎01 42 86 16 00)*.

Acadian Lines

☎800-567-5151
www.smtbus.com
Le service de cette compagnie couvre le Nouveau-Brunswick, l'Île-du-Prince-Édouard et la Nouvelle-Écosse.

DRL Coachlines

☎709-263-2171 ou
www.drlgroup.com
C'est la principale compagnie d'autocars à Terre-Neuve.

■ En train

Pour les visiteurs disposant de plus de temps, le train est un des moyens les plus agréables et les plus impressionnants. Le train *Océan* de la société **VIA Rail** *(☎888-842-7245, www.viarail.ca)* assure le transport de passagers entre Montréal (au Québec) et Halifax (en Nouvelle-Écosse). Disponible en été, la classe *Alizé* offre des privilèges tout confort qui permettent entre autres aux passagers d'avoir accès gratuitement à la voiture *Parc* et son dôme panoramique; les sièges sont confortables, et le service est toujours courtois.

La formule **Canrailpass** s'avère particulièrement intéressante, car, outre son prix avantageux, elle offre l'occasion de se déplacer à travers tout le Canada au moyen d'un billet unique. Ce dernier permet de voyager sans limite sur tout le réseau ferroviaire canadien pendant 12 jours, mais doit être utilisé dans une période limitée à 30 jours à compter du premier voyage. Au moment de mettre sous presse, le Canrailpass coûtait 879$ (791$ pour les enfants, les personnes

âgées et les étudiants) en haute saison et 549$ (494$ pour les enfants, les personnes âgées et les étudiants) en basse saison.

Les voyageurs européens peuvent se procurer le Canrailpass auprès de la société **Express Conseil** *(5bis rue du Louvre, Paris, ☎01 44 77 87 00, www.ecltd.com)*.

■ En traversier

Les traversiers de **Northumberland Ferries Limited** *(www.peiferry.com)* relient entre elles les provinces atlantiques et assurent une liaison avec le Maine. Pour une information détaillée, reportez-vous dans le guide à la section «Accès et déplacements» de la région que vous désirez visiter.

Renseignements utiles, de A à Z

■ Achats

Quoi acheter?

Alcools: le vin de glace et le cidre de glace, les bières artisanales, les alcools de cassis, de mûres et d'airelles, et d'autres produits comme le vin rouge, blanc ou rosé et l'hydromel.

Artisanat local: peintures, sculptures, ébénisterie, céramiques, émaux sur cuivre, vêtements, etc.

Fourrure et cuir: les vêtements faits de ces peaux d'animaux sont d'excellente qualité, et leur prix est relativement bas.

Homard et saumon: les visiteurs pourront trouver ces victuailles à bon prix et en vente sur les quais.

Livres: les livres d'auteurs acadiens constituent évidemment de très bons achats pour qui s'intéresse à la culture d'ici. De plus, les grandes librairies anglophones disposent de titres d'auteurs canadiens ou américains moins chers qu'en Europe.

Sirop d'érable: le sirop d'érable se classe en plusieurs catégories: plus sirupeux ou plus coulant, plus foncé ou plus clair, plus ou moins sucré.

■ Aînés

Des rabais très avantageux pour les transports et les spectacles sont souvent offerts aux aînés. N'hésitez pas à les demander ou contactez la **Canadian Association of Retired Persons** *(27 Queen St. E., Suite 1304, Toronto, ON, M5C 2M6,* ☎*416-363-8748, www.carp.ca)*.

■ Ambassades du Canada à l'étranger

Pour la liste complète des services consulaires à l'étranger, veuillez consulter le site Internet du gouvernement canadien: *www.dfait-maeci.gc.ca*.

Belgique
Ambassade du Canada
av. de Tervueren 2
1040 Bruxelles
☎ 02 741 06 11
🖷 02 741 06 43
www.dfait-maeci.gc.ca/canada-europa/brussels

France
Ambassade du Canada
35 av. Montaigne
75008 Paris
☎ 01 44 43 29 00
🖷 01 44 43 29 99
www.dfait-maeci.gc.ca/canada-europa/france

Suisse
Ambassade du Canada
Kirchenfeldstrasse 88
CH-3005 Berne
☎ 357 32 00
🖷 357 32 10
http://geo.international.gc.ca/canada-europa/switzerland

■ Consulats étrangers au Canada

Belgique
Consulat honoraire de Belgique
99 Wyse Rd., bureau 970
Darmouth, NS, B3A 4S5
☎ 902-423-0787
🖷 902-481-0270
www.diplomatie.be

France
Consulat général de France
777 rue Main, bureau 800
Moncton, NB, E1C 1E9
☎ 506-857-4191
🖷 506-858-8169
www.consulfrance-moncton.org

Suisse
Il n'y a pas de consulat suisse dans les provinces atlantiques. En cas d'urgence, vous pouvez joindre le consulat suisse à Montréal:

Consulat général de Suisse
1572 av. du Docteur-Penfield
Montréal, QC, H3G 1C4
☎ 514-932-7181, 514-932-7182 ou 514-932-9757
🖷 514-932-9028
www.eda.admin.ch/canada

■ Animaux domestiques

La tolérance envers les animaux de compagnie varie d'une province à l'autre. Ils sont tous interdits dans les restaurants.

Le pictogramme ⏎ symbolisant les animaux de compagnie se retrouve dans la liste des services des établissements hôteliers où ils sont admis. Quelquefois, il y a de petits frais supplémentaires ou quelques restrictions quant à la taille de l'animal. Pour la sécurité de votre animal et pour celle des gens qui loueront la chambre après vous, assurez-vous que votre animal a subi un bon traitement contre les puces à l'aide d'un produit fiable (disponible auprès de votre vétérinaire) avant de l'emmener dans un établissement hôtelier.

■ Argent et services financiers

Monnaie

L'unité monétaire est le dollar ($), lui-même divisé en cents. Un dollar = 100 cents (¢).

La Banque du Canada émet des billets de 5, 10, 20, 50 et 100 dollars, et des pièces de 1, 5, 10, et 25 cents, et de 1 et 2 dollars.

Il se peut que vous entendiez parler de *pennies, nickels, dimes, quarters, loonies* et même parfois de *toonies*. Il s'agit en fait respectivement des 1¢, 5¢, 10¢, 25¢ et 1$ et 2$.

Banques et guichets automatiques

On peut retirer de l'argent dans n'importe quel guichet automatique, partout au Canada, grâce aux réseaux Interac et Cirrus. La majorité des guichets sont ouverts en tout temps. La plupart des guichets automatiques accepteront les cartes de banques européennes, et vous pourrez alors retirer de votre compte directement. Il est aussi possible d'obtenir de l'argent à partir de sa carte de crédit. Notez que, dans tous les cas, votre banque vous facturera des frais fixes.

De nombreuses banques offrent aux touristes la plupart des services courants, attention cependant aux commissions. La majorité des banques changent les dollars américains, et la plupart sont en mesure de changer les euros.

Pour les voyageurs qui ont choisi un long séjour, notez qu'une personne **non résidente** ne peut pas ouvrir un compte bancaire courant. Les personnes qui ont obtenu le statut de résident, permanent ou non (immigrants, étudiants), peuvent ouvrir un compte de banque. Il leur suffira, pour ce faire, d'apporter leur passeport ainsi qu'une preuve de leur statut de résident.

Les banques sont généralement ouvertes du lundi au vendredi de 10h à 15h. Plusieurs d'entre elles sont ouvertes les jeudis et les vendredis jusqu'à 18h et même 20h.

Cartes de crédit

Les cartes de crédit sont acceptées partout, tant pour les achats de marchandises que pour régler la note d'hôtel ou l'addition au restaurant. L'avantage principal d'une carte de crédit réside dans l'absence de manipulation d'argent, mais également dans le fait qu'elle permet (par exemple, lors de la location d'une voiture) de constituer une garantie et d'éviter ainsi un dépôt important en espèces. Les cartes les plus facilement acceptées sont (par ordre décroissant) Visa, MasterCard et American Express.

Pour les cartes de crédit et les chèques de voyage perdus ou volés:

Taux de change

1$CA =	0,59€
1$CA =	0,91FS
1$CA =	0,82$US
1€ =	1,69$CA
1FS =	1,10$CA
1$US =	1,22$CA

N.B. Les taux de change peuvent fluctuer en tout temps.

American Express
☎ 800-221-7282

MasterCard
☎ 800-263-2263

Visa
☎ 800-336-8472

Chèques de voyage

N'oubliez pas que les dollars canadiens et américains sont différents. Aussi, si vous ne songez pas à vous rendre aux États-Unis lors d'un même voyage, il serait préférable de faire émettre vos chèques en dollars canadiens. Cela vous évitera de perdre au change. Les chèques de voyage sont généralement acceptés dans la plupart des grands magasins et dans les hôtels, mais il vous sera plus économique de les encaisser dans les banques.

■ Attraits touristiques

Chacun des chapitres de ce guide vous entraîne à travers les provinces atlantiques. Y sont abordés les principaux attraits touristiques, suivis d'une description historique et culturelle. Les attraits sont cotés selon un système d'étoiles vous permettant de faire un choix si le temps vous y oblige.

★   Intéressant
★★   Vaut le détour
★★★   À ne pas manquer

Renseignements généraux - Renseignements utiles, de A à Z

Le nom de chaque attrait est suivi d'une parenthèse qui vous donne ses coordonnées. Le prix qu'on y retrouve est le droit d'entrée pour un adulte. Informez-vous car plusieurs endroits offrent des rabais aux enfants, étudiants, aînés et familles. Plusieurs de ces attraits sont accessibles seulement pendant la saison touristique, tel qu'indiqué dans cette même parenthèse. Cependant, même hors saison, certains de ces établissements accueillent les visiteurs sur demande, surtout en groupe.

■ Bars et discothèques

Dans la plupart des bars et discothèques, aucun droit d'entrée (en dehors du vestiaire obligatoire) n'est demandé. Cependant, attendez-vous à débourser quelques dollars pour entrer dans les discothèques les fins de semaine. L'âge légal pour fréquenter les débits de boissons et consommer de l'alcool dans les provinces atlantiques est de 19 ans. Attendez-vous à vous faire demander vos papiers en tout temps pour avoir accès à ces établissements.

Selon la province où l'on se trouve, la vente d'alcool cessera à différentes heures; dans la plupart des provinces, elle se termine à 2h du matin. Dans les petites villes, les restaurants font souvent aussi office de bar. Donc, si vous désirez vous divertir le soir, consultez les sections «Sorties» de chacun des chapitres, mais jetez aussi un coup d'œil sur les sections «Restaurants».

■ Climat

L'air marin contribue à adoucir les températures, notamment près de la baie de Fundy, que le Gulf Stream réchauffe. Les écarts de température sont tout de même marquants, puisque la température en été oscille autour de 25°C et, en hiver, autour de –2°C. Les vents venant de la mer ont également une influence sur la température, car il fait en général 5°C de plus à l'intérieur des terres qu'au bord de la mer. Enfin, il n'est pas rare que les côtes soient recouvertes d'un épais brouillard, particulièrement le long de la baie de Fundy et sur l'île de Terre-Neuve.

Hiver

De décembre à mars, c'est la saison idéale pour les amateurs de sports d'hiver (ski, patin et autres). Les températures sont alors basses, et un froid humide s'installe dans les provinces atlantiques. Durant cette saison, il faut porter des vêtements chauds (manteau, écharpe, bonnet, gants, chandail de laine et bottes).

Printemps et automne

Le printemps est bref (de la fin mars à la fin mai) et annonce la période du dégel, pendant laquelle les rues sont souvent détrempées. L'automne, c'est la saison des couleurs. Le climat est souvent frais; aussi, pour ces saisons d'entre-deux, ne regretterez-vous pas d'avoir apporté un chandail, une écharpe, des gants de laine, un coupe-vent et, bien sûr, un parapluie.

Été

De la fin mai à la fin août, il peut faire chaud. Munissez-vous de t-shirts, de chemises et de pantalons légers, de shorts et de lunettes de soleil; un tricot est souvent nécessaire en soirée. Dans certaines régions des provinces atlantiques, notamment près de la baie de Fundy, sur la côte atlantique de la Nouvelle-Écosse et dans l'île de Terre-Neuve, la pluie et le brouillard sont fréquents; un parapluie et un imperméable vous seront utiles.

Pour des prévisions météo partout au Canada, n'hésitez pas à consulter le site de **Météomédia**: *www.meteomedia.com*.

■ Décalage horaire

Six fuseaux horaires couvrent le territoire du Canada. D'ouest en est, on retrouve: heure du Pacifique, heure des Rocheuses, heure du Centre, heure de l'Est et heure de l'Atlantique et heure de Terre-Neuve, un fuseau qui compte une demi-heure de plus que l'heure normale de l'Atlantique. L'heure de l'Atlantique indique quatre heures de moins que le Temps universel coordonné (UTC) et cinq heures de moins que le continent européen.

Lorsqu'il est 12h au Québec, il est 13h au Nouveau-Brunswick, en Nouvelle-Écosse et à l'Île-du-Prince-Édouard, et 13h30 à Terre-Neuve-et-Labrador.

■ Drogues

Absolument interdites (même les drogues dites «douces»). Aussi bien les consommateurs que les distributeurs risquent de très gros ennuis s'ils sont trouvés en possession de drogues.

■ Électricité

Partout au Canada, la tension est de 110 volts. Les fiches d'électricité sont plates, et l'on peut trouver des adaptateurs sur place.

■ Enfants

Où que vous vous rendiez dans les provinces atlantiques, des services sont offerts aux personnes voyageant avec des enfants, que ce soit pour les transports ou les loisirs. Dans les transports, en général, les enfants de cinq ans et moins ne paient pas. Il existe aussi des rabais pour les 12 ans et moins. Pour les activités ou les spectacles, la même règle s'applique parfois. Renseignez-vous avant d'acheter les billets. Dans la plupart des restaurants, des chaises pour enfants sont disponibles, et certains proposent des menus pour enfants. Quelques grands magasins offrent aussi un service de garderie.

■ Fêtes et festivals

Les provinces atlantique sont riches en activités de toutes sortes. Vu le nombre impressionnant de festivals, d'expositions annuelles, de salons, de carnavals, d'événements et de manifestations, il nous est impossible de vous en donner ici une liste exhaustive. Nous en avons néanmoins sélectionné quelques-uns qui sont décrits dans la section «Sorties» de chaque chapitre.

■ Français acadien

Le français acadien, parlé dans les régions acadiennes du Nouveau-Brunswick, de la Nouvelle-Écosse, de l'Île-du-Prince-Édouard et de Terre-Neuve-et-Labrador, a bien souvent de quoi surprendre le voyageur étranger. Les Acadiens sont toutefois très fiers de cette langue qu'ils ont su préserver au prix de longues luttes.

Le voyageur intéressé à en connaître un peu plus peut se référer au site Internet **CyberAcadie** *(http://cyberacadie.com)*, qui présente, entre autres, l'histoire détaillée du français acadien.

■ Fumeurs

Il est interdit de fumer dans tous les lieux publics, y compris les bars et les restaurants. Par contre, les cigarettes se vendent notamment dans les épiceries et les kiosques à journaux. Il faut être âgé d'au moins 19 ans pour acheter des produits du tabac dans les provinces atlantiques.

■ Hébergement

Le choix est grand et, suivant le genre de tourisme qu'on recherche, on choisira l'une ou l'autre des nombreuses formules proposées. En général, le niveau de confort est élevé, et souvent plusieurs services sont disponibles. Les prix varient selon le type d'hébergement choisi, mais, en règle générale, le rapport qualité/prix est bon. Sachez cependant que, dans les provinces atlantiques, il faut ajouter sur les prix affichés la TVH (taxe de vente harmonisée) qui s'élève à **13%** (**15%** dans le cas de l'Île-du-Prince-Édouard).

Dans la mesure où vous souhaitez réserver, une carte de crédit s'avère indispensable, car, dans beaucoup de cas, on vous demandera de payer d'avance la première nuitée.

Prix et symboles

Les tarifs mentionnés dans ce guide s'appliquent, sauf indication contraire, à une chambre pour deux personnes, en haute saison.

$	moins de 60$
$$	de 60$ à 100$
$$$	de 101$ à 150$
$$$$	de 151$ à 225$
$$$$$	plus de 225$

Les tarifs d'hébergement sont souvent inférieurs aux prix mentionnés dans le guide, particulièrement si vous y séjournez en basse saison.

Les divers services offerts par chacun des établissements hôteliers sont indiqués à l'aide d'un petit symbole qui est expliqué dans la liste des symboles se trouvant dans les premières pages de ce guide. Rappelons que cette liste n'est pas exhaustive quant aux services offerts par chacun des établissements hôteliers, mais qu'elle représente les services les plus demandés par leur clientèle.

Il est à noter que la présence d'un symbole ne signifie pas que toutes les chambres du même établissement hôtelier offrent ce service; vous aurez à payer quelquefois des frais supplémentaires pour avoir, par exemple, une baignoire à remous dans votre chambre. Il est à noter que, sauf indication contraire, tous les établissements hôteliers inscrits dans ce guide offrent des chambres avec salle de bain privée.

Label Ulysse

Le pictogramme du label Ulysse est attribué à nos établissements favoris (hôtels et restaurants). Bien que chacun des établissements inscrits dans ce guide s'y retrouve en raison de ses qualités ou particularités, en plus de son rapport qualité/prix, de temps en temps un établissement se distingue parmi d'autres. Ainsi il mérite qu'on lui attribue un label Ulysse. Les labels Ulysse peuvent se retrouver dans n'importe quelle catégorie d'établissements: supérieure, moyenne-élevée, petit budget. Quoi qu'il en soit, dans chacun de ces établissements, vous en aurez pour votre argent. Repérez-les en premier!

Hôtels

Les établissements hôteliers sont nombreux dans les provinces atlantiques, et ils varient du modeste hôtel au palace luxueux. Les chambres d'hôtel ont leur propre salle de bain. Les prix mentionnés sont basés sur les tarifs en haute saison. Les associations professionnelles, les membres de clubs automobiles et les aînés peuvent profiter de bons rabais. En réservant votre chambre, renseignez-vous sur les forfaits, primes et réductions possibles.

Auberges (inns)

Souvent aménagées dans de très belles maisons historiques, les auberges constituent un type d'hébergement de qualité. Plus charmantes et souvent plus pittoresques que les hôtels, ces auberges sont nombreuses. Plusieurs d'entre elles sont garnies de meubles d'époque, ajoutant au charme de l'établissement. On y offre souvent le petit déjeuner.

Gîtes touristiques (bed and breakfasts)

On trouve facilement des *bed and breakfasts* dans les provinces atlantiques. Ils offrent l'avantage, outre le prix, de faire partager une ambiance plus familiale. Cependant, les cartes de crédit ne sont pas acceptées dans tous ces établissements. Le petit déjeuner est toujours compris dans le prix de la chambre. Contrairement aux hôtels, les chambres d'hôte n'ont pas toujours leur propre salle de bain.

Motels

On retrouve les motels en grand nombre le long des routes à l'entrée des villes. Ils sont relativement abordables, mais ils manquent souvent de charme. Ce type d'hébergement convient plutôt lorsqu'on manque de temps.

Auberges de jeunesse

Vous trouverez l'adresse de chacune des auberges de jeunesse dans la section «Hébergement» de la ville où elles se trouvent. Devenir membre de **Hostelling International** *(www.hihostels.com)* peut être très avantageux si vous comptez loger dans les auberges de jeunesse lors de votre séjour dans les provinces atlantiques.

Camping

À moins de se faire inviter, le camping constitue probablement le type d'hébergement le moins cher. Malheureusement, le climat ne rend possible cette activité que sur une courte période de l'année, soit de juin à début septembre, à moins de disposer de l'équipement approprié contre le froid. Les services offerts sur les terrains de camping peuvent varier considérablement, aussi en est-il des prix. Certains campings sont publics et d'autres privés. Les prix mentionnés dans ce guide s'appliquent à un emplacement pour une tente.

■ Heures d'ouverture

Banques

Les banques sont ouvertes du lundi au vendredi de 10h à 15h. Plusieurs d'entre elles sont ouvertes les jeudis et les vendredis jusqu'à 18h, voire 20h. Le réseau des banques possède des distributeurs automatiques en fonction jour et nuit.

Bureaux de poste

Les grands bureaux de poste sont ouverts de 9h à 17h *(Postes Canada: ☎800-267-1177, www.postescanada.ca)*. Il existe de nombreux petits bureaux de poste répartis un peu partout dans les provinces atlantiques, soit dans les centres commerciaux, soit chez certains «dépanneurs» ou même dans les pharmacies; ces bureaux sont ouverts beaucoup plus tard que les autres.

Magasins

En règle générale, les magasins respectent l'horaire suivant:

lun-mer 10h à 18h
jeu-ven 10h à 21h
sam 9h ou 10h à 17h
dim 12h à 17h

On trouve également un peu partout dans les provinces atlantiques des «dépanneurs» ou *convenience stores* (magasins généraux d'alimentation de quartier) qui sont ouverts plus tard et parfois 24 heures sur 24.

■ Jours fériés

Voici la liste des jours fériés dans les provinces atlantiques. À noter: la plupart des services administratifs et des banques sont fermés ces jours-là.

Jour de l'An et le lendemain
1ᵉʳ et 2 janvier

Fête de Saint-Patrick (Terre-Neuve-et-Labrador)
17 mars

Le vendredi précédant la fête de Pâques

Le lundi suivant la fête de Pâques

Fête de Saint-George (Terre-Neuve-et-Labrador)
23 avril

Jour de la Découverte (Terre-Neuve-et-Labrador)
24 juin

Fête de la Confédération
1ᵉʳ juillet

Jour du Souvenir (Terre-Neuve-et-Labrador)
1ᵉʳ juillet

Jour des Orangistes (Terre-Neuve-et-Labrador)
12 juillet

Congé civique
1ᵉʳ lundi d'août

Fête du Travail
1ᵉʳ lundi de septembre

Action de grâce
2ᵉ lundi d'octobre

Jour du Souvenir/Armistice
11 novembre

Noël et le lendemain
25 et 26 décembre

■ Laveries

On retrouve des laveries automatiques à peu près partout dans les centres urbains. Dans la majorité des cas, le savon est vendu sur place. Bien qu'on y trouve parfois des changeurs de monnaie, il est préférable d'apporter une quantité suffisante de pièces de 25¢ et de 1$.

■ Personnes à mobilité réduite

Sur le site Internet de **Voyage Accessible** *(www.accesstotravel.gc.ca)*, vous trouverez tous les renseignements dont vous avez besoin sur les transports accessibles et le tourisme adapté au Canada. Dans le but de rendre vos déplacements plus faciles et plus agréables, Voyage Accessible vous offre entre autres de l'information sur le transport par autobus, par train, par avion et par traversier, sur les services de transport locaux privés et publics, ainsi que sur les politiques et les programmes gouvernementaux canadiens.

Renseignements généraux - Renseignements utiles, de A à Z

■ Pharmacies

Outre la pharmacie classique, il existe de grosses chaînes (sorte de supermarchés des médicaments). Ne soyez pas étonné d'y trouver des chocolats ou du savon en promotion à côté de boîtes de bonbons pour la toux ou de médicaments pour les maux de tête.

■ Poste

Le service postal à travers tout le pays est assuré par **Postes Canada**. Un timbre pour envoyer une lettre au Canada coûte 0,54$, 0,98$ pour les États-Unis et 1,65$ pour tous les autres pays. Vous pouvez vous procurer ces timbres dans les bureaux de poste, bien sûr, ainsi que dans certaines pharmacies et épiceries.

■ Pourboire

Le pourboire s'applique à tous les services rendus à table, c'est-à-dire dans les restaurants ou autres établissements où l'on vous sert à table (la restauration rapide n'entre donc pas dans cette catégorie). Il est aussi de rigueur dans les bars, les boîtes de nuit, les salons de coiffure et les taxis, entre autres.

Selon la qualité du service rendu, il faut compter environ 15% de pourboire sur le montant avant les taxes. Il n'est pas, comme en Europe, inclus dans l'addition; le client doit le calculer lui-même et le remettre à la personne qui l'a servi.

■ Renseignements touristiques

Sur place

Chacune des provinces atlantiques possède un ministère du Tourisme chargé de promouvoir son développement touristique. La diffusion d'information touristique au grand public s'effectue par l'intermédiaire de bureaux régionaux (appelés Visitor Information Centres). Vous pourrez y obtenir diverses brochures concernant les attraits, les restaurants et les hôtels de la région visitée. Aussi, en plus de ces nombreux centres d'information touristique, la plupart des grandes villes possèdent également leur propre office de tourisme. Ces offices de tourisme sont ouverts toute l'année, contrairement à certains bureaux régionaux, ouverts, pour leur part, en haute saison seulement. Vous trouverez les adresses des divers bureaux d'information régionaux dans la section «Renseignements utiles» de chaque chapitre.

En France

Tourisme Québec
tlj 15h à 23h, sauf mercredi à partir de 16h
☎ 0 800 90 77 77 (appels gratuits en France)
www.bonjourquebec.com

The Abbey Bookshop
La librairie canadienne de Paris
29 rue de la Parcheminerie, 75005 Paris
☎ 01 46 33 16 24
▤ 01 46 33 03 33

Des renseignements touristiques sur Internet

Nouveau-Brunswick:
www.tourismenouveau-brunswick.ca
www.gnb.ca

Nouvelle-Écosse:
www.nouvelle-ecosse.com
www.gov.ns.ca

Île-du-Prince-Édouard:
www.ipevacances.com
www.gov.pe.ca

Terre-Neuve-et-Labrador:
www.newfoundlandlabrador.com
www.gov.nf.ca

Parcs nationaux et lieux historiques nationaux du Canada:
www.pc.gc.ca

Livres en anglais et en français sur le Canada ou d'auteurs canadiens.

■ Restaurants

Prix et symboles

Les prix mentionnés dans ce guide s'appliquent à un dîner pour une personne **excluant** le service (voir «Pourboire», plus haut), les boissons et les taxes.

$	moins de 10$
$$	de 11$ à 20$
$$$	de 21$ à 30$
$$$$	plus de 30$

C'est généralement selon les prix des tables d'hôte du soir que nous avons classé les restaurants, mais souvenez-vous que les déjeuners sont souvent beaucoup moins coûteux.

Pour connaître la signification du label Ulysse ☺, voir p 38.

Apportez votre vin

Il se trouve dans les provinces atlantiques des restaurants où l'on peut apporter sa bouteille de vin. Cette particularité étonnante pour les Européens vient du fait que, pour pouvoir vendre du vin, il faut posséder un permis de vente d'alcool assez coûteux. Certains restaurants voulant offrir à leur clientèle des formules économiques possèdent donc un permis qui permet aux clients d'apporter leur bouteille de vin. Dans la majorité des cas, un panonceau vous signalera cette possibilité.

■ Santé

Pour les personnes en provenance d'Europe ou des États-Unis, aucun vaccin n'est nécessaire. D'autre part, il est vivement recommandé, surtout pour les séjours de moyen ou long terme, de souscrire à une assurance maladie-accident. Il existe différentes formules, et nous vous conseillons de les comparer. Emportez vos médicaments, surtout ceux qui exigent une ordonnance. Sauf indication contraire, l'eau est potable partout dans les provinces atlantiques.

Le programme d'assurance maladie du Québec rembourse aux résidants québécois les frais d'hospitalisation, à l'exception des suppléments, de même que les honoraires des médecins, selon le tarif du Québec; aussi est-il recommandé de prendre une assurance privée pour couvrir la différence. En cas d'accident ou de maladie, conservez vos reçus afin d'être remboursé par la Régie de l'assurance maladie du Québec.

■ Taxes

Contrairement à l'Europe, les prix affichés le sont hors taxes dans la majorité des cas. Il y a deux taxes: la TPS de **5%** (taxe fédérale sur les produits et services) et la TVP (taxe de vente provinciale) de **8%**. Elles sont cumulatives, et il faut donc ajouter le total des taxes sur les prix affichés pour la majorité des produits ainsi qu'au restaurant et dans les lieux d'hébergement.

Depuis le 1er janvier 2008, le Nouveau-Brunswick, Terre-Neuve-et-Labrador et la Nouvelle-Écosse n'appliquent qu'une seule taxe, soit la taxe de vente harmonisée (TVH). Elle combine la TPS de **5%** et la TVP de **8%** pour un total de **13%**. L'Île-du-Prince-Édouard fait bande à part avec une TVP de 10% et une TVH de **15%**.

■ Télécommunications

Pour les appels interurbains, faites le *1*, suivi de l'indicatif de la région que vous appelez, puis le numéro de l'abonné que vous désirez joindre.

Les numéros de téléphone précédés de *800*, *866*, *877* ou *888* vous permettent de communiquer avec l'abonné sans encourir de frais si vous appelez depuis le Canada et souvent même depuis les États-Unis. Si vous désirez joindre un téléphoniste, faites le *0*.

Beaucoup moins chers à utiliser qu'en Europe, les appareils téléphoniques se trouvent à peu près partout. Il est facile de s'en servir, et certains fonctionnent même avec des cartes de crédit. Pour les appels locaux, la communication coûte 0,50$ pour une durée illimitée. Pour les interurbains, munissez-vous de pièces de monnaie ou d'une carte d'appel.

Pour appeler en Belgique, faites le *011-32* puis l'indicatif régional (Anvers *3*, Bruxelles *2*, Gand *91*, Liège *41*) et le numéro de votre correspondant.

Pour appeler en France, faites le *011-33*, puis le numéro à 10 chiffres de votre correspondant en omettant le premier zéro.

Pour appeler en Suisse, faites le *011-41*, puis l'indicatif régional (Berne *31*, Genève *22*, Lausanne *21*, Zurich *1*) et le numéro de votre correspondant.

■ Urgences

Partout dans les provinces atlantiques, vous pouvez obtenir de l'aide en faisant le ☎*911*. Certaines régions, à l'extérieur des grands centres, ont leur propre numéro d'urgence; dans ce cas, faites le *0*.

■ Vie gay

En juin 2005, la Chambre des communes a adopté le projet de loi autorisant le mariage civil des couples homosexuels. Puis, en juillet, après avoir été approuvé par le Sénat canadien, le projet de loi a obtenu la sanction royale. Ainsi, le Canada est devenu le quatrième pays au monde à officialiser les mariages de couples homosexuels après la Belgique, les Pays-Bas et l'Espagne.

■ Vin, bière et spiritueux

Sachez que l'âge légal pour acheter et consommer de l'alcool au Canada est de 19 ans. On peut se procurer de l'alcool dans des boutiques spécialisées régies par le gouvernement. Ces *Liquor Stores*, *Beer Stores* ou *Wine Stores* se retrouvent un peu partout dans les provinces atlantiques.

Plein air

La Nouvelle-Écosse, le Nouveau-Brunswick, l'Île-du-Prince-Édouard et Terre-Neuve-et-Labrador disposent de vastes étendues encore sauvages, protégées par des parcs nationaux ou provinciaux que vous pourrez parcourir à pied ou à vélo.

Vous y découvrirez des falaises surplombant la mer bordée de plages au sable rouge (parc national de l'Île-du-Prince-Édouard), des côtes baignées par des eaux dont les marées atteignent parfois 16 m (parc national Fundy, N.-B.), des monts escarpés dont les flancs se jettent dans les eaux agitées de l'océan Atlantique (parc national des Hautes-Terres-du-Cap-Breton, N.-É.) et des paysages spectaculaires composés de fjords, de lacs et de hauts plateaux (parc national Gros-Morne, T.-N.-L.).

Dans ces parcs naturels, vous pourrez vous adonner à diverses activités de plein air dont vous trouverez la description ci-dessous.

Parcs

Dans les provinces atlantiques, il existe des parcs nationaux, administrés par le gouvernement fédéral, des parcs provinciaux, dont la responsabilité revient au gouvernement de chaque province ainsi que des parcs municipaux et privés offrant divers services et installations comme des emplacements de camping, des piscines et des aires de pique-nique.

La majorité des parcs nationaux proposent des installations et services tels que bureau de renseignements, plans du parc, programmes d'interprétation de la nature, guides accompagnateurs, lieux d'hébergement (gîtes, auberges, camping, camping sauvage) ou de restauration. Ces installations et services n'étant pas systématiquement présents dans tous les parcs (ils varient aussi selon les saisons), il est préférable de se renseigner auprès des responsables des parcs avant de partir.

Les parcs provinciaux, quant à eux, sont généralement de plus petite taille, comptent moins d'installations et de services, mais bénéficient néanmoins d'un site agréable. Dans plusieurs parcs, des sentiers qui sillonnent le territoire et s'étendent sur plusieurs kilomètres sont balisés, permettant aux amateurs de s'adonner à des activités comme la randonnée pédestre, le vélo et le ski de fond. Le long de certains de ces trajets, des emplacements de camping sauvage ou des refuges ont été aménagés.

Certains emplacements de camping sauvage se révèlent très rudimentaires et, parfois, ne sont même pas pourvus d'eau; il est alors essentiel d'être adéquatement équipé. Comme ces pistes s'enfoncent dans des forêts, loin de toute habitation, il est fortement conseillé d'en respecter le balisage. Des cartes très utiles, qui indiquent les sentiers ainsi que les emplacements de camping et les refuges, sont proposées pour la plupart des parcs.

Si vous décidez de passer plus d'une journée dans un parc, n'oubliez pas que les nuits sont fraîches (souvent même en juillet et en août) et que, dans certaines régions, des chemises ou des chandails à manches longues seront fort utiles. Au mois de juin, des insectifuges puissants sont quasiment indispensables (surtout au Labrador) pour les promenades en forêt.

■ Les parcs nationaux

Il existe huit parcs nationaux dans les provinces atlantiques: le parc national Fundy (Alma, Nouveau-Brunswick), le parc national Kouchibouguac (le long de la côte acadienne, Nouveau-Brunswick), le parc national de l'Île-du-Prince-Édouard (Cavendish, Île-du-Prince-Édouard), le parc national des Hautes-Terres-du-Cap-Breton (Baddeck, Nouvelle-Écosse), le parc national Kejimkujik (Maitland Bridge, Nouvelle-Écosse), le parc national Terra Nova (au centre de l'île de Terre-Neuve), le parc national Gros-Morne (dans l'ouest de l'île de Terre-Neuve) et la réserve de parc national des Monts-Torngat (dans le nord du Labrador).

Respectez la nature!

Tout d'abord, pour préserver le sol et la végétation, il est primordial de demeurer dans les sentiers même s'ils sont couverts de neige ou de boue. En respectant cette simple règle, vous protégerez la végétation qui les borde, et vous éviterez ainsi qu'ils s'élargissent.

Pour les courtes randonnées, il est préférable de porter des bottes légères car elles endommagent moins le sol.

En groupe, dispersez-vous dans les régions montagneuses, et marchez sur les rochers autant que possible afin de laisser intacte la végétation.

Il est également important de protéger les plans et cours d'eau environnants ainsi que la nappe phréatique, et de ne pas les contaminer. Ainsi, lorsqu'il n'y a pas de latrines extérieures, creusez un petit trou au moins à 30 m de toute source d'eau, et recouvrez le tout (y compris le papier hygiénique) avec de la terre.

Ne vous lavez ni dans les lacs ni dans les ruisseaux.

Dans les terrains de camping, ne jetez les eaux usées qu'aux endroits réservés à cet effet.

Ne laissez jamais derrière vous des déchets.

Ne cueillez sous aucun prétexte les plantes et les autres végétaux.

Laissez à la nature ce qui lui appartient; les autres marcheurs pourront ainsi également en profiter.

Outre ces parcs, le Service canadien des parcs gère des lieux historiques nationaux, dont la description est donnée dans la section «Attraits touristiques» des chapitres traitant de chaque province.

On peut obtenir plus de renseignements sur ces parcs en s'adressant au:

**Bureau de Parcs Canada
des provinces atlantiques**
1969 Upper Water St.
Halifax, NS B3J 1S9
☎ 902-426-3436 ou 888-773-8888
www.pc.gc.ca

■ Les parcs provinciaux

Chacune des quatre provinces atlantiques gère toute une variété de parcs. Certains sont de petite taille et ne proposent que des activités de jour; d'autres, plus grands, suggèrent aux visiteurs une plus large gamme d'activités. On compte une dizaine de parcs provinciaux au Nouveau-Brunswick, une trentaine à l'Île-du-Prince-Édouard, une centaine en Nouvelle-Écosse et une vingtaine à Terre-Neuve-et-Labrador, incluant plusieurs réserves naturelles.

Dans ces parcs, des plages, des emplacements de camping, des terrains de golf et des sentiers de randonnée sont mis à la disposition des visiteurs. Tout au long de

Plein air - Parcs

ce guide, vous trouverez la description des principaux d'entre eux dans les sections «Parcs et plages».

Pour plus d'information sur les parcs de chaque province, communiquez avec les organismes suivants:

Nouveau-Brunswick

Ministère du Tourisme et des Parcs
☎ 800-561-0123
www.parcsnb.ca

Nouvelle-Écosse

Nova Scotia Provincial Parks
☎ 888-544-3434
www.novascotiaparks.ca

Île-du-Prince-Édouard

Tourisme Île-du-Prince-Édouard
☎ 800-887-5453
www.tourismpei.com

Terre-Neuve-et-Labrador

Tourisme Terre-Neuve-et-Labrador
☎ 800-563-6353
www.newfoundlandlabrador.com

Plages

Des plages de sable blanc ou rouge, parfois inhabitées sur plusieurs kilomètres ou situées près de charmants villages, des côtes baignées par des marées de 16 m, des dunes abritant une faune exceptionnelle: il s'agit sans conteste d'attraits naturels parmi les plus précieux des provinces atlantiques.

Chaque province a le souci d'offrir aux visiteurs des plages propres, bien aménagées, où il fait bon se baigner. Une visite dans cette région ne saurait être complète sans un arrêt à l'une des nombreuses plages qui s'y trouvent.

Les plages valent à elles seules un voyage au Nouveau-Brunswick. Les belles plages de sable blanc de la côte acadienne, surtout dans le sud-est de la province, près de Shediac, sont particulièrement populaires, et avec raison. Car, en plus d'être belles, elles sont caressées par les eaux

salées parmi les plus chaudes au nord de la Virginie, les rendant tout à fait propices à la baignade et aux sports nautiques.

Bien que la province de Terre-Neuve-et-Labrador ne soit pas spécialement reconnue pour ses plages sablonneuses, on en retrouve tout de même une douzaine le long de la côte et en bordure de lacs.

Les loisirs d'été

Lorsque le temps est clément, il est possible de pratiquer les activités de plein air dont nous donnons la liste ci-dessous.

■ Canot

Bon nombre de parcs sont riches d'une grande quantité de lacs ou de rivières qui permettent des excursions en canot de une ou plusieurs journées. Dans ce dernier cas, afin d'accueillir les canoteurs pour la nuit, des emplacements de camping sauvage sont mis à leur disposition. Au bureau d'information du parc, on peut généralement obtenir une carte des circuits canotables et louer des embarcations.

Si vous envisagez de partir à l'aventure sur les rivières de la Nouvelle-Écosse, vous pourrez obtenir des cartes et les renseignements nécessaires à votre périple en communiquant avec:

Canoe Nova Scotia
5516 Spring Garden Rd.
Halifax, NS B3J 1G6
☎ 902-425-5454, poste 316
www.ckns.ca

■ Golf

Partout dans les provinces atlantiques se trouvent de magnifiques terrains de golf, aménagés dans des sites naturels exceptionnels qui s'allongent au bord de la mer et révèlent de superbes points de vue. Les amateurs de golf pourront ainsi passer des vacances inoubliables, car certains terrains se nichent au cœur des parcs provinciaux, où règne un calme parfait et près desquels se dressent des hôtels tout confort.

■ Observation des baleines

Des baleines viennent près des côtes des provinces atlantiques, dans le golfe du Saint-Laurent, dans la baie de Fundy, au nord-est de l'île de Terre-Neuve et dans le détroit de Belle-Isle, entre l'île de Terre-Neuve et le Labrador. Vous pouvez participer à des croisières d'observation des baleines afin de voir de plus près ces impressionnants mais inoffensifs mammifères marins.

On peut apercevoir la baleine à bosse, le rorqual commun, le petit rorqual, le rorqual bleu et, en de rares occasions, la baleine franche. Les excursions d'observation partent généralement des régions de St. Andrews, de l'île Grand Manan et de Campobello, au Nouveau-Brunswick; de Digby et du Cap-Breton, en Nouvelle-Écosse; et de plusieurs endroits le long des côtes de l'île de Terre-Neuve.

■ Observation des oiseaux

Les côtes des provinces atlantiques attirent quantité d'oiseaux de toutes sortes que vous pourrez observer aisément à l'aide de jumelles. Parmi les espèces que vous pourrez apercevoir, mentionnons le cormoran, le martin-pêcheur, une foule de canards dont le canard colvert, le grand héron et, si vous êtes chanceux, le macareux moine, le fou de Bassan, le pluvier siffleur et le pygargue à tête blanche.

Pour vous aider à les identifier, procurez-vous le *Guide des oiseaux de l'est de l'Amérique du Nord*, aux éditions Broquet. Les parcs sont des sites naturels de choix pour contempler plusieurs espèces, mais vous pourrez en apercevoir dans tous les coins des provinces atlantiques.

■ Observation des phoques

Des phoques viennent près des côtes de la Nouvelle-Écosse, du Nouveau-Brunswick et de l'Île-du-Prince-Édouard, et il est possible de prendre part à des excursions pour les observer. Parfois, non loin du bateau, on peut apercevoir la tête et les deux grands yeux noirs de ces mammifères curieux, attirés par l'embarcation.

En d'autres occasions, vous pourrez les découvrir couchés sur une plage déserte. Les meilleurs endroits pour l'observation des phoques se trouvent à l'est de l'Île-du-Prince-Édouard et dans la baie de Fundy.

■ Pêche

Dans les provinces atlantiques, les visiteurs peuvent pêcher, mais il ne faut pas oublier que la pêche est une activité réglementée. En raison de la complexité de la législation en la matière, il est souhaitable de se renseigner auprès des gouvernements de chaque province et de se procurer la brochure énonçant l'essentiel des règlements de chasse et de pêche.

En règle générale, sachez cependant que:

- pour pêcher, il faut se procurer un permis émis par le gouvernement provincial;

- un permis spécial est généralement nécessaire pour pêcher le saumon;

- les périodes de pêche sont établies par le ministère provincial et doivent, en tout temps, être respectées; ces périodes peuvent varier selon les espèces;

- il est possible de pêcher dans les parcs nationaux, mais il est cependant nécessaire de détenir le permis émis par l'administration du parc.

■ Randonnée pédestre

Activité à la portée de tous, la randonnée pédestre se pratique dans tous les parcs nationaux et dans la plupart des parcs provinciaux. Avant de partir, vérifiez la longueur et le niveau de difficulté des sentiers afin de bien planifier votre excursion.

Certains parcs ont des pistes de longue randonnée, conçues pour des excursions de plus d'un jour, qui s'enfoncent dans les étendues sauvages et peuvent s'étendre sur des dizaines de kilomètres. En empruntant de tels sentiers, il faut en tout temps en respecter le balisage.

Plein air - Les loisirs d'été

Pour profiter pleinement de l'excursion, il est important de partir avec l'équipement adéquat. Veillez donc à porter de bonnes chaussures de marche et à emporter les cartes appropriées, de l'eau et de la nourriture en quantité suffisante pour la durée de l'excursion, ainsi qu'une petite trousse de secours contenant un canif et des pansements.

En Nouvelle-Écosse, vous pourrez profiter de plusieurs sentiers de randonnée qui vous entraîneront au cœur d'une superbe nature ou vous révéleront de beaux points de vue sur le littoral. Il existe un livre, *Hiking Trails of Nova Scotia*, publié par le gouvernement, qui traite de ces sentiers. On peut se le procurer à l'adresse suivante:

Nova Scotia Government Publications
P.O. Box 637
1 Government Place
Halifax, NS B3J 2T3
☎ 902-424-7580 ou 800-526-6575
www.gov.ns.ca/snsmr/consumer/publications
Vous pouvez également consulter le site Internet *www.trails.gov.ns.ca*.

Le Nouveau-Brunswick compte également une foule de sentiers. Afin d'encourager les visiteurs à découvrir ces chemins qui parcourent son territoire, le site Web *www.sentiernbtrail.com* fournit une foule de renseignements à quiconque voudrait s'adonner à cette activité. Un guide répertoriant quelque 1 100 km de sentiers est également disponible sur le site.

La randonnée pédestre est également l'une des meilleures façons de découvrir l'Île-du-Prince-Édouard. L'île compte des centaines de kilomètres de sentiers pour tous les types de marcheurs, entre autres des routes patrimoniales, des chemins forestiers et des sentiers urbains ou campagnards, et même des pistes pour l'observation des oiseaux. Le site Internet du gouvernement de l'Île-du-Prince-Édouard *(www.tourismpei.com)* fournit toute l'information requise pour parcourir cette belle île.

La province de Terre-Neuve-et-Labrador fourmille de centaines de sentiers aménagés le long des côtes, dans les forêts et les étendues sauvages, et dans les parcs nationaux et provinciaux. Ils vont des simples balades de quelques heures dans la capitale St. John's aux excursions d'une ou plusieurs journées dans le parc national Gros-Morne ou sur la péninsule d'Avalon. Pour plus d'information sur ces sentiers, consultez le site Internet de Tourisme Terre-Neuve-et-Labrador, *www. newfoundlandlabrador.com*.

■ Vélo

Durant l'été, il est très agréable de se balader à vélo partout dans les provinces atlantiques, en empruntant les routes secondaires généralement tranquilles, ou les chemins qui sillonnent les parcs nationaux ou provinciaux. En étant prudent sur les routes, vous utiliserez alors un moyen de transport des plus agréables pour visiter cette région pittoresque. Les cyclistes aguerris pourront même envisager de faire le tour de certaines provinces. Il s'agit d'excursions des plus charmantes, mais certains endroits comportent plus d'une difficulté, les côtes étant abruptes et nombreuses. Et rappelez-vous que, même si ces provinces sont les plus petites du Canada, les distances peuvent y être très longues. Cyclistes peu entraînés, s'abstenir! Sachez que, si vous désirez apporter votre vélo, il est possible de le transporter par autocar en le protégeant dans une boîte appropriée. Vous pouvez également décider d'en louer un sur place. Pour trouver les adresses des centres de location de vélos, consultez la rubrique «Vélo» de la section «Activités de plein air» des chapitres traitant de chaque province, ou adressez-vous aux bureaux de renseignements touristiques.

Avant de louer un vélo, n'oubliez pas qu'il est conseillé de contracter une bonne assurance. Certains établissements incluent une assurance vol dans le prix de location. Renseignez-vous au moment de la location.

Les loisirs d'hiver

En hiver, les provinces atlantiques sont recouvertes d'un blanc manteau de neige, et c'est alors l'occasion de s'adonner aux sports d'hiver. La plupart des parcs comptant des sentiers de randonnée en été s'adaptent aux nouvelles conditions climatiques et s'ouvrent alors aux skieurs de fond.

En outre, au Nouveau-Brunswick, on peut profiter d'un vaste réseau de sentiers de motoneige. Enfin, bien que la région compte peu de montagnes, il est possible de faire du ski alpin au Nouveau-Brunswick, en Nouvelle-Écosse, à Terre-Neuve-et-Labrador et même à l'Île-du-Prince-Édouard.

■ Motoneige

Activité hivernale, la randonnée en motoneige a séduit plusieurs amateurs. Des kilomètres de sentiers sillonnent le territoire des provinces atlantiques. Vous pouvez le découvrir en motoneige, mais veillez à bien respecter la réglementation. En outre, il est nécessaire de se munir d'un permis. Aussi est-il recommandé de contracter une bonne assurance responsabilité civile.

Voici quelques consignes à respecter en tout temps:

- ne vous écartez pas des sentiers de motoneige;

- conduisez toujours du côté droit du sentier;

- portez un casque de sécurité;

- la motoneige doit circuler phares allumés en tout temps.

Pour préparer votre excursion, communiquez avec:

Fédération des clubs de motoneige du Nouveau-Brunswick
147 Houlton Rd.
Woodstock, NB E7M 1Y4
☎ 506-325-2625
www.nbfsc.com

Snowmobilers Association of Nova Scotia
5516 Spring Garden Rd., 4ᵗʰ Floor
Halifax, NS B3J 1G6
☎ 902-425-5450
www.snowmobilersns.com

Prince Edward Island Snowmobile Association
P.O. Box 2526
Charlottetown, PEI C1A 8C2
☎ 902-894-7669 ou 877-708-7669
www.peisa.ca

Newfoundland and Labrador Snowmobile Federation
7 Wellon Dr.
Deer Lake, NL A8A 2G6
☎ 709-635-4395
www.nlsf.org

■ Ski alpin

Bien que peu connue pour ses stations de ski alpin, la région des provinces atlantiques n'en compte pas moins quelques montagnes ouvertes aux amateurs de ce sport et dignes de mention. Le Nouveau-Brunswick possède quelques belles stations, notamment aux monts Sugarloaf et Crabbe. En Nouvelle-Écosse, les monts sont moins élevés; mentionnons tout de même le Keltic Cape Smokey. L'Île-du-Prince-Édouard peut compter sur le Brookvale Alpine Winter Activity Park, situé dans le centre de l'île.

La meilleure montagne pour le ski alpin dans les provinces atlantiques est cependant située dans l'île de Terre-Neuve: la Marble Mountain, à proximité de Corner Brook, dans l'ouest de l'île, offre d'excellentes pistes et une longue saison de ski

■ Ski de fond

Certains parcs sont réputés pour leurs longues pistes de ski de fond, notamment les parcs Kejimkujik et des Hautes-Terres-du-Cap-Breton, en Nouvelle-Écosse, de même que les parcs du mont Sugarloaf et de Kouchibouguac, au Nouveau-Brunswick. Dans plusieurs centres de ski de fond, il est possible de louer de l'équipement à la journée.

Plein air - Les loisirs d'hiver

Le Nouveau-Brunswick

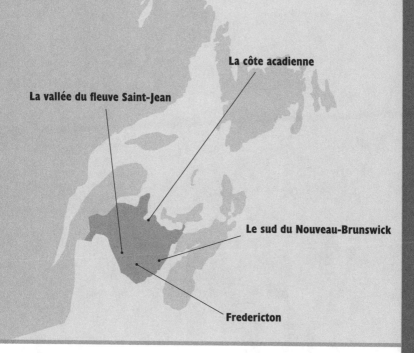

La côte acadienne

La vallée du fleuve Saint-Jean

Le sud du Nouveau-Brunswick

Fredericton

LE NOUVEAU-BRUNSWICK

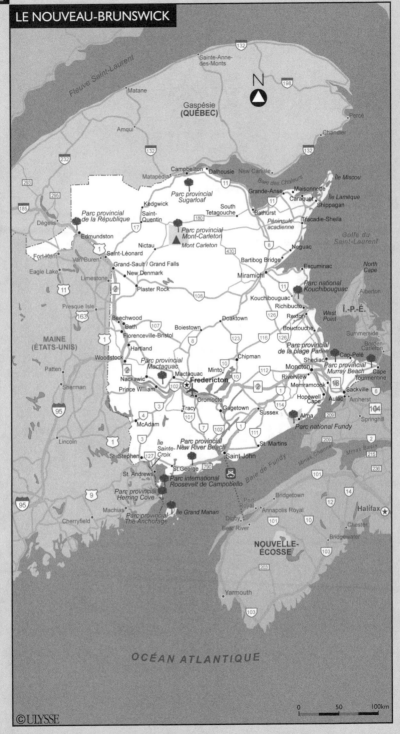

Porte d'entrée des provinces maritimes, le Nouveau-Brunswick possède le charme de la diversité, celle d'une province canadienne à la géographie d'une remarquable variété alliant, à plus de 2 000 kilomètres de côtes et de paysages marins, d'interminables étendues sauvages souvent montagneuses et de pittoresques scènes agricoles.

Couvert à 85% de forêts, le territoire néo-brunswickois est traversé du nord au sud par un majestueux cours d'eau, le fleuve Saint-Jean, qui prend sa source dans les contreforts des Appalaches. Ce fleuve a depuis toujours été au cœur du développement de la région, où dominent de charmants villages et villes, entre autres la coquette Fredericton, capitale provinciale à l'ambiance d'une autre époque, et Saint John, la métropole portuaire et industrielle. Après un parcours tortueux, le fleuve Saint-Jean se jette dans la baie de Fundy, dont les rivages souvent escarpés et spectaculaires délimitent la frontière sud du Nouveau-Brunswick. C'est dans cette baie qu'a lieu un phénomène naturel exceptionnel, alors que, deux fois par jour, les plus hautes et les plus puissantes marées du monde déferlent sur les côtes, y sculptant des paysages parfois étranges et allant jusqu'à renverser le courant des rivières!

La côte Atlantique, depuis la frontière de la Nouvelle-Écosse jusqu'à celle du Québec, renferme les plus belles plages de sable de la province, baignées par des eaux particulièrement chaudes en saison estivale. C'est ici, dans des villes et villages comme Caraquet, Shippagan ou Shediac, qu'on découvre l'Acadie et ses habitants, des gens chaleureux et accueillants.

Originellement peuplé par les Micmacs et les Malécites, le territoire qui correspond au Nouveau-Brunswick fut d'abord visité par des envoyés du roi de France, fondateurs de l'Acadie. Or en 1755 survient un événement tragique: le Grand Dérangement. Durant cette sombre période, environ la moitié des 14 000 Acadiens sont déportés par bateau, alors que d'autres se cachent et fuient à travers les bois. Plusieurs d'entre eux viendront élire domicile sur la côte est du Nouveau-Brunswick.

À partir de 1783, à l'issue de la guerre de l'Indépendance américaine, des milliers de militaires et de citoyens britanniques désirant rester fidèles à la Grande-Bretagne viennent trouver refuge dans les provinces maritimes, plusieurs s'installant sur les rives du fleuve Saint-Jean.

Plus tard, une forte immigration en provenance des îles Britanniques viendra grossir la population de la province. Aujourd'hui, une grande partie de la population du Nouveau-Brunswick est de langue anglaise, le tiers étant de langue française. Les Acadiens vivent en majorité le long des côtes, alors que d'autres francophones, les «Brayons», habitent le long du fleuve Saint-Jean et de la rivière Madawaska, dans le nord-ouest de la province.

Le Nouveau-Brunswick

FREDERICTON

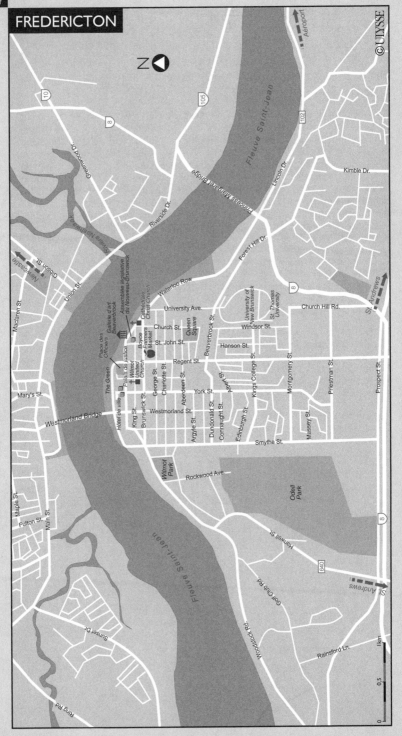

© ULYSSE

Aéroport

102

Kimble Dr.

Lincoln Dr.

Fleuve Saint-Jean

105

Princesse Margaret Bridge

Riverside Dr.

Forest Hill Dr.

8

Greenwood Dr.

10

St. Andrews

8

Church Hill Rd.

Waterloo Row

University of New Brunswick

St. Thomas University

Rivière Nashwaak

Union St.

Gibson St.

Newcastle

University Ave.

Windsor St.

Assemblée législative du Nouveau-Brunswick

Cathédrale Christ Church

Church St.

Queen Square

Hanson St.

Beaverbrook St.

Galerie d'art Beaverbrook

MacLaren St.

Place des Officiers

Boyce Farmers Market

St. John St.

Regent St.

Kings College St.

Prestman St.

Prospect St.

Montgomery St.

The Green

Palais de justice

Wilmot United Church

George St.

Charlotte St.

Aberdeen St.

York St.

Alban St.

Edinburgh St.

Massey St.

Mary's St.

Hôtel de ville

King St.

Brunswick St.

Westmorland St.

Argyle St.

Dundonald St.

Connaught St.

Smythe St.

Westmorland Bridge

Wilmot Park

Rockwood Ave.

Odell Park

8

Maple St.

Fulton St.

Main St.

Hanwell St.

640

St. Andrews

Golf Club Rd.

Fleuve Saint-Jean

Sunset Dr.

Woodstock Rd.

Ring Rd.

Rainsford Ln.

0   0.5   1km

N

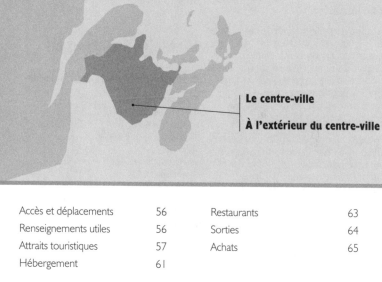

Fredericton

Le centre-ville

À l'extérieur du centre-ville

C apitale du Nouveau-Brunswick, **Fredericton** ★★ est un des plus précieux joyaux de la province. Elle a su préserver, du XIXᵉ siècle, un remarquable héritage et une harmonie architecturale qui lui confèrent une élégance discrète.

Ornée de magnifiques édifices religieux et gouvernementaux, et dotée de grands espaces verts dont certains longent le fleuve Saint-Jean, Fredericton fait partie de ces villes qu'on aime dès le premier regard. Une balade le long de ses rues paisibles, où s'alignent de grands ormes, permet d'apercevoir de superbes maisons victoriennes.

Le site où s'élève la ville fut d'abord, à la fin du XVIIᵉ siècle, un poste de traite acadien dénommé Sainte-Anne. Des Acadiens y sont restés jusqu'à ce qu'ils en soient chassés par l'arrivée des loyalistes en 1783.

L'année suivante, Sainte-Anne devint la capitale de la province et fut renommée Fredericton en l'honneur du second fils de George III, alors souverain de Grande-Bretagne.

Au fil des décennies, très peu d'industries ont choisi de s'installer à Fredericton, préférant plutôt la ville de Saint John. Les secteurs d'activité de la capitale néo-brunswickoise demeurent aujourd'hui surtout liés au gouvernement provincial, aux universités et aux entreprises de services.

Accès et déplacements

■ Orientation

L'agglomération de Fredericton (plus de 124 000 habitants) s'est développée des deux côtés du fleuve Saint-Jean; par contre, c'est essentiellement du côté ouest que se trouvent le centre-ville et la plupart des attraits touristiques. Ce centre-ville étant petit, il est très simple de s'y retrouver et de le visiter à pied.

Les deux principales artères du centre-ville sont la rue Queen et la rue King, toutes deux parallèles au fleuve. La plupart des attraits ainsi que plusieurs restaurants et commerces sont situés sur l'une ou l'autre de ces rues.

■ En avion

L'**aéroport international de Fredericton** (*☎506-460-0920, www.frederictonairport.ca*) est situé à 15 km environ au sud-ouest de la ville, sur Lincoln Road, et est desservi principalement par **Air Canada** (*☎888-247-2262, www.aircanada.com*). On peut se rendre au centre-ville en taxi.

■ En autocar (gare routière)

101 Regent St.
☎506-458-6000

Renseignements utiles

■ Renseignements touristiques

Tourisme Fredericton
C.P. 130, 11 Carleton St.
Fredericton, NB E3B 4Y7
☎506-460-2041 ou 888-888-4768
᥄ 506-460-2474
www.tourismfredericton.ca
www.fredericton.ca

Centres d'information aux visiteurs de Fredericton
hôtel de ville
397 Queen St.
☎506-460-2129
Irving Big Stop
Nevers Rd., route 2
☎506-357-5937

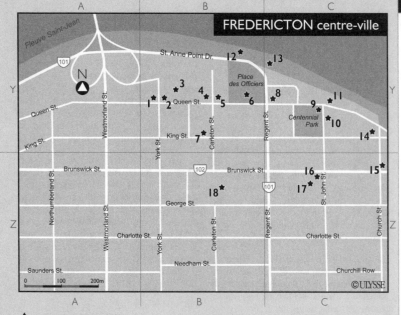

FREDERICTON centre-ville

★ **ATTRAITS TOURISTIQUES**

I. BY	Hôtel de ville / City Hall Gallery	
2. BY	Palais de justice	
3. BY	Collège d'artisanat et de design du Nouveau-Brunswick	
4. BY	Casernes des soldats du Quartier historique de la garnison / ateliers d'artisans	

5. BY	Temple de la renommée sportive du Nouveau-Brunswick	
6. BY	Place des Officiers / Musée York-Sunbury	
7. BY	Wilmot United Church	
8. CY	Palais de justice du comté de York	
9. CY	The Playhouse	
10. CY	Assemblée législative du Nouveau-Brunswick	

II. CY	Galerie d'art Beaverbrook	
12. BY	The Green	
13. CY	Lighthouse on the Green	
14. CY	Gallery 78	
15. CZ	Cathédrale Christ Church	
16. CZ	Science Est	
17. CZ	Boyce Farmers Market	
18. BZ	Ancien cimetière loyaliste public de Fredericton	

Attraits touristiques

Le centre-ville

▲ *p 61*   ⑪ *p 63*   ➷ *p 64*   ▯ *p 65*

Le centre-ville de Fredericton abrite l'**hôtel de ville** *(entrée libre; mi-mai à mi-oct visite guidée en français tlj à 9h et 16h, en anglais tlj à 9h30 et 15h30, le reste de l'année sur rendez-vous; 397 Queen St., angle York St.,* ☎*506-460-2129)*, dont la plus ancienne partie fut aménagée en 1876 et comprenait alors, en plus des bureaux municipaux et de la salle du Conseil, un opéra, un marché agricole et des cellules de prison. Au rez-de-chaussée, la **City Hall Gallery** *(*☎*506-460-2411)* expose les œuvres d'artistes régionaux.

La fontaine devant l'hôtel de ville fut, quant à elle, inaugurée en 1885. De 1975 à 1977 fut construite la deuxième aile du bâtiment. Pendant la saison estivale, on peut faire une intéressante visite de la salle du Conseil.

De l'autre côté de la rue York, dans le **Quartier historique de la garnison**, se dresse un grand bâtiment de pierres, soit le **palais de justice** *(on ne visite pas; Queen St., angle York St.)*, dont la construction date de la fin des années 1930. Avant d'être transformé en palais de justice en 1970, l'édifice abritait une école secondaire. Tout juste à côté du palais de justice, vous apercevrez le **Collège d'artisanat et de design du Nouveau-Brunswick** *(on ne visite pas; 457 Queen St.)*, seule école post-secondaire au Canada à offrir un programme consacré totalement à la formation d'artisans.

Fredericton - Attraits touristiques - Le centre-ville

Un peu plus loin se trouvent les **casernes des soldats du Quartier historique de la garnison** ★ et les **ateliers d'artisans** *(entrée libre; juin à sept tlj 10h à 18h; angle Queen St. et Carleton St.,* ☎*506-460-2837).* Ces bâtiments de pierres, construits en 1827 pour remplacer les premiers édifices militaires de la ville faits de bois, servirent de casernes aux troupes britanniques jusqu'en 1869.

Une des chambres a été restaurée afin de refléter la vocation originale du bâtiment, et un guide-interprète en costume de soldat d'époque accompagne les visiteurs. Sur le mur du casernement, un cadran solaire a été reconstitué. Jusqu'au début du XIXᵉ siècle, les gens de Fredericton pouvaient connaître l'heure grâce à ce cadran.

Un très beau bâtiment de style Second Empire, construit en 1881, abrite désormais le **Temple de la renommée sportive du Nouveau-Brunswick** *(entrée libre; toute l'année, horaire variable, consultez le site Internet pour les heures d'ouverture; 503 Queen St.,* ☎*506-453-3747, www.nbsportshalloffame. nb.ca),* consacré aux grands sportifs néo-brunswickois.

Dans la rue Queen, la **place des Officiers** ★★ est un agréable parc dont les arches de pierre, les rampes et les escaliers en fer sont typiques de l'architecture des ingénieurs royaux durant la période coloniale. Aujourd'hui, on peut voir sur la place des spectacles en plein air, la relève de la garde, des pièces de théâtre, ou faire des visites guidées sur le patrimoine.

Le Quartier historique de la garnison renferme aussi le **Musée York-Sunbury** *(3$; mai et juin mar-sam 13h à 16h, juil et août lun-sam 10h à 17h, sept à nov mar-sam 13h à 16h, déc à avr sur rendez-vous; 571 Queen St., à proximité de Regent St.,* ☎*506-455-6041, www.yorksunburymuseum.com),* consacré au passé militaire et domestique de la province.

Remontez la rue Carleton jusqu'à la rue King, à l'angle desquelles se dresse la **Wilmot United Church** ★★ *(473 King St.,* ☎*506-458-1066, www.wilmotuc.nb.ca).* Son aspect extérieur, plutôt sobre, cache un superbe intérieur particulièrement coloré et doté de nombreuses boiseries sculptées à la main. L'église a été construite en 1852. Cependant, la Société méthodiste de

Fredericton, qui devait se joindre à l'Église unie du Canada en 1925, fut fondée en 1791.

Continuez par la rue Queen jusqu'au joli **palais de justice du comté de York** *(on ne visite pas; 423 Queen St., passé Regent St.).* Celui-ci fut bâti en 1855, et un marché occupait alors son rez-de-chaussée. Il abrite aujourd'hui des services du ministère de la Justice ainsi qu'un tribunal.

Un peu plus loin, de l'autre côté de la rue Queen, se trouve **The Playhouse** *(686 Queen St., angle John St.,* ☎ *506-458-8344, www. theplayhouse.ca),* une salle de spectacle construite en 1964 qui sert de pied-à-terre depuis 1969 au **Theatre New Brunswick** (voir p 64), la plus importante troupe de théâtre de la province. The Playhouse fut un don de Lord Beaverbrook, magnat de la presse britannique qui vécut au Nouveau-Brunswick au cours de son enfance.

Du Playhouse, on aperçoit tout près l'édifice de l'**Assemblée législative du Nouveau-Brunswick** ★★ *(entrée libre; fin mai à fin août tlj 9h à 17h, sept à mai lun-ven 9h à 16h; 706 Queen St., angle John St.,* ☎*506-453-2527, www.gnb.ca),* siège du gouvernement provincial depuis 1882. À l'intérieur, un impressionnant escalier de bois en spirale mène à la bibliothèque, qui contient plus de 49 000 volumes dont certains sont très rares.

On peut notamment visiter la Chambre d'Assemblée, où se réunissent les députés, et voir des portraits du roi George III et de la reine Charlotte, œuvres du peintre britannique Joshua Reynolds.

En face de l'Assemblée législative s'élève la **Galerie d'art Beaverbrook** ★★★ *(8$; lun-sam 9h à 17h30, jeu jusqu'à 21h, dim 12h à 17h30; 703 Queen St.,* ☎ *506-458-8545 ou 506-458-2028, www.beaverbrookartgallery. org),* un autre don de Lord Beaverbrook à la Ville de Fredericton. La galerie possède entre autres une superbe collection des œuvres des plus réputés peintres britanniques, mais aussi certaines autres, très belles, de peintres canadiens tels que Cornelius Krieghoff, Mary Pratt et James Wilson Morrice. Cependant, la toile la plus impressionnante est certainement l'œuvre intitulée *Santiago el Grande,* du peintre d'origine catalane Salvador Dalí.

Après une intéressante visite de la Galerie d'art Beaverbrook, **The Green** ★ constitue une oasis de verdure et le cœur des sentiers pédestres de la ville. Il s'agit là d'un endroit idéal pour faire une agréable promenade le long du fleuve Saint-Jean. Il s'allonge sur 4 km et permet aux promeneurs tout comme aux cyclistes de découvrir les berges du fleuve. Il compte pour beaucoup dans la qualité de vie de Fredericton. On peut s'y arrêter pour une visite du **Lighthouse on the Green** *(2$; juin tlj 10h30 à 19h, juil et août tlj10h30 à 21h, sept tlj 10h30 à 18h; ☎506-460-2939)*, où se trouvent un organisateur d'excursions, un centre de location de vélos, une boutique de souvenirs, un kiosque d'information touristique et une exposition portant sur la vie aux abords du fleuve Saint-Jean. Des spectacles y sont présentés les vendredis soir et les dimanches après-midi durant les mois de juillet et d'août.

De retour à la rue Queen, on peut voir la jolie silhouette de la résidence Crocket, qui loge la **Gallery 78** *(mar-sam 10h à 17h, dim 13h à 16h; 796 Queen St., ☎506-454-5192 ou 888-883-8322, www.gallery78.com)*. Construite à la fin du XIXᵉ siècle, la résidence Crocket, une superbe demeure de trois étages de style Queen Anne, tient son nom de la famille Crocket, qui l'habita à partir des années 1930 avant de la céder en 1963 au patrimoine néo-bruns-wickois. Depuis 1976, elle abrite la Gallery 78, l'une des meilleures galeries d'art de la province pour les œuvres qu'elle regroupe, soit des créations d'artistes canadiens de renom et de la relève. Une visite de la galerie permet à la fois d'admirer ces œuvres et de contempler le superbe intérieur de la résidence.

Suivez la rue Queen jusqu'à la rue Church, où l'on peut visiter la **cathédrale Christ Church** ★ ★ *(168 Church St., ☎506-450-8500, www.christchurchcathedral.com)*, de style gothique, dont la construction, terminée en 1853, fut largement tributaire des efforts du premier évêque anglican de Fredericton, John Medley. Elle fut la première cathédrale anglicane construite en Amérique du Nord.

De la cathédrale, en empruntant la rue Brunswick, on peut se rendre au centre scientifique interactif de **Science Est** *(8$; juin à août lun-sam 10h à 17h, dim 12h à 16h; sept à mai lun-ven 12h à 17h, sam 10h à 17h; 668 Brunswick St., ☎506-457-2340, www.scienceeast.nb.ca)*, qui loge dans l'ancienne prison de York. Plus de 100 bornes interactives sont installées au sein de ce centre qui vise à rendre amusante et accessible l'exploration des principes scientifiques fondamentaux. Les visiteurs peuvent entre autres pénétrer dans un kaléidoscope géant, jouer avec un rayon laser, projeter des ombres gigantesques sur un mur et expérimenter la réalité virtuelle. On y trouve aussi une aire de jeux extérieure avec plus de 20 installations additionnelles. Les ateliers scientifiques, les spectacles et la boutique complètent la gamme d'activités et de services offert ici. Il s'agit là d'une activité familiale des plus intéressantes.

Pas très loin de Science Est se trouve le **Boyce Farmers Market** *(sam 6h à 13h; 665 George St., ☎506-451-1815, www.boycefarmersmarket.com)*, un marché public où, chaque samedi matin, les fermiers, mais aussi les artisans et les artistes, offrent en vente leurs produits.

Tout juste à côté, en continuant par la rue Brunswick, on peut voir l'**ancien cimetière loyaliste public de Fredericton** *(500 Brunswick St.)*. C'est ici que furent inhumés, de 1787 à 1878, les personnages loyalistes les plus marquants des débuts de l'histoire de Fredericton.

À l'extérieur du centre-ville

▲ p 62   ● p 64   ➤ p 64

Située à l'extérieur du centre-ville, l'**Ancienne Résidence du gouverneur** *(entrée libre; fin mai à début sept tlj 12h à 17h; 51 Woodstock Rd., ☎506-453-2505)* était jadis la résidence officielle du lieutenant-gouverneur de la province. Le bâtiment a servi à différentes fins, et une partie de l'Ancienne Résidence du gouverneur est aujourd'hui ouverte au public, alors que la résidence privée du lieutenant-gouverneur actuel est située à l'étage.

L'**University of New Brunswick** *(au bout d'University Ave.)* a été fondée en 1785 par des loyalistes nouvellement arrivés. Elle comporte plusieurs bâtiments dont un pavillon des arts, le plus ancien bâtiment universitaire toujours en activité au Canada.

En ces lieux se trouve aussi la **St. Thomas University**, une université catholique qui, avant de s'installer à Fredericton dans les années 1910, était à Chatham, sur la rivière Miramichi. Surplombant la ville, ces deux universités offrent un très beau coup d'œil.

Le **parc Odell** ★ *(Rockwood Ave., au nord-ouest de la ville)* s'étend sur plus de 175 ha et compte 16 km de sentiers de randonnée. On a également enrichi cette aire naturelle très bien préservée, paisible et sauvage, d'étangs à canards, de tables de pique-nique et d'un parc d'attractions pour les enfants. En hiver, il est possible d'y faire du ski de fond et du patin. Le parc abrite également l'**arboretum Odell**, traversé par un sentier de 2,8 km composé de trois boucles qui permet aux visiteurs d'en apprendre davantage sur les essences indigènes du Nouveau-Brunswick.

🦫 Activités de plein air

■ Canot et kayak

Small Craft Aquatic Centre
Woodstock Rd.
☎506-460-2260
Après avoir arpenté les rues de la ville, rien de tel qu'une promenade guidée sur le fleuve à bord d'un canot ou d'un kayak. Vous ne savez pas pagayer? Qu'à cela ne tienne, cette entreprise offre un cours d'apprentissage du maniement de ces embarcations. Cette excursion est l'occasion de parcourir le fleuve à la découverte de sa flore et de sa faune.

■ *Randonnée pédestre*

Une belle façon de goûter les beautés de Fredericon est de porter de confortables chaussures et de partir à la découverte de l'un des 25 sentiers de randonnée qui sillonnent les abords de la ville.

Le plus long d'entre eux, le **North Side**, suit la rive nord du fleuve Saint-Jean sur quelque 10 km. Peut-être le plus plaisant, **The Green**, long de 4 km, serpente sur la rive sud-ouest du fleuve à travers les plus beaux quartiers de la ville. Il rejoint d'autres sentiers plus courts qui sont autant d'autres belles découvertes. Tous présentent un intérêt. Il est possible de se procurer le *Guide des sentiers* en s'adressant au:

Conseil sentiers Nouveau-Brunswick
1350 Regent St.
☎506-459-1931
www.sentiernbtrail.com

■ *Vélo*

Fredericton, jolie capitale de la province, est une ville merveilleuse à découvrir à vélo. En outre, Fredericton possède une magnifique piste cyclable (The Green) de 4 km qui longe le fleuve. Voici quelques adresses où vous pouvez louer des vélos:

Radical Edge
386 Queen St.
☎506-459-3478

River Trail Bike Rentals & Tours
Lighthouse on the Green
☎506-476-7368

Savages
441 King St.
☎506-457-7452
www.savages.ca

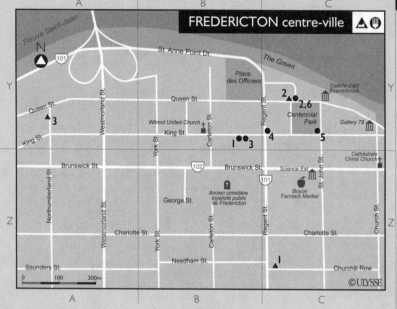

FREDERICTON centre-ville

▲ Hébergement

Le centre-ville

Auberge de jeunesse
$ ●

621 Churchill Row
☎ 506-450-4417
www.hihostels.com

Aménagée dans une immense maison, cette auberge de jeunesse est sans doute une des meilleures options pour les personnes disposant d'un petit budget. Elle offre en effet un emplacement de choix, à 5 min à pied du centre-ville. Elle dispose de dortoirs, de chambres privées et de chambres familiales de différentes dimensions. Une cuisinette et une salle de jeu sont mises à la disposition de tous.

Kilburn House Bed & Breakfast
$$ ●

80 Northumberland St.
☎/▤ 506-455-7078
☎ 866-365-5500

Cet établissement propose trois chambres simplement décorées, mais propres, à bon prix et situées à deux pas du centre-ville. On peut cependant déplorer que la Kilburn House se trouve dans une rue passante.

Crowne Plaza Fredericton Lord Beaverbrook
$$$$ ▥ ≡))) ¥ ▱ ≋ ⚓ ◎

659 Queen St.
☎ 506-455-3371 ou 866-444-1946
www.cpfredericton.com

On ne peut trouver un hôtel plus central que le Crowne Plaza Fredericton Lord Beaverbrook, depuis longtemps l'un des points de repère du centre-ville de Fredericton. Adossé au fleuve Saint-Jean, il fait face à l'édifice de l'Assemblée législative du Nouveau-Brunswick. La riche décoration de son hall tout comme le cachet aristocratique de la **Governor's Room** (voir p 64), une petite salle à manger un peu en retrait, témoignent du prestigieux passé de l'hôtel. Récemment rénovées, les chambres offrent un bon confort et une décoration sobre.

À l'extérieur du centre-ville

University of New Brunswick
$ 🛏 @

mai à août
20 Bailey Dr., au bout d'University Ave.
☎506-453-4800
www.unbf.ca/housing
Pendant la saison estivale, on peut louer des chambres d'étudiants à l'université du Nouveau-Brunswick.

Carriage House Inn
$$ 🐾 ≡ @
230 University Ave.
☎506-452-9924 ou 800-267-6068
🖷506-452-2770
www.carriagehouse-inn.net
Le charme de Fredericton vient en bonne partie des nombreuses et superbes maisons victoriennes qui ponctuent plusieurs de ses artères. Le Carriage House Inn est l'une de ces magnifiques maisons victoriennes, construite en 1875, aujourd'hui transformée en une auberge où l'on peut s'imprégner d'une atmosphère révolue. L'auberge possède de belles grandes pièces, entre autres une salle de bal, une bibliothèque, un solarium, ainsi qu'une dizaine de chambres meublées d'antiquités. Ombragée par de grands ormes, elle donne sur une rue paisible et cossue, à quelques minutes à pied du centre de la ville. En toute saison, il vaut mieux réserver à l'avance.

City Motel
$$ 🛏 ≡ @ ❄ 🚗
1216 Regent St.
☎506-450-9900 ou 800-268-2858
🖷506-452-1915
www.thecitymotel.com
Ce motel aux chambres simplement décorées ren-ferme un bon restaurant et présente l'avantage d'être propre et peu cher. Il a toutefois l'inconvénient d'être un peu à l'écart du centre-ville.

The Colonel's In B&B
$$-$$$ 🐾 ≡ 🖉 ❄ ⌂ @
843 Union St.
☎506-452-2802 ou 877-455-3003
🖷506-457-2939
www.bbcanada.com/1749.html
Une belle maison centenaire abrite The Colonel's In, coquet petit gîte touristique qui ne compte que trois chambres. Ses hôtes, accueillants et toujours disposés à offrir des renseignements sur la région, contribuent à rendre ce gîte très agréable. Pour y accéder depuis le centre-ville, on devra faire une plaisante balade sur la rive nord du fleuve Saint-Jean, non loin du parc Carleton.

Lakeview Inns & Suites Fredericton
$$$ 🐾 ❄ ≡ 🚗 @ 🛏 �
665 Prospect St. W.
☎506-459-0035 ou 877-355-3500
🖷506-458-1011
www.lakeviewhotels.com
Cet hôtel n'a pas l'avantage d'être situé au centre-ville, mais il n'en propose pas moins des chambres convenables. On cherche en outre à rendre le séjour agréable en offrant une foule de petits extras, entre autres des journaux et du café gratuit toute la journée. Les voyageurs séjournant plusieurs jours à Fredericton pourront en outre profiter des chambres avec four à micro-ondes, réfrigérateur et petit salon.

Fredericton Inn
$$$ 🛏 🛏 ≈ ≡ @
1315 Regent St.
☎506-455-1430 ou 800-561-8777
🖷506-458-5448
www.frederictoninn.nb.ca
Construit légèrement en périphérie du centre de la ville, en bordure de l'autoroute transcanadienne et tout près de plusieurs centres commerciaux, le Fredericton Inn offre un vaste choix de chambres, allant des suites aux chambres de type motel. Ces dernières présentent un bon rapport qualité/prix.

Delta Fredericton
$$$$
))) 🛏 🛏 ≈ ≡ 🚗 ♿ 🖉 ♈ @
225 Woodstock Rd.
☎506-457-7000 ou 800-462-8800
🖷506-457-4000
www.deltahotels.com
Légèrement en retrait du centre-ville, l'élégant Delta Fredericton occupe un magnifique emplacement sur les berges du fleuve Saint-Jean. C'est de loin l'hôtel le plus luxueux de la capitale et l'un des meilleurs établissements de la province. Ses concepteurs ont su tirer profit de son site privilégié en y aménageant une superbe terrasse (**The Dip Pool Bar & Grill**, voir p 64) donnant sur le fleuve, où l'on peut siroter un apéritif, se baigner dans la piscine ou prendre un repas en contemplant le paysage. Les chambres sont très confortables et fonctionnelles, et plusieurs d'entre elles offrent une très belle vue. Le Delta est doté d'une piscine intérieure et d'installations sportives, d'un très bon restaurant (**Bruno's**, voir p 64), d'un bar et de salles de conférences. Visiblement, il a été

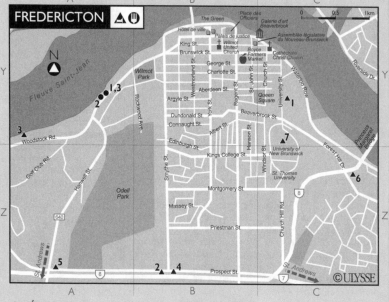

FREDERICTON

© ULYSSE

▲ **HÉBERGEMENT**

1. CY Carriage House Inn
2. BZ City Motel
3. AY Delta Fredericton
4. BZ Fredericton Inn
5. AZ Lakeview Inns & Suites Fredericton
6. CZ The Colonel's In B&B
7. CY University of New Brunswick

● **RESTAURANTS**

1. AY Bruno's
2. AY Diplomat
3. AY The Dip Pool Bar & Grill

conçu à la fois pour plaire aux gens d'affaires et aux vacanciers.

⑪ Restaurants

Le centre-ville

Voir carte p 61

The Lunar Rogue Pub
$-$$
625 King St.
☎ 506-450-2065
www.lunarrogue.com
On se rend d'abord et avant tout dans ce pub irlandais par les belles journées ensoleillées pour profiter de sa terrasse. Le menu, quoique sans surprise, justifie également qu'on y fasse un saut, car il affiche des plats simples comme les hamburgers, les sand-

wichs et les steaks, servis en copieuses portions. On y trouve également la bière pression de la brasserie artisanale Picaroons et plus d'une centaine de différents whiskies.

Mexicali Rosas
$$
546 King St.
☎ 506-451-0686
Pour les amateurs de mets mexicains, le Mexicali Rosas est un choix convenable. Les portions y sont généralement assez généreuses, et une petite terrasse permet à la clientèle de s'attabler à l'extérieur.

BrewBakers
$$-$$$
546 King St.
☎ 506-459-0067
Le BrewBakers a de quoi plaire à tous. Son rez-de-

chaussée conviendra à ceux qui veulent bavarder autour d'un délicieux dessert et d'un café. Le premier étage profite d'une plaisante mezzanine. Le dernier étage, et non le moindre, comprend la salle à manger ainsi qu'une terrasse. C'est ici que l'on peut savourer les pâtes, pizzas, steaks, poulet ou fruits de mer, toujours bons et servis en généreuses portions. Atmosphère sympathique.

The blue door
$$-$$$
100 Regent St.
☎ 506-455-2583
Dans un cadre moderne et élégant, le populaire resto-*lounge* The blue door propose une cuisine internationale dont font partie plusieurs mets d'inspiration

Fredericton - Restaurants - Le centre-ville

asiatique. L'établissement se fait un point d'honneur de choisir des produits frais issus de l'agriculture locale. On y prépare d'excellent cocktails, notamment les martinis et les *mojitos*.

The Terrace Room
$$$

Crowne Plaza Fredericton Lord Beaverbrook
659 Queen St.
☎ 506-451-1804

Le **Crowne Plaza Fredericton Lord Beaverbrook** (voir p 61) compte trois restaurants, le Governor's Room (voir ci-dessous), le Maverick Room et The Terrace Room, qui profite d'une atmosphère conviviale. On choisira The Terrace Room pour son agréable salle à manger et surtout pour sa terrasse qui donne sur le fleuve Saint-Jean.

Governor's Room
$$$-$$$$

Crowne Plaza Fredericton Lord Beaverbrook
659 Queen St.
☎ 506-455-3371

Pour un dîner plus chic, il faut réserver à la Governor's Room, qui compte deux pièces légèrement en retrait à la décoration surannée et à l'ambiance quelque peu aristocratique. On sert ici une cuisine française.

À l'extérieur du centre-ville

Voir carte p 63

Diplomat
$$-$$$

tlj 24 heures sur 24
253 Woodstock Rd., à côté du Delta Fredericton
☎ 506-454-2400
http://diplomatrestaurant.com

Le Diplomat fait le plaisir des oiseaux de nuit. On y présente un menu varié sans grand raffinement, somme toute assez typique de la plupart des restos de type *delicatessen*. La cuisine chinoise est l'une des spécialités du restaurant. Le Diplomat sert de copieux petits déjeuners américains à bon prix.

The Dip Pool Bar & Grill
$$-$$$

Delta Fredericton
225 Woodstock Rd.
☎ 506-454-2400

En été, si le temps est clément, on ne peut concevoir un endroit plus agréable pour prendre un verre, un petit goûter ou un repas, que le restaurant-terrasse du **Delta Fredericton** (voir p 62). En plus d'un service de bistro attentionné et d'une cuisine savoureuse, The Dip a ceci de particulier qu'il offre une vue absolument imbattable sur le fleuve Saint-Jean.

Bruno's
$$$-$$$$

Delta Fredericton
225 Woodstock Rd.
☎ 506-451-7935

Si la saison ne permet pas de manger en plein air, on peut toujours se réfugier au Bruno's, l'autre restaurant du Delta Fredericton. La cuisine y est excellente, le service impeccable et l'atmosphère feutrée. Le menu affiche une belle gamme de mets allant des steaks aux plats de fruits de mer. Le restaurant propose également d'alléchants buffets, notamment le fameux buffet de fruits de mer dressé le vendredi soir, et le brunch du dimanche matin.

♪ Sorties

■ Activités culturelles

Dans la jolie salle de spectacle **The Playhouse** (voir p 58), on peut assister à des représentations du **Theatre New Brunswick** *(www.tnb.nb.ca)*, l'une des troupes professionnelles de théâtre anglophone de la province. The Playhouse accueille aussi régulièrement d'autres activités culturelles. On peut connaître la programmation en composant le ☎ 506-458-8344.

Au cours des mois de juillet et d'août, des concerts en plein air sont présentés sur la **place des Officiers** (voir p 58), rue Queen. Les concerts se tiennent les mardis et jeudis à compter de 19h30.

■ Bars et pubs

Social Club
University of New Brunswick Student Union Building

Les étudiants passent, mais le Social Club de l'université du Nouveau-Brunswick reste, année après année, une valeur sûre. En hiver, il est pratiquement bondé chaque soir, alors qu'en été il y a surtout de l'activité les fins de semaine.

The Lunar Rogue Pub
625 King St.
☎ 506-450-2065

Rien de tel qu'un arrêt au pub irlandais The Lunar Rogue, d'abord pour profiter de l'animation de sa populaire terrasse, prise d'assaut les soirs de fins de semaine, ensuite pour déguster quelques-unes de ses délicieuses bières pression.

Dolan's Pub
349 King St.
☎ 506-454-7474
Ce pub irlandais est fréquenté par une clientèle âgée de 25 ans et plus. Des concerts d'artistes provenant surtout des Maritimes y sont présentés.

■ Fêtes et festivals

Février

Festhiver NB
☎ 506-472-4386
www.winterfestnb.ca
Le Festhiver NB est une fête familiale célébrant, au cours d'une fin de semaine, les plaisirs hivernaux. Parmi les activités et installations proposées; des glissades, des balades en traîneau à chiens et un labyrinthe.

Mai

Festival francophone de Fredericton
Centre communautaire Sainte-Anne
715 Priestman St.
☎ 506-453-2731
www.centre-sainte-anne.nb.ca
Le Centre communautaire Sainte-Anne célèbre la culture et le patrimoine francophones au cours de ce festival marqué par des expositions artistiques, des spectacles et des événements sportifs et gastronomiques.

Juin

Festival de musique baroque de Fredericton
☎ 506-366-2829
www.earlymusicfredericton.ca
Au cours de ce festival, des concerts et des ateliers de musique baroque sont présentés à la cathé-drale Christ Church et dans d'autres lieux historiques du centre-ville.

Maritime Countryfest
☎ 506-472-5976
www.maritimecountryfest.com
Une série de spectacles de musique country, dont un gratuit, se déroule dans le Quartier historique de la garnison.

Juillet

NotaBle Acts Summer Theatre Festival
☎ 506-455-5609
www.nbacts.com
À travers les rues du centre-ville, ce festival présente du théâtre innovateur ainsi que des représentations en salles le soir venu.

Jeux Highland et festival écossais du Nouveau-Brunswick
☎ 506-452-9244 ou 888-368-4444
www.highlandgames.ca
Au cours d'une fin de semaine, ce festival familial célèbre la culture écossaise. Cuisine traditionnelle, concerts, danses et jeux sont au menu.

Août

Célébration de la fête des Acadiens
☎ 506-453-2731
www.centre-sainte-anne.nb.ca
Hommage à la culture acadienne tout en musique et en gastronomie.

Septembre

Exposition de Fredericton
☎ 506-458-9819
www.frex.ca
Le programme de cette exposition annuelle, qui se tient depuis 1827, est varié et familial. On y trouve une foire agricole, des jeux forains, des clowns, des manèges, des spectacles aériens et même un zoo.

Harvest Jazz & Blues Festival
☎ 888-622-5837
www.harvestjazzandblues.com
À la mi-septembre, le jazz et le blues sont à l'honneur à Fredericton. Le festival constitue une occasion unique pour qui aime ces deux genres musicaux, alors que des spectacles sont présentés dans les bars, les parcs, les restaurants et les théâtres de la ville.

Portes ouvertes à Fredericton
☎ 506-460-2411
www.fredericton.ca
Cet événement s'avère une bonne occasion de visiter gratuitement les bâtiments historiques les plus intéressants de la ville.

Octobre

Art Trek - Les yeux grands ouverts... tournée d'ateliers
☎ 506-443-9900
Journée «portes ouvertes» des studios d'artistes de la ville et de la région.

Novembre

Silver Wave Film Festival
☎ 506-455-1632
www.swfilmfest.com
Ce festival présente des œuvres de fiction et des documentaires de la communauté cinématographique locale, nationale et internationale.

▣ Achats

■ Grandes artères commerciales

De l'artisanat au prêt-à-porter, les rues du centre-ville et Prospect Street regorgent de boutiques et de magasins. Au nord de Fredericton, Main Street constitue un autre secteur

commercial où l'on trouve, en plus des grandes chaînes, plusieurs commerces d'antiquaires.

■ Centres commerciaux

Le **Regent Mall** *(1381 Regent St.)*, qui compte une centaine de boutiques, est le plus grand centre commercial de la ville.

Le **Corbett Centre** *(près du Regent Mall)* et l'**Uptown Centre** *(1150 Prospect St.)* comptent une grande variété de boutiques.

■ Galeries d'art et artisanat

Galerie du Conseil d'artisanat du Nouveau-Brunswick
732 Charlotte St., local 103
☎506-450-8989
La galerie du Conseil d'artisanat du Nouveau-Brunswick présente un superbe éventail de produits de grande qualité fabriqués par des artistes et des artisans de la province. Il s'agit assurément de l'une des meilleures boutiques d'artisanat du Nouveau-Brunswick.

Quartier historique de la garnison
juin à sept
angle Queen St. et Carleton St.
☎506-460-2837
Le niveau inférieur de la caserne des soldats du **Quartier historique de la garnison** (voir p 58) abrite des ateliers d'artisans et permet de les observer à l'œuvre, en plus d'y faire des achats. Également sur place, la boutique **River Valley Fine Craft** présente une excellente sélection d'artisanat régional et provincial.

Aitkens Pewter & Studio Shop
170 Urquhart Ct.
☎506-453-9474 ou 800-567-4416
Cette boutique artisanale se spécialise dans les objets d'étain. Elle propose des bijoux, des souvenirs et des pièces décoratives.

Botinicals Gift Shop
610 Queen St.
☎506-454-6101 ou 877-450-6101
Cette boutique originale propose de belles décorations florales en étain et en cuivre. Ces œuvres colorées sont étonnantes!

Gallery 78
796 Queen St.
☎506-454-5192
Une visite de Fredericton ne saurait être complète sans un arrêt à la **Gallery 78** (voir p 59). Cette galerie d'art rassemble les travaux de certains des artistes les plus connus ou les plus prometteurs du Nouveau-Brunswick. La somptueuse maison victorienne qui l'abrite donne sur le fleuve Saint-Jean. Elle est magnifique avec ses hautes et grandes pièces, son escalier et ses planchers de bois franc... à faire rêver!

Galerie d'art Beaverbrook
(voir p 58)

■ Marché public

Boyce Farmers Market
(voir p 59)

■ Souvenirs

Boutique de l'Amitié
Centre communautaire Sainte-Anne
715 Priestman St.
☎506-453-2731
Cette boutique propose de l'artisanat local ainsi que des produits culturels acadiens et francophones comme des livres et des disques.

Paradise Imports & Jonnie Java's
95 York St.
☎506-455-1711
Les artisans-propriétaires de cette boutique créent des pièces uniques et originales mettant entre autres en valeur des perles et des pierres précieuses recueillies au cours de leurs voyages. Ils importent également de beaux meubles provenant d'Asie. Les visiteurs peuvent même siroter un bon café dans leur commerce.

Think Play
59 York St.
☎506-472-7529
Ce magasin offre une excellente sélection de jeux et de jouets.

La vallée du fleuve Saint-Jean

Edmundston

Saint-Léonard

Saint-Quentin

Grand-Sault / Grand Falls

New Denmark

Beechwood

Bath

Florenceville-Bristol

Hartland

Woodstock

Nackawic

Kings Landing

Mactaquac

Oromocto

Gagetown

LA VALLÉE DU FLEUVE SAINT-JEAN

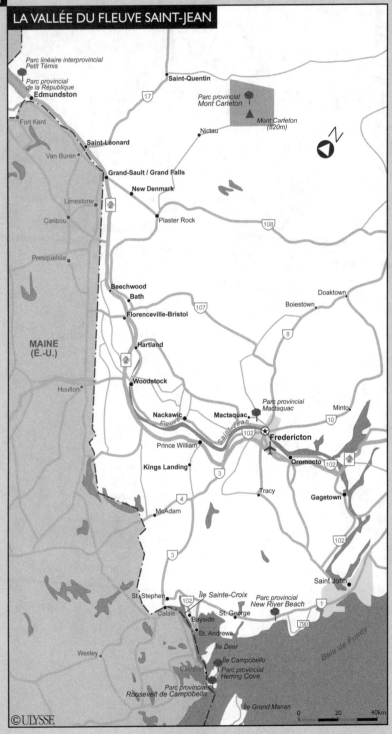

Parc linéaire interprovincial
Petit Témis

Parc provincial
de la République
Edmundston

Fort Kent

Saint-Quentin

Parc provincial
Mont Carleton

Mont Carleton
(820m)

Nictau

Saint-Léonard

Van Buren

Grand-Sault / Grand Falls

New Denmark

Limestone

Caribou

Plaster Rock

108

Presqueisle

Beechwood
Bath

Doaktown

Boiestown

Florenceville-Bristol

107

MAINE
(É.-U.)

Hartland

8

Woodstock

Houlton

Nackawic   **Mactaquac**

Parc provincial
Mactaquac

Minto

Fleuve

10

Saint-Jean

102

★ **Fredericton**

Prince William

Kings Landing

Oromocto   102   2

3

Tracy

Gagetown

4

McAdam

102

3

Saint John

St. Stephen   Île Sainte-Croix

102

Parc provincial
New River Beach

1

St. George

Calais

Bayside

St. Andrews

790

Wesley

Île Deer

Baie de Fundy

Île Campobello

Eastport

Parc provincial
Herring Cove

Parc provincial
Roosevelt de Campobello

Île Grand Manan

©ULYSSE

0   20   40km

Depuis la république du Madawaska, au nord-ouest de la province, jusqu'à la ville industrielle de Saint John, où il se jette dans la baie de Fundy, le majestueux fleuve Saint-Jean forme la clé de voûte de la région la plus continentale du Nouveau-Brunswick.

Chacun de ses tournants dévoile de nouveaux paysages et de nouvelles facettes de ce qui constitue, à bien des égards, une région très contrastée. Aux abords d'Edmundston et de Grand-Sault, terres francophones aux flamboyantes églises catholiques, on découvre de jolis paysages légèrement vallonnés où l'exploitation de la forêt et la culture des pommes de terre sont au cœur de l'économie régionale.

Puis, plus au sud, à mesure que sa vallée s'élargit, le fleuve traverse une tout autre contrée, jalonnée de villages et de villes au riche patrimoine architectural parmi lesquelles se trouve Fredericton, capitale de la province.

Il y a deux siècles maintenant, toute cette portion de la **vallée du fleuve Saint-Jean ★** devint une véritable «terre promise» pour des milliers de loyalistes, ces colons américains désirant rester fidèles à la Couronne britannique après la guerre de l'Indépendance.

Mais en dépit des différences culturelles et sociales, cette vallée est unie par la même fascination qu'a toujours inspirée, depuis sa source jusqu'à son estuaire, le puissant fleuve Saint-Jean.

Accès et déplacements

■ En voiture

En provenance de l'ouest, on peut prendre la route 2 (transcanadienne) ou toute autre route parallèle jusqu'à la capitale de la province, Fredericton. Après avoir traversé Fredericton, il faut prendre la route 7 puis la route 102 pour boucler le circuit à Gagetown. En continuant vers le sud, on aura tôt fait d'arriver à la ville de Saint John, sur le littoral de la baie de Fundy.

■ En autocar (gare routière)

169 rue Victoria, près du boul. Hébert
Edmundston
☎ 506-739-8309 ou 506-328-2245

Renseignements utiles

■ Renseignements touristiques

St. John River Valley Tourism Association
824 Main St.
Woodstock
☎ 888-568-2111
www.sjrvta.com

Office du tourisme Edmundston Madawaska
121 Victoria St.
Edmundston
☎ 506-737-1850 ou 866-737-6766
www.republiquemadawaska.com
www.ville.edmundston.nb.ca

Centre d'information aux visiteurs de Saint-Jacques
17412 route 2
Edmundston
☎ 506-735-2747

Centre d'information aux visiteurs de Grand-Sault / Grand Falls
25 ch. Madawaska
Grand-Sault / Grand Falls
☎ 506-475-7788 ou 877-475-7769
www.grandfalls.com

La vallée du fleuve Saint-Jean - Renseignements utiles

Attraits touristiques

Edmundston ★

▲ *p 76*   🕐 *p 78*   🍴 *p 80*   🛍 *p 80*

Edmundston est la plus grande agglomération francophone hors Québec en Amérique du Nord: c'est le centre autour duquel gravite la communauté francophone du nord-ouest de la province, qui la désigne affectueusement comme la «capitale» de sa mythique république du Madawaska.

Dès le premier regard, on reconnaît dans son paysage urbain ce qui fait la prospérité de cette ville: l'industrie des pâtes et papiers, qui a su tirer profit de la richesse des forêts avoisinantes et de la situation très avantageuse d'Edmundston, au confluent de la rivière Madawaska et du fleuve Saint-Jean. Or, si Edmundston ne cache pas son caractère industriel, elle est également très fière de son sens de la fête et de sa vie culturelle, qui culmine chaque année, à la fin du mois de juillet, avec les célébrations liées à la **Foire Brayonne** (voir p 80), l'une des plus grandes manifestations francophones à se tenir en dehors du Québec. C'est à ce moment qu'on peut le mieux découvrir la richesse et la générosité des habitants du Madawaska.

Reconnue comme site historique provincial, l'impressionnante **cathédrale de l'Immaculée-Conception** ★ *(145 rue Rice)* domine de son clocher la ville d'Edmundston. Elle fut élevée pendant les années sombres de la crise économique, avec des matériaux provenant de tous les coins du monde (Afrique, Inde, Italie, France, etc.). Ses vitraux sont splendides.

Pour vous familiariser avec l'histoire de cette région francophone et de ses habitants, faites un saut au **Musée historique du Madawaska** *(3,50$; mi-juin à début sept tlj 9h à 20h; sept à mi-juin mer-jeu 19h à 22h, dim 13h à 17h; 195 boul. Hébert,* ☎ *506-737-5282)*, qui possède une collection permanente d'objets anciens liés au développement du Madawaska. On trouve aussi, sous le même toit, la **Galerie Colline**, où sont exposées des œuvres d'artistes locaux.

Le **Parc linéaire interprovincial Petit Témis** *(*☎ *506-739-1992, www.petit-temis.com)* s'étend sur quelque 130 km et permet de relier, à pied ou à vélo, Edmundston et Rivière-du-Loup, au Québec. Cet espace vert, qui englobe un réseau de sentiers de randonnée et de pistes cyclables, longe en partie la rivière Madawaska et réserve aux aventuriers des panoramas splendides.

Quartier Saint-Jacques

Pour bien des voyageurs, ceux qui viennent du Québec tout au moins, Saint-Jacques, aujourd'hui un quartier de la ville d'Edmundston, est le tout premier «village» qu'ils croisent en arrivant au Nouveau-Brunswick par la route 185.

Ce n'est donc pas par hasard qu'on y trouve l'un des plus importants centres d'information touristique de la région, et le **parc provincial de la République** *(31 rue Principale,* ☎ *506-735-2525, www.parcsnb. ca)*, qui regroupe des terrains de camping, une piscine, des aires de jeux pour enfants, des sentiers pédestres et des pistes cyclables ainsi qu'un amphithéâtre extérieur où sont présentés des spectacles. On y trouve également, à proximité, deux attraits importants.

Le **Jardin botanique du Nouveau-Brunswick** ★★ *(14$; juil et août tlj 9h à 20h, juin et sept tlj 9h à 18h; 15 rue Principale,* ☎ *506-737-4444, www.jardinbotaniquenb. com)* est à plusieurs égards une très belle réussite. Il renferme plusieurs types de jardins (roseraie, vivaces, sous-bois, pépinière, alpin) répartis sur un site très bien aménagé d'une superficie de 7 ha. Longeant entre autres une rivière et des bassins, son réseau de sentiers offre un beau panorama sur les vallons boisés de la région.

Conçu initialement à partir de la collection privée d'un résidant d'Edmundston, Melvin Louden, le **Musée de l'automobile** ★ *(3,75$; début juin à début sept tlj 10h à 20h, début sept à mi-sept mer-dim 10h à 20h; 31 rue Principale, à côté du Jardin botanique,* ☎ *506-735-2637)* renferme une belle collection de véhicules anciens, dont certains sont aujourd'hui très rares, comme la *Bricklin* (1974-1976), la seule automobile qui fut fabriquée au Nouveau-Brunswick.

La république du Madawaska

L'origine de la mythique république du Madawaska remonte aux débuts de la colonisation de la région, à une époque où les Britanniques et les Américains ne cessaient de redéfinir la frontière entre le Maine et le Nouveau-Brunswick à coups d'escarmouche et de tortueuses négociations politiques.

Lassés de n'être que des pions sur l'échiquier politique des «Grands», et par dérision envers les autorités, les gens du Madawaska en sont venus à «fonder» leur propre république, aux frontières floues à souhait, mais englobant *grosso modo* la population francophone de ce coin de pays.

Poussant plus loin la fantaisie, on a par la suite décidé que la république aurait son propre président en la personne du maire d'Edmundston. Ce drôle de legs historique cache bien entendu la très forte identité culturelle liant la population francophone des deux côtés de la frontière canado-américaine, legs qu'on peut d'ailleurs mieux apprécier lors des célébrations de la Foire Brayonne d'Edmundston, qui se tient chaque année à la fin du mois de juillet.

Quartier Saint-Basile

Les Acadiens venus y trouver refuge et les colons de souche québécoise habitant la région n'ont longtemps constitué qu'une petite communauté qui, pendant plus de 40 ans, n'était desservie que par une seule paroisse, Saint-Basile, fondée en 1792. Cette paroisse s'étendait alors de la rivière Saint-François à l'actuelle ville de Grand-Sault. Ce fait historique vaut à Saint-Basile le titre de «berceau du Madawaska». Saint-Basile s'est aussi fait connaître sur un tout autre plan: c'est en effet ici qu'est né le chanteur populaire Roch Voisine.

Parmi les attraits de Saint-Basile, on retrouve le **Musée historique des Religieuses Hospitalières de Saint-Joseph** *(entrée libre; mai à sept mar-dim 13h à 17h; 429 rue Principale,* ☎*506-263-5546, www.cuslm.ca/ hoteldieustbasile)*, qui a abrité le premier hôpital de la région; la **Maison historique Cyr**, bâtie vers 1810; le **cimetière** où les inscriptions funéraires remontent aux premières familles acadiennes; et la **chapelle** historique construite en rondins.

Saint-Léonard

C'est sans doute à Saint-Léonard qu'on peut le mieux saisir l'aspect arbitraire de la frontière canado-américaine séparant, depuis 1842, Saint-Léonard de Van Buren (du côté américain), deux villages liés par l'histoire et la langue. Qu'à cela ne tienne, les deux communautés portent toujours allégeance à une même république, celle du Madawaska!

’’’ *À partir de Saint-Léonard, on peut se rendre au parc provincial Mont-Carleton ou traverser la province jusqu'au nord-est en empruntant la route 17.*

Saint-Quentin

Le **parc provincial Mont-Carleton** ★ *(7$; 7612 route 385,* ☎*506-235-0793, www. parcsnb.ca)* se trouve au cœur du Nouveau-Brunswick, dans sa région la plus sauvage. Avec ses 820 m d'altitude, le mont Carleton est la montagne la plus élevée des Maritimes. Ce parc est surtout fréquenté par des amateurs de randonnée pédestre et comporte 88 emplacements de camping. Il offre plus d'une dizaine de sentiers (pour un total de 62 km) de différents niveaux de difficulté. Certains longent les cours d'eau alors que d'autres grimpent jusqu'aux sommets des monts Carleton, Sagamook, Head et Bailey, offrant aux randonneurs de magnifiques vues. Notons, pour les randonneurs chevronnés, que le Sentier international des Appalaches (SIA) et le Sentier NB Trail sont reliés directement au mont Carleton.

🛶 Activités de plein air

■ Canot

Formant une chaîne naturelle, les lacs et rivières du parc provincial Mont-Carleton se prêtent merveilleusement aux excursions en canot, et il est possible de faire du camping sauvage. Pour obtenir des cartes et plus de renseignements, contactez le personnel du parc au ☎506-235-0793.

Aventure Mt-Carleton
St-Quentin
☎506-235-2499 ou 506-235-0286
www.mtcarletonaventure.com
L'entreprise Aventure Mt-Carleton organise des excursions en canot sur le lac Nictau et les rivières Nepisiguit et Tobique. On y loue des canots ainsi que des pédalos, des planches à voile et des kayaks, en plus de l'équipement de camping.

Grand-Sault / Grand Falls ★

▲ p 77   🛏 p 79

''' *De retour à Saint-Léonard, on peut longer le fleuve Saint-Jean par la route 2 pour se rendre jusqu'à Grand-Sault.*

Charmante bourgade aux abords du fleuve, là où il chute abruptement, Grand-Sault est une petite communauté dynamique et attachante dont la population à majorité francophone est de souche québécoise et acadienne. Son joli site fut d'abord longtemps fréquenté par les Malécites, puis devint un poste militaire britannique à partir de 1791, avant que la ville ne soit finalement incorporée en 1896.

En plus de l'attrait qu'exerce son site, Grand-Sault possède un centre-ville ayant fière allure, et un cachet un peu *Midwest* américain que lui vaut son large boulevard flanqué de maisons basses donnant directement sur la rue. Fait à noter, elle est la seule ville au Canada portant un nom officiellement bilingue: Grand-Sault / Grand Falls. Célèbre pour la culture des pommes de terre, la région immédiate de Grand-Sault est belle à découvrir avec ses champs qui grimpent le long des vallons.

À l'origine du nom de la ville, la magnifique **chute** ★★ de Grand-Sault est la plus importante et la plus impressionnante de la province. À cet endroit, les eaux du

Les Brayons

On désigne les habitants de la république du Madawaska du nom de «Brayons», un terme dont l'origine reste encore obscure, mais qui pourrait venir de *brayer* (écraser) le lin, un travail qui occupait alors régulièrement les femmes du Madawaska.

Les Brayons sont des descendants de Québécois à la recherche de nouvelles terres à coloniser aux XVIIIe et XIXe siècles et d'Acadiens chassés du bas du fleuve Saint-Jean par le nombre important de colons loyalistes à la fin du XVIIIe siècle.

Les Malécites

La magnifique vallée du fleuve Saint-Jean (*Wolastoq* dans la langue malécite) accueille depuis longtemps les Malécites ou *Wolastoqiyik*, «les gens de la belle rivière». Considérés comme la première nation du Nouveau-Brunswick, ils ont étendu leur territoire jusqu'au fleuve Saint-Laurent et à l'État du Maine.

À l'époque, les Malécites vivaient principalement de l'agriculture, entre autres de la culture du maïs, mais aussi de chasse et de pêche, ainsi que de cueillette. De plus, ces Amérindiens ingénieux étaient d'excellents artisans: la construction de wigwams ou de tipis et de canots d'écorce, de même que la fabrication d'ustensiles et de poteries, n'avaient pas de secret pour eux.

Éléments défensifs majeurs, les Malécites s'allient aux Français lors des guerres franco-britanniques. Toutefois, en 1728, ils ratifient malgré eux un traité de paix avec les Anglais, reconnaissant alors, comme les autres Amérindiens de la Nouvelle-Angleterre, la souveraineté britannique sur la Nouvelle-Écosse. Le ressentiment des Malécites à l'endroit des Anglais durera jusqu'au traité de Paris de 1763, alors que la France cède tout le Canada à la Grande-Bretagne.

Aujourd'hui encore, leur vie spirituelle est empreinte de chants, de danses, de fêtes et de rites transmis au cours des siècles. Les enseignements ancestraux et la tradition orale chez les Malécites témoignent d'un grand respect de la sagesse du Dieu créateur et d'un mode de vie respectueux de l'environnement.

Quelque 4 000 Malécites habitent toujours la province du Nouveau-Brunswick, et 1 500 autres vivent tout près, au Québec et dans l'État du Maine.

fleuve Saint-Jean plongent d'une hauteur de 23 m, puis s'engouffrent sur environ 2 km dans une gorge aux parois atteignant jusqu'à 70 m de haut.

Au fond de cette gorge, l'action des eaux tumultueuses a créé dans le roc des cavités qu'on nomme ici des «puits», car elles conservent l'eau des crues. Vous pouvez commencer votre visite par un arrêt au **Centre d'information touristique Malobiannah** *(sur le chemin Madawaska, en bordure de la chute)*, qui sert à la fois de centre d'interprétation et de centre d'information touristique pour la région.

Pour admirer la gorge de plus près, des croisières à bord d'un ponton sont organisées par la **Commission des Chutes et de la Gorge ★** *(12$; fin juin à début sept; 81 rue Burgess, bureau 100, ☎506-475-7769 ou 877-475-7769)*. On y bénéficie d'une

vue splendide sur la chute et le barrage hydroélectrique. À partir du **Centre d'information aux visiteurs de Grand-Sault / Grand Falls** (voir p 69), un sentier pédestre permet de découvrir la chute et la gorge sous tous leurs angles. Sur l'autre rive, en plein centre-ville, à partir du **Centre d'aventure La Rochelle** *(6$; 1 rue Chapel)*, un escalier permet aux visiteurs de descendre jusqu'au lit de la rivière, offrant une très belle vue sur la gorge, les puits et la chute.

Pour en connaître davantage sur Grand-Sault et sa région, rendez-vous au petit **Musée de Grand-Sault** *(entrée libre; juin à août lun-ven 10h à 17h; 68 ch. Madawaska, ☎506-473-5265)*, où l'on présente une collection d'objets hétéroclites liés à l'histoire de la région.

🏕 *Activités de plein air*

■ *Golf*

Grand Falls Golf Club
40$/18 trous
803 rue Main
☎ 506-473-4494
www.grandfallsgolf.nb.ca

New Denmark

››› *Au départ de Grand-Sault, la route 108 mène à New Denmark et à Plaster Rock, puis à la rivière Miramichi, qui se jette dans l'Atlantique.*

New Denmark est une petite bourgade en tous points semblable aux autres villages de la région, sauf qu'elle est le principal centre de la plus importante communauté danoise en Amérique du Nord. L'histoire commence en 1872, lorsque le gouvernement de la province propose à une poignée de Danois de s'installer au confluent de la rivière aux Saumons et du fleuve Saint-Jean. On leur promet de bonnes terres propices à l'agriculture; ils héritent plutôt d'un sol accidenté et rocailleux. Les autorités de la province avaient, semble-t-il, choisi cet emplacement précis le long du fleuve pour que les Danois forment en quelque sorte une communauté intermédiaire entre les francophones au nord et les anglophones au sud. Les Danois y restèrent néanmoins, et leurs descendants, un peu moins de 1 500 aujourd'hui, rappellent l'épopée de leurs ancêtres lors d'une fête qui se tient annuellement le dimanche le plus près du 19 juin.

Le **New Denmark Memorial Museum** *(dons appréciés; juin à sept; 6 Main Rd., ☎506-553-6464 ou 506-553-6764)* expose des objets de la vie courante des colons danois.

Beechwood

On peut s'arrêter dans ce minuscule hameau pour y visiter la **centrale hydro-électrique** et son **horloge florale** de 9 m de diamètre, ou pour pique-niquer dans le parc au bord du fleuve.

Bath

Sur la rive est du fleuve Saint-Jean, le joli et paisible petit village de Bath n'a d'attrait particulier que le charme des quelques belles demeures blanches de ses notables. On s'y sent facilement à une autre époque, tellement loin du brouhaha des villes modernes.

Florenceville-Bristol

▲ *p 78*   ⊕ *p 79*

Cette ville toute neuve, fruit d'une fusion entre les villages de Florenceville et de Bristol, se targue d'être la «capitale mondiale de la frite». C'est en effet ici que commença humblement l'entreprise McCain, aujourd'hui un empire international de la pomme de terre et d'autres produits surgelés, et la deuxième fortune en importance du Nouveau-Brunswick, derrière celle de la famille Irving.

À l'entrée de la ville, une imposante usine transforme toujours des tonnes de pommes de terre cueillies dans la région chaque année. Au centre du village, on peut s'arrêter à la **Galerie d'art Andrew & Laura McCain** ★ *(entrée libre; mar, mer et ven 10h à 17h, jeu 13h à 20h, sam 10h à 15h; 8 McCain St., ☎506-392-6769)*, où sont présentées des œuvres d'artistes, d'artisans et de photographes de la province et parfois des expositions de niveau international.

Le **Monde de la pomme de terre** *(5$; mai à oct tlj 10h à 17h; 385 rue Centreville, ☎506-392-1955, www.potatoworld.ca)* est un musée interactif abritant entre autres un centre d'interprétation, de l'équipement agricole ancien, une petite salle de projection et un café où l'on peut commander des frites et des beignets de pommes de terre.

Florenceville-Bristol compte aussi parmi ses attraits un pont couvert, construit en 1907, et le site historique de l'ancienne gare ferroviaire Shogomoc, qui abrite quelques wagons restaurés, dont un transformé en restaurant (voir p 79).

Hartland ★

Hartland est un mignon et typique village de la vallée du fleuve Saint-Jean, connu pour son remarquable **pont couvert** ★★, le plus long du monde. Celui-ci enjambe le fleuve sur 390 m et fut inauguré en 1901, à une époque où le simple fait de couvrir un pont permettait à sa charpente de résister jusqu'à sept fois plus longtemps. Le Nouveau-Brunswick est d'ailleurs aujourd'hui l'endroit au monde qui compte le plus grand nombre de ponts couverts. Sur la rive ouest du fleuve, un agréable parc permet de pique-niquer et de contempler le paysage avoisinant.

Woodstock

▲ *p 78*   ● *p 79*   ◆ *p 80*

La guerre de l'Indépendance des États-Unis terminée, des dizaines de milliers de citoyens américains ayant combattu aux côtés de la Grande-Bretagne vinrent chercher refuge au Canada, possession britannique arrachée aux Français deux décennies plus tôt. C'est en 1784 qu'un de ces loyalistes, le capitaine Jacob Smith, remonta le fleuve Saint-Jean jusqu'à l'embouchure de la rivière Meduxnekeag, où l'attendaient des terres que lui avaient léguées les autorités britanniques. Quelques décennies plus tard, la ville de Woodstock naquit sur ce site.

C'est aujourd'hui une communauté de taille moyenne, chef-lieu du comté de Carleton, et connue pour être le «centre de services de la Vallée». On y organise par ailleurs chaque année, à la fin du mois de juillet, la foire agricole **Old Home Week** (voir p 80).

La *Main* (rue principale) de Woodstock ainsi que la rue Connell sont bordées de quelques jolis bâtiments historiques, entre autres la **Connell House** *(entrée libre; juil et août lun-ven, 9h à 20h, sam 12h à 20h; dim sur rendez-vous; sept à juin lun-ven 9h à 17h; 128 Connell St., ☎506-328-9706, www.cchs-nb.ca)*, une impressionnante demeure bourgeoise de style néoclassique datant de 1839 et ayant appartenu à l'honorable Charles Connell, un politicien local qui fut également maître postier du Nouveau-Brunswick jusqu'à sa démission, à la suite de la tempête qu'il avait provoquée en émettant un timbre-poste à sa propre gloire.

Construite en 1833, l'**Old Carleton County Court House** ★ *(dons appréciés; juil et août lun-sam 11h à 19h; 19 Court St., Upper Woodstock, au nord du centre-ville, ☎506-328-9706, www.cchs-nb.ca)* est un bâtiment de bois de deux étages dont le discret revêtement extérieur cache un intérieur de belles et sobres boiseries. Ce fut le palais de justice du comté pendant plus de 75 ans, jusqu'à l'ouverture du nouveau palais de justice au centre-ville de Woodstock. Par la suite, pendant un demi-siècle, ce bâtiment servit de grange à un fermier local, avant d'être racheté et rénové en 1960 par la Société historique du comté de Carleton.

La ville de Woodstock compte un agréable **marché** *(juil et août lun-ven 10h à 16h, ven et sam 8h à 16h; sept à juin mar-sam 10h à 16h; 220 King St.)* qui propose des produits et de l'artisanat régionaux. On y trouve également le **Greenway**, un sentier pédestre qui longe la rivière Meduxnekeag.

Nackawic

Un bref arrêt à Nackawic permet de voir une **hache géante**, la plus grande au monde. Érigée en 1991 lorsque la ville fut reconnue «capitale de la sylviculture du Canada», elle rend aujourd'hui hommage aux bûcherons de la région. Elle se dresse au cœur d'un parc où il est agréable de pique-niquer et de se promener.

Kings Landing

● *p 79*   ◆ *p 80*   ▮ *p 80*

Le **Village historique de Kings Landing** ★★★ *(15,50$; juin à oct tlj 10h à 17h; 20 ch. Kings Landing, le long de la transcanadienne, ☎506-363-4999, www.kingslanding.nb.ca)* est un formidable musée vivant et en plein air reproduisant un village loyaliste du début du XIXe siècle sur une immense propriété de 120 ha en bordure du fleuve Saint-Jean.

Il comprend plus de 70 bâtiments historiques abritant des objets patrimoniaux, notamment des pièces de mobilier, des vêtements et des outils. Des guides-interprètes en costumes d'époque animent le lieu en vaquant aux occupations quotidiennes des villageois de jadis tout en

La vallée du fleuve Saint-Jean - Attraits touristiques - Kings Landing

répondant aux questions des visiteurs. Mieux que dans tout autre musée traitant du sujet, une visite de Kings Landing est la façon la plus agréable et la plus efficace de connaître l'histoire des loyalistes.

Mactaquac

▲ *p 78*

Mactaquac est doté du populaire **parc provincial Mactaquac** *(7$; 1256 route 105, en retrait de la route 2,* ☎506-363-4747, *www. parcsnb.ca),* qui propose des activités en toute saison (baignade, randonnée, camping, navigation de plaisance, golf, ski de fond). Le parc se trouve en bordure du fleuve, dont les eaux sont retenues ici par un **barrage hydroélectrique**, le plus important des Maritimes.

Oromocto

Oromocto est le lieu de résidence des militaires de la très importante base canadienne de Gagetown. On y trouve le **Musée militaire de la base des Forces canadiennes de Gagetown** *(entrée libre; juin à août lun-ven 8h à 16h, sam-dim 10h à 16h, sept à mai lun-ven 10h à 16h; sur la base militaire canadienne,* ☎506-422-1304), où sont présentées des armes des XVIIIe, XIXe et XXe siècles.

Gagetown ★

Gagetown est un tout petit village qu'on dirait tiré d'un conte de fées, tellement tout y est mignon: son église, son magasin général, ses quelques maisons et son site même, sur les berges du fleuve Saint-Jean. L'endroit, très paisible, a conservé son cachet d'antan de village loyaliste, et un savoir-vivre on ne peut plus anglo-saxon.

Avec tant de charme, on ne peut s'étonner que Gagetown attire chaque année des artistes en quête d'inspiration, en plus des vacanciers venus y trouver le repos. Des plaisanciers s'y arrêtent aussi, amarrant leur yacht ou leur voilier au quai du village. Même si Gagetown est un village minuscule, il est doté de deux gîtes touristiques, de plusieurs galeries d'art, d'ateliers d'artistes et de boutiques d'artisanat. En outre, un service de traversier gratuit permet de se rendre sur l'autre rive du fleuve.

La **Tilley House** ★ *(3$; mi-juin à mi-sept tlj 10h à 17h; 69 Front St.,* ☎506-488-2966) a été construite en 1786, ce qui fait de cette maison l'une des plus anciennes du Nouveau-Brunswick. Elle abrite désormais le **Queens County Historical Society and Museum**, où sont rassemblés une foule d'objets rappelant l'histoire locale et celle de son plus illustre propriétaire, Samuel Leonard Tilley, l'un des pères de la Confédération canadienne de 1867.

Bâtiment datant de 1838, la **Queens County Court House** *(3$; mi-juin à mi-sept tlj 10h à 17h; 16 Court House Rd.,* ☎506-488-2483) est le plus ancien palais de justice du Nouveau-Brunswick.

▲Hébergement

Edmundston

Auberge Le Fief
$$ ☜☕☻≡
87 Church St.
☎506-735-0400
Edmundston compte peu d'établissements de charme, si ce n'est Le Fief, une auberge aménagée dans une belle maison historique. Plaisante à souhait, elle profite d'une décoration soignée et de chambres fort jolies avec salle de bain privée. Elle a en outre l'avantage d'être située au centre-ville.

Château Edmundston
$$$ ╣≈≡♿◎@
100 rue Rice
☎506-739-7321
▤506-735-9101
www.hojo.com
La «capitale» de la république du Madawaska a son propre centre des congrès, le deuxième en importance de la province, et ce, en plein centre-ville. Il est attenant à l'hôtel Château Edmundston, qui propose l'hébergement le plus confortable en ville. L'hôtel, rénové en 2007 et conçu pour accueillir à la fois les congressistes et les vacanciers, offre une multitude de services.

Quartier Saint-Jacques

Auberge Les Jardins Inn
Motel Le Brayon et Chalets
$$-$$$$
≡ ⚌ ≋ @ ◎ ⚲ ⚠ ⛟ ⛵

60 rue Principale
☎ 506-739-5514
www.auberge-lesjardins-inn.com

Cet établissement offre trois types d'hébergement. L'auberge abrite des chambres au décor thématique inspiré des espèces d'arbres du Nouveau-Brunswick et des fleurs emblématiques des provinces et territoires canadiens. Derrière l'auberge se trouvent quelques chalets pourvus d'une cuisinette ainsi que des unités de motel offrant des chambres à petits prix. Hautement recommandé, le restaurant de l'hôtel se spécialise dans la cuisine française.

Quartier Saint-Basile

Au NIDaigle
$$-$$$ ⚲ ≡ @

1582 rue Principale
☎ 506-739-7567 ou 888-510-8088
www.aunidaigle.com

Le gîte touristique Au NIDaigle propose des chambres confortables, agréablement décorées et toutes pourvues d'une salle de bain privée. Deux des chambres possèdent un grand balcon.

- - - - - - - - - - - - - - -

Grand-Sault / Grand Falls

Maple Tourist Home
Bed & Breakfast
$$ ⚲ ≡

436 Sheriff St.
☎ 506-473-1763 ou 888-840-8222

Le Maple Tourist Home, un excellent gîte touristique situé au centre-ville de Grand-Sault, dispose de chambres très propres. Les clients peuvent se détendre dans un sympathique salon commun.

Motel Léo
$$ ⛟ ≡ ◎ @ ⛟ ⚲

10021 route 144
☎ 506-473-2090 ou 800-661-0077
▤ 506-473-6614
www.motelleo.nb.ca

Le Motel Léo loue des chambres bien entretenues et abordables. C'est un motel assez typique où la plupart des clients ne s'arrêtent que pour une nuit, question de faire une halte au cours d'un voyage. Le personnel est sympathique.

Hill Top Motel
$$-$$$ ⚌ ⛟

131 ch. Madawaska
☎ 506-473-2684 ou 800-496-1244
▤ 506-473-4567
www.sn2000.nb.ca/hilltop

Le Hill Top Motel est le seul motel situé au cœur de Grand-Sault, à quelques centaines de mètres du centre d'information touristique Malobiannah. Comme son nom le laisse supposer, le Hill Top occupe un promontoire qui, d'ailleurs, présente une vue sur le barrage hydroélectrique de la ville. Les chambres sont propres, mais meublées sans grand raffinement.

Lakeside Lodge & Resort
$$-$$$ ⛟ ⚌ ◎ ⛟ ⚠ @

596 Gillespie Rd.
lac Pirie
☎ 506-473-6252
▤ 506-473-1898
www.lakeside-lodge.com

Aménagé près du lac Pirie, à environ 5 km au sud de Grand-Sault, le Lakeside Lodge & Resort constitue, pour les amants de la nature, une excellente solution de rechange aux motels de la région. Six

chalets avec foyer et cuisinette y sont disponibles, ainsi que huit chambres, dont deux sont dotées d'une baignoire à remous et d'un foyer.

Auberge Près du Lac
$$$ ⚌ ≋ ◎ ⛟ ≡ ⫶⫶⫶ ⚲

10039 route 144
2,5 km au nord de Grand-Sault
☎ 506-473-1300 ou 888-473-1300
▤ 506-473-5501
www.presdulac.com

L'Auberge Près du Lac offre une bonne qualité d'hébergement dans la région. L'établissement propose des chambres de motel ainsi que des chalets en bordure d'un petit lac artificiel. Les clients peuvent choisir entre des chambres standards, meublées adéquatement, et des suites et chambres nuptiales. Diverses installations permettent de s'adonner à des activités comme les balades en pédalo sur le lac, le minigolf, le basket-ball, le conditionnement physique et la natation dans une piscine intérieure, ce qui en fait un lieu de séjour particulièrement apprécié des familles.

- - - - - - - - - - - - - - -

Plaster Rock

Tobique River Haven
$-$$ ⚌ ⛟

70 Main St., quelques kilomètres avant Plaster Rock
☎ 506-356-9817 ou 888-356-9817
▤ 506-356-2804
www.tobiqueriverhaven.com

Caché de la route, le Tobique River Haven occupe un joli site en bordure de la paisible rivière Tobique. La beauté de son emplacement et la tranquillité des lieux en font un motel populaire auprès de ceux qui désirent explorer la contrée sauvage entourant Plaster

La vallée du fleuve Saint-Jean - **Hébergement** - Plaster Rock

Rock. Les soirées karaoké du *lounge* sont très prisées dans la région!

Florenceville-Bristol

Shamrock Suites
$$ ☎ @
Curtis Hill Rd.
☎ 506-392-8801
www.shamrocksuites.ca

Dans une maison centenaire de la paisible campagne de Bristol, Shamrock Suites propose des chambres élégantes et spacieuses.

Woodstock

Bennett House Bed & Breakfast
$$ ☎ @ ≡
698 Main St.
☎ 506-325-2608
www.bennetthouse.ca

Le Bennett House Bed & Breakfast s'enorgueillit de sa magnifique maison victorienne datant de 1878 et de son joli décor. Les chambres ont tout autant de quoi ravir, garnies de meubles anciens et profitant d'un agréable petit salon. Il ne s'agit pas là des seuls charmes de l'établissement, qui profite en outre d'une plaisante terrasse où est servi le petit déjeuner. Enfin, l'accueil attentionné des propriétaires fait de ce lieu d'hébergement l'un des plus recommandables de la région.

John Gyles Motor Inn
$$ ≡
route transcanadienne, 8 km au sud de Woodstock
☎ 506-328-6622 ou 866-381-8800
📠 506-328-2468
www.johngylesmotorinnltd.ca

Tout comme les nombreux autres motels le long de la transcanadienne aux abords de Woodstock, le John Gyles Motor Inn dispose de chambres bon marché. Ce qui le distingue des autres, c'est la qualité de son restaurant (voir p 79), où l'on peut apprécier diverses spécialités allemandes.

Best Western Woodstock Inn and Suites
$$$ ☎ ≡ @ ⚊ ☺ △ ⚊ ♿
123 Gallop Court
☎ 506-328-2378 ou 888-580-1188
📠 506-328-9195
www.bestwesternwoodstock.com

Dernier venu parmi les établissements hôteliers de la ville, le Best Western Woodstock Inn and Suites présente un excellent rapport qualité/prix. Il compte de nombreux services et installations, comme une piscine intérieure, des chambres avec cuisinette ainsi qu'une sélection de films et l'accès Internet sans fil dans chaque unité.

Econo Lodge Woodstock
$$$ ☎ ≡ 🍴 ≋ ⚑ @ ♿
168 route 555, sortie Houlton (188) de la transcanadienne
☎/📠 506-328-8876
ou 888-328-8876
www.econolodgewoodstock.com

L'Econo Lodge Woodstock offre l'une des meilleures options d'hébergement dans la région immédiate de Woodstock. On y dénombre une cinquantaine de chambres bien aménagées ainsi qu'une piscine extérieure chauffée, flanquée d'une aire de jeux pour les enfants, et un restaurant. Pour les gens pressés, ce motel a l'avantage d'être situé en bordure de la transcanadienne et de la route 95 en direction des États-Unis.

Mactaquac

Riverside Resort and Conference Centre
$$$$ ⚊ 🍴 ≋ ⚊ @ ≡ △ ⚑
35 Mactaquac Rd., sortie 274 de la route transcanadienne
☎ 506-363-5111 ou 800-561-5111
📠 506-363-3000
www.holidayfredericton.com

Le Riverside Resort and Conference Centre est un grand complexe hôtelier surplombant le bassin de Mactaquac, un élargissement du fleuve Saint-Jean causé par un barrage à proximité. En plus de 76 chambres, ce luxueux établissement compte six cottages équipés d'une cuisinette et d'une salle à manger. Pour les vacanciers, plusieurs activités extérieures sont prévues, entre autres divers types de pêche. Le lieu est également apprécié pour les installations dont il dispose, idéales à la tenue de conférences ou de rencontres d'affaires dans un cadre reposant.

Gagetown

Step-Aside B&B
$$ ☎ ♿
58 Front St.
☎ 506-488-1808

Ce joli gîte touristique compte quatre chambres et offre une vue superbe sur la marina de Gagetown.

🖐Restaurants

Edmundston

La Terrasse
$$-$$$
Château Edmundston
100 rue Rice
☎ 506-739-7321

Le restaurant du **Château Edmundston** (voir p 76)

sert une bonne variété de plats simples mais alléchants, telle sa poitrine de poulet farcie au fromage de chèvre et épinards. Le menu affiche également une section de cuisine rapide.

Quartier Saint-Jacques

Auberge Les Jardins Inn
$$$-$$$$
60 rue Principale
☎506-739-5514
Le chef de l'**Auberge Les Jardins Inn** (voir p 77) prépare une excellente cuisine française et propose des tables d'hôte thématiques assorties d'une impressionnante carte des vins.

Grand-Sault / Grand Falls

Hill Top Motel Restaurant
$-$$
131 Madawaska Rd.
☎506-473-2684
C'est la vue imprenable sur la chute qui justifie que l'on mange à ce restaurant. Il n'en propose pas moins une cuisine familiale acceptable.

Karl's German Cuisine
$$$
Lakeside Lodge & Resort
596 Gillespie Rd.
☎506-473-6252
Grillades, saucisses, choucroute et autres spécialités allemandes figurent en bonne place au menu, de quoi satisfaire copieusement votre appétit. Le cadre saura également vous enchanter, car le restaurant du **Lakeside Lodge & Resort** (voir p 77) est aménagé en pleine campagne. On a d'ailleurs bien su mettre en valeur ce beau décor champêtre: la salle à

manger est doté d'un chaleureux foyer et de larges baies vitrées.

Florenceville-Bristol

Fresh
$$-$$$
☎506-392-6000
www.freshfinedining.com
Installé dans un wagon restauré du Canadien Pacifique sur le site historique de l'ancienne gare ferroviaire Shogomoc, ce restaurant inusité et somptueux propose une cuisine raffinée et un menu changeant au gré des saisons et de l'inspiration du chef. Bonne sélection de vins et ambiance intimiste.

Woodstock

Heino's German Cuisine
$$
John Gyles Motor Inn
route transcanadienne, à 8 km au sud de Woodstock
☎506-328-6622
Le restaurant Heino's du **John Gyles Motor Inn** (voir p 78) est fameux dans la région pour l'excellence de sa cuisine familiale allemande. On y sert, bien entendu, divers types de saucisses ainsi que les grands classiques de l'art culinaire allemand.

Bennett House Bed & Breakfast
$$-$$$
698 Main St.
☎506-328-1819
Les jeudi, vendredi et samedi soirs, le **Bennett House Bed & Breakfast** (voir p 78) fait aussi office de restaurant. Sa salle à manger se démarque par ses plats innovateurs

d'inspiration italienne à base d'aliments santé toujours frais. Les convives s'y succèdent pour s'attabler devant un délicieux repas, dans une salle à manger joliment agrémentée d'un foyer, ou dans la cour, dans une ambiance champêtre.

Kings Landing

King's Head Inn
$$$
Village historique de Kings Landing
sortie 253 de la route transcanadienne
☎506-363-4999
Pour une expérience gastronomique et historique, attablez-vous au King's Head Inn. Outre les dîners thématiques lors des fêtes (Noël, Saint-Valentin, Pâques), ce restaurant concocte de copieux plats «loyalistes» servi par un personnel costumé dans une salle à manger au décor d'époque.

Gagetown

The Old Boot Pub
$$
marina de Gagetown
48 Front St.
☎506-488-1992
www.gagetownmarina.ca
Avec son bar-bateau et son ambiance décontractée, l'Old Boot Pub s'avère un établissement agréable pour prendre une pause, déguster une cuisine de bistro et une bière rafraîchissante. Certains soirs d'été, on y présente des spectacles.

♪Sorties

■ Bars et discothèques

Edmundston

Bistro Bar
49 ch. Canada
☎506-735-3010
Cafe Retro Bar
69 ch. Canada
☎506-739-6969
Rendez-vous locaux sans prétention, ces deux bars sont animés par des chansonniers et des soirées de karaoké.

■ Fêtes et festivals

Juin

Festival de jazz et blues d'Edmundston
centre-ville d'Edmundston
☎506-737-8188
www.jazzbluesedmundston.com
Plus d'une quarantaine de spectacles gratuits sont présentés au centre-ville lors du Festival de jazz et blues d'Edmundston.

Juillet

La Foire Brayonne
Edmundston
☎506-739-6608
www.foirebrayonne.com
La grande manifestation francophone de la région fait vibrer Edmundston au rythme des multiples activités et événements: musique, contes, ateliers créatifs et historiques, chants autochtones, tournois d'improvisation et accès gratuit à certaines installations sportives sont alors au rendez-vous.

Old Home Week
Woodstock
www.oldhomeweek.ca
Cette foire agricole célèbre la famille et la tradition. Manèges, concours bovins et spectacles en plein air font partie de la programmation.

Août

Journées folkloriques
Village historique de Kings Landing
☎506-363-4999
www.kingslanding.nb.ca
Les journées folkloriques de Kings Landing honorent la mémoire des premiers colons par un amalgame de musique, de danses et de contes traditionnels.

⛏Achats

■ Souvenirs

Boutique du centre d'information aux visiteurs de Saint-Jacques
17412 route 2
Edmundston
☎506-735-2747
Pour dénicher quelques souvenirs, cette boutique mérite le détour car elle propose de beaux objets créés par les artisans de la province, ainsi que des livres et des disques d'auteurs et d'artistes acadiens et néo-brunswickois.

Boutique du musée de Kings Landing
Village historique de Kings Landing
☎506-363-4999
La boutique du musée de Kings Landing présente non seulement un bon choix de souvenirs de qualité liés à ce lieu, mais également un bon éventail de livres portant sur l'histoire régionale et sur celle des provinces atlantiques.

Le sud du Nouveau-Brunswick

St. Stephen

Bayside

St. Andrews

St. George

Île Deer

Île Campobello

Île Grand Manan

New River Beach

Saint John

St. Martins

Parc national Fundy

Alma

Hopewell Cape

Moncton

Dieppe

Memramcook

Sackville

Aulac

LE SUD DU NOUVEAU-BRUNSWICK

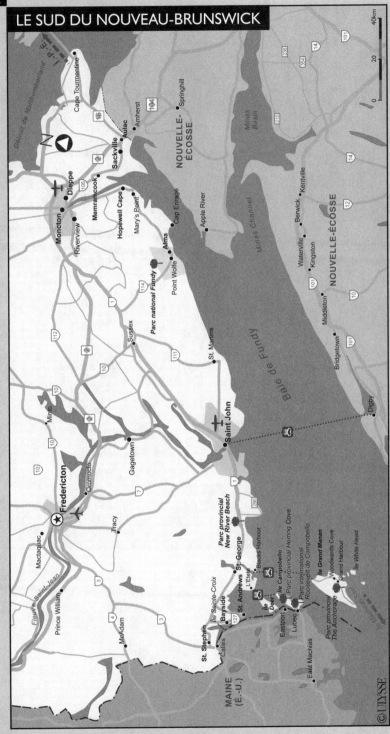

Détroit de Northumberland

Cape Tourmentine

Aulac
Amherst
Springhill
NOUVELLE-ÉCOSSE
104

Sackville
16

Dieppe
105

Moncton
Memramcook
Riverview

Hopewell Cape
Mary's Point
Cap Enragé
Apple River

Alma
Point Wolfe

Parc national Fundy
114

Sussex

St. Martins
111

Minas Basin
245

Waterville
Berwick
Kentville
12
NOUVELLE-ÉCOSSE
101
Kingston
Middleton
10

Bridgetown
101

Minto
10

112

10

Gagetown

Fredericton
Oromocto
7

Saint John

Baie de Fundy

Digby

Macmaquac
Tracy
10

3

Prince William

McAdam
4

St. Stephen
Calais
Bayside
127
St. Andrews
Île Sainte-Croix
St. George
L'Étete
Blacks Harbour
Parc provincial
New River Beach
1
690

Île
Deer

Parc provincial Herring Cove
Île Campobello
Parc international
Roosevelt de Campobello

Eastport
Lubec

Île Grand Manan
Woodwards Cove
Grand Harbour
Île White Head

Parc provincial
The Anchorage

East Machias

MAINE
(É.-U.)

© ULYSSE

40km
20
0

101
853
245

Fleuve Saint-Jean

Le sud du Nouveau-Brunswick ★★★ dévoile des sites naturels d'une beauté saisissante. Sur la route du littoral néo-brunswickois qui mène de la frontière américaine à celle de la Nouvelle-Écosse, les paysages, les villes et les villages sont marqués par un des plus formidables phénomènes naturels du monde: les marées de la **baie de Fundy**.

Ces marées, les plus hautes du monde, prennent d'assaut, deux fois par jour, les rives de la baie à une vitesse fulgurante. À certains endroits, les eaux peuvent monter jusqu'à 16 m (l'équivalent d'un bâtiment de quatre étages) en l'espace de quelques heures seulement, y façonnant au fil des années des paysages remarquables.

Les marées sont à ce point importantes qu'elles parviennent entre autres à renverser le cours du fleuve Saint-Jean, créant ainsi à marée haute un mascaret sur la rivière Petitcodiac, à Moncton. Puis, en se retirant tout aussi rapidement, les marées laissent derrière elles d'interminables plages qu'on peut explorer jusqu'à la prochaine crue des eaux.

Pour ajouter au plaisir d'une visite de cette magnifique région maritime, le littoral de la baie de Fundy compte une multitude de villages pittoresques au riche patrimoine architectural ainsi que la plus grande ville de la province, Saint John, et la plus dynamique, Moncton. La baie est aussi l'un des meilleurs endroits du monde pour faire l'observation des baleines, car plus d'une vingtaine d'espèces viennent s'y alimenter pendant la saison estivale.

Accès et déplacements

■ En avion

L'**aéroport de Saint John** *(4180 Loch Lomond Rd., ☎506-638-5555, www.saintjohnairport. com)* est situé à une dizaine de kilomètres à l'est de la ville. La compagnie de taxis **University Cab** *(15$/pers.; ☎506-631-1111)* offre un service de navette qui assure la liaison entre plusieurs hôtels du centre-ville et l'aéroport.

Depuis l'**aéroport international du Grand Moncton** *(777 av. Aviation, Dieppe, ☎506-856-5444, www.gmia.ca)*, on peut se rendre au centre-ville en taxi *(15$ à 20$)*.

■ En voiture

Principale artère de la région, la route 1 relie St. Stephen et Saint John. Près de Salisbury, elle rejoint la route 2 (transcanadienne), qui permet de se rendre à Moncton et à Aulac, à la frontière de la Nouvelle-Écosse. Quant à elles, les routes 111 et 114 se détachent de la route 1 et permettent de visiter les localités côtières de St. Martins, Alma et Hopewell Cape, ainsi que le parc national Fundy.

■ En autocar (gares routières)

199 Chesley Dr.
Saint John
☎506-648-3500 ou 800-567-5151
www.acadianbus.com

961 Main St., centre-ville
Moncton
☎506-859-5060 ou 800-567-5151
www.acadianbus.com

■ En train (gare ferroviaire)

1240 Main St.
Moncton
☎506-857-9830
www.viarail.ca

■ En traversier

Le traversier ***Princess of Acadia*** *(255$/voiture et chauffeur, 80$/passager aller-retour; 1 ou 2 départs par jour, durée de la traversée: environ 3h; départs du 170 Digby Ferry Rd., ☎506-649-7777 ou 877-762-7245, www.nfl-bay. com)* se rend à Digby, en Nouvelle-Écosse, toute l'année.

Pour atteindre l'île Deer depuis la route 1, il faut prendre la sortie pour la route 172, peu après St. George, puis suivre les indications jusqu'au petit hameau de L'Etete, d'où le traversier *Deer Island Princess (gratuit; plus d'une vingtaine de départs par jour, durée de la traversée: 20 min;* ☎ *506-453-3939, www.gnb.ca)* mène à l'île Deer.

Depuis l'île Deer, il est possible de se rendre dans l'île Campobello en prenant le traversier d'**East Coast Ferries** *(18$/voiture; fin juin à mi-sept, plus d'une dizaine de départs par jour, durée de la traversée: 30 min;* ☎ *506-747-2159, www.eastcoastferries.nb.ca)*. L'île Campobello est aussi accessible par le pont de la ville de Lubec, dans l'État du Maine.

Pour rejoindre l'île Grand Manan, il faut prendre le traversier de **Coastal Transport** *(32$/voiture, 10,70$/pers. payable au retour; 4 départs par jour;* ☎ *506-662-3724, www. coastaltransport.ca)* à Blacks Harbour.

Renseignements utiles

■ Renseignements touristiques

St. Stephen Provincial Visitor Information Centre
5 King St.
St. Stephen
☎ 506-466-7390
www.town.ststephen.nb.ca

St. Andrews Welcome Centre
46 Reed Ave.
St. Andrews
☎ 506-529-3556 ou 800-563-7397
www.townofstandrews.ca

Saint John Visitor Information Centre
Hôtel de ville
15 Market Sq.
Saint John
☎ 506-658-2855 ou 866-463-8639
Chutes réversibles
200 Bridge Rd.
Saint John
☎ 506-658-2937 ou 866-463-8639
route 1
Saint John
☎ 506-658-2940 ou 866-463-8639
www.tourismsaintjohn.com
www.cityofsaintjohn.com

Moncton Visitor Information Centres
655 Main St.
Moncton
☎ 506-853-3590
10 Bendview Crt. (poste saisonnier)
Moncton
☎ 506-853-3540
Côte magnétique (poste saisonnier)
Moncton
☎ 506-855-8622
www.gomoncton.com

Attraits touristiques

St. Stephen

▲ *p 99*   ● *p 106*   ➔ *p 109*   ▉ *p 110*

Plus important poste frontalier des Maritimes, St. Stephen est une petite ville animée qui a été fondée en 1784 par des colons américains désirant rester fidèles à la Couronne britannique à la suite de la guerre de l'Indépendance des États-Unis. Ironiquement, aujourd'hui, si ce n'était de la frontière naturelle que constitue la petite rivière Sainte-Croix, on pourrait croire que St. Stephen et Calais, sa ville jumelle du Maine (É.-U.), ne forment qu'une seule et même ville. On célèbre d'ailleurs chaque année, des deux côtés de la frontière, cette communauté d'esprit lors de l'**International Homecoming Festival** (voir p 109), qui se tient au mois d'août.

Un autre festival, le **Chocolate Fest** (voir p 110), se tient quant à lui exclusivement à St. Stephen au début du mois d'août: c'est que St. Stephen a l'honneur d'être passée à l'histoire comme le berceau de la tablette de chocolat, inventée ici en 1910 par l'entreprise Ganong. La boutique **Ganong Chocolatier** *(73 Milltown Blvd.,* ☎ *506-465-5611)* et son **Musée du chocolat** *(5$; même adresse,* ☎ *506-466-7848, www. chocolatemuseum.ca)* est d'ailleurs un arrêt obligé pour les amateurs de sucreries.

Le **Musée du comté de Charlotte** *(entrée libre; juin à sept lun-sam 9h30 à 16h30; 443 Milltown Blvd.,* ☎ *506-466-3295)* est aménagé dans une résidence de style Second Empire construite en 1864 par un homme d'affaires prospère de la ville. Il abrite une collection d'objets rappelant l'histoire de la région, particulièrement l'époque où St. Stephen et les petits villages avoisinants étaient réputés pour la construction navale.

Bayside

En route vers St. Andrews, à Bayside on peut visiter la partie canadienne du **Lieu historique international de l'Île-Sainte-Croix** ★ *(entrée libre; début juin à mi-oct; www.pc.gc. ca)*. Ce site propose un sentier d'interprétation autoguidé qui permet de découvrir le mode de vie des premiers colons français à s'établir en Amérique du Nord. Le site offre une vue panoramique exceptionnelle de l'île Sainte-Croix, située au milieu de la rivière Sainte-Croix.

L'île Sainte-Croix occupe une place symbolique dans l'histoire de la colonisation française du Nouveau Monde puisqu'elle fut le lieu de la toute première tentative française de colonisation permanente en Amérique du Nord.

En 1604, Pierre Dugua, sieur de Mons, arrive en Acadie avec son équipage à bord du navire étendard le *Bonne-Renommée*. Cherchant un endroit où s'établir, l'expédition arrive dans la baie de Passamaquoddy à la fin de juin. De Mons choisit une île qu'il baptise «île Sainte-Croix» et tente d'y fonder le premier établissement français en Amérique. L'implantation a toutefois été de courte durée; dès l'été 1605, de Mons déménage ses gens sur les côtes du bassin d'Annapolis, de l'autre côté de la baie de Fundy (dans l'actuelle Nouvelle-Écosse) et fonde Port-Royal, qui sera le cœur de l'Acadie.

On peut également visiter la partie américaine du Lieu historique international de l'Île-Sainte-Croix, située à 13 km au sud de Calais, dans l'État du Maine.

St. Andrews ★★

▲ *p 99* ⓞ *p 106* 🍴 *p 110*

Célèbre lieu de villégiature du littoral de la baie de Fundy, St. Andrews est une belle ville tournée vers la baie qui a su tirer profit de sa popularité pour mettre en valeur l'étonnante richesse de son patrimoine architectural.

Comme nombre d'autres communautés de la région, St. Andrews a été fondée par des loyalistes en 1783, puis a connu une époque de grande prospérité pendant le XIXe siècle en tant que centre de construction navale et d'exportation de billes de bois.

Plusieurs résidences cossues qui flanquent ses rues, notamment la jolie **Water Street**, datent de cette période faste. Puis, avec la fin de ce même XIXe siècle, St. Andrews commença à accueillir de riches visiteurs venus s'y remplir les poumons de l'air vivifiant du large.

Cette nouvelle vocation pour St. Andrews fut définitivement consacrée à partir de 1889 avec la construction, sur le coteau dominant le village, d'un formidable hôtel, aujourd'hui **The Fairmont Algonquin** (voir p 101). Au cachet pittoresque de St. Andrews que lui valent sa multitude de bâtiments historiques et son ouverture sur la baie aux marées géantes, s'ajoutent aujourd'hui un large choix de lieux d'hébergement et de bons restaurants, de nombreuses boutiques et un célèbre parcours de golf. Tout cela fait de St. Andrews le lieu tout désigné où séjourner lors d'une visite de la région et de ses îles.

Érigée en 1820, la **maison du shérif Andrews** ★ *(entrée libre; fin juin à début sept tlj 9h30 à 16h30; 63 King St., ☎506-529-5080)* est l'une des mieux préservées de cette époque à subsister à St. Andrews. Elle fut construite par Elisha Shelton Andrews, shérif du comté de Charlotte et fils d'un éminent loyaliste, le révérend Samuel Andrews. Elle appartient depuis 1986 au gouvernement du Nouveau-Brunswick, qui en a fait un musée où des guides en costumes d'époque reconstituent la vie et l'époque du shérif.

Aménagé dans une somptueuse résidence du XIXe siècle de style néoclassique, le **Musée Mémorial Ross** ★ *(dons appréciés; juin à mi-oct lun-sam 10h à 16h30; 188 Montague St., ☎506-529-5124, www.rossmemorialmuseum. ca)* renferme les meubles anciens et d'autres antiquités rassemblés tout au long de leur vie par Henry Phipps Ross et Sarah Juliette Ross, un couple d'Américains qui habitèrent St. Andrews de 1902 à leur mort. Le couple Ross avait une passion pour les voyages et les antiquités, et il a fait l'acquisition de superbes meubles fabriqués au Nouveau-Brunswick, mais aussi de magnifiques pièces de porcelaine de Chine et d'autres objets importés, aujourd'hui inestimables. La visite du musée Ross est un véritable plaisir pour les yeux.

St. Andrews compte plusieurs remarquables églises. La plus flamboyante est celle du **Lieu historique national de l'église Greenock ★★** *(angle Montague St. et Edward St.)*, une église presbytérienne dont la construction s'acheva en 1824. Son élément le plus intéressant est sa chaire, construite en bonne partie d'acajou du Honduras.

Le **Lieu historique national du Blockhaus-de-St. Andrews** *(1$; début juin à fin août tlj 10h à 18h; 23 Joe's Point Rd., à l'extrémité ouest de Water St.,* ☎ *506-529-4270 de juin à août,* ☎ *506-636-4011 de sept à mai, www.pc.gc.ca)* renferme le dernier blockhaus de la guerre de 1812 resté pratiquement intact. En face se trouve le joli **parc du Centenaire**.

Situé en plein cœur de St. Andrews, le **Jardin Kingsbrae ★** *(9,75$; mi-mai à mi-oct tlj 9h à 18h; 220 King St.,* ☎ *506-529-3335 ou 866-566-8687, www.kingsbraegarden.com)*, un réel chef-d'œuvre d'horticulture qui s'étend sur plus de 10 ha, met en valeur la tradition de jardinage dans la région. Les visiteurs y découvriront entre autres une roseraie, un jardin victorien, un jardin de plantes vivaces, un jardin rocailleux et un jardin de plantes sauvages. On peut passer de belles heures dans ces magnifiques jardins qui donnent directement sur la baie de Passamaquoddy. Construits à même la résidence historique du jardin, se trouvent une boutique de souvenirs, une galerie d'art et un restaurant servant des repas légers.

Le **Sunbury Shores Arts & Nature Centre** *(139 Water St.,* ☎ *506-529-3386, www.sunburyshores. org)* abrite une petite galerie d'art où l'on peut admirer les travaux d'artistes du Nouveau-Brunswick. Le centre est toutefois surtout connu pour les cours d'art, d'artisanat et d'interprétation de la nature qu'il offre chaque été à des groupes d'enfants et d'adultes.

L'aquarium et le musée du **Centre des sciences de la mer Huntsman** *(7,50$; mai à août tlj 10h à 17h, sept jeu-dim 10h à 17h; 1 Lower Campus Rd.,* ☎ *506-529-1200, www. huntsmanmarine.ca)* permettent aux visiteurs de découvrir les richesses de l'écosystème de la baie. Plusieurs espèces animales y sont présentées, entre autres des phoques qu'on nourrit quotidiennement à 11h et à 16h. Un bassin a également été installé afin que les visiteurs puissent toucher certaines espèces d'invertébrés et de crustacés vivants.

Le **Lieu historique provincial et national Ministers Island ★** *(12$; mi-mai à mi-oct; 199 Carriage Rd., prendre Bar Rd. jusqu'au bout;* ☎ *506-529-5081, www.ministersisland. org)* fut nommé en l'honneur du loyaliste et ministre anglican Samuel Andrews, qui s'y est établi dans les années 1790, et dont on peut toujours apercevoir la maison de pierres près de l'entrée du site. Vers 1890, Sir William Van Horne fit construire sur ce grand domaine une immense résidence d'été comptant une cinquantaine de pièces. Van Horne, un résidant de Montréal, fut directeur de la construction du chemin de fer du Canadien Pacifique (CP), puis président de la compagnie du CP. Il était aussi artiste, géologue et architecte amateur. La résidence d'été abrite d'ailleurs une vingtaine de ses toiles originales. Sur le domaine, Van Horne érigea également une cabine de bain circulaire, une impressionnante étable et une crémerie. À marée haute, un traversier gratuit permet de se rendre dans l'île au départ de St. Andrews. À marée basse, le site est accessible à pied, en vélo ou en voiture. Une aire de pique-nique est mise à la disposition des visiteurs.

Le **Centre d'interprétation du saumon de l'Atlantique** *(4$; mi-mai à mi-oct tlj 9h à 17h; 1 Chamcook Lake Rd., 8 km de St. Andrews par la route 127,* ☎ *506-529-1384, www.asf. ca)* a été conçu pour permettre de comprendre le mode d'existence du saumon de l'Atlantique, notamment en l'observant dans son milieu naturel grâce à une baie vitrée.

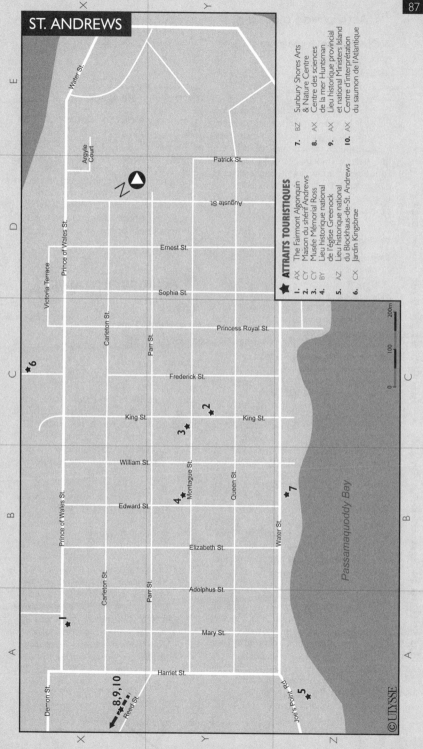

ST. ANDREWS

87

Water St.

Argyle Court

Patrick St.

Auguste St.

Ernest St.

Sophia St.

Princess Royal St.

Victoria Terrace

Prince of Wales St.

Carleton St.

Parr St.

Frederick St.

★ 6

King St.   King St.

★ 2

★ 3

William St.

Montague St.

★ 4

Edward St.

Queen St.

★ 7

Elizabeth St.

Water St.

Prince of Wales St.

Carleton St.

Parr St.

Adolphus St.

Mary St.

★ 1

Demon St.

8, 9, 10

Reed St.

Harriet St.

Joe's Point Rd.

★ 5

Passamaquoddy Bay

0   100   200m

© ULYSSE

ATTRAITS TOURISTIQUES

1. AX   The Fairmont Algonquin
2. CY   Maison du shérif Andrews
3. CY   Musée Mémorial Ross
4. BY   Lieu historique national
         de l'église Greenock
5. AZ   Lieu historique national
         du Blockhaus-de-St. Andrews
6. CX   Jardin Kingsbrae

7. BZ   Sunbury Shores Arts
         & Nature Centre
8. AX   Centre des sciences
         de la mer Huntsman
9. AX   Lieu historique provincial
         et national Ministers Island
10. AX   Centre d'interprétation
         du saumon de l'Atlantique

🦈 Activités de plein air

■ Observation des baleines

Fundy Tide Runners
16 King St.
☎ 506-529-4481
www.fundytiderunners.com

La richesse de l'alimentation disponible a fait de la baie de Fundy l'un des meilleurs endroits du monde pour observer certaines espèces de baleines, dont la très rare baleine franche. Pendant tout l'été, l'entreprise Fundy Tide Runners organise des excursions en bateau pour l'observation des baleines. Comptez environ 50$ pour une excursion de 2h.

■ Plongée

Navy Island Dive Co.
15 William St.
☎ 506-529-4555
www.navyislanddive.nb.ca

Si les fonds marins vous fascinent, vous devez prendre part à une excursion de plongée, qui permet de découvrir cette richesse trop souvent méconnue des visiteurs. Cours et location de matériel.

St. George

«Granite Town», comme on surnomme St. George en raison des riches dépôts de granit de sa région, est une bourgade à l'héritage loyaliste en bordure d'une jolie **chute ★** sur la rivière Magaguadavic.

Un petit poste d'observation situé à l'entrée du village, à côté du pont de la rue Brunswick, offre un beau coup d'œil sur la chute et sa gorge, sur l'ancien barrage de la St. George Pulp & Paper Company et sur la passe à saumons qui a été construite afin de permettre aux poissons de remonter le cours de la rivière en été.

Comme plusieurs villes et villages de la baie fondés à la fin du XVIIIe siècle, St. George possède sa part d'intéressants bâtiments, entre autres le **bureau de poste** *(Brunswick St.)*, à la façade de granit rouge, et plusieurs églises, notamment la **Presbyterian Kirk** *(Brunswick St., à la sortie est du village)*, l'une des plus anciennes églises presbytériennes du Canada.

››› *De St. George, on peut se rendre à L'Etete, où un traversier gratuit se rend au quai de l'île Deer plusieurs fois par jour (voir p 84).*

Île Deer

Après une croisière à travers des îlots couverts d'oiseaux, le traversier de L'Etete arrive au quai de l'île Deer, une île de paysages forestiers, de plages sauvages et de minuscules villages de pêcheurs. De la pointe sud de l'île Deer, on peut voir chaque jour, trois heures avant la marée haute, un intéressant phénomène naturel: un grand tourbillon, l'un des plus importants du monde, qu'on nomme ici *Old Sow* ★.

🦈 Activités de plein air

■ Kayak

Seascape Kayak Tours
80$/demi-journée
40 NW Harbour Branch Rd.
Richardson
☎ 506-747-1884
www.seascapekayaktours.com

Cette entreprise propose des balades en kayak dans la baie de Fundy au départ du village de Richardson, permettant de profiter à la fois d'une plaisante expérience de plein air et d'une belle occasion de mieux connaître la vie marine de la baie.

Île Campobello ★ ★

▲ p 101

››› *Si l'île Campobello se trouve en territoire canadien, c'est toutefois à partir des États-Unis qu'elle est le plus facilement accessible. En effet, le Franklin D. Roosevelt Memorial Bridge permet de s'y rendre à partir du poste frontalier de Lubec (Maine). Pendant les mois d'été, un traversier privé fait également la navette entre l'île Deer et l'île Campobello (voir p 84).*

Campobello, l'île bien-aimée de l'ancien président américain Franklin D. Roosevelt

(1882-1945), est aujourd'hui un lieu de détente privilégié par les amateurs de plein air et d'histoire. On vient découvrir ses belles plages sauvages, faire du vélo sur ses routes tranquilles ou marcher dans des sentiers bien aménagés le long de ses côtes.

À son extrémité est, le très pittoresque phare d'**East Quoddy Head** ★ occupe un emplacement magnifique sur la baie, à partir duquel on peut à l'occasion voir des baleines et d'autres mammifères marins.

Dès le début du XIXe siècle, la beauté de l'île Campobello a attiré l'attention de riches familles du Nord-Est américain qui s'y sont fait construire de belles résidences d'été. La plus célèbre de ces familles a été celle de Franklin D. Roosevelt, dont le père, James, acheta un terrain de 1,6 ha sur l'île en 1883. Franklin lui-même, puis sa propre famille, y passèrent la plupart de leurs étés, de 1883 jusqu'en 1921, année pendant laquelle il a contracté la polio. Il y vint à quelques reprises par la suite revoir ses amis de Campobello, alors qu'il était président des États-Unis.

Le **Parc international Roosevelt de Campobello** ★ ★ *(entrée libre; fin mai à début oct 10h à 18h; route 774,* ☎*506-752-2922, www. fdr.net)* fut un projet conjoint des gouvernements canadien et américain lancé en 1964, avec pour objectif de faire connaître l'attachement tout particulier de Roosevelt à l'île Campobello et à sa magnifique propriété. Le centre d'accueil du parc présente un court métrage sur les séjours de Roosevelt dans l'île Campobello. On peut par la suite visiter l'extraordinaire **maison Roosevelt**, dont les meubles ont pour la plupart appartenu à l'ancien président américain, puis s'arrêter à la **maison Prince**, au lieu de la **maison James Roosevelt** et à la **maison Hubbard**. Le parc renferme aussi une très belle réserve naturelle, au sud du centre d'accueil, où de beaux sentiers de randonnée ont été aménagés sur la côte.

Tout près du Parc international Roosevelt de Campobello se trouve le **parc provincial Herring Cove** *(fin mai à fin sept; 136 Herring Cove, Welshpool,* ☎*506-752-7010, www. parcsnb.ca)*, un joli site naturel qui comprend des sentiers pédestres, un centre d'interprétation, un golf et un camping. On peut se promener sur ses plages, à travers ses marais ou le long de ses falaises

majestueuses, et y observer une faune abondante, composée entre autres de castors, d'oursins et d'oiseaux de proie.

Île Grand Manan ★

⚠ *p 101*

››› *L'île Grand Manan est accessible quatre fois par jour par un traversier qui part de Blacks Harbour (voir p 84).*

L'île Grand Manan a longtemps surtout attiré les scientifiques, notamment le célèbre James Audubon au début du XIXe siècle, intéressés par les quelque 275 espèces d'oiseaux qui s'y posent chaque année, de même que les géologues car l'île possède des formations rocheuses uniques.

Cette île paisible a beaucoup à offrir aux amants de la nature et bénéficie de l'engouement que suscite l'écotourisme. Elle peut être agréablement découverte à vélo, ou encore mieux à pied grâce à un très bon réseau de sentiers pédestres qui longent ses côtes accidentées aux paysages souvent spectaculaires.

L'un des endroits les plus pittoresques de l'île est certainement le **Swallowtail Light** ★, un phare qui se dresse à l'extrémité d'une péninsule à North Head, d'où l'on peut régulièrement voir des baleines au large. L'île abrite également le **Musée de Grand Manan** *(dons appréciés; 1143 route 776,* ☎*506-662-3424, www.grandmananmuseum. ca)*, qui compte une impressionnante collection d'oiseaux empaillés ainsi que des galeries portant sur le monde maritime et la géologie.

L'île Grand Manan possède aussi des plages sauvages et d'excellents sites pour l'observation des oiseaux. On peut d'ailleurs en observer plus de 275 espèces au **parc provincial The Anchorage** *(mi-mai à mi-sept;* ☎*506-662-7022, www.parcsnb.ca)*, qui offre en outre un lieu idéal pour l'observation des baleines et l'exploration du littoral accidenté. Plusieurs gîtes touristiques sont à la disposition des visiteurs sur l'île, de même qu'un très bon terrain de camping, aménagé dans le parc provincial.

Le sud du Nouveau-Brunswick - Attraits touristiques - Île Grand Manan

🌿 *Activités de plein air*

■ *Kayak*

Adventure High
55$/demi-journée
☎ 506-662-3563 ou 800-732-5492
http://adventurehigh.com
Rien de tel qu'un kayak pour contempler les abords de l'île; Adventure High propose de plaisantes excursions.

■ *Observation des baleines et des oiseaux*

Sea Watch Tours
☎ 506-662-8552 ou 877-662-8552
www.seawatchtours.com
Des excursions d'observation des baleines et des oiseaux autour de l'**île Machias Seal** sont organisées depuis Seal Cove, sur l'île Grand Manan. Comptez environ 80$ par personne.

- - - - - - - - - - - - - - - - - - -

New River Beach

En route vers Saint John, vous pouvez sillonner les plages et les sentiers côtiers du **parc provincial New River Beach ★** *(7$;* ☎ *506-755-4046, www.parcsnb.ca)* et parcourir les falaises escarpées de Barnaby Head. Ce parc est idéal pour l'observation des crabes et des étoiles de mer, ou des nombreux oiseaux marins qui en composent la faune abondante. Une promenade de bois vous permet également d'explorer le marais. Le parc abrite un camping offrant plusieurs services.

- - - - - - - - - - - - - - - - - - -

Saint John ★ ★

▲ *p 102*   ◑ *p 107*   ➥ *p 109*   ▯ *p 110*

Métropole du Nouveau-Brunswick, Saint John est construite sur des collines de part et d'autre du fleuve Saint-Jean, qui, à cet endroit, se jette dans la baie de Fundy. Son charme unique, teinté de mystère, tient largement à ce qu'elle incarne on ne peut mieux la vieille ville portuaire et industrielle typique de l'est du continent. Ses hautes grues et ses hangars s'alignent sur les quais, lesquels, à marée basse, prennent l'allure étrange de hautes palissades de bois surplombant le fleuve. De plus, pour ajouter à ce caractère mysté-

rieux, Saint John est souvent recouverte d'un épais brouillard imprévisible, qui, à tout moment, peut l'envelopper ou disparaître aussi rapidement.

Cette ville doit en bonne partie l'essor de ses industries à son port libre de glace à longueur d'année. Son site fut recensé pour la première fois le 24 juin 1604 par l'explorateur Samuel de Champlain, qui baptisa le fleuve Saint-Jean (Saint John River) afin d'honorer le saint patron du jour. Plus tard, à partir de 1631, Charles de La Tour en fit un poste de traite des fourrures.

Mais l'histoire de la ville ne commença véritablement qu'en 1783 sous le Régime anglais. Cette année-là, du 10 au 18 mai, environ 2 000 loyalistes débarquèrent à Saint John pour refaire leur vie à la suite de la défaite britannique aux mains des forces armées de la Révolution américaine. Avant l'hiver, l'arrivée de nouveaux contingents de loyalistes fit doubler la population de Saint John.

La ville se développa par la suite en absorbant quantité d'immigrants en provenance principalement des îles Britanniques. L'île Partridge, dans son port, était d'ailleurs à cette époque pour les immigrants la principale porte d'entrée et de quarantaine au Canada. Aujourd'hui, Saint John est la ville canadienne ayant la plus forte concentration d'Irlandais.

Le centre-ville ★ ★

Le centre-ville de Saint John, aux rues étroites flanquées de maisons et d'édifices historiques, est construit sur une colline du côté est du fleuve. Une visite de ce quartier commence généralement au **Market Square**. Autour de la place s'élèvent un centre commercial ainsi que des restaurants et un hôtel qui allie un aménagement moderne à des bâtiments du XIXᵉ siècle. C'est au Market Square qu'a emménagé le **Musée du Nouveau-Brunswick ★** *(6$; lun-mer et ven 9h à 17h, jeu 9h à 21h, sam 10h à 17h, dim 12h à 17h;* ☎ *506-643-2300 ou 888-268-9595, www.nbm-mnb.ca)*. Portant le titre de plus ancien musée du Canada, il est consacré non seulement aux œuvres d'artistes de la province, mais aussi à la géologie, à la paléontologie et à l'histoire des habitants du Nouveau-

SAINT JOHN ET SES ENVIRONS

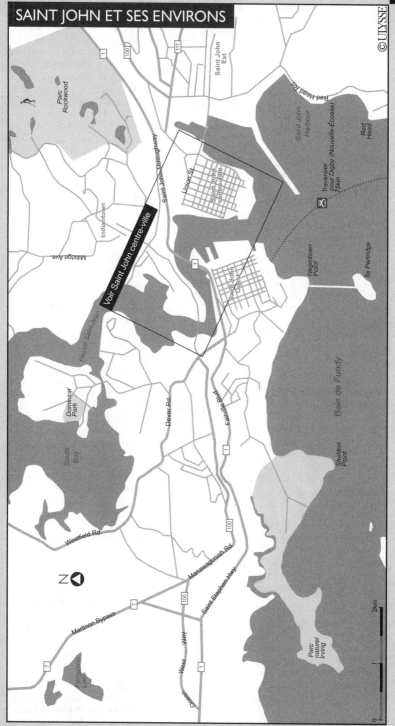

Voir Saint John centre-ville

Parc Rockwood

Parc naturel Irving

Baie de Fundy

Saint John Harbour

Saint John Est

Red Head Rd

Red Head

Île Partridge

Negrotown Point

Sheldon Point

Traversier, pour Digby (Nouvelle-Écosse) 75km

Indiantown

Millidge Ave.

Fleuve Saint-Jean

Saint John Throughway

Union St.

Saint John centre-ville

Saint John Ouest

Dever Rd.

Fairville Blvd.

Dominion Park

South Bay

Westfield Rd.

Martinon Bypass

Ferguson Lake

Manawagonish Rd.

Saint Stephen Hwy.

Ocean West Way

N

© ULYSSE

Brunswick: Amérindiens, Acadiens, loyalistes et autres. La collection permanente comporte également des objets importés, notamment des porcelaines de Chine.

Aménagé dans un bâtiment restauré sur le Market Slip au sud du Market Square, le **Barbour's General Store Museum** *(entrée libre; mi-mai à mi-oct; Water St.,* ☎506-658-2939) présente les objets de consommation courante vendus dans les magasins généraux du XIXe siècle.

De là, on peut remonter la rue Union jusqu'au **Lieu historique national de la Maison Loyaliste** ★ *(3$; mi-mai à fin juin lun-ven 10h à 17h, juil à mi-sept tlj 10h à 17h; 120 Union St.,* ☎506-652-3590), une maison toute simple construite en 1817, garnie de meubles d'époque raffinés.

En continuant dans la rue Union, on se rend jusqu'à la rue Charlotte, qu'on prend à droite pour aller au **King's Square** ★, un joli parc urbain constituant le centre de Saint John. Les allées du parc reproduisent le design de l'*Union Jack*, le drapeau britannique, évoquant on ne peut mieux l'attachement de la population de Saint John à la mère patrie.

En face du parc, dans la rue Charlotte, s'étale le **Marché public de Saint John** ★ *(entrée libre; lun-ven 7h30 à 18h, sam 7h30 à 17h; 47 Charlotte St.,* ☎506-658-2820, *ww.sjcitymarket.ca),* ouvert depuis 1876, où l'on peut toujours acheter les produits frais des fermes de la région. Quelques marchands vendent de la dulse, une algue que les habitants de Saint John utilisent abondamment pour accompagner divers plats.

Dans une autre section du parc, on peut apercevoir le somptueux **Théâtre Impérial** *(24 King Square S.,* ☎506-674-4100, *www. imperialtheatre.nb.ca),* construit en 1913 et restauré en 1994; il se consacre aux arts de la scène.

Centre d'art multidisciplinaire, le **Saint John Arts Centre** *(dons appréciés; mar-sam 9h à 17h; 20 Hazen Ave.,* ☎506-633-4870, *www.saintjohnartscentre.com)* présente des expositions d'art, des concerts, des spectacles et offre des ateliers de création artistique.

À l'extérieur du centre-ville

Les **Chutes réversibles** ★★ *(sur la route 100, à la hauteur du fleuve Saint-Jean,* ☎506-658-2937) offrent un phénomène naturel unique ayant lieu deux fois par jour à marée haute. Le courant du fleuve, qui, à cet endroit, chute de 4 m à marée basse, se renverse à marée haute, lorsque le niveau des eaux de la baie est de plusieurs mètres plus haut que celui du fleuve. Ce contre-courant se fait sentir loin en amont. On peut admirer ce phénomène naturel depuis le parc Fallsview.

Pour un excellent point de vue sur la ville, rendez-vous au **Lieu historique national de Fort Howe** ★ *(entrée libre; mai à nov; Magazine St.,* ☎506-658-2855). Le site comporte la reconstitution d'un blockhaus de bois érigée en 1967, qui remplace le bâtiment d'origine (1777) qui protègeait le port de Saint John d'éventuelles attaques américaines.

Le **Lieu historique national de la Tour-Martello-de-Carleton** ★★ *(3,90$; juin à début oct 10h à 17h30; sur la rive ouest, Whipple St.,* ☎506-636-4011, www.pc.gc.ca) est une tour circulaire construite pendant la guerre de 1812 en vue de protéger le port des attaques américaines. Elle servit également de poste de commande à l'armée canadienne lors de la Seconde Guerre mondiale. Des guides expliquent l'histoire de la tour et de la ville de Saint John. Du sommet, on bénéficie d'un superbe panorama sur la ville, le port et la baie.

Le **parc Rockwood** *(entrée principale sur Mt. Pleasant Ave.,* ☎506-658-2883) est le poumon de Saint John avec ses 890 ha. On peut y pratiquer plusieurs activités sportives, notamment la randonnée pédestre, la baignade, la pêche, le canot et le pédalo, ainsi que du patin à glace en hiver. Plusieurs autres activités sont spécialement organisées pour les enfants. Dans la section nord du parc, on peut visiter le **Cherry Brook Zoo & Vanished Kingdom Park** *(8$; toute l'année, 10h à la tombée de la nuit; Sandy Point Rd., dans la partie nord du parc Rockwood,* ☎506-634-1440, *www.cherry brookzoo.com),* qui abrite de nombreuses espèces d'animaux exotiques.

Depuis quelques années maintenant, il n'est plus possible de visiter le **Lieu historique national et provincial du Poste de quaran-**

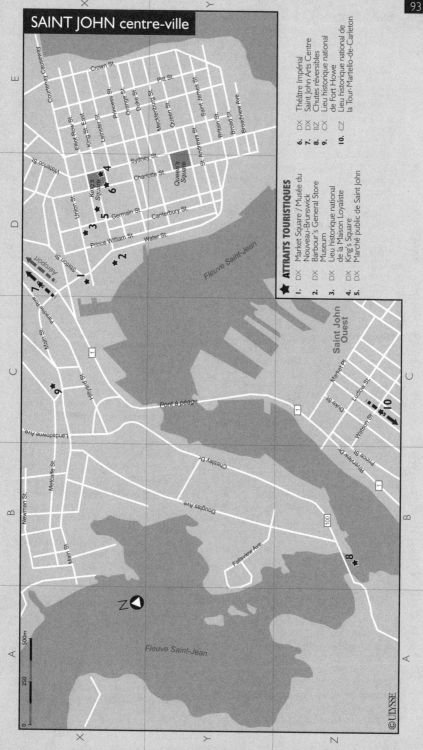

SAINT JOHN centre-ville

★ ATTRAITS TOURISTIQUES

1. DX Market Square / Musée du Nouveau-Brunswick
2. DX Barbour's General Store Museum
3. DX Lieu historique national de la Maison Loyaliste
4. DX King's Square
5. DX Marché public de Saint John
6. DX Théâtre Impérial
7. DX Saint John Arts Centre
8. BZ Chutes réversibles
9. CX Lieu historique national de Fort Howe
10. CZ Lieu historique national de la Tour-Martello-de-Carleton

Saint John Ouest

Fleuve Saint-Jean

Pont à péage

Fleuve Saint-Jean

© ULYSSE

taine de l'île Partridge. Cette île a longtemps été la principale porte d'entrée au Canada pour les immigrants en provenance des îles Britanniques et du continent européen. Entre 1785 et 1942, elle fut le lieu de transition et de quarantaine de trois millions d'immigrants qui se sont, par la suite, installés à Saint John, mais aussi, pour la plupart, ailleurs au Canada ou aux États-Unis. Environ 2 000 d'entre eux, après une traversée de l'Atlantique souvent pénible, n'ont pas eu la chance de voir autre chose que cette île et y sont morts. L'île abrite aussi le plus vieux phare du Nouveau-Brunswick.

Le **parc naturel Irving** ★★ *(mai à nov tlj 8h à 20h; à l'extrémité de Sand Cove Rd.,* ☎*506-653-7367, www.ifdn.com)* est une pure merveille qui a beaucoup à offrir aux amants de la nature. Situé à quelques kilomètres à peine à l'ouest de la ville industrielle de Saint John, ce magnifique parc occupe une péninsule de 240 ha bordée de plages sauvages où l'on se sent à mille lieues de la ville. Des sentiers permettent d'agréables balades en contact avec la nature, la faune et la flore des rives de la baie de Fundy. D'un côté s'étend une plage de sable, et de l'autre, un marais salé, tous deux caractérisés par des ressources alimentaires abondantes, ce qui en fait un lieu privilégié par les oiseaux migrateurs. De longues passerelles de bois et des sentiers y sont aménagés afin de permettre aux visiteurs d'observer les différentes espèces qui le fréquentent, notamment le grand héron et le bécasseau.

››› *Au départ de Saint John, empruntez la route 1 Est jusqu'à la sortie 137A, où vous prendrez la route 111 pour vous diriger vers la côte et St. Martins.*

St. Martins ★

▲ *p 104* 🍽 *p 108*

St. Martins est l'un des trésors les mieux gardés du Nouveau-Brunswick. Idyllique village de pêcheurs donnant sur la baie de Fundy, St. Martins est riche de belles maisons du XIXᵉ siècle, époque où il était connu comme un centre de construction de grands navires en bois. Le village est aujourd'hui très pittoresque avec son petit

port où mouillent les embarcations des pêcheurs locaux; il compte également deux ponts couverts, dont l'un mène aux célèbres **cavernes marines** ★ *(entrée libre; possibilité d'exploration à marée basse;* ☎*506-833-2006)* creusées dans des falaises par l'action des marées de la baie de Fundy.

Les amants de la nature trouvent à St. Martins de longues plages sauvages, mais aussi l'agréable **Lions Park**, où l'on peut marcher et se baigner. Les amateurs de gastronomie apprécieront l'une des bonnes tables de la province au **Quaco Inn** (voir p 108). Enfin, pour jouir d'une vue spectaculaire sur les falaises rouges de la région, rendez-vous au **phare de Quaco Head** ★, à quelques kilomètres à l'ouest de St. Martins.

Jalonné de belvédères offrant de magnifiques vues, le **Sentier Fundy** ★★ *(3$; 10 km à l'est de St. Martins,* ☎*506-833-2019 ou 866-386-3987, www.fundytrailparkway. com)* sillonne la côte, ses plages et ses estuaires. Ce sentier de plus de 40 km, accessible aux piétons, aux cyclistes, aux skieurs et aux personnes à mobilité réduite, dispose d'un centre d'interprétation à Big Salmon River.

››› *Poursuivez votre chemin par la route 111 en direction est. À Sussex, reprenez la route 1 est jusqu'à la sortie 211, où vous emprunterez la route 114 en direction du parc national Fundy et d'Alma.*

Parc national Fundy ★★★

Le **parc national Fundy** *(7,80$; route 114, près d'Alma,* ☎*506-887-6000, www.pc.gc.ca/ fundy)* est l'endroit par excellence pour découvrir le littoral de la baie, sa faune, sa flore et la puissance de ses marées. Il occupe un territoire densément boisé et montagneux de 206 km², riche de paysages spectaculaires, de lacs et de rivières, et d'une vingtaine de kilomètres de côtes. Une foule d'activités sportives peuvent y être pratiquées.

C'est d'abord un paradis pour les randonneurs, qui peuvent y parcourir plus de 100 km de sentiers à travers la forêt, près des lacs et en bordure de la magnifique baie. On peut aussi entre autres y pratiquer la pêche à la ligne et l'observation des oiseaux, camper sur un de ses nombreux terrains aménagés ou sauvages, parcourir son superbe terrain de golf ou faire une baignade dans sa piscine d'eau de mer chauffée. Toutefois, l'eau de la baie est trop froide pour la baignade.

Les voyageurs pressés par le temps doivent à tout le moins se rendre à **Point Wolfe** ★ ★, où des sentiers tout proches offrent d'excellentes vues sur des falaises plongeant abruptement dans les eaux de la baie. À chacune des entrées du parc, le personnel fournit de l'information sur les diverses activités qu'il est possible d'y pratiquer.

- -
Alma

△ *p 104*

Alma, un petit village de pêcheurs à l'entrée du parc national Fundy, compte plusieurs lieux d'hébergement et restaurants. Lorsque la marée est à son plus bas, elle découvre des kilomètres de fonds marins que l'on peut arpenter. À partir d'Alma, la route 915 se rend jusqu'à une péninsule au nom évocateur de **Cap Enragé** ★ (Cape Enrage). De cette péninsule, on peut avoir de bons points de vue sur la baie. L'endroit est particulièrement propice à la pratique de plusieurs sports aquatiques et dispose d'une belle plage sauvage.

Un peu plus loin sur la route 915, prenez à droite Mary's Point Road pour vous rendre à **Mary's Point** ★, l'un des sites d'observation ornithologique les plus connus du Nouveau-Brunswick. Chaque année, de la mi-juillet à la mi-août, des amateurs de faune ailée et des naturalistes du monde entier s'y donnent rendez-vous pour admirer l'envol de dizaines de milliers de bécasseaux semi-palmés.

› › › *Retournez à la route 915 et poursuivez en direction est pour revenir à la route 114. Un peu plus loin sur la côte, vous arriverez à Hopewell Cape.*

✹ *Activités de plein air*

■ *Kayak*

FreshAir Adventure
16 Fundy View Dr.
Alma
☎ 506-887-2249 ou 800-545-0020
www.freshairadventure.com
FreshAir Adventure organise des excursions d'une demi-journée *(60$)* le long du littoral du parc national Fundy. Il s'agit là d'une belle occasion d'observer la faune et la flore de ce vaste jardin sauvage.

- -
Hopewell Cape ★ ★

Les formations rocheuses du **parc de Hopewell Rocks** *(8$; mi-mai à mi-juin et début sept à mi-oct tlj 9h à 17h, mi-juin à mi-août tlj 8h à 20h, mi-août à début sept tlj 8h à 18h; route 114,* ☎*877-734-3429, www. thehopewellrocks.ca)*, surnommées les **pots de fleurs** ★ ★, constituent l'un des attraits les plus connus de la province et symbolisent à elles seules toute la force des marées de la baie. À marée haute, on dirait des îlots boisés tout juste en retrait de la côte. Puis, en se retirant à marée basse, les eaux mettent à nu de hautes formations sculptées par le va-et-vient incessant des marées. Lorsque la marée est à son plus bas, on peut y explorer les fonds marins. Plusieurs sports nautiques sont organisés à partir de Hopewell Cape et du parc de Hopewell Rocks.

Situé près de l'entrée principale, le **Centre d'interprétation du parc de Hopewell Rocks** utilise des présentations multimédias pour expliquer le phénomène naturel que constitue la baie de Fundy. On y propose également des expositions qui permettent de mieux comprendre l'écosystème de Fundy ainsi que la culture et l'histoire des gens du comté.

- -
Moncton ★

△ *p 104* ◑ *p 108* ➴ *p 109* ◨ *p 110*

Grâce à sa situation géographique au cœur des Maritimes et à son bassin de main-d'œuvre qualifiée et bilingue, Moncton est aujourd'hui l'étoile montante du Nouveau-Brunswick.

Son site, sur la rivière Petitcodiac, fut jusqu'à la Déportation un petit poste acadien. Puis, des colons d'origine américaine vinrent s'y installer et fondèrent la ville, qui prospéra au milieu du XIXe siècle comme centre de construction de navires en bois et, plus tard, en tant que terminus du chemin de fer Canadien National. Désormais, l'économie de Moncton repose principalement sur le commerce et le secteur des services.

Aux Acadiens, qui forment plus de 35% de la population, Moncton offre l'occasion unique de relever les défis et de goûter les attraits de la vie urbaine. Malgré leur statut minoritaire, ils ont fait de Moncton le siège de leurs principales institutions économiques et sociales et de la seule université francophone de la province, l'Université de Moncton.

Ironiquement, la ville et par extension l'université tiennent leur nom de l'officier anglais Robert Monkton, qui commanda les forces britanniques lors de la prise du fort Beauséjour en 1755, ce qui devait être le prélude de la chute de l'Empire français en Amérique du Nord et du Grand Dérangement.

Qu'à cela ne tienne, Moncton est actuellement au centre du renouveau acadien, et le vent de dynamisme qui souffle sur la ville est en bonne partie attribuable à l'esprit entrepreneurial qui caractérise les Acadiens.

La banlieue immédiate de Moncton comprend des communautés aussi diversifiées que la ville de **Dieppe** (voir plus loin), à forte majorité acadienne, et **Riverview**, laquelle, de son côté, est très anglophone.

La rivière Petitcodiac, qu'on surnomme ici la «rivière Chocolat» à cause de la couleur de ses eaux, se vide et se remplit deux fois par jour sous l'effet des marées de la baie de Fundy. Phénomène intéressant, la hausse des eaux de la rivière Petitcodiac est toujours précédée d'un **mascaret** ★, une petite vague qui remonte en sens inverse le cours de la rivière.

Le meilleur endroit d'où observer le phénomène du mascaret est le **parc Riverain** *(centre-ville, Main St.)*. Bordant la rivière Petitcodiac, quelque 5 km de sentiers asphaltés sont accessibles aux piétons,

cyclistes, patineurs à roues alignées et personnes à mobilité réduite. Pour savoir à quel moment de la journée aura lieu le mascaret au cours de votre séjour, renseignez-vous auprès du bureau d'information touristique de Moncton (voir p 84).

La **maison Thomas-Williams** ★ *(entrée libre; juil et août lun-sam 10h à 16h30, dim 13h à 16h; reste de l'année sur rendez-vous; 103 Park St., ☎506-857-0590 en été ou 506-856-4383 en hiver)*, de style Second Empire, est un bâtiment construit en 1883 pour la famille de Thomas Williams, alors comptable pour le chemin de fer Intercolonial; ses héritiers y vécurent pendant un siècle. Au moment de sa construction, Moncton n'étant qu'une toute petite bourgade, la maison se trouvait à l'extérieur de ses limites, en pleine campagne. La maison abrite une galerie dédiée à la famille Williams, qui permet aux visiteurs de découvrir le mode de vie de la bourgeoisie de Moncton à l'époque victorienne.

Le **Musée de Moncton** ★ *(entrée libre; lun-sam 9h à 16h30, dim 13h à 17h; 20 Mountain Rd., ☎506-856-4383)* présente une belle collection d'objets témoignant de l'histoire de la ville et de la région. Pendant la saison estivale, le musée accueille souvent des expositions temporaires d'envergure. La somptueuse façade du musée a été récupérée de l'ancien hôtel de ville de Moncton.

Tout juste à côté du musée se trouve le **Lieu historique national Temple Libre** *(dons appréciés; lun-sam 9h à 16h30, dim 13h à 17h; 20 Mountain Rd.)*, qui protège le plus ancien bâtiment de la ville (1821). Très bien restauré, le bâtiment qui servait de lieu de culte pour diverses religions, grâce à sa vocation interconfessionnelle, est aujourd'hui un espace locatif mis à la disposition des citoyens qui, entre autres choses, viennent y célébrer des mariages.

La collection du **Musée acadien de l'Université de Moncton** ★ *(4$; juin à sept lun-ven 10h à 17h, sam-dim 13h à 17h; oct à mai mar-ven 13h à 16h30, sam-dim 13h à 16h; Université de Moncton, pavillon Clément-Cormier, ☎506-858-4088, www.umoncton.ca/maum)* renferme plus de 35 000 objets et photographies, et l'exposition permanente qu'on y présente est liée au patrimoine matériel des Acadiens depuis 1604 jusqu'au XIXe siècle. Le musée a été fondé à

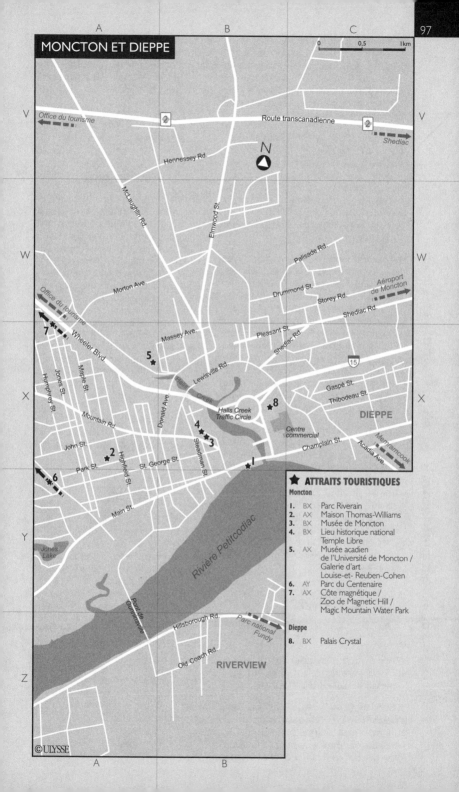

Memramcook en 1886 par le père Camille Lefebvre du Collège Saint-Joseph; la collection a été déménagée sur le campus en 1963. Dans le même bâtiment se trouve la **Galerie d'art Louise-et-Reuben-Cohen** ★★ de l'Université de Moncton, où est exposée la production d'artistes acadiens.

Du côté ouest de la ville, le **parc du Centenaire** *(St. George Blvd., ☎506-853-3516)* est un lieu de détente familial ouvert en toute saison. On y trouve en été des sentiers de randonnée, une petite plage, un parc aquatique, un parcours d'aventure en forêt et un terrain de jeu, et en hiver, un anneau de patinage, des pistes de ski de fond et des glissades.

La **Côte magnétique** ★ *(voitures 5$; à l'ouest de Moncton, sortie 88 de la transcanadienne, ☎506-853-3597 ou 506-858-8841)* est une intéressante illusion d'optique où vous avez l'impression que votre véhicule monte par lui-même une pente. Le personnel sur place vous demande d'arrêter le moteur de votre véhicule dans ce qui semble être le bas d'une pente très abrupte, et, comme par miracle, votre véhicule semble la remonter. Cette remarquable illusion est, bien entendu, un attrait à ne pas manquer avec la famille.

En plus de quelques boutiques et d'un restaurant, plusieurs autres attractions familiales se sont développées en bordure de la Côte magnétique, notamment le **Zoo de Magnetic Hill** *(11,50$; avr à sept, horaire variable; ☎506-877-7718, www.moncton. org/zoo)*, qui abrite 100 espèces d'animaux exotiques et indigènes, ainsi que le superbe parc aquatique **Magic Mountain Water Park** ★ *(23$; mi-juin à sept tlj 10h à 18h; route 126 N., ☎506-857-9283, www. magicmountain.ca)*.

Dieppe

Dieppe accueille, tous les deux ans (années impaires) à la mi-août, le **Festival international du cerf-volant** (voir p 110).

Le **Palais Crystal** *(19,35$; 499 rue Paul, ☎506-858-8584, www.crystalpalace.ca)* est un parc d'attractions pour la famille, avec des manèges, des jeux, un minigolf, une piscine, une librairie, des cinémas,

un centre des sciences conçu pour les enfants ainsi qu'un hôtel. Comme le parc d'attractions est intérieur, le Palais Crystal est envahi, lors des jours de pluie, par de nombreuses familles.

▸▸▸ *Quittez Dieppe par l'avenue Acadie, qui devient la route 106 et permet de rejoindre Memramcook.*

Memramcook

Petit village rural de la jolie vallée du même nom, Memramcook revêt une importance symbolique pour le peuple acadien. Sa région est la seule dans la baie de Fundy où des Acadiens occupent toujours les terres cultivées avant la Déportation. C'est également à Memramcook que fut établi le Collège Saint-Joseph, en 1864, et où s'est tenu le premier congrès national des Acadiens en 1881. Le **Lieu historique national du Monument-Lefebvre** ★ *(3,90$; juin à mi-oct tlj 9h à 17h; 480 rue Centrale, ☎506-758-9808 ou 506-536-0720, www.pc.gc.ca)* abrite une exposition qui met en lumière les événements clés et les dates charnières liés à la survivance du peuple acadien.

▸▸▸ *De Memramcook, prenez la route 933 en direction est jusqu'à la route 2 Est, que vous emprunterez pour rejoindre Sackville et Aulac.*

Sackville ★

Une aisance discrète et une sensibilité toute particulière à l'héritage du passé émanent de Sackville, avec ses rues bordées de grands arbres, derrière lesquels se cachent de belles résidences. La ville est l'hôte de l'**université Mount Allison**, une petite institution d'enseignement supérieur très réputée, dont les jolis bâtiments occupent de belles aires verdoyantes du centre de Sackville. Sur le campus, on peut visiter la **galerie d'art Owens** ★ *(entrée libre; lun-ven 10h à 17h, sam-dim 13h à 17h; 61 York St., ☎506-364-2574)*, qui regroupe une grande collection de tableaux d'artistes de la province et certaines œuvres du maître Alex Colville.

Merveilleux lieu de détente, le **parc de la Sauvagine** ★★ *(entrée libre; tlj jusqu'à la tombée de la nuit; entrée par E. Main St., ☎506-364-4930)* renferme 3,5 km de sentiers et de passerelles de bois permettant aux visiteurs de pénétrer dans un univers dont on ne peut soupçonner de prime abord la richesse et la diversité. Il est possible d'y observer pas moins de 160 espèces d'oiseaux et 200 espèces de plantes.

Aulac

C'est à Aulac, à la suite de la prise du fort Beauséjour par les troupes britanniques en 1755, que devait commencer le tragique épisode de la déportation des Acadiens. Construit à partir de 1751, le fort Beauséjour (renommé «Fort Cumberland» par les Britanniques) occupait alors un emplacement stratégique donnant sur la baie de Chignecto, à la frontière des empires coloniaux français et britannique. Le **Lieu historique national du Fort-Beauséjour–Fort Cumberland** ★ *(3,90$; juin à mi-oct tlj 9h à 17h; route 2, sortie 513A, ☎506-364-5080, www.pc.gc.ca)* comprend un centre d'interprétation qui explique à la fois l'histoire des Acadiens et de la Déportation. On peut également se promener à travers quelques fortifications toujours visibles de ce fort construit en forme d'étoile. Le point de vue sur la baie de Chignecto, à la frontière du Nouveau-Brunswick et de la Nouvelle-Écosse, est excellent d'ici.

▲Hébergement

St. Stephen

Blair House Heritage Breakfast Inn
$$-$$$ ☎≡@▲
38 Prince William St.
☎506-466-2233 ou 888-972-5247
☷506-466-1699
www.blairheritageinn.com
Construite au milieu du XVIIIe siècle par une éminente famille de loyalistes, la maison qui abrite aujourd'hui le joli Blair House Heritage Breakfast Inn se dresse sur un terrain agréablement paysagé au cœur de St. Stephen. On y propose cinq chambres confortables et un copieux petit déjeuner anglais le matin venu.

St. Stephen Inn
$$-$$$ ☎≡☞☕@
99 King St.
☎506-466-1814 ou 800-565-3088
☷506-466-6148
www.ststepheninn.com
Situé au centre de la communauté, le St. Stephen Inn est un établissement convenable et relativement peu coûteux, aux chambres assez typiques d'un motel.

Loon Bay Lodge
$$$ ☎☕▲
424 Loon Bay Rd.
☎506-466-1240 ou 888-566-6229
☷506-466-4213
www.loonbaylodge.com
Construit en pleine campagne, le Loon Bay Lodge plaira aux amateurs de lieux paisibles. Il a été aménagé de telle sorte que chaque visiteur peut y trouver ses aises, les chambres profitant toutes d'un foyer, d'une salle de bain privée et d'une vue imprenable sur les flots. D'un charme rustique, elles conviendront à ceux qui aiment à se retrouver dans la nature tout en profitant d'un bon confort. Un chalet central, fait de bois rond, abrite un salon où peuvent se rencontrer les visiteurs, de même qu'une salle à manger. Des excursions de chasse et de pêche peuvent y être organisées.

St. Andrews

Kiwanis Oceanfront Camping
$
550 Water St.
☎506-529-3439 ou 877-393-7070
www.kok.ca
C'est avant tout la situation privilégiée de ce terrain de camping, situé à quelques pas de la mer et du centre-ville, qui retient l'attention. Il est de plus bien aménagé et offre plusieurs services.

Greenside Motel
$$ ☎≡
242 Mowatt Dr.
☎/☷506-529-3039
Même si St. Andrews est un lieu de villégiature quelque peu huppé, cela n'empêche pas qu'on puisse s'y loger à bon marché dans des motels aux chambres propres et simples. L'un d'eux est le Greenside Motel, situé légèrement en retrait du centre de St. Andrews, près du golf. Certaines chambres ont une cuisinette.

ST. ANDREWS

● RESTAURANTS

1.	CZ	Elaine's Chowder House
2.	CZ	Friends & Neighbors
3.	BZ	Gables Restaurant
4.	CZ	Harbourfront Restaurant
5.	AX	Passamaquoddy Veranda

▲ HÉBERGEMENT

1.	AX	Greenside Motel
2.	EY	Kiwanis Oceanfront Camping
3.	AX	Rossmount Inn (R)
4.	DZ	Seaside Beach Resort
5.	BZ	St. Andrews Motor Inn
6.	AX	The Fairmont Algonquin
7.	CZ	Waterfront Garden Suites

(R) établissement avec restaurant décrit

Passamaquoddy Bay

Patrick St.
Auguste St.
Ernest St.
Sophia St.
Princess Royal St.
Frederick St.
King St.
William St.
Edward St.
Elizabeth St.
Adolphus St.
Mary St.
Harriet St.

Water St.
Montague St.
Queen St.
Montague St.
Parr St.
Carleton St.
Prince of Wales St.
Victoria Terrace
Carleton St.
Parr St.
Demon St.
Reed St.
Joe's Point Rd.

Musée Memorial Ross
Église Greenock

200m

Waterfront Garden Suites
$$-$$$ ☙
22 Douglas St.
☎506-529-4571
Avec ses chambres pourvues d'une cuisinette et d'un balcon, le Waterfront s'avère parfait pour les personnes qui désirent séjourner quelque temps à St. Andrews en coupant dans les additions des restaurants. Il profite en outre d'un bon emplacement, face à la baie et près du centre.

Rossmount Inn
$$$ ☙ ♨ ≡ @ ≋
4599 route 127, à quelques kilomètres à l'est de St. Andrews
☎506-529-3351
www.rossmountinn.com
Situé au centre d'une grande propriété surplombant les paysages avoisinants, le Rossmount Inn est une magnifique auberge patrimoniale dont chacune des chambres est meublée d'antiquités. Il dispose d'une excellente salle à manger.

Seaside Beach Resort
$$$ ☙ ☞
339 Water St.
☎506-529-3846 ou 800-506-8677
www.seaside.nb.ca
Le Seaside Beach Resort est constitué de petits appartements tout équipés, au charme rustique, répartis dans des maisonnettes de bois. Favorablement situés sur les rives de la baie, les appartements sont propres et dotés d'une cuisinette. Il s'agit là d'un centre de villégiature décontracté, idéal pour les familles.

St. Andrews Motor Inn
$$$ ☙ ≋ ≡
111 Water St.
☎506-529-4571
▤506-529-4583
www.standrewsmotorinn.com
Donnant directement sur la baie, le St. Andrews Motor Inn propose un hébergement confortable dans des chambres modernes possédant un balcon ou une terrasse, dont certaines ont même une cuisinette tout équipée.

The Fairmont Algonquin
$$$$-$$$$$
≡ @ ▲ ☙ ≋ @ ☕))) ♈
184 Adolphus St., route 127
☎506-529-8823 ou 888-610-7575
▤506-529-7162
www.fairmont.com
Le meilleur hôtel et le plus réputé des Maritimes, The Fairmont Algonquin forme un ensemble majestueux de style néo-Tudor au centre d'une grande propriété dominant St. Andrews. Cet hôtel de rêve qui a su traverser les années a préservé tout le raffinement aristocratique et le cachet anglo-saxon d'un centre de villégiature réservé à l'élite à la fin du XIXᵉ siècle. Construit en 1889, l'Algonquin fut complètement rasé par les flammes en 1914. Il fut reconstruit, pour l'essentiel, l'année suivante. Puis, en 1991, on y aménagea un centre de congrès, et une aile comprenant 54 chambres et suites fut élevée en 1993. Le Fairmont Algonquin propose de superbes chambres et des suites modernes et très confortables, une excellente cuisine à la **Passamaquoddy Veranda** (voir p 107), un service irréprochable et une foule d'activités. Si vous ne pouvez

vous payer le plaisir, tout de même assez onéreux, de loger ici, ne manquez pas de visiter les lieux à l'occasion d'un repas, d'un apéro au bistro-bar The Library ou encore d'un arrêt à la boutique de souvenirs.

Île Campobello

Lupine Lodge
$$$-$$$$ ♨ ▲ @
610 route 774
☎506-752-2555 ou 888-912-8880
www.lupinelodge.com
Bien situé à proximité du parc national Fundy, le Lupine Lodge offre un hébergement assez confortable. Le restaurant est plutôt fréquenté pendant la saison estivale, et ce, jusqu'en début de soirée.

Île Grand Manan

Compass Rose
$$-$$$ ♨
65 route 776
North Head
☎506-662-8570
www.compassroseinn.com
L'île Grand Manan compte de nombreux gîtes touristiques et plusieurs petites auberges. Le Compass Rose, l'une de ces auberges sympathiques, abrite des chambres qui, sans être luxueuses, sont coquettes et confortables. La salle à manger du Compass Rose propose une cuisine des plus convenables.

Fishermen's Haven Cottages
$$-$$$ ☞ @ ☙
12 Fishermen's Haven
Grand Harbour
☎506-662-8919
▤506-662-8177
www.fishermenhaven.ca
Bien des familles séjournent dans l'île Grand Manan pour au moins

Le sud du Nouveau-Brunswick - Hébergement - île Grand Manan

quelques jours. Il leur est alors avantageux de s'installer dans un cottage tel qu'on en trouve aux Fishermen's Haven Cottages, avec deux ou trois chambres à coucher et une cuisinette tout équipée.

Saint John

Park Plaza Motel
$$ ♥ ≡ ❄ 🚗 &

607 Rothesay Ave.
☎ 506-633-4100 ou 800-561-9022

L'immédiate périphérie de Saint John compte de nombreux motels offrant un hébergement bon marché dans des chambres simples mais propres. L'un d'eux est le Park Plaza Motel. On s'y rend en empruntant la sortie 129 de la route 1. Notez que le restaurant de l'établissement est uniquement ouvert pour le petit déjeuner.

Homeport Historic B&B/Inn
$$-$$$ 🐾🍴 ≡ 🚗 © @

80 Douglas Ave.
☎ 506-672-7255 ou 888-678-7678
www.homeport.nb.ca

Une des magnifiques résidences de Saint John a été convertie en un gîte touristique séduisant: le Homeport. On a veillé à préserver ses charmes d'antan, chacune des vastes et belles pièces étant garnie d'antiquités. Toutes les chambres, également décorées avec soin, sont pourvues d'une salle de bain privée.

Earle of Leinster
$$$ 🐾 @ ❄

96 Leinster Ave.
☎ 506-652-3275
www.earleofleinster.com

L'Earle of Leinster bénéficie de chambres au décor simple et d'un bon emplacement, à deux pas du centre-ville. Une table

de billard est mise à la disposition des clients.

Seely Street Bed & Breakfast
$$$ 🐾 ©

34 Seely St.
☎ 506-214-1085
www.seelystreet.com

Ce gîte touristique propose trois chambres confortables dont l'une, lumineuse et au décor épuré, possède une baignoire à remous. Plusieurs excursions possibles pour découvrir la ville de Saint John.

Delta Brunswick Hotel
$$$ ♥ ≡ 🚗 © ●))) @

Brunswick Square Shopping Centre
39 King St.
☎ 506-648-1981 ou 888-890-3222
📠 506-658-0914
www.deltahotels.com

Dans la rue la plus fréquentée du centre-ville se trouve le Delta Brunswick, l'un des plus grands hôtels de Saint John. Il compte 254 chambres et suites de grand confort. L'hôtel en tant que tel, aménagé à même le centre commercial Brunswick Square, manque un peu de charme. Il est en fait surtout connu pour sa gamme étendue de services, proposés aux vacanciers comme aux gens d'affaires.

Fort Howe Hotel and Convention Centre
$$$ ♥ ≡ ● @ 🚗

10 Portland St., angle Main St.
☎ 506-657-7320 ou 800-943-0033
www.forthowehotel.com

Hôtel aux chambres sans charme particulier mais propres, à bon prix et à proximité du centre de Saint John et des voies d'accès, le Fort Howe Hotel est assurément un bon choix. L'hôtel a l'avantage d'avoir un café et un *lounge* au dernier étage.

Hilton Saint John
$$$-$$$$ ♥ ≡ © ● ≡ 🚗))) @

1 Market Square
☎ 506-693-8484
📠 506-657-6610
www.hilton.com

Offrant un hébergement haut de gamme, le Hilton occupe un bel emplacement à l'extrémité d'un quai, tout près du marché. C'est un endroit d'où l'on peut jouir de la beauté singulière du port de mer, avec ses quais et ses infrastructures, et dont l'activité dépend du cycle des puissantes marées. Le Hilton possède un bon restaurant, le **Turn of the Tide** (voir p 108), et un agréable bar, le **Brigantine Lounge** (voir p 107), avec vue sur les quais. Ses chambres sont spacieuses et garnies de meubles à la fois modernes et chaleureux. Bien sûr, les chambres à l'arrière du bâtiment, avec leur vue sur le port de Saint John, sont particulièrement recommandées.

Inn on the Cove
$$$$ 🐾 © ≡ ♥ @ ● Y

1371 Sand Cove Rd.
☎ 506-672-7799 ou 877-257-8080
www.innonthecove.com

Si vous croyez que Saint John n'est pas un lieu idyllique pour prendre des vacances relaxantes et vivifiantes, c'est que vous ne connaissez pas encore l'Inn on the Cove, probablement l'une des meilleures auberges de la province. Située dans un environnement calme offrant une vue spectaculaire sur la baie de Fundy, cette auberge n'est pourtant qu'à 5 min en voiture du centre-ville. Les amants

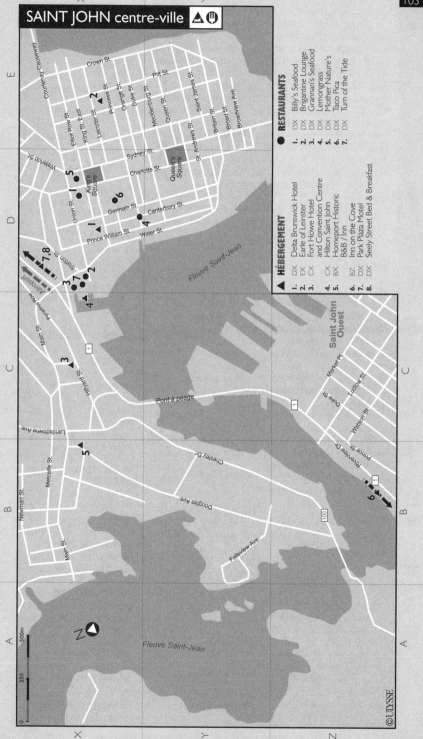

SAINT JOHN centre-ville ▲⑪

Saint John Ouest

Fleuve Saint-Jean

©ULYSSE

de la nature trouveront, à proximité, de belles plages sauvages à explorer et des sentiers menant au Parc naturel Irving. La maison et les chambres ont été décorées avec goût et avec un souci du détail; certaines bénéficient d'un balcon ou d'une terrasse offrant une vue saisissante sur la baie. Les propriétaires sont accueillants tout en étant discrets, et ils préparent d'excellents petits déjeuners.

St. Martins

Quaco Inn
$$$ ⚓ ◎ ▲ ☛
16 Beach St.
☎506-833-4772 ou 888-833-4772
www.quacoinn.com
Le minuscule village côtier de St. Martins offre un bon choix de lieux d'hébergement de qualité. L'un d'eux est le réputé Quaco Inn, qui propose un hébergement confortable dans l'atmosphère raffinée d'une maison victorienne d'époque. Agréablement meublée et dotée d'une salle à manger dont la réputation n'est plus à faire (voir p 108), cette auberge présente un bon rapport qualité/prix.

St. Martins Country Inn
$$$ ⚓ ≡ ◎
303 Main St.
☎506-833-4534 ou 800-565-5257
📠506-833-4725
www.stmartinscountryinn.com
Le St. Martins Country Inn est une délicieuse auberge située dans le cadre enchanteur d'une grande propriété surplombant le village. Construite en 1857 pour le plus important constructeur de navires de St. Martins, elle a su garder

une ambiance sereine, un tantinet insolente, digne de la résidence d'un membre bien en vue de la haute bourgeoisie anglo-saxonne de cette belle époque. Tout y est en place pour offrir un séjour de qualité au voyageur épicurien: des chambres décorées avec goût et garnies de meubles d'antan, une cuisine hautement réputée et un service impeccable. Réservez à l'avance.

Alma

Captain's Inn
$$ ☕
8602 Main St.
☎506-887-2017 ou 888-886-2017
📠506-887-2074
www.captainsinn.ca
Le Captain's Inn est installé dans une coquette maisonnette de bois au cœur d'Alma. Les chambres de cette auberge familiale ne sont pas particulièrement luxueuses, mais confortables, jolies et bien aménagées. Les propriétaires du Captain's Inn offrent un accueil toujours fort sympathique.

Parkland Village Inn
$$ ⚓ ≡ ◎ ⚅
route 114
☎506-887-2313 ou 866-668-4337
📠506-887-2315
www.parklandvillageinn.com
Au cœur d'Alma, le Parkland Village Inn propose quelques chambres standards modestes, des suites familiales et un chalet. Certaines des chambres bénéficient d'un balcon. Un restaurant très achalandé, le Tides, occupe le rez-de-chaussée de l'établissement.

Alpine Motor Inn
$$$ ≋ ☕ ❦ @
8591 Main St.

☎506-887-2052 ou 866-887-2052
www.alpinemotorinn.ca
Important établissement hôtelier d'Alma, l'Alpine Motor Inn est situé en plein centre du village. Les chambres, de type motel, sont propres et spacieuses. De l'Alpine Motor Inn, on bénéfice d'une belle vue sur la baie de Fundy.

Moncton

Auberge C'mon Inn
dortoir $ ☕
chambres $$ ☕ ᵇ⁄ₚ @
47 rue Fleet
☎506-854-8155
www.monctonhostel.ca
La chaleureuse auberge de jeunesse C'mon Inn, située en plein centre-ville de Moncton, abrite d'invitantes chambres privées, des dortoirs et de sympathiques aires communes. La cuisine est partagée, les petits déjeuners sont compris, et l'ambiance est amicale. Des cours de yoga et des séances d'improvisation musicale y sont aussi proposés à l'occasion.

Bonaccord House
$-$$ ☕ ≡ @
250 Bonaccord St.
☎506-388-1535
📠506-853-7191
Au centre du vieux quartier de Moncton, la Bonaccord House, une résidence construite au début du siècle dernier, est aujourd'hui un joli gîte touristique. Les chambres, meublées et décorées avec goût, occupent les étages supérieurs. La salle de séjour, au rez-de-chaussée, et la véranda sont toutes deux propices à la lecture, au thé en après-midi ou simplement à la détente. La Bonaccord House convient

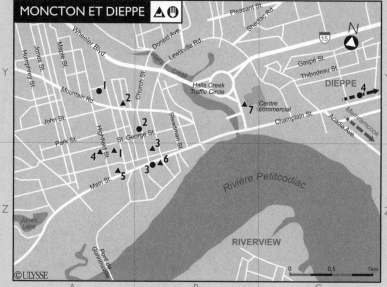

MONCTON ET DIEPPE

DIEPPE

RIVERVIEW

©ULYSSE

| 0 | 0,5 | 1 km |

▲ HÉBERGEMENT

Moncton

1.	AZ	Auberge C'mon Inn
2.	AY	Bonaccord House
3.	BZ	Canadiana Inn
4.	AZ	Colonial Inn
5.	AZ	Crowne Plaza Moncton
6.	BZ	Delta Beauséjour

Dieppe

| 7. | BY | Ramada Plaza Crystal Palace |

● RESTAURANTS

Moncton

1.	AY	Café Archibald
2.	BY	Calactus Café Restaurant Végétarien
3.	BZ	Windjammer

Dieppe

| 4. | CY | Fisherman's Paradise |

à ceux qui apprécient un environnement particulièrement calme.

Colonial Inn
$$-$$$ ♉ ≡ ☞ ≋ ◎ ❊ @
42 Highfield St.
☎ 506-382-3395 ou 800-561-4667
🖷 506-858-8991
www.colonialdowntown.ca

Le Colonial Inn propose un hébergement de type motel pratiquement en plein centre de Moncton. Les chambres sont bien tenues, le service est excellent, et l'établissement possède une piscine. Un bon endroit pour les familles.

Crowne Plaza Moncton
$$-$$$$ ♉ ≋ ☂))) @ ◎ ≡
1005 Main St.
☎ 506-854-6340 ou 877-578-7666
www.cpmoncton.com

Le Crowne Plaza Moncton abrite des chambres confortables et sobrement décorées. L'établissement offre plusieurs avantages, entre autres une situation centrale, une piscine d'eau salée intérieure, un restaurant et un centre de conditionnement physique ainsi qu'un sauna et un bain à remous.

Canadiana Inn
$$$ ☚ ◎
46 Archibald St.
☎ 506-382-1054

Situé dans un quartier paisible, mais à proximité des artères les plus animées de la ville, le Canadiana Inn est aménagé dans une grande et jolie résidence de style victorien construite à la fin du XIXᵉ siècle. Ses chambres, garnies de meubles confortables, sont chaleureusement décorées et accueillantes. L'endroit dispose d'une agréable terrasse à l'étage, ainsi que deux salles à manger où l'on sert de généreux petits déjeuners. L'accueil est fort sympathique.

Le sud du Nouveau-Brunswick – Hébergement – Moncton

Delta Beauséjour
$$$ ♨≋≡✈⚓@🕭
750 Main St.
☎ 506-854-4344 ou 888-351-7666
www.deltahotels.com

Pour les voyageurs douillets à la recherche d'élégance et de confort, Moncton est dotée d'un établissement de haut standing, le Delta Beauséjour. On y trouve un service de qualité, des chambres spacieuses et bien meublées, deux excellents restaurants, soit le **Windjammer** (voir p 108) et le Triiio, ainsi qu'une jolie piscine intérieure où l'on peut aisément oublier le rythme de la vie urbaine. La situation de l'hôtel, en plein cœur de Moncton, convient on ne peut mieux aux gens d'affaires et aux visiteurs désirant profiter de la proximité des restaurants et des boîtes de nuit.

Dieppe

Ramada Plaza Crystal Palace
$$$-$$$$
♨≋≡©⚓〰@🕭
499 rue Paul
☎ 506-858-8584
🖷 506-858-5486
www.crystalpalacehotel.com

Les familles apprécient tout particulièrement le Ramada Plaza Crystal Palace, un hôtel confortable doté d'une belle piscine et partie intégrante d'un grand parc d'attractions intérieur, le **Palais Crystal** (voir p 98). Ses chambres sont modernes, aérées et fonctionnelles. Le Ramada Plaza s'adresse toutefois non seulement aux vacanciers, mais également aux gens d'affaires qui y retrouvent plusieurs salles de réunion et de conférences. Il se démarque également

par ses suites thématiques au décor original.

Sackville

Université Mount Allison
$
☎ 506-364-2250
www.mta.ca

Pendant la saison estivale, l'université Mount Allison offre l'hébergement le moins cher de Sackville. Le campus de l'université est situé au cœur de la petite ville de Sackville.

The Different Drummer
$$ ♟@🕭
7 Main St.
☎ 506-536-1291 ou 877-547-2788

Aménagé dans une spacieuse maison victorienne du XIXᵉ siècle, The Different Drummer est un excellent gîte touristique. Toutes les chambres sont confortables et meublées de vraies antiquités. Le petit déjeuner santé qu'on y sert est copieux et savoureux.

Borden's Motel
$$ ✈⚓≡🕭@
146 Bridge St., à l'entrée sud de la ville
☎ 506-536-1066

Petit bâtiment de briques rouges, le Borden's Motel dispose de quelques chambres propres et peu chères.

Marshlands Inn
$$$ ♨⚓©@
55 Bridge St.
☎ 506-536-0170 ou 800-561-1266
🖷 506-536-0721
www.marshlands.nb.ca

Le cachet de Sackville tient en bonne partie à ses belles grandes maisons du XIXᵉ siècle. L'une d'elles est aujourd'hui une formidable auberge, le Marshlands Inn, une somptueuse résidence offerte par William

Crane, homme puissant de l'époque, à sa fille comme cadeau de mariage. Les chambres de l'auberge sont toutes impeccablement meublées, et l'on trouve sur place un restaurant réputé (voir p 108).

🍴Restaurants

St. Stephen

Pizza Delight
$$
2 Milltown Blvd.
☎ 506-466-4147

Ce restaurant familial tout à fait convenable sert surtout des plats de pâtes et des pizzas.

St. Andrews

Voir carte p 100

Friends & Neighbors
$-$$
246 Water St.
☎ 506-529-1010

Réputé pour ses petits déjeuners aux portions généreuses, le restaurant familial Friends & Neighbors affiche un menu simple de soupes, sandwichs, hamburgers et frites maison.

Elaine's Chowder House
$$-$$$
24 King St.
☎ 506-529-4496

Ce petit restaurant propose d'excellentes chaudrées de fruits de mer et un menu du jour alliant des grillades et des currys préparés avec soin.

Gables Restaurant
$$-$$$
143 Water St.
☎ 506-529-3440

Pour savourer de bons plats méditerranéens dans une atmosphère détendue, attablez-vous sur la terrasse ombragée du Gables Restaurant, qui offre une jolie vue sur la baie de Passamaquoddy.

Harbourfront Restaurant
$$-$$$
225 Water St.
☎506-529-4887
Le Harbourfront se remarque à son emplacement face à la baie offrant une belle vue sur les flots; une terrasse qui donne sur la mer permet d'ailleurs de contempler à loisir le paysage. Il plaît également pour sa décoration intérieure, qui rappelle celle d'un vieux bateau. Enfin, il est apprécié aussi pour ses spécialités de poisson et de fruits de mer, tout particulièrement le homard, toujours délicieusement apprêté.

Rossmount Inn
$$-$$$
4599 route 127
☎506-529-3351
Les fins gastronomes trouveront leur compte au réputé restaurant du **Rossmount Inn** (voir p 101). Le chef d'origine suisse y propose une cuisine du marché préparée à partir des meilleurs ingrédients disponibles. Les légumes et les herbes viennent en partie du potager attenant à l'auberge, et les champignons, les têtes de violon ainsi que les petits fruits proviennent de la cueillette sauvage.

Passamaquoddy Veranda
$$$-$$$$
The Fairmont Algonquin
184 Adolphus St., route 127
☎506-529-8823
La salle à manger du **Fairmont Algonquin** (voir p 101)

est tout à fait exceptionnelle, tant par l'élégance de sa décoration que par la grande qualité de sa cuisine internationale et régionale. Comme un dîner à la Passamaquoddy Veranda n'est pas à la portée de toutes les bourses, on peut toujours se rabattre sur le menu beaucoup moins onéreux du lunch ou s'y rendre pour le brunch du dimanche.

- - - - - - - - - - - - - - -
Saint John

Voir carte p 103

Mother Nature's
$
Brunswick Square Shopping Centre
39 King St.
☎506-634-0955
Le matin, pour changer du traditionnel petit déjeuner américain servi dans la plupart des restos de Saint John, on peut faire un saut au Mother Nature's. Des muffins, des viennoiseries et de bons cafés composent l'essentiel du menu du matin. Le reste de la journée, des salades, des sandwichs et d'autres petits plats sont proposés à la clientèle.

Brigantine Lounge
$-$$
Hilton Saint John
1 Market Square
☎506-693-8484
Le midi ou en fin d'après-midi, on peut se rendre au Brigantine Lounge de l'hôtel **Hilton Saint John** (voir p 102). L'endroit est sympathique et dispose également d'une vue imprenable sur le port. Le menu du jour constitue un excellent choix.

Taco Pica
$$
96 Germain St.
☎506-633-8492
La cuisine familiale mexicaine et guatémaltèque est à l'honneur au Taco Pica, un sympathique petit resto de quartier. Des plats simples et nourrissants, comme les *enchiladas*, les *tacos* ou les *burritos*, forment l'essentiel du menu.

Billy's Seafood
$$-$$$
49-51 Charlotte St.
☎506-672-3474
Le Billy's Seafood, situé à côté du marché de Saint John, face au King Square, propose un splendide menu de poissons frais, de fruits de mer et de steaks. Fort bien apprêtés, les plats de saumon de l'Atlantique et de homard sont particulièrement recommandés. On sert en outre un poisson du jour qui en soi constitue un repas complet. Ces délices de la mer sont offerts dans une ambiance feutrée et chaleureuse.

Grannan's Seafood
$$-$$$
Market Square
☎506-634-1555
Le Grannan's Seafood est devenu une institution à Saint John. Ce restaurant, à la décoration intérieure surchargée de bibelots, de cadres et d'autres objets hétéroclites et parfois étranges évoquant tous la mer et ses produits, s'ouvre sur une terrasse très agréable pendant les chaudes soirées d'été. Le menu du restaurant se compose, bien entendu, de fruits de mer et de poissons. Le resto est souvent très achalandé le soir.

Lemongrass
$$-$$$

42 Princess St.
☎ 506-657-8424
www.lemongrassthaifare.com

Le menu appétissant et recherché de ce restaurant thaïlandais saura satisfaire les amateurs de cuisine asiatique. Le décor soigné aux couleurs lumineuses crée une ambiance exotique.

Turn of the Tide
$$$-$$$$

Hilton Saint John
1 Market Square
☎ 506-632-8564

Le restaurant du **Hilton Saint John** (voir p 102), le Turn of the Tide, présente un menu typique des restaurants d'hôtel de ce calibre, avec, région oblige, un bon choix de poissons frais et de fruits de mer. Les prix sont quelque peu élevés, mais la cuisine n'est certainement pas décevante, et la vue du port en vaut la peine. Quant à la décoration, elle est classique, aérée et de bon goût. Le Turn of the Tide s'avère un endroit tout indiqué pour les repas entre amoureux ou pour célébrer un événement spécial.

St. Martins

Quaco Inn
$$-$$$

16 Beach St.
☎ 506-833-4772

Pour agrémenter son séjour romantique dans le paisible village de St. Martins, il faut s'offrir le délicieux plaisir d'un repas aux chandelles dans la salle à manger du **Quaco Inn** (voir p 104), l'une des meilleures tables de la région. Le menu se compose de spécialités internationales et régionales;

une place d'honneur est réservée aux fruits de mer et aux poissons.

Moncton

Voir carte p 105

Café Archibald
$-$$

221 Mountain Rd.
☎ 506-853-8819

Un peu en retrait de la Main, le Café Archibald vaut le détour pour ses petits plats bien préparés et pas très chers. On y propose des salades et des sandwichs, mais aussi des pizzas et de succulentes crêpes. En été, la terrasse de l'établissement est particulièrement agréable.

Calactus Café Restaurant Végétarien
$$

125 Church St.
☎ 506-388-4833

Le Calactus Café est un restaurant écologique, biologique, végétarien (et végétalien!); un incontournable pour ceux qui ont à cœur leur santé et celle de la planète. Le menu affiche une cuisine internationale saine et réconfortante, notamment des mets indiens. De plus, l'atmosphère y est paisible et chaleureuse.

Windjammer
$$$

Delta Beauséjour
750 Main St.
☎ 506-854-4344 ou 506-877-7137

À Moncton, les gastronomes se donnent rendez-vous au restaurant du **Delta Beauséjour** (voir p 106), le Windjammer, l'une des meilleures tables de la province. Sa salle à manger, dont l'aménagement rap-

pelle celle des transatlantiques du XIXe siècle, séduit par son élégance. Le menu réserve quelques belles surprises, notamment le chateaubriand de bison. Évidemment, une place plus qu'honorable est réservée aux poissons et aux fruits de mer.

Dieppe

Voir carte p 105

Fisherman's Paradise
$$-$$$$

330 boul. Dieppe
☎ 506-859-4388

Le titre de «meilleur restaurant de fruits de mer de la région» est convoité par le Fisherman's Paradise. Les fruits de mer et les poissons s'y partagent le menu avec les steaks.

Sackville

Marshlands Inn
$$$

55 Bridge St.
☎ 506-536-0170

Les fins gourmets peuvent compter, à Sackville, sur une excellente adresse pour se rassasier: le somptueux et réputé restaurant du **Marshlands Inn** (voir p 106). Le menu, très élaboré, comporte surtout des spécialités continentales, mais également quelques plats à saveur locale. L'endroit est quelque peu formel, mais tout de même très sympathique.

♪ Sorties

■ Activités culturelles

Saint John

Le **Théâtre Impérial** *(24 King Square S., ☎506-674-4100, www.imperialtheatre.nb.ca)* est doté d'une salle de spectacle splendide. Depuis le début du XXᵉ siècle, ce théâtre est le haut lieu des arts de la scène à Saint John. On y présente tout au long de l'année des concerts, du théâtre ou de la danse.

Moncton

Le somptueux **Théâtre Capitol** *(811 Main St., ☎506-856-4377, www.capitol.nb.ca)* est le principal centre des arts de la scène à Moncton. Il propose des productions variées et de qualité.

■ Bars et discothèques

Saint John

O'Leary's
46 Princess St.
☎506-634-7135
C'est bien connu, l'influence irlandaise est très forte à Saint John. Il n'est donc pas surprenant d'y trouver O'Leary's, un excellent petit pub irlandais. La clientèle est plutôt jeune, et l'on y présente régulièrement des spectacles de musique.

Brigantine Lounge
Hilton Saint John
1 Market Square
Le Brigantine Lounge du **Hilton Saint John** (voir p 102) a beaucoup de charme et, surtout, bénéficie d'une vue imprenable sur les quais affairés du port de la ville, de l'autre côté du fleuve Saint-Jean. C'est un bar calme, avec un choix intéressant d'alcools, et fréquenté surtout par la clientèle du chic hôtel qui l'abrite. Un pianiste agrémente généralement les soirées.

happinez wine bar
42 Princess St.
☎506-634-7340
Voici un élégant et intimiste bar à vin qui offre, dans un décor de pierres et de briques rappelant un cellier, une excellente sélection de vins ainsi que quelques bières et spiritueux.

Saint John Ale House
1 Market Square
☎506- 657-2337
En plus d'afficher un menu complet et varié, la Saint John Ale House propose près d'une trentaine de bières pression et un choix impressionnant de bières importées en bouteille que vous pourrez savourer sur la terrasse.

Moncton

Toute l'année, l'**Osmose**, le bar étudiant de l'Université de Moncton, s'anime à l'occasion de spectacles de musique. C'est un excellent endroit pour s'initier à la culture musicale des Acadiens d'aujourd'hui.

Triangles
234 St George St.
☎506-857-8779
Le Triangles est le principal lieu de rencontre des gays de Moncton et de la région. Ce bar possède une petite piste de danse.

The Pump House Brewpub
5 Orange Lane
☎506-855-2337
La terrasse du Pump House Brewpub est l'endroit tout indiqué pour savourer une bière artisanale et une pizza cuite au four à bois. Des spectacles y sont présentés les samedis soir.

■ Fêtes et festivals

Juillet

Saltyjam Festival
Saint John
www.saltyjam.ca
Ce festival de blues et de jazz présente des groupes de la scène locale et internationale. Les spectacles sont payants et se tiennent tant à l'extérieur que dans les bars de la ville.

Festival by the Marsh
Sackville
☎506-364-2179
www.festivalbythemarsh.ca
Événement artistique multidisciplinaire, le Festival by the Marsh présente des pièces de théâtre, des concerts et des expositions sur le campus de l'université Mount Allison.

Août

International Homecoming Festival
St. Stephen
☎506-466-7700
www.town.ststephen.nb.ca
www.visitstcroixvalley.com
Célébré à St. Stephens et à Calais (Maine), cet événement propose des défilés, des spectacles, des épreuves athlétiques en tout genre, des jeux pour enfants, des feux d'artifice et de l'artisanat.

Le sud du Nouveau-Brunswick - Sorties

Chocolate Fest

St. Stephen
☎ 506-465-5616
www.chocolate-fest.ca

Le Chocolate Fest présente de nombreuses occasions de se délecter de petites douceurs. On y organise entre autres des courses aux trésors, des ateliers de décoration de biscuits et des visites (et dégustations) dans les anciens locaux de l'entreprise Ganong.

Festival des fruits de mer de l'Atlantique

Moncton
☎ 506-384-8585
www.atlanticseafoodfestival.com

Compétition gastronomique de chaudrées de fruits de mer, animation par les chefs, dégustation de vins, concours d'écaillage d'huîtres et musique en plein air ne sont qu'un échantillon des activités offertes au cours de ce festival.

Festival international du cerf-volant de Dieppe

www.dieppe.ca
www.dieppe-cerf-volant.org

Présenté tous les deux ans (années impaires), il s'agit là du plus important festival de cerf-volant en Amérique du Nord. En plus des activités organisées autour du thème du cerf-volant, ce festival est aussi l'occasion d'assister à de nombreux spectacles et concerts. D'une année à l'autre, Dieppe organise le festival en alternance avec la ville de Dieppe en France.

Septembre

Festival international du cinéma francophone en Acadie

Moncton et Dieppe
☎ 506-855-6050
www.ficfa.com

Ce festival célèbre le cinéma francophone international et met en exergue les réalisations acadiennes.

Achats

■ Chocolaterie

St. Stephen

Ganong Chocolatier

73 Milltown Blvd.
☎ 506-465-5611

Plus ancien fabricant de friandises au Canada (1873), Ganong Chocolatier serait également le premier concepteur des barres de chocolat. La boutique propose aujourd'hui environ 75 variétés de chocolats.

■ Galeries d'art et artisanat

St. Andrews

Boutique La Baleine

173 Water St.
☎ 506-529-3926

La Boutique La Baleine est surtout connue pour la qualité de son artisanat, mais offre aussi en vente bon nombre d'autres produits, notamment des livres, des bibelots et quelques vêtements.

North of Sixty Art

mi-juin à mi-oct ou sur rendez-vous
238 Water St.
☎ 506-529-4148

North of Sixty Art est une galerie d'art inuit qui se visite comme un musée! On y présente des travaux réalisés par des Inuits, notamment des sculptures d'une rare diversité et d'une grande richesse. Des dizaines de boutiques de la rue Water, cette galerie est probablement la plus intéressante.

Saint John

Handworks

12 King St.
☎ 506-652-9787

Les amateurs d'art apprécieront cette galerie où sont entre autres exposées les œuvres de divers artistes et artisans des provinces atlantiques.

■ Librairies

Moncton

Librairie Acadienne

Université de Moncton, pavillon Taillon
☎ 506-858-4140

Située sur le campus de l'Université de Moncton, la Librairie Acadienne dispose d'un excellent choix d'ouvrages d'écrivains acadiens et de livres traitant de l'histoire et de la culture acadiennes. L'Acadie compte de nombreux écrivains de talent, dont Herménégilde Chiasson et Antonine Maillet sont parmi les plus connus.

Dieppe

Chapters
Palais Crystal
499 Paul St.
☎ 506-855-8075
Si vous aimez bouquiner,
vous pouvez également
vous rendre à la très
grande librairie Chapters
située dans le **Palais Crystal**
(voir p 98). Outre une
vaste sélection d'ouvrages
en tout genre, vous y trouverez un café et un resto.

■ Marchés publics

Saint John

Marché de Saint John
47 Charlotte St.
☎ 506-658-4418
Rien de tel qu'une pro-
menade au marché, où
vous serez emballé par le
nombre d'étals qui regor-
gent de produits frais
provenant des fermes des
environs. Vous pourrez
également vous laisser
tenter par la belle sélection
de pièces d'artisanat.

Moncton

Marché Moncton
120 Westmorland St.
☎ 506-853-3516
www.marchemonctonmarket.ca
Très animé durant l'été, le
marché public de Moncton
regorge de produits agri-
coles et artisanaux locaux.

■ Souvenirs

St. Andrews

Garden By the Sea
217 Walter St.
☎ 506-529-8905
Pour faire provision de
savons aux huiles essen-
tielles, fabriqués sur place,
vous vous devez de faire
un saut à cette jolie boutique.

Moncton

Wharf Village
en été seulement
route 2
Côte magnétique
☎ 506-858-8841
Vous prendrez plaisir
à vous balader dans ce
hameau qui est en fait une
reconstitution d'un village
de pêcheurs. Vous pourrez
certainement y dénicher
de belles trouvailles parmi
les boutiques où l'on vend
artisanat, souvenirs divers,
antiquités et autres objets
décoratifs.

■ Vêtements

St. Andrews

Cottage Craft
209 Water St.
☎ 506-529-3190
Cottage Craft mérite une
visite, essentiellement
pour son intéressant choix
de vêtements de tweed ou
«100% pure laine».

Le sud du Nouveau-Brunswick - Achats

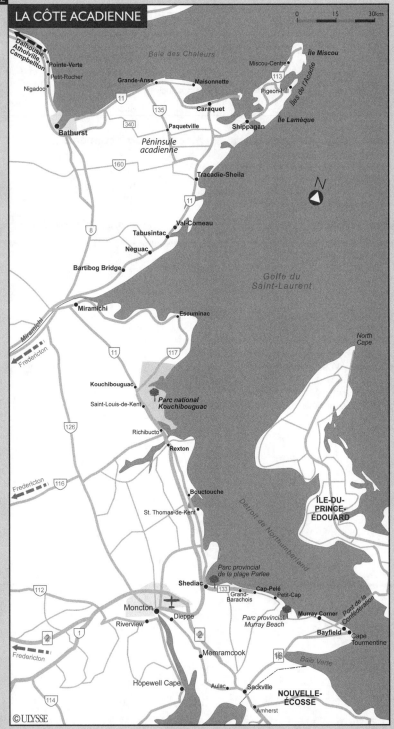

LA CÔTE ACADIENNE

0   15   30km

Dalhousie
Atholville
Campbellton

Baie des Chaleurs

Île Miscou

Pointe-Verte

Miscou-Centre

113

Petit-Rocher

Nigadoo

Grande-Anse

Maisonnette

Pigeon-Hill

Îles de l'Acadie

Caraquet

11

135

Île Lamèque

Paquetville

Shippagan

Bathurst

340

*Péninsule
acadienne*

160

Tracadie-Sheila

N

11

Val-Comeau

8

Tabusintac

*Golfe du
Saint-Laurent*

Neguac

Bartibog Bridge

Miramichi

Escuminac

North
Cape

Miramichi

Fredericton

11

117

Kouchibouguac

*Parc national
Kouchibouguac*

Saint-Louis-de-Kent

126

Richibucto

Rexton

Fredericton

116

Bouctouche

ÎLE-DU-
PRINCE-
ÉDOUARD

St. Thomas-de-Kent

Détroit de Northumberland

*Parc provincial
de la plage Parlee*

112

Shediac

133

Cap-Pelé

Petit-Cap

Grand-
Barachois

Pont de la
Confédération

Moncton

Murray Corner

Riverview

Dieppe

2

*Parc provincial
Murray Beach*

Bayfield

1

2

Cape
Tourmentine

Fredericton

Memramcook

16

Baie Verte

114

Hopewell Cape

Aulac

Sackville

NOUVELLE-
ÉCOSSE

Amherst

© ULYSSE

La côte acadienne

L'Acadie moderne, on la retrouve d'abord ici, tout le long de la côte est du Nouveau-Brunswick, où s'égrène un chapelet de villes et villages dont la population est majoritairement d'origine et de culture acadiennes.

C'est principalement sur cette côte que les Acadiens fuyant la Déportation, ou de retour d'exil, sont venus trouver refuge, il y a plus de deux siècles, pour reconstruire une nouvelle Acadie.

La beauté toute simple de ses paysages et la sincérité de l'accueil des Acadiens ont grandement contribué à la réputation de cette belle région, mais la **côte acadienne** ★ ★ n'en évoque pas moins une foule d'autres images, comme ses longues plages de sable blanc aux eaux étonnement chaudes, son homard frais qu'on déguste à toute heure de la journée et l'atmosphère fébrile de ses nombreux ports de pêche, sans oublier le sens inné de la fête qu'ont ses habitants.

En somme, une balade le long de la côte acadienne offre une foule de plaisirs et donne l'occasion de découvrir autant l'héritage de l'Acadie des XVIIIe et XIXe siècles que l'Acadie moderne, résolument tournée vers l'avenir et plus confiante que jamais.

Shediac, grâce à sa plage aux eaux particulièrement chaudes, est depuis longtemps le centre de villégiature le plus important de la côte. Au fil des années, cependant, de nombreux autres lieux ont été mis en valeur et permettent désormais de faire découvrir toute la diversité de la côte acadienne.

La Péninsule acadienne sera l'hôte en août 2009 du Congrès mondial acadien, qui rassemble, tous les cinq ans, des Acadiens de partout dans le monde pour une série de conférences, réunions de familles et grandes fêtes populaires.

Accès et déplacements

■ En voiture

Sauf pour la petite portion qui va de Cape Tourmentine à Shediac, c'est la route 11 qui constitue la principale voie du présent circuit. Elle traverse la plupart des villes et villages de la côte, fait le tour de la péninsule, puis longe la baie des Chaleurs jusqu'à la frontière québécoise. Depuis la ville de Miramichi, on peut traverser d'est en ouest le Nouveau-Brunswick par la route 8, qui remonte la vallée de la rivière Miramichi. Notez qu'il n'y a pas de postes d'essence ou de restaurants dans cette portion de la route.

Aussi, la route 180 permet de se rendre de Bathurst à Saint-Quentin, en passant à proximité du mont Carleton, et la route 17 mène de Campbellton à Saint-Léonard (sur le fleuve Saint-Jean). Ces deux routes traversent ainsi les paysages montagneux des Appalaches.

Renseignements utiles

■ Renseignements touristiques

Centre d'information aux visiteurs de Shediac
229 rue Main
Shediac
☎ 506-532-7788
www.shediac.org

Centre d'information aux visiteurs de Bouctouche
4 rue Acadie
Bouctouche
☎ 506-743-8811
www.bouctouche.org

Centre d'information aux visiteurs de Neguac
1190 rue Principale
Neguac
☎ 506-776-3838 ou 506-776-3950
www.neguac.com

Centre d'information aux visiteurs de Shippagan
200 av. Hôtel de Ville
Shippagan
☎506-336-3993
www.ville.shippagan.com

Centre d'information aux visiteurs de Caraquet
35 av. du Carrefour
Caraquet
☎506-726-2676
ww.ville.caraquet.nb.ca

Centre provincial d'information aux visiteurs de Campbellton
56 boul. Salmon
Campbellton
☎506-789-2367
www.campbellton.org

Attraits touristiques

Bayfield

Plusieurs petits villages se succèdent le long de la côte est de la province, près du pont qui mène à l'Île-du-Prince-Édouard et de la frontière avec la Nouvelle-Écosse. C'est à proximité de l'un de ces villages, Bayfield, que se trouve le **Centre d'interprétation de la nature Cape Jourimain** ★ *(6$; mi-mai à mi-oct tlj 9h à 17h; 5039 route 106, ☎506-538-2220 ou 866-538-2220, www. capejourimain.ca)*. Ce centre d'interprétation met en valeur la faune et la flore propres à cette partie de la côte de la province. L'exposition est intéressante et bien animée. De plus, des sentiers pédestres sont aménagés pour permettre aux visiteurs de découvrir une belle nature constituée de forêts, de champs, de marais salés et de plages. Notez que les moustiques peuvent être incommodants. Le Cape Jourimain offre un excellent point de vue sur le **pont de la Confédération**.

Murray Corner

Le **parc provincial Murray Beach** ★ *(7$; mi-mai à fin sept; 1679 route 955, ☎506-538-2628, www.parcsnb.ca)* comprend, en plus d'une belle plage, un terrain de camping et une aire de jeux. De là, la vue du pont de la Confédération est imprenable. Vous pouvez également vous offrir une excursion en kayak de mer dans le détroit de Northumberland.

Cap-Pelé ★

▲ *p 125* ⓞ *p 131*

L'occasion est belle, à Cap-Pelé, de découvrir le monde fascinant de la pêche, puisque l'existence de cette communauté acadienne, fondée à la fin du XVIIIᵉ siècle, reste encore aujourd'hui tributaire des richesses de l'océan. Le village compte en outre une douzaine de **boucanières**, ces bâtiments ressemblant à des granges où l'on «boucane» (sèche à la fumée) le poisson avant de l'exporter. Les quelque 30 boucanières de la région de Cap-Pelé parviennent à fumer pas moins de 95% du hareng vendu à travers le monde.

Tout près de Cap-Pelé, on peut se rendre à la belle **plage de l'Aboiteau** ★★. Cette plage est splendide, idéale pour la baignade et beaucoup moins fréquentée que celle du parc provincial de la plage Parlee. Un long remblai de rocs et de pierres la cache de la route, d'où le nom de la plage. Le **quai de Cap-Pelé** se trouve à environ 500 m de la plage de l'Aboiteau, le long de la même route. Un peu plus d'une vingtaine de bateaux de pêche y sont accostés lorsqu'ils ne sont pas à la mer. L'endroit est très authentique. Une poissonnerie et un casse-croûte spécialisé en produits de la mer sont aménagés sur place. On trouve également dans la région de Cap-Pelé deux autres belles plages: la **plage Gagnon** et **Sandy Beach**.

Cap-Pelé et sa région occupent un petit plateau quasiment dénudé de toute végétation qui offre de jolis points de vue sur l'océan. Plus loin sur la route 133, au village de **Barachois**, on peut voir en son centre la plus vieille église acadienne en bois des Maritimes, construite en 1824: l'**église historique de Barachois** ★ *(1350 route 133, ☎506-532-2976)*.

La côte acadienne - Attraits touristiques - Cap-Pelé

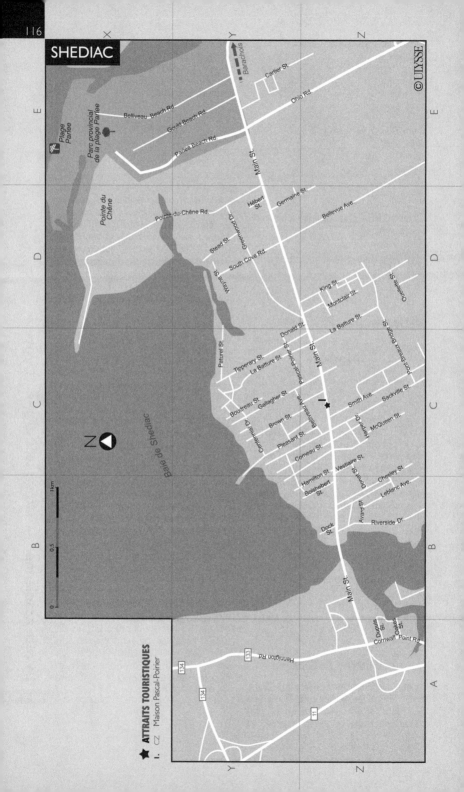

SHEDIAC

©ULYSSE

Plage Parlée

Parc provincial
de la plage Parlée

Pointe du
Chêne

Baie de Shediac

N

Beliveau Beach Rd.
Gould Beach Rd.
Parlee Beach Rd.
Pointe-du-Chêne Rd.

Barachois

Cartier St.
Ohio Rd.
Main St.

Hébert St.
Germaine St.
Bellevue Ave.

Stead St.
Greenwood Dr.
Wayne St.
South Cove Rd.

King St.
Montclair St.
Oulette St.
La Batture St.

Pature St.
Tipperary St.
La Batture St.
Donald St.
Pascal-Poirier St.
Main St.

Boudreau St.
Gallagher St.
Centennial Dr.
Brown St.
Beausoleil Ave.
Smith Ave.
Sackville St.
Pont-Breaux-Bridge St.

Pleasant St.
Comeau St.
Harper Dr.
McQueen St.

Hamilton St.
Boishebert St.
Vestiaire St.
Devost St.
Chesley St.
Leblanc Ave.

Dock St.
Avard St.
Riverside Dr.

Main St.

Hennigton Rd.

Duguis St.
Oakes St.
Cornwall Point Rd.

133
134
134
11

★ ATTRAITS TOURISTIQUES

1. CZ Maison Pascal-Poirier

0   0,5   1km

Shediac ★

⚠ p 125 🍴 p 131 ✈ p 134 🏠 p 136

La ville de Shediac est l'un des centres de villégiature les plus connus de la côte est du Nouveau-Brunswick, et certainement un lieu de séjour très apprécié des vacanciers. Elle doit d'abord sa popularité à la magnifique plage du **parc provincial de la plage Parlee ★** *(9$; mi-mai à mi-sept tlj 8h à 22h; 45 ch. Parlee Beach, près de la sortie 17 de la route 15,* ☎*506-533-3363, www.parcsnb. ca)*, aux eaux étonnamment chaudes, idéales pour la baignade. La plage est surveillée et s'étend sur plusieurs kilomètres. Cette popularité a fait surgir à Shediac et dans la région immédiate plusieurs centres d'activité, notamment un beau terrain de golf et des parcs d'attractions. Mais la réputation de Shediac tient aussi en bonne partie à l'abondance de homards qu'on trouve au large, et qu'on peut savourer frais à sa table. La ville s'est même autoproclamée la «capitale mondiale du homard» et tient, chaque année au début de juillet, un **festival du homard** (voir p 135).

Juste à côté du centre de renseignements touristiques, une gigantesque reproduction d'un homard, longue de 11 m, haute de 5 m et pesant 90 tonnes, illustre l'importance de ce crustacé pour la région.

Construite vers 1825, la **Maison Pascal-Poirier** *(juin à sept tlj 10h à 19h; 399 rue Main,* ☎*506-532-7022)*, la plus ancienne de Shediac, abrite un musée portant sur la vie du patriote acadien Pascal Poirier et une galerie d'art qui présente les œuvres d'artistes locaux.

Fondée au XIXe siècle comme port de pêche, Shediac a gardé de cette époque quelques beaux édifices, ce qui tranche avec le caractère quelque peu anarchique de la ville, très affairée pendant la saison estivale. En longeant la côte vers le nord, on traverse quelques minuscules communautés acadiennes vivant surtout de la pêche.

Bouctouche ★★

⚠ p 127 🍴 p 131 🏠 p 136

Agréable petite communauté donnant sur une large baie aux eaux calmes, Bouctouche a été fondée à la fin du XVIIIe siècle par des Acadiens chassés de la vallée de Memramcook.

Bouctouche a l'honneur d'avoir donné naissance à deux des plus célèbres Néo-Brunswickois: Antonine Maillet et K.C. Irving. Récipiendaire du prix Goncourt en 1979 pour son roman *Pélagie-la-Charrette*, Antonine Maillet est l'auteure acadienne la plus connue dans le monde. Elle s'était d'abord fait remarquer dans les années 1970 avec *La Sagouine*, une pièce de théâtre évoquant de manière remarquable la vie et l'âme acadiennes au début du XXe siècle.

De son côté, K.C. Irving, décédé en 1992, a construit un empire financier colossal couvrant une foule de secteurs, notamment celui du pétrole. Parti de rien, Irving possédait à sa mort l'une des plus grandes fortunes personnelles du monde.

Le **Pays de la Sagouine ★** *(15$; mi-juin à fin août tlj 19h30 à 17h30; 57 rue Acadie, route 134, à l'entrée sud de Bouctouche,* ☎*506-743-1400 ou 800-561-9188, www.sagouine. com)* a été aménagé sur l'Île-aux-Puces, au cœur de la baie de Bouctouche, pour faire revivre l'Acadie du début du XXe siècle en s'inspirant de la pièce de théâtre à grand succès *La Sagouine* d'Antonine Maillet. On a eu l'excellente idée d'animer le site avec les personnages de la célèbre pièce, qui présentent des mises en scène, de la musique et des chansons.

En octobre 2008, le célèbre restaurant acadien **L'Ordre du Bon Temps** a été complètement détruit par un incendie. Ce restaurant, situé à l'entrée du Pays de la Sagouine, présentait jusqu'alors des dîners-théâtre et des soirées musicales. Au moment de mettre sous presse, sa réouverture, au même endroit et avec la même vocation, était prévue pour l'été 2009.

La côte acadienne – Attraits touristiques - Bouctouche

Situé dans un bâtiment qui fut un couvent de religieuses jusqu'en 1969, le **Musée du comté de Kent** ★ *(3$; juil à début sept lun-sam 9h à 17h30, dim 12h à 18h; 150 ch. du Couvent, du côté est du village,* ☎*506-743-5005, www. museedekent.ca)* est certainement l'un des plus intéressants musées régionaux de la province. Les diverses pièces de l'édifice renferment des meubles d'époque et des objets d'art religieux qui rappellent l'histoire du couvent et la vie quotidienne des religieuses et des étudiantes.

Éco-Centre Irving de la Dune de Bouctouche ★★ *(1932 route 475, à environ 10 km au nord de Bouctouche,* ☎*506-743-2600 ou 888-640-3300, www.irvingecocentre.com).* La dune qui s'étend sur 12 km le long de la baie de Bouctouche est l'habitat d'une grande variété de plantes et d'animaux aquatiques, ainsi que d'oiseaux migrateurs ou riverains, entre autres le grand héron, le pluvier siffleur et la sterne.

Cette dune qui protège les eaux calmes et le marais salé de la baie a été façonnée au fil des siècles par l'action incessante du vent, des marées et des courants marins. L'Éco-Centre Irving vise à préserver et à mieux faire connaître cet écosystème fragile. Une passerelle de bois d'environ 2 km de long a été construite pour permettre d'observer aisément la faune et la flore; des guides naturalistes sont également mis à la disposition des touristes pour des visites commentées de la dune.

Depuis plusieurs années, la superbe plage de sable fin qui borde la dune sur toute sa longueur est un site d'excursion estival très populaire; bordée par des eaux particulièrement chaudes, elle est un des meilleurs endroits de la côte pour la baignade (sans surveillance). La dune ne se trouve qu'à une dizaine de kilomètres au nord de Bouctouche. On peut s'y rendre à pied ou à vélo par un agréable sentier forestier abritant l'**Arboretum Irving**. Ce sentier mène également au **Marché des Fermiers** (voir p 136).

Rexton

Le village anglophone de Rexton est le lieu de naissance de l'ancien premier ministre de Grande-Bretagne, Bonar Law (1858-1923), qui fut le seul premier ministre de ce pays né à l'extérieur du Royaume-Uni.

Le **Site historique provincial Bonar Law** *(entrée libre; juil et août tlj 9h30 à 16h30; 31 av. Bonar Law,* ☎ *506-523-7615 ou 506-523-6921, www.villageofrexton.com)* rend hommage à ce personnage tout en faisant revivre le mode de vie de son époque. Il comprend la ferme et la maison où Lord Bonar Law vécut ses premières années.

À la même adresse et partageant le même horaire, le **Musée de la rivière Richibuctou** expose des artéfacts provenant de la région de la rivière Richibuctou. On y relate notamment l'histoire des Premières Nations et des bâtisseurs de grands voiliers. Le musée abrite une boutique de souvenirs et d'artisanat local.

Kouchibouguac

Parc national Kouchibouguac ★★★ *(7,80$; route 11, sortie 69 ou 75, ou route 134,* ☎*506-876-2443, www.pc.gc.ca).* Ce magnifique parc national recouvert d'une forêt de feuillus et de conifères, notamment de thuyas, et parsemé de tourbières, possède plus de 26 km d'une superbe côte maritime, ponctuée de marais salés, de lagunes, de dunes et de plages de sable doré. Il est l'habitat naturel de plusieurs centaines d'animaux et d'oiseaux, notamment le rarissime pluvier siffleur.

Ce parc national est l'endroit idéal pour pratiquer plusieurs activités sportives. Les amateurs de randonnée pédestre et, en particulier, de vélo y sont comblés grâce aux multiples sentiers et passerelles qui parcourent l'ensemble du parc sur plusieurs dizaines de kilomètres. Le canot et le kayak y sont également très populaires en été (voir p 124). Mais surtout, ce parc offre probablement les plus belles **plages** de sable de cette partie de la province. Ces plages, caressées par des eaux particulièrement chaudes, sont idéales pour la baignade, d'autant plus qu'elles sont relativement peu fréquentées. Le parc de Kouchibouguac vaut amplement un séjour de plusieurs journées et dispose de terrains de camping fort bien aménagés.

Escuminac

Les amateurs de jolies plages sablonneuses peuvent se rendre à l'**Escuminac Beach and Family Park** *(3$; 301 Escuminac Point Rd., 5 km à l'est d'Escuminac,* ☎*506-228-3843 ou 506-228-4532, www.escuminacbeach.com)*, qui abrite une belle plage flanquée de dunes. En plus du terrain de camping, ce parc propose une multitude de services et d'installations, notamment des excursions de pêche au homard, des passerelles de bois et des belvédères, une cantine et une aire de jeux pour les enfants.

Un arrêt au village permet de voir le **Monument à la mémoire des pêcheurs disparus**, qui rappelle qu'une tempête en mer avait enlevé la vie à 35 pêcheurs en 1959, ainsi que le **quai d'Escuminac**, qui accueille plus de 500 bateaux de pêche et où l'on peut se procurer des fruits de mer frais.

Miramichi

A *p 128*   **⊕** *p 132*   **⋑** *p 134*

Miramichi, située à l'embouchure de la rivière du même nom, est la plus importante agglomération de la région, et, contrairement aux autres communautés de la côte, elle compte une population presque essentiellement de langue anglaise. On y organise d'ailleurs annuellement, au début du mois de juillet, un intéressant **Festival irlandais du Canada** (voir p 135). Cette ville doit sont existence à l'exploitation forestière, la plus importante activité économique de la région depuis deux siècles.

L'attrayant **Parc du quai Ritchie**, aménagé en bordure de la rivière Miramichi, est un bon endroit pour s'amuser en famille, car diverses activités y sont proposées. On y trouve entre autres un terrain de jeux à thème nautique et plusieurs boutiques le long d'une passerelle de bois.

Établi dans un vaste parc naturel et doté d'une vocation écologique, le **French Fort Cove Eco-Centre** *(5$; juin à mi-août tlj 10h à 16h, fin août à fin mai lun-ven 10h à 16h; 21 Cove Rd.,* ☎*506-773-9524, www.frenchfortcove. com)* présente des expositions éducatives interactives et organise des ateliers sur le thème de la protection de l'environnement.

À proximité de Miramichi, l'**île Boishébert** (ou **Beaubears Island**) et la **pointe Wilsons** abritent les **Lieux historiques nationaux de Boishébert et du Chantier-Naval-de-l'Île-Beaubears, J. Leonard O'Brien Memorial** *(entrée libre; mi-juin à fin août tlj 10h à 20h).* Charles Deschamps de Boishébert mena ses compatriotes acadiens à la pointe Wilsons, où ils trouvèrent refuge au cours du Grand Dérangement. Lieu de construction des navires en bois durant le XIXe siècle, le chantier naval de l'île Beaubears, J. Leonard O'Brien Memorial, demeure un site archéologique important. Au cours des mois de juillet et d'août, l'organisme **Friends of Beaubears Island** *(26 prom. St. Patrick,* ☎*506-622-8526, www. beaubearsisland.ca)* organise des excursions guidées dans l'île.

Vallée de la rivière Miramichi

La **rivière Miramichi** ★, qui s'étend sur près de 200 km, est une rivière exceptionnelle pour la pêche au saumon de l'Atlantique. Depuis Miramichi, on peut la suivre par la route 8 jusqu'à Fredericton. Le long de cette route, on découvre notamment de jolis paysages dominés par une végétation où triomphent les conifères.

On pourra entre autres s'arrêter au **Centre de conservation du saumon de la Miramichi** ★ *(4$ visite guidée; avr à nov tlj 8h à 16h30; 485 route 420, South Esk,* ☎*506-622-1781, www. inmgroup.net/msa/mscc)*, où des visites éducatives de la plus ancienne écloserie de saumons au Canada (1873) sont proposées. Il est aussi possible d'y pêcher de la truite mouchetée à condition de conserver ses prises (5$/450g).

En continuant dans la même direction sur la route 8 sur près de 80 km (à mi-chemin de Fredericton), on peut se rendre jusqu'au **Musée des bûcherons du centre du Nouveau-Brunswick** *(6$; mi-mai à mi-oct tlj 9h à 17h30; 6342 route 8, Boiestown,* ☎*506-369-7214, www.woodmensmuseum.com)*, qui occupe le site d'un camp de bûcherons et qui traite de leur vie et de leur dur métier. Une boutique, ouverte toute l'année *(tlj 9h à 16h)*, y propose des souvenirs et de l'artisanat.

La côte acadienne - **Attraits touristiques** - Vallée de la rivière Miramichi

Bartibog Bridge

Depuis Miramichi, la route 11 vers l'ouest mène à la Péninsule acadienne. Bartibog Bridge est le premier village croisé sur cette route. En plus de l'excellent point de vue à l'embouchure de la rivière Miramichi qu'offre cette minuscule communauté, Bartibog Bridge possède l'intéressant **Site historique provincial de la ferme MacDonald** *(2,50$; fin mai à mi-juin lun-ven 9h30 à 16h30, mi-juin à début sept tlj 9h30 à 16h30; 600 route 11,* ☎*506-778-6085).*

Né en Écosse en 1762, Alexander MacDonald servit comme simple soldat dans l'armée britannique lors de la guerre de l'Indépendance américaine. C'est en 1784, après la fin des hostilités, que MacDonald vint s'installer aux abords de la rivière Miramichi. La ferme MacDonald qu'on peut aujourd'hui visiter comprend une belle maison en pierres de style georgien ainsi que plusieurs autres bâtiments datant du début du XIXe siècle.

Neguac

Petit village à l'entrée de la Péninsule acadienne, Neguac est au carrefour des cultures francophone, anglophone et micmaque du Nouveau-Brunswick. On s'y rend pour profiter de ses plages sauvages et de son **parc de l'Île-aux-Foins**, qui offre aux visiteurs à la fois un site écotouristique et un lieu d'activité familiale en plein air. On peut y observer la faune et la flore environnantes grâce à un réseau de sentiers pédestres et à une tour d'observation des oiseaux. On y trouve également un **centre d'information aux visiteurs** (voir p 114), un bateau-musée en plein air qui relate l'évolution des techniques de pêche au homard, ainsi que quelques lieux d'hébergement et de restauration.

Tabusintac

La **lagune et l'estuaire de Tabusintac** *(routes 11 N. et 460,* ☎*506-779-8249),* d'une superficie de 4 100 ha, sont formés de dunes, d'îles et de plages aux multiples criques. Ils sont le théâtre d'une activité intense durant l'été, alors qu'une foule d'oiseaux sont attirés par des terres humides. Le lieu est d'ailleurs l'habitat de l'eider à duvet, du balbuzard et du grand héron, ainsi que du rare pluvier siffleur, qu'on peut parfois apercevoir.

Val-Comeau

Bien situé entre la rivière et la mer, le **parc provincial Val-Comeau** *(juin à sept tlj; route 11, sortie Val-Comeau,* ☎*506-393-7150, www.parcsnb.ca)* abrite un vaste terrain de camping pourvu de nombreux services et installations. On y trouve une belle plage.

Tracadie-Sheila

▲ *p 128* ⦿ *p 132* ◻ *p 136*

Après avoir traversé les villages de Neguac et de Val-Comeau, la route 11 mène à la petite ville de Tracadie-Sheila, où l'on trouve de nombreux restaurants et hôtels ainsi qu'un agréable quai. Comme en témoigne encore l'héritage institutionnel, l'histoire de la ville a longtemps été marquée par la présence des religieuses hospitalières de Saint-Joseph, qui, de 1868 à 1965, y ont soigné les malades, notamment les lépreux.

L'**Académie Sainte-Famille**, un bel édifice datant du début du siècle dernier, était autrefois une école et un pensionnat administrés par ces religieuses. Il abrite aujourd'hui le **Musée historique de Tracadie** *(2$; juin à août lun-ven 10h à 18h, samdim 12h à 18h; 399 rue du Couvent, 2ᵉ étage,* ☎*506-395-6373),* qui présente une exposition relatant les diverses étapes de l'histoire de Tracadie et de sa région. On y trouve notamment des artéfacts d'origine micmaque, des objets pieux, des outils anciens et une rétrospective sur l'hôpital. À proximité du musée, on peut visiter le **Cimetière des lépreux**, où sont alignées une soixantaine de croix identiques.

Shippagan ★ ★

▲ *p 128* ⦿ *p 132* ◑ *p 134* ◻ *p 136*

Protégé par le détroit qui le sépare de l'île Lamèque, le site où se trouve aujourd'hui Shippagan fut d'abord un poste de traite avant de devenir, dès la fin du XVIIIe siècle, un port de mer.

Désormais une petite communauté fébrile, Shippagan est dotée de quelques industries et, surtout, d'un port où est amarrée l'une des plus importantes flottes de pêche de la Péninsule acadienne.

Le charme de Shippagan tient, bien entendu, à son site sur la mer, mais aussi, et pour beaucoup, à son atmosphère unique de ville portuaire. Toute personne intéressée à en connaître davantage sur l'industrie de la pêche, cette activité au cœur de l'économie acadienne depuis maintenant plus de deux siècles, devrait s'arrêter à Shippagan, découvrir la ville, marcher sur le quai et, bien sûr, visiter son centre marin (voir ci-dessous) et assister à son **Festival des pêches et de l'aquaculture** (voir p 135).

Ayant habité jusqu'alors les terres fertiles des rives de la baie de Fundy, les Acadiens qui ont pu éviter la Déportation en fuyant à travers les bois sont venus trouver refuge, pour la plupart, sur la côte est de la province. Le sol y étant moins fertile, les Acadiens se sont alors tournés vers la mer pour gagner leur vie. Ils se sont convertis à la pêche, une activité économique longtemps indissociable de la culture acadienne.

Pour découvrir le monde fascinant de la pêche moderne en Acadie et dans le golfe du Saint-Laurent, et surtout la riche faune qui peuple les fonds marins de la région, faites une visite de l'**Aquarium et Centre marin du Nouveau-Brunswick ★ ★** *(8$; mi-mai à fin sept tlj 10h à 18h; près du quai de Shippagan, 100 rue de l'Aquarium, ☎506-336-3013)*. La visite de l'Aquarium est l'occasion d'observer (et de toucher) différentes espèces de poissons, de crustacés et d'invertébrés qui peuplent le golfe du Saint-Laurent, ainsi que les lacs et rivières de la province.

Son intérêt réside en partie dans le fait que ces poissons et crustacés vivent dans des bassins recréant fidèlement leur environnement naturel. Ces bassins sont certes intéressants, mais le plus fascinant est sans nul doute le bassin des phoques, particulièrement aux heures des repas (11h et 16h). Enfin, ceux qui le désirent pourront en apprendre plus sur l'histoire de la pêche dans la région par l'entremise d'un document audiovisuel informatif. Le Centre marin abrite un restaurant, une

boutique de souvenirs et une galerie d'art.

Île Lamèque ★

▲ *p 129* 🍽 *p 132* ➔ *p 134*

De Shippagan, un pont (route 113) permet d'accéder à l'île Lamèque. Avec ses paysages plats et ses quelques minuscules hameaux aux jolies maisons blanches ou de couleur, cette île est un havre de paix où le temps semble figé. Un arrêt s'impose à l'**église Sainte-Cécile ★** *(8160 route 310, Petite-Rivière-de-l'Île, ☎506-344-5626)* de Petite-Rivière-de-l'Île. C'est dans le cadre enchanteur de cette mignonne église de bois très colorée que se tient annuellement, la dernière semaine de juillet, un festival exceptionnel: le **Festival international de musique baroque de Lamèque** (voir p 135).

Pour ceux qui voudraient en connaître plus sur la faune et la flore de la Péninsule acadienne, un saut s'impose au **Parc écologique de la Péninsule acadienne** *(7$; mai à oct tlj 9h à 18h; 65 ch. du Ruisseau, ☎506-344-3223 ou 506-344-3222, www.eco-parc.com)*. Situé dans un estuaire où se rencontrent l'eau salée de la baie des Chaleurs et l'eau douce du ruisseau Jean-Marie, le parc est doté d'une passerelle de 0,3 km, d'un sentier de 2 km au milieu duquel se trouve un arboretum et d'une tour d'observation qui permet aux visiteurs de contempler la faune et la flore régionales. Le lieu dispose aussi d'un centre d'interprétation qui abrite entre autres une exposition interactive et éducative sur les différents écosystèmes de la Péninsule acadienne. Des guides naturalistes proposent, sans frais additionnels, des randonnées animées d'une durée de 2h.

Reliée à un terrain de camping, la **plage de Pigeon Hill** *(route 310, Pigeon Hill)* est surveillée et offre des services comme une cantine et des douches. Pigeon Hill est aussi dénommée «Grosse-Butte» par les gens de la région.

Il est agréable de se promener le long de la mer sur la **plage de Cap-Bateau** *(route 305, Cap-Bateau)*. Cette plage présente une particularité géologique: on peut y observer des cavités dans les rochers sculptés par la mer.

La plage sablonneuse de **Pointe-Canot** *(allée de la Grande Batture, route 313, Pointe-Canot)* n'est pas surveillée. Elle est toutefois idéale pour la baignade avec des enfants puisque le niveau d'eau demeure bas sur une très grande étendue et que, par conséquent, l'eau y est plus chaude. Les couchers de soleil y sont magnifiques, et il s'agit là d'un endroit privilégié pour s'adonner à la planche à voile ou au surf cerf-volant *(kitesurf)*.

Île Miscou ★

De l'île Lamèque, un pont (route 113) mène à l'île Miscou, un autre havre de paix fort peu peuplé mais connu pour ses quelques belles plages souvent désertes.

À l'extrémité de l'île s'élève le **phare de l'île Miscou** ★ *(au bout de la route 113)*, l'un des plus vieux phares du Nouveau-Brunswick (1856); il bénéficie en outre d'un très beau point de vue sur l'océan et avoisine une jolie plage non surveillée. Quelques kilomètres avant le phare, toujours sur la même route, un **site d'interprétation** ★ *(route 113)*, avec un sentier et des passerelles, permet de découvrir une tourbière. En automne, la tourbière s'embrase d'un rouge vif: le spectacle mérite un détour.

La **plage Adrien Gionet** *(118 allée Paradis du campeur)* est sablonneuse et reliée à un terrain de camping qui offre de nombreux services.

Caraquet ★ ★

▲ *p 129* 🍽 *p 133* 🍸 *p 134*

À Caraquet, ce sont d'abord le dynamisme et la chaleur des habitants qui charment. Plus grande ville de la péninsule, dotée de plusieurs hôtels et restaurants, Caraquet est aussi, à juste titre, considérée comme le cœur culturel de l'Acadie. D'ailleurs, c'est probablement dans cette ville, et dans le mode de vie des habitants, qu'on peut le mieux prendre le pouls de la culture acadienne, celle qui aujourd'hui s'inspire de diverses tendances sans pour autant renier la richesse du passé.

Le mois d'août est de loin la meilleure période pour visiter Caraquet. C'est pendant cette période que la ville devient l'hôte du **Festival Acadien** (voir p 135), dont le clou est le joyeux défilé en honneur de la fête nationale des Acadiens, le **Tintamarre** (voir p 135).

On peut aussi se détendre sur l'une des petites plages de Caraquet, notamment la **plage Foley** *(route 11)*, une agréable plage rocailleuse où il fait bon se promener et respirer l'air marin. On peut également faire une croisière au départ du **Carrefour de la mer** *(51 boul. St-Pierre E.)*, où se trouve aussi **Le Bot'à Chanson de Donat Lacroix** (voir p 134), qui présente des spectacles célébrant le folklore acadien.

Le **Musée Acadien** ★ *(3$; mi-juin à mi-sept lun-sam 10h à 20h, dim 13h à 18h; 15 boul. St-Pierre E., ☎506-726-2682)* abrite une petite collection d'objets d'usage quotidien des deux derniers siècles.

Important lieu de pèlerinage, le **Sanctuaire Sainte-Anne-du-Bocage** ★ *(entrée libre; toute l'année; boul. St-Pierre O.)* comprend, sur un beau site naturel, une petite chapelle de bois, un chemin de croix ainsi qu'un monument élevé en l'honneur d'Alexis Landry, ancêtre de la plupart des Landry d'Acadie.

Aucun livre d'histoire sur l'Acadie ne peut rivaliser, en termes d'efficacité pédagogique, avec le **Village historique acadien** ★ ★ ★ *(15$; juin à mi-sept tlj 10h à 18h, mi-sept à fin sept tlj 10h à 17h; 14311 route 11, environ 10 km à l'ouest de Caraquet, ☎506-726-2600 ou 877-721-2200, www.villagehistoriqueacadien.com)*. On y a reconstitué, sur une vaste propriété, un village qui comprend une quarantaine de maisons et autres bâtiments dont la plupart sont authentiques, datant de 1770 au début du XXe siècle. Le site est animé par des guides-interprètes en costumes d'époque qui donnent vie au village en effectuant des travaux quotidiens de manière traditionnelle, et qui se font un plaisir d'informer les visiteurs sur les us et coutumes du passé. Au centre d'interprétation, un film présente brièvement l'histoire des Acadiens. En été, on peut loger sur place, au **Château Albert** (voir p 129), une reconstitution d'un établissement hôtelier du début du XXe siècle. De nouveaux bâtiments, dont un magasin général et une gare, ont été érigés près du Château Albert.

Caraquet est, depuis des lustres, réputée pour ses huîtres de la baie de Caraquet. Déjà en 1758, les premiers Acadiens les récoltaient. De leur simple cueillette, on en est venu peu à peu à en faire l'élevage grâce à la création de fermes d'ostréiculture. Aujourd'hui, il est possible de se familiariser avec la production d'huîtres en se rendant à l'**Éco-musée de l'huître ★** *(entrée libre; début juin à fin déc lun-sam 9h30 à 17h30, dim en juil et août 13h à 17h; 675 boul. St-Pierre O.,* ☎ *506-727-3226, www.eco-museeehuitre.com)* de la Poissonnerie Dugas. On y présente le savoir-faire que la famille Dugas a su acquérir au fil des ans.

Maisonnette

Ce hameau, connu pour ses huîtres, possède l'une des plus belles plages de la Péninsule acadienne: la **plage de Maisonnette** *(8 km à l'est de la route 11, route 303),* où l'on peut se baigner dans les eaux peu profondes.

Grande-Anse

Autre tout petit village côtier, Grande-Anse est pourvu de deux plages. La **plage du Quai** *(2$),* près du Musée des papes, se cache au pied des falaises. Cette plage n'est pas surveillée, mais on y trouve des vestiaires et une cantine. La **plage de Grande-Anse** *(2$),* pour sa part, est située près du Village historique acadien et est propice aux activités familiales. Elle abrite entre autres un terrain de jeu et des aires de pique-nique.

On peut également y visiter un musée unique en son genre, le **Musée des papes ★** *(10$; mi-juin à début sept tlj 10h à 18h; 184 rue Acadie,* ☎ *506-732-3003).* L'exposition comprend notamment une reproduction à l'échelle de Saint-Pierre-de-Rome, des vêtements et des objets d'art religieux, ainsi qu'une collection iconographique papale. Plusieurs des pièces exposées sont certainement rares et intéressantes. Ce musée rappelle l'importance qu'a eu la religion dans l'histoire de l'Acadie.

Paquetville

🍴 *p 133*

Quelques kilomètres passé Grande-Anse, on peut prendre la route 135 vers le sud pour se rendre à Paquetville, le village natal de la chanteuse populaire Édith Butler. Paquetville est une petite communauté paisible abritant l'une des plus grandes églises de la province, l'**église Saint-Augustin** *(rue du Parc).*

Bathurst

▲ *p 130* 🍴 *p 133* 🎣 *p 134* 🏨 *p 136*

Ville industrielle située à l'embouchure de la rivière Nepisiquit, Bathurst, en tant que plus grand centre urbain du nord-est de la province, dispose d'une foule de services. Mais, pour le visiteur, l'intérêt de Bathurst réside d'abord dans les nombreux sites naturels qui se trouvent à proximité.

Tout juste passé le port, au nord-est de la ville, on peut découvrir la faune et la flore des marais salés, des boisés et des champs qui peuplent la **réserve naturelle de la pointe Daly** *(2075 prom. Caron),* un havre de paix de 40 ha. De plus, les amants de la nature peuvent admirer tout près la **chute Telagouche** *(à quelques kilomètres au nord de la ville par la route 180).* Une belle aire de pique-nique y est aménagée.

Pointe-Verte

Le village de Pointe-Verte abrite le **Centre Récréo-Touristique du Parc Atlas** *(entrée libre, des frais s'appliquent pour certaines activités; 145 rue de la Gare,* ☎ *506-542-2606, www.pointe-verte.com),* une ancienne carrière transformée en lac. Les eaux du lac sont claires et ont été ensemencées de plusieurs espèces de poissons. On peut donc s'y adonner à la pêche et même à la plongée sous-marine avec un instructeur certifié. Plusieurs types d'embarcations sont également en location. De plus, on trouve sur place un chalet, une cafétéria et une terrasse, ainsi que des aires de jeux pour les enfants.

La côte acadienne - Attraits touristiques - Pointe-Verte

Dalhousie

▲ p 130 ⬤ p 134

Dalhousie, tout comme Campbellton, a été fondée par des Écossais au début du XIXᵉ siècle, bien qu'une partie importante de la population actuelle de ces deux villes soit de descendance acadienne.

Agréable petite communauté, elle est pourvue d'une plage et d'une jolie marina d'où partent les bateaux qui font des excursions dans la baie des Chaleurs. On peut, en outre, en profiter pour en connaître davantage sur l'histoire de la région, depuis la période amérindienne jusqu'à nos jours, en visitant l'intéressant **Musée régional du Restigouche** *(dons appréciés; tlj 9h à 17h, sam 9h à 13h, dim 13h à 17h; 115 rue George,* ☎*506-684-7490).*

Atholville

Le vaste **parc provincial Sugarloaf ★** *(596 Val D'Amour, en retrait de la route 11,* ☎*506-789-2366, www.parcsnb.ca)* accueille les amateurs de plein air en toutes saisons. En hiver, il est surtout prisé des amateurs de ski alpin de la région, mais il dispose également d'un sentier de motoneige et d'une vingtaine de kilomètres de pistes de ski de fond qui se transforment, l'été venu, en sentiers de randonnée et de vélo de montagne. D'ailleurs, plusieurs s'y rendent durant la belle saison pour gravir le mont Sugarloaf (305 m) et profiter du panorama. On y trouve également un terrain de camping.

Campbellton

▲ p 130 🍴 p 134

Campbellton, située en bordure de l'estuaire de la rivière Restigouche, est la plus grande ville de cette belle région réputée pour la pêche, notamment celle au saumon.

D'ailleurs, la pêche au saumon est à ce point associée à l'histoire de la ville qu'on y a érigé un **gigantesque saumon** et qu'on y organise, chaque année à la fin du mois de juin et au début du mois de juillet,

un **Festival du saumon** (voir p 135). On peut découvrir la richesse culturelle de la région en visitant la **Galerie Restigouche** et le **Musée de la Maison Athol** *(3$ pour la galerie, 6$ pour la visite guidée du musée; 39 rue Andrew,* ☎*506-753-5750, www.grg.nb.ca).* Le même bâtiment abrite une galerie qui expose des toiles d'artistes locaux et internationaux, un centre culturel, une boutique d'art et d'artisanat régional et un musée éducatif qui célèbre les trois peuples fondateurs de Campbellton: les Micmacs, les Acadiens et les Écossais.

⋅⋅⋅ *De Campbellton, on peut se rendre au **parc provincial Mont-Carleton** (voir p 71) en empruntant la route 17 jusqu'à Saint-Quentin, puis la route 180.*

🪁 Activités de plein air

■ Canot et kayak

Le canot et le kayak sont très populaires en été dans le **parc national Kouchibouguac** (voir p 118), le parc étant traversé par la superbe rivière du même nom. Ces embarcations peuvent être louées à l'intérieur du parc, au **Centre de location Ryans** *(mi-juin à début sept tlj 8h à 20h;* ☎*506-876-8918 ou 506-876-2443).*

■ Observation des oiseaux

L'**Éco-Centre Irving de la Dune de Bouctouche** (voir p 118) donne l'occasion d'observer plusieurs espèces d'oiseaux migrateurs ou riverains, entre autres le grand héron, le pluvier siffleur et la sterne.

Les marais et les dunes du **parc national Kouchibouguac** (voir p 118) attirent chaque année une foule d'oiseaux, notamment le pluvier siffleur. Pour en permettre l'observation, de longues passerelles de bois y ont été installées.

À **Tabusintac** (voir p 120), la lagune et l'estuaire sont de bons endroits pour observer l'eider à duvet, le balbuzard, le grand héron et, parfois, le pluvier siffleur.

■ Planche à voile et surf cerf-volant

Grâce à de forts vents presque constants, les deux grandes îles de la Péninsule acadienne, soit l'**île Lamèque** et l'**île Miscou**, sont particulièrement prisées des amateurs de planche à voile et de surf cerf-volant (*kitesurf*). Sport nautique de traction de plus en plus populaire, le surf cerf-volant est très impressionnant: tiré par un cerf-volant, on glisse sur une planche de surf de taille réduite, ce qui permet d'effectuer de nombreuses figures aériennes.

■ Ski alpin, ski de fond et motoneige

Lorsque le **parc provincial Sugarloaf** (voir p 124) se couvre de neige, il devient le site prisé des amateurs de sports d'hiver avec ses 12 pistes de ski alpin aménagés sur le mont Sugarloaf (305 m), ses 12 km de sentiers de ski de fond et son réseau de sentiers de motoneige de 32 km.

■ Vélo

La section **Littoral Acadien** du Sentier NB Trail permet de parcourir la Péninsule acadienne sur deux roues. Reliant notamment les municipalités de Grande-Anse, Caraquet, Shippagan, Lamèque et Tracadie-Sheila sur une distance totale de quelque 120 km, la piste emprunte en grande partie l'emprise d'anciennes voies ferrées. Le réseau est facile à couvrir et accessible à tous, à l'exception de la section comprise entre Bathurst et Pokeshaw, qui nécessite un vélo de montagne. Pour plus de renseignements sur le sentier et pour visualiser une carte de l'ensemble du réseau, visitez le site Internet *www. sentiernbtrail.com*.

▲ Hébergement

Cap-Pelé

Les chalets de l'Aboiteau
$$$$ ⊜ ▵
55 allée des Chalets
☎ 506-577-2005 ou 888-366-5555
www.chaletsaboiteau.ca
Si vous êtes de ces personnes qui ne se lassent pas de contempler l'océan, vous ne pourrez que vous plaire aux chalets de l'Aboiteau. Ces 40 chalets de bois, construits à quelques pas de la superbe plage de l'Aboiteau, constituent un havre idéal pour qui veut se reposer. Outre un site favorable, tous les chalets offrent un confort impeccable et sont pourvus d'un foyer, de larges baies vitrées et d'une cuisine bien équipée. Chaque chalet peut accueillir de quatre à huit personnes. Il est fortement recommandé de réserver à l'avance.

Grand-Barachois

Alouette Village
$$ ⊜ @ ⅃ ⊎
1584 route 133
☎ 506-532-5378
www.alouettevillage.com
Alouette Village propose des chambres de motel et de petits chalets rustiques mais propres. On trouve sur place une plage de sable idéale pour la baignade ainsi qu'un joli restaurant au menu varié et pourvu d'une terrasse.

Shediac

Neptune Motel
$$ ≡ ⊜ ⅃ ⊎
691 rue Main E.
☎ 506-532-4299
Sur la route qui mène au parc provincial de la plage Parlee, le Neptune Motel propose un hébergement très convenable, surtout pour les familles. Il compte entre autres des unités pourvues d'une cuisinette tout équipée ainsi qu'un restaurant pour le petit déjeuner.

Bay Vista Lodge & Cottages
$$-$$$ ⇆ ⊜
3521 route 134 N.
☎ 506-532-1265
www.bayvistacottages.com
À Shediac Cape, à quelques kilomètres au nord de la ville de Shediac, les Bay Vista Lodge & Cottages offrent en location une douzaine de chalets répartis sur une propriété joliment paysagée. L'endroit est paisible et situé à proximité d'une plage sauvage propice à d'agréables promenades à pied. Devant chacun des chalets, une petite galerie permet de s'asseoir et de se relaxer.

Le Gourmand Country Inn & Cottages
$$-$$$ ⊎ ⊜ ▵
562 rue Main
☎ 506-532-4351
www.shediac.com/legourmand
L'auberge Le Gourmand loue, pendant la saison estivale, des chalets répartis sur une petite propriété boisée située tout juste derrière le bâtiment principal. Chacun des chalets dispose d'une salle de

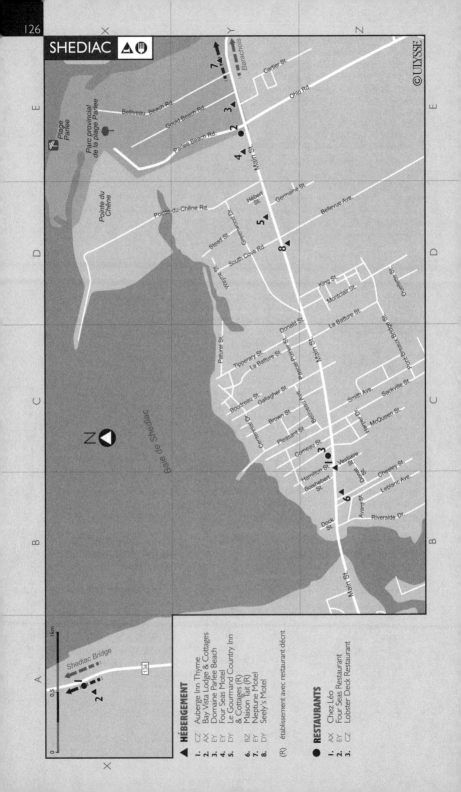

SHEDIAC

Baie de Shediac

Plage Parlée

Parc provincial de la plage Parlée

Pointe du Chêne

Shediac Bridge

134

N

©ULYSSE

Streets and locations:

Belliveau - Beach Rd.
Gould Beach Rd.
Parlée Beach Rd.
Main St.
Cartier St.
Ohio Rd.
Pointe-du-Chêne Rd.
Hébert St.
Germaine St.
Bellevue Ave.
Stead St.
Greenwood Dr.
South Cove Rd.
Ward St.
Paturel St.
Tipperary St.
La Batture St.
Boudreau St.
Gallagher St.
Brown St.
Pleasant St.
Centennial Dr.
Belliveau Ave.
Pascal-Poirier St.
Comeau St.
King St.
Montclair St.
La Batture St.
Donald St.
Smith Ave.
Sackville St.
Hynes Dr.
McQueen St.
Ouellette St.
Pont-Breaux Bridge
Main St.
Hamilton St.
Boishebert St.
Dock St.
Avard St.
Riverside Dr.
Chesley St.
Leblanc Ave.
Désir St.
Vestiaire

"Barachois"

1 km
0   0,5

bain et d'une cuisinette modernes, ainsi que de deux chambres à coucher et d'un salon pouvant être transformé en chambre. L'aménagement intérieur des chalets est accueillant. Le Gourmand propose quelques chambres bien entretenues, aménagées à même le bâtiment principal, qui comprend également un excellent restaurant (voir p 131). Le Gourmand est situé non loin de l'entrée du parc provincial de la plage Parlee.

Auberge Inn Thyme
$$$ 🍴 ≡ 🍳 ⚠ @
310 rue Main
☎ 506-532-6098
www.innthyme.com

L'Auberge Inn Thyme est aménagée dans une somptueuse résidence bourgeoise ayant notamment appartenu à l'un des premiers ministres de la province, soit le juge Allison Dysart. Érigé en 1911, ce bâtiment de trois étages de style victorien a conservé toute sa splendeur d'antan. L'intérieur de la maison, récemment rénové, a beaucoup de cachet. Ses pièces communes sont spacieuses, meublées d'antiquités et richement ornementées de boiseries. Les sept chambres de l'auberge, toutes différentes, sont également garnies de meubles d'époque. L'auberge abrite également le Coffee Shop, qui propose un menu léger pour le déjeuner et d'excellents cafés et thés équitables.

Maison Tait
$$$ 🍴 ⚠ ≡ @ 🍳
293 rue Main
☎ 506-532-4233 ou 888-532-4667
🖷 506-532-8422
www.maisontait.com

Située sur une propriété joliment aménagée au cœur de Shediac, la Maison Tait est une excellente auberge construite au début du siècle dernier pour servir de résidence à une famille de la haute bourgeoisie de l'époque. L'endroit a immensément de charme, avec son intérieur où prédominent les boiseries, son escalier somptueux et sa grande galerie avant, idéale pour prendre le café ou l'apéro. L'établissement abrite un restaurant gastronomique et des chambres invitantes au décor sobre et élégant. Un bon conseil, réservez d'avance pendant la saison estivale.

Four Seas Motel
$$$ 🍳 🍴 ≡ ⚠ @
634 rue Main
☎ 506-532-2585
www.shediac.com/fourseas

À proximité du parc provincial de la plage Parlee, le Four Seas Motel est un bon choix pour les familles. Le service offert est efficace et amical. L'établissement compte deux restaurants: une pizzeria et un restaurant spécialisé dans les fruits de mer (voir p 131). Les chambres, dont la plupart ont été récemment rénovées, sont propres et dotées, dans la plupart des cas, de meubles modernes. Pendant la saison estivale, réservez tôt le matin si vous désirez obtenir une chambre parmi les moins chères, car elles se louent souvent rapidement.

Seely's Motel
$$$-$$$$ 🍳🍴 ≡ @ 🍳 ⚠
21 Bellevue Heights
☎ 506-532-6193 ou 800-449-4141
🖷 506-533-8089
www.seelysmotel.com

Près du parc provincial de la plage Parlee, le Seely's Motel offre en location des chambres à la décoration un peu quelconque, mais tout de même confortables, spacieuses et très propres.

Domaine Parlee Beach
$$$-$$$$ 🍴 @ 🍳 ⚠
fin juin à début sept, location à la semaine seulement
642 rue Main
☎ 506-532-5339 ou 800-786-5550
🖷 506-532-3399
www.domaineparleebeach.ca

Le Domaine Parlee Beach compte une vingtaine de chalets et quelques suites situés à proximité de l'entrée du parc provincial de la plage Parlee, à environ 10 min à pied de la plage. Chaque chalet, avec ses deux étages, peut loger jusqu'à six personnes et comprend deux chambres à coucher, un petit salon doté d'un sofa qui peut être transformé en lit, une salle de bain très propre ainsi qu'une cuisinette. L'intérieur des chalets, orné de bois naturel, a belle allure. Le Domaine Parlee Beach loue également quatre suites dans un pavillon.

- - - - - - - - - - - - - - - - - -

Bouctouche

Vieux Presbytère de Bouctouche
$$ 🍴 🍳 ≡
157 ch. du Couvent
☎ 506-743-5568 ou 866-743-1880
www.vieuxpresbytere.nb.ca

Le Vieux Presbytère de Bouctouche, construit à la fin du XIXe siècle, servit effectivement de presbytère. C'est aujourd'hui une auberge familiale ayant une très belle vue sur la baie, légèrement en retrait du centre de Bouctouche. L'ambiance est idéale pour la relaxation, et le bâtiment, réaménagé à plusieurs reprises, conserve un certain charme. On y trouve notamment une salle de réception dans une ancienne chapelle. L'établissement exploite également un restaurant.

Gîte de la Sagouine
$$-$$$ ☎ ≡ ⍦ @ ❋
43 boul. Irving
☎ 506-743-5554 ou 800-441-4433
www.sagouine.nb.ca

L'accueillant Gîte de la Sagouine propose quelques chambres et suites agrémentées d'élégants meubles de bois ainsi qu'un restaurant (voir p 131) spécialisé dans les mets acadiens et les fruits de mer.

Bouctouche Bay Inn
$$$ ⍦ ≡ @
206 rue Acadie, à l'entrée du village
☎ 506-743-2726
🖨 506-743-2387
www.thebayinn.ca

Bénéficiant d'une très belle vue sur la baie, le Bouctouche Bay Inn propose des chambres propres de type motel, dont certaines à prix très concurrentiel. Il est situé près de l'entrée du **Pays de la Sagouine** (voir p 117).

Bouctouche Bay Chalet
$$$$ ➘
location à la semaine
2239 route 475
☎ 506-743-8883 ou 888-530-8883
www.bouctouchecamping.com

Pas très loin de la plage et de la dune de Bouctouche, le Bouctouche Bay Chalet dispose de trois mai-sonnettes de différentes dimensions, toutes situées à proximité d'un terrain de camping. Elles sont plutôt rustiques, mais fonctionnelles et confortables.

Richibucto

Les chalets du Havre
$$$$ ➘ ⍙ ⍰ ◎
79 rue York
☎ 506-523-1570 ou 800-277-9037
🖨 506-523-9770
www.chaletduhavre.nb.ca

Les chalets du Havre forment un centre de villégiature d'une vingtaine de chalets qui sont répartis sur une petite presqu'île à proximité du village de Richibucto. Le lieu est joli, quoique pratiquement dénudé de toute végétation. Les chalets disposent de deux ou trois chambres à coucher, d'une cuisine tout équipée, d'une salle de bain et d'une salle de séjour qui peut être transformée, si nécessaire, en chambre à coucher. L'aménagement intérieur des chalets est fonctionnel et moderne. Chacun des chalets peut loger jusqu'à six personnes. La presqu'île est bordée d'une longue plage, peu propice à la baignade, mais idéale pour des promenades à pied. Plusieurs activités sportives peuvent être organisées sur place; en été, une navette maritime permet de se rendre jusqu'aux splendides plages de sable du **parc national Kouchibouguac** (voir p 118).

Miramichi

Rodd Miramichi River
$$$$ @ ◎ ⍦ ≡ ⍰ ➘ ➘ ⛵
1809 Water St.
☎ 506-773-3111
www.roddvacations.com

Bien situé aux abords de la rivière Miramichi, ce bel hôtel abrite des chambres et des suites aux couleurs chaleureuses. Confortables, fonctionnelles et modernes, plusieurs d'entre elles offrent une vue sur la rivière et certaines disposent d'une terrasse. L'établissement est doté de nombreuses installations, notamment d'un salon avec foyer, d'une piscine intérieure et d'un restaurant, l'**Anglers Reel** (voir p 132), qui propose plus de 20 différents plats de saumon.

Tracadie-Sheila

Auberge Centre-Ville
$$ ☎ @ ≡ ➘
3346 rue de la Chapelle
☎ 506-395-9726 ou 888-395-9726
www.aubergecentreville.ca

Tout près du bureau touristique, cet établissement renferme des chambres sobres et propres de type motel ou chalet. Ces dernières sont pourvues d'une cuisine tout équipée.

Shippagan

Camping Shippagan
$
589 ch. Haut-Shippagan
☎ 506-336-3960
🖨 506-336-3961
www.ville.shippagan.com

À Shippagan, les campeurs pourront planter leur tente à courte distance de la plage au Camping Shippagan, qui compte sans nul doute parmi les plus plaisants de la région.

Motel Brise Marine
$$ ⚉ ≡
172 1ʳᵉ Rue
☎ 506-336-2276
🖷 506-336-1112
www.motelbrisemarine.ca
Le Motel Brise Marine présente des chambres propres et confortables.

Île Lamèque

Auberge des Compagnons
$$$-$$$$ ⚘ ⚉ ≡ ⚅ ◎ @
11 rue Principale
Lamèque
☎ 506-344-7766 ou 506-344-7762
🖷 506-344-0813
www.sn2000.nb.ca/comp/auberge-des-compagnons
À coup sûr, cette auberge vous réserve de délicieux moments sur l'île Lamèque, d'abord en raison de sa situation, face à la baie, mais aussi pour le confort qu'elle promet. Chacune de ses chambres présente une décoration différente, et toutes sont fort bien entretenues. Les visiteurs ont à leur disposition un salon avec foyer qui fait également office de bar, l'endroit idéal pour terminer la journée.

Caraquet

Gîte Le Poirier B&B
$$-$$$ ⚘ ≡ @
98 boul. St-Pierre O.
☎ 506-727-4359 ou 888-748-9311
🖷 506-726-6084
www.gitelepoirier.com
Caraquet dispose d'un gîte séduisant, le Gîte Le Poirier B&B, aménagé dans une maison datant de 1928 qui a su garder un certain cachet d'époque. Ses cinq chambres, apaisantes et meublées d'antiquités, offrent un bon confort.

Auberge de la Baie
$$-$$$ ⚉ ≡ ⚅
139 boul. St-Pierre O.
☎ 506-727-3485
🖷 506-727-3634
L'Auberge de la Baie est un établissement proposant des chambres confortables et modernes de type motel. Une bonne partie des chambres ont ceci de saugrenu qu'elles ne donnent pas sur l'extérieur, mais plutôt sur un couloir intérieur. On y trouve un bon restaurant où le service est courtois, amical et empressé (voir p 133). Enfin, le vaste terrain donne accès, à l'arrière, à une petite plage sauvage.

Maison Touristique Dugas
$$-$$$ ✂ ⚘ ⚐ ⚅ @
683 boul. St-Pierre O.
☎ 506-727-3195 ou 866-727-3195
🖷 506-727-3193
www.maisontouristiquedugas.ca
Il y en a vraiment pour tous les goûts et tous les budgets à la Maison Touristique Dugas. Le bâtiment principal, une belle grande résidence construite en 1926, compte cinq jolies chambres de différentes dimensions et d'une propreté impeccable. Elles partagent deux salles de bain communes. Un autre bâtiment renferme cinq chambres (avec salle de bain partagée) et deux suites. Les suites sont équipées de cuisinettes et de salles de bain. Sur la propriété, de petits chalets (une pièce) tout équipés peuvent être loués, alors que des emplacements de camping sont proposés. À la Maison Touristique Dugas, l'accueil est très sympathique; de plus, le matin venu, on y sert d'excellents petits déjeuners (compris dans le prix des chambres sans cuisinette).

Depuis la résidence, située un peu à l'ouest de Caraquet, un sentier sillonnant un petit bois mène, après 10 min de marche, à la plage privée des Dugas.

Château Albert
$$-$$$ ⚉ ⚅
Village Historique Acadien
14311 route 11
☎ 506-726-2600
www.villagehistoriqueacadien.com
Situé dans le **Village Historique Acadien** (voir p 122), le Château Albert, fidèle reconstitution d'un hôtel du début du XXᵉ siècle, invite les visiteurs à poursuivre leur voyage dans le temps. Les chambres, meublées d'antiquités habilement restaurées, et décorées avec soin, sont paisibles et offrent un bon confort. Elles ne possèdent ni téléviseur ni téléphone. Un restaurant thématique animé par des conteurs en soirée se trouve au rez-de-chaussée.

Hôtel Paulin
$$$$-$$$$$ ⚉ ≡ @
143 boul. St-Pierre O.
☎ 506-727-9981
🖷 506-727-4808
www.hotelpaulin.com
Un autre bâtiment marquant dans le paysage de Caraquet est une élégante et agréable auberge tenue par la famille Paulin depuis maintenant trois générations. Les chambres sont invitantes, lumineuses, décorées avec soin et très propres. On peut même y loger dans une très belle suite, à l'arrière du bâtiment, avec vue sur l'océan. Les visiteurs peuvent s'attarder au salon et profiter de l'excellente cuisine du restaurant (voir p 133).

La côte acadienne - Hébergement - Caraquet

Bathurst

Auberge de la Vallée
$$$ 🐾 💺 ≈))) ◎ ⵖ
1810 Vallée Lourdes
☎ 506-549-4100
www.aubergedelavallee.ca

L'Auberge de la Vallée propose des chambres et des chalets (une pièce) au décor sobre et garnis de boiseries. Ouvertes à tous, les installations du spa, notamment la piscine d'eau salée et la salle de relaxation aux immenses fenêtres, rehaussent la qualité des lieux. On y trouve aussi une salle à manger.

Lakeview Inns & Suites
$$$ 🐾 ≡ 🧺 ⛓ @ ❄ ◎
777 av. St-Pierre
☎ 506-548-4949 ou 877-355-3500
▤ 506-548-8595
www.lakeviewhotels.com

Le Lakeview Inns & Suites, avec ses chambres et ses suites spacieuses, est une adresse à connaître à Bathurst. Les petites attentions donnent un certain charme à l'établissement dont les chambres mériteraient toutefois d'êtres rafraîchies.

Danny's Inn Restaurant & Conference Centre
$$$ ≡ @ ◎ 🧺 △ ≈ 💺
1223 rue Principale (route 134)
☎ 506-546-6621 ou 800-200-1350
www.dannysinn.com

Situé légèrement à l'extérieur de Bathurst, le Danny's Inn propose un hébergement varié offrant un bon confort, et certaines unités comportent une cuisinette. Les chambres familiales peuvent loger jusqu'à six personnes et disposent d'un choix de films pour enfants. L'établissement abrite un restaurant réputé (voir p 133) et un *lounge* à l'ambiance feutrée.

Nigadoo

La Fine Grobe sur Mer
$$ 🐾 💺 @
289 rue Principale
☎ 506-783-3138
www.finegrobe.com

Située sur les rives de la baie des Chaleurs à l'embouchure de la rivière Nigadoo, la chaleureuse auberge La Fine Grobe sur Mer renferme un excellent restaurant (voir p 134) et deux petites chambres avec salle de bain privée et vue sur la mer. Les occupants ont accès à une forêt centenaire et à une plage séparée par une bande de terre où d'un côté s'étend l'eau douce de la rivière, et de l'autre, l'eau salée de la baie.

Petit-Rocher

Auberge d'Anjou
$$ 💺 ≡ @
587 rue Principale
☎ 506-783-0587 ou 866-783-0587
▤ 506-783-5587

L'Auberge d'Anjou compte parmi les très bonnes adresses de cette partie de la côte acadienne. Cette belle demeure datant de 1917 fut le premier établissement hôtelier de Petit-Rocher. À l'époque, elle accueillait les voyageurs, mais servait aussi de grand lieu de rassemblement aux gens du village. L'Auberge d'Anjou, fermée dans les années 1960, a retrouvé sa vocation d'antan en 1994. Le bâtiment principal, fort bien rénové, est pourvu d'une grande galerie qui contribue largement au cachet de la maison. Ses chambres sont coquettes et invitantes. L'Auberge d'Anjou possède aussi un excellent restaurant (voir p 134).

Dalhousie

Best Western Manoir Adélaïde
$$-$$$ 💺 🛁 🍽 ≡ ⛓ ◎ 🧺 @
385 rue Adélaïde
☎ 506-684-5681 ou 800-934-5444
▤ 506-684-3433
www.bestwesternnb.com

Vous trouverez à vous loger tout à fait adéquatement au Best Western Manoir Adélaïde, qui, en plus de chambres modernes, dispose de salles de réunion et d'une salle d'exercices. Les clients ont accès gratuitement à la piscine avec toboggan, située à côté de l'hôtel. Certaines unités sont munies d'une cuisinette.

Campbellton

Campbellton Lighthouse
$ bc @ 🛁
1 Ritchie St.
☎ 506-759-7044
www.hihostels.ca

En bordure de la rivière Ristigouche, le phare de Campbellton abrite une belle auberge de jeunesse. Les jeunes et moins jeunes y partagent les dortoirs et une cuisine tout équipée.

Super 8 Campbellton
$$$ 🐾 🧺 @ ≈ ◎))) ❄
26 Duke St.
☎ 506-753-8080 ou 877-582-7666
www.super8campbellton.com

Le Super 8 Campbellton propose des chambres et des suites très fonctionnelles au décor moderne. Elles renferment toutes un four à micro-ondes et un petit réfrigérateur. L'établissement abrite entre autres une piscine et un sauna.

Restaurants

Cap-Pelé

À la Dune
$

plage de l'Aboiteau

☎ 506-577-1115

Les personnes qui désirent prendre une bouchée, sans pour autant quitter la plage, pourront prévoir déjeuner au restaurant À la Dune. Il présente un menu très simple et pas cher, avec l'avantage de profiter d'une vue sans pareille sur la mer.

Chez Camille
$

2385 ch. Acadie, route 15

☎ 506-577-4710

Autre bonne petite adresse au Cap-Pelé, Chez Camille a su se tailler une réputation auprès des amateurs de coques frites, qui affirment y trouver parmi les meilleures de la province, sans pour autant dépenser une fortune.

Pêcheries Aboiteau
$-$$$

77 ch. du Quai Aboiteau

☎ 506-577-2950

Situées directement sur le port de Cap-Pelé, les Pêcheries Aboiteau sont une réelle institution locale. Il s'agit d'abord d'une poissonnerie, probablement la meilleure de cette partie de la province, qui sert du homard frais ou cuit, diverses espèces de poissons (saumon, sole et truite, entre autres), mais aussi des coques, des moules, des palourdes, des pétoncles et du crabe. Les produits sont tous pêchés dans la région, donc toujours frais. On peut également s'y arrêter pour

manger sur place. Les lieux sont d'une grande simplicité, et l'accueil est sympathique.

Shediac

Chez Léo
$-$$

3868 route 134

Shediac Bridge

☎ 506-532-4543

Le menu du restaurant Chez Léo affiche plusieurs plats de fruits de mer simplement apprêtés (entre autres en sandwich ou frits) mais toujours bons le midi, comme c'est particulièrement le cas pour les coques frites.

Four Seas Restaurant
$$

Four Seas Motel

634 rue Main

☎ 506-532-2585

Le Four Seas Restaurant du **Four Seas Motel** (voir p 127), un autre restaurant familial, propose un menu plutôt varié qui met l'accent sur les fruits de mer. On n'y vient surtout pour ses prix raisonnables et la qualité de sa nourriture.

Le Gourmand Country Inn & Cottages
$$

562 rue Main

☎ 506-532-2585

La jolie salle à manger de l'auberge **Le Gourmand Country Inn & Cottages** (voir p 125) offre un cadre agréable pour de copieux repas. Les pétoncles grillés, les crevettes, diverses recettes de homard et le filet de saumon ou de morue, ainsi que des steaks et de la volaille, constituent l'essentiel du menu. Comme entrée, on peut déguster notamment une succulente chaudrée de fruits de mer ou des escargots grillés.

Lobster Deck Restaurant
$$$

312 rue Main

☎ 506-532-8737

Au centre-ville, le Lobster Deck, aussi connu sous le nom de «Quai du homard», a également pour spécialités les produits de la mer: poisson ou fruits de mer, grillés, frits, gratinés ou nappés de sauce, toujours frais et bons. Tout en savourant son repas, on profite d'une salle à manger au décor amusant: chacune des tables se présente comme un casier à homards, et les murs sont ornés de homards empaillés dont un de 20 kg. Par les beaux jours ensoleillés, on peut lui préférer la terrasse attenante.

Maison Tait
$$$-$$$$

293 rue Main

☎ 506-532-4233

Le restaurant de la **Maison Tait** (voir p 127) propose un menu inspirant qui privilégie les produits locaux dans une cuisine raffinée et «sans frontière». La sélection des vins est digne du menu.

Bouctouche

Gîte de la Sagouine
$$

45 boul. Irving

☎ 506-743-5554

Chu bin fière de vous ouère... Tels sont les premiers mots de bienvenue au restaurant familial du **Gîte de la Sagouine** (voir p 128), à la fois sympathique et attentionné. Au menu, on retrouve des mets acadiens comme le fricot de poulet, la poutine râpée et la crêpe râpée, ainsi que des plats de fruits de mer bien apprêtés.

Auberge vue d'la Dune
$$-$$$

589 route 475

☎506-743-9893 ou 877-743-9893

Le restaurant de l'Auberge vue d'la Dune comprend une salle lumineuse offrant une superbe vue. Le menu affiche des plats de fruits de mer apprêtés au four, à la vapeur ou frits, ainsi que des mets traditionnels acadiens et, bien sûr, des coques frites. Le restaurant dispose également d'une terrasse.

Miramichi

Saddlers Café
$$

1729 Water St.

☎506-773-4214

Ce charmant restaurant loge dans une demeure historique et propose un menu rafraîchissant et abordable qui ouvre la porte aux saveurs asiatiques. Le saumon est en vedette par le biais d'une populaire table d'hôte, le Great Miramichi Salmon Supper.

Angler's Reel
$$-$$$$

Rodd Miramichi River
1809 Water St.

☎506-773-3111

L'élégant restaurant de l'hôtel **Rodd Miramichi River** (voir p 128) se spécialise dans les plats de saumon, ce poisson y étant apprêté d'une vingtaine de façons. Sa salle à manger, toute de bois revêtue, est percée de larges fenêtres offrant une superbe vue sur la rivière. En hiver, les convives apprécieront la chaleur du foyer.

Tracadie-Sheila

Café Micheline
$

3709 rue Principale

☎506-393-6416

Pour un généreux petit déjeuner ou un déjeuner maison réconfortant, à tout petit prix et dans un cadre familier, rendez-vous au Café Micheline.

Maison de la Fondue
$$

3613 rue Luce

☎506-393-1100

Les amateurs de fondue et les romantiques se plairont certainement dans ce restaurant aux petites pièces intimistes.

St. Thomas-de-Kent

St. Thomas Fish Market
$-$$

18 ch. du Quai, par la route 535

☎506-743-5965

Certains jours, on se plaît plus à déguster un plat de fruits de mer servi à la bonne franquette qu'à se rendre dans un quelconque restaurant. Si c'est votre cas, rendez-vous au St. Thomas Fish Market, où vous pourrez savourer des fruits de mer que l'on apprête sur place. Fraîcheur garantie!

Shippagan

Ô Maboule Bistro-Bar
$$

121 16ᵉ Rue

☎506-336-0004

C'est d'abord la carte de ce joli bistro qui retient l'attention, avec des spécialités aux noms aussi évocateurs que «la pêche miraculeuse»

et «le festin du capitaine». Le menu affiche aussi une grande variété de plats de moules. Tous les mets sont délicieusement préparés. Complètement rénové, l'établissement revêt une décoration branchée. L'ambiance demeure toutefois décontractée et fort sympathique.

Pavillon Aquatique
$$-$$$

100 rue de l'Aquarium, à côté de l'Aquarium et Centre marin du Nouveau-Brunswick

☎506-336-3110

Très élégant et doté d'une vue splendide sur le port, le Pavillon Aquatique propose un menu savoureux de fruits de mer frais, majoritairement pêchés dans les eaux des Maritimes, et de mets traditionnels acadiens. La Table du chef *(mer-dim)*, qui change régulièrement, présente une cuisine créative et plus audacieuse. On peut s'y arrêter pour un lunch alors que le *lobster roll* (guedille au homard) et d'autres très bons petits plats sont offerts à prix raisonnables. Le soir, les gourmets bénéficient de l'embarras du choix.

Île Lamèque

Auberge des Compagnons
$

11 rue Principale
Lamèque

☎506-344-7766

Vous pourrez faire un savoureux repas au restaurant de l'Auberge des Compagnons, qui compte parmi les meilleurs de la région.

Caraquet

Grains de Folie
$

171 boul. St-Pierre O.
☎506-727-4001

Au déjeuner, il est agréable de casser la croûte et de boire un bon café dans cette attrayante boulangerie qui offre une impressionnante sélection de pains frais, de viennoiseries, de charcuteries et de fromages artisanaux, ainsi que des sandwichs et des soupes réconfortantes.

Café Phare
$-$$

186 boul. St-Pierre O.
☎506-727-9469

Une bonne adresse à Caraquet pour les petits déjeuners et les repas légers, ce mignon café compte déjà de nombreux inconditionnels. L'endroit est accueillant et possède une agréable terrasse, très prisée lors des jours de beau temps. Le Café Phare sert surtout des salades, des quiches, des sandwichs et des pâtisseries. Chaque jour, on offre également un choix de quelques plats plus élaborés.

Le Caraquette
$-$$

89 boul. St-Pierre O.
☎506-727-6009

Pour une cuisine et une ambiance familiales et sympathiques, faites un saut au restaurant Le Caraquette. Son menu pas très cher est varié et comprend notamment des steaks, des pâtes, du poulet et des sandwichs, mais aussi plusieurs poissons et fruits de mer.

La Chocolatière
$$-$$$

144 boul. St-Pierre O.
☎506-727-3727

Établie dans une maison centenaire fort accueillante, La Chocolatière abrite plusieurs petites salles à manger intimes et une chocolaterie qui présente des produits exquis pour emporter. Le menu en salle est varié et affiche différents plats de viande, de poisson et de fruits de mer comme les pétoncles sautées au sirop d'érable et la morue salée à la crème. On propose aussi une salade garnie de parmesan et de chocolat noir! Évidemment, tous les desserts et les chocolats sont concoctés sur place.

Mitchan Sushi
$$-$$$

114 boul. St-Pierre O.
☎506-726-1103

Véritable perle parmi les restaurants du Nouveau-Brunswick, Mitchan Sushi propose une cuisine japonaise et surtout des sushis qui sont d'une fraîcheur et d'une qualité incomparables. Réservations recommandées.

Auberge de la Baie
$$$

139 boul. St-Pierre O.
☎506-727-3485

Très aérée, moderne mais tout de même chaleureuse et sympathique, la salle à manger de l'**Auberge de la Baie** (voir p 129) présente une belle variété de plats, notamment des fruits de mer et des steaks. Le service est très attentionné. Les spécialités de l'établissement sont entre autres les pétoncles au four, les

coquilles Saint-Jacques gratinées et les cuisses de grenouille à la provençale.

Hôtel Paulin
$$$

143 boul. St-Pierre O.
☎506-727-9981

L'**Hôtel Paulin** (voir p 129) propose une table d'hôte qui varie au fil des jours, ce qui n'est pas coutume dans la région, où tout est généralement à la carte. La cuisine, d'inspiration française, est raffinée et présentée avec grand soin. Par les beaux jours d'été, on peut s'attabler sur une belle terrasse.

Bathurst

Danny's Inn Restaurant & Conference Centre
$-$$$

1223 rue Principale (route 134)
☎506-546-6621 ou 800-200-1350

Attablés dans la salle à manger principale, dotée de vastes fenêtres, ou au café-resto, les convives pourront choisir l'un des nombreux plats à la carte. La cuisine est abordable, et le menu présente entre autres des côtes levées, des fruits de mer et le fameux Danny-Burger. Desserts et pain maison.

Paquetville

La Crêpe Bretonne
$-$$$

1085 rue du Parc
☎506-764-5344

Si vous avez un creux en passant par la petite communauté de Paquetville, faites un saut à La Crêpe Bretonne, un petit resto dont les spécialités sont les crêpes et les fruits de mer. Les deux spécialités sont parfois combinées, ce qui donne d'heureux résultats comme les crêpes aux pétoncles et béchamel. Un choix judicieux pour un bon repas à prix raisonnable.

Nigadoo

La Fine Grobe sur Mer
$$$
289 rue Principale
☎506-783-3138
De Bathurst ou de Caraquet, une courte excursion vers Nigadoo mène invariablement les amateurs de bonne chère et de bon vin à La Fine Grobe sur Mer. Ce restaurant chaleureux et rustique propose un menu de spécialités françaises apprêtées à partir de produits locaux d'une grande fraîcheur (fruits de mer des Maritimes, fines herbes et légumes du potager). On fait sur place le savoureux pain qui accompagne les repas, ainsi que les desserts et pâtisseries. De la salle à manger, une vue apaisante embrasse le large, et un foyer réchauffe les convives en hiver. On y loue deux chambres à l'étage (voir p 130).

Petit-Rocher

Auberge d'Anjou
$$
587 rue Principale
☎506-783-0587
L'**Auberge d'Anjou** (voir p 130) possède une salle à manger accueillante et une superbe terrasse très agréable lors des jours ensoleillés. Le menu affiche une bonne variété de fruits de mer, de poissons et de viandes. Le nouveau chef-propriétaire a su préserver la réputation de cette excellente adresse.

Dalhousie

The Downtown Kitchen
$-$$
416 rue William
☎506-684-1101
Le restaurant Downtown Kitchen propose une cuisine rapide de bonne qualité et un menu du jour qui affiche des plats comme les côtelettes de porc, servies avec une soupe et une pointe de tarte, le tout fait maison. La carte présente également des sandwichs, «l'assiette du pêcheur» (version frite ou sautée) ainsi qu'une très longue liste de poutines (à ne pas confondre avec la «poutine râpée»).

♪ Sorties

■ Activités culturelles

Caraquet

Théâtre populaire d'Acadie
Centre culturel de Caraquet
220 boul. St-Pierre O.
☎506-727-0920
www.tpacadie.ca
Établi à Caraquet, le Théâtre populaire d'Acadie présente des pièces en français à travers les provinces atlantiques.

Le Bot'à Chanson de Donat Lacroix
Carrefour de la mer
51 boul. St-Pierre E.
☎506-726-2676
Le Bot'à Chanson de Donat Lacroix plonge les visiteurs dans l'univers chaleureux et coloré de la chanson et du folklore acadiens. Il s'agit là d'un lieu de divertissement original: la scène se trouve sur un pont de bateau, le *Jos-Frédric*.

■ Bars et discothèques

Shediac

Captain Dan's Seafood Bar & Grill
50 quai de la Pointe-du-Chêne
☎506-533-2855
L'agréable terrasse du Captain Dan's, qui fait face à la baie et à la marina de Shediac, est l'endroit idéal pour siroter une margarita ou une bière fraîche dans une ambiance décontractée. On y sert une cuisine rapide ainsi que des fruits de mer. Des spectacles sont présentés le soir.

Caraquet

Disco-Bar La Chaloupe
25 boul. St-Pierre O.
☎506-727-4652
La jeunesse locale vient se défouler sur la piste de danse de La Chaloupe.

Au Vieux Rafiot
6 boul. St-Pierre E.
☎506-727-7717
La brasserie Au Vieux Rafiot est le repaire convivial tout indiqué pour prendre un verre dans une ambiance sympathique.

Bathurst

Brasserie O St-Pierre
Bathurst Supermall
700 av. St-Pierre
☎506-548-2697
Cette chaleureuse brasserie présente, tous les vendredis, des spectacles de musique de groupes locaux et internationaux. On y propose aussi un menu très varié de type pub, à prix raisonnable.

■ Fêtes et festivals

Juin

Festival des Arts visuels en Atlantique
Caraquet
☎ 506-727-7726
www.fava.laroutedesarts.com
Ce festival célèbre les arts et les artistes à travers des vernissages, des expositions, de la création en direct et des ateliers. Le tout se termine par une vente à l'encan des œuvres d'art.

Festival du saumon de Campbellton
Campbellton
☎ 506-789-2700
www.campbellton.org
Plusieurs événements sont organisés au cours du Festival du saumon de Campbellton, entre autres des soupers au saumon, une fête de rue, des spectacles, un carnaval et une grande parade.

Juillet

Festival du homard
Shediac
☎ 506-532-1122
www.shediaclobsterfestival.ca
Durant ces cinq jours de fête, les familles apprécieront la présence des manèges et la parade des enfants. S'y tiennent également des spectacles de musique et un concours de mangeurs de homards.

Festival irlandais du Canada
Miramichi
☎ 506-778-8810
www.canadasirishfest.com
Ce festival irlandais présente un défilé, des ateliers culturels et artistiques, en plus d'une compétition de violon irlandais.

Festival des pêches et de l'aquaculture de Shippagan
Shippagan
☎ 506-336-8726
www.festival.shippagan.com
Chaque année à la mi-juillet, la ville de Shippagan organise le Festival des pêches et de l'aquaculture, avec plusieurs activités liées au monde de la pêche, comme la bénédiction des bateaux, et beaucoup d'autres événements tels que des spectacles, un concours de beauté et un grand bazar communautaire.

Festival international de musique baroque de Lamèque
île Lamèque
☎ 506-344-5846 ou 800-320-2276
www.festivalbaroque.com
À la fin du mois de juillet, ce festival qui comble les mélomanes depuis 1975 présente une série de concerts et de récitals aux sonorités baroques et médiévales. Certains spectacles sont présentés dans la superbe **église Sainte-Cécile** (voir p 121) de Petite-Rivière-de-l'Île.

Août

Congrès mondial acadien 2009
Péninsule acadienne
☎ 506-336-2009 ou 866-370-2009
www.cma2009.ca
L'édition 2009 du Congrès mondial acadien, un événement quinquennal qui rassemble des Acadiens de partout dans le monde, se tiendra dans différents lieux de la Péninsule acadienne du 7 au 23 août, notamment les îles Lamèque et Miscou et les communautés de Shippagan, Tracadie-Sheila, Neguac et Caraquet. Au programme: conférences, réunions de familles, spectacles, expositions, visites guidées, circuits patrimoniaux et activités pour toute la famille.

Festival acadien
Caraquet
www.festivalacadien.ca
Cette célébration de l'héritage acadien compte parmi les événements incontournables des provinces atlantiques. Au cours de ces deux semaines de festivités, on présente des spectacles, des pièces de théâtre, de la poésie, des contes et des chansonniers tant pour les petits que pour les grands. On y tient aussi une fête populaire extérieure avec amuseurs publics, un feu d'artifice, la bénédiction des bateaux, sans oublier le **Tintamarre** *(15 août, 18h à 19h)*, un joyeux défilé qui célèbre la fête nationale des Acadiens et où la population est appelée à prendre d'assaut le boulevard Saint-Pierre Ouest et présenter des «patentes à faire du bruit».

Festival annuel de musique folklorique de Miramichi
Miramichi
☎ 506-622-1780 ou 506-623-2150
www.miramichifolksongfestival.com
Les amateurs de violon et de musique folklorique seront ravis d'assister à ce festival qui présente plusieurs concerts et autres spectacles.

Festival écossais de Miramichi
Miramichi
☎ 506-622-1780
www.miramichiscottishfestival.com
Ce festival célèbre la culture écossaise à Miramichi par des spectacles, des danses, des chants et de la gastronomie. Cornemuse et kilts sont au rendez-vous! Épreuves athlétiques telles que le lancer du marteau et de la pierre.

La côte acadienne - Sorties

Achats

■ **Marchés publics**

Shediac

Marché au parc de Shediac
juin à sept dim 9h à 14h
parc Pascal-Poirier
☎ 506-227-2777
www.marketinthepark.com
Dans une ambiance festive, ce marché en plein air propose une foule de comptoirs de produits agricoles frais ou cuisinés ainsi que des étals d'artisanat en tout genre.

Bouctouche

Marché des Fermiers
juin à sept sam 8h à 13h
9 boul. Irving
C'est sur une place publique centrale et animée que se tient le rendez-vous hebdomadaire des agriculteurs et des artisans de Bouctouche.

Tracadie-Sheila

Marché Centre-Ville et Berges
juin à sept sam 8h à 13h
☎ 506-394-4018 ou 506-395-4275
Ce marché propose des produits frais provenant des fermes environnantes, des plats cuisinés ainsi que de l'artisanat.

Bathurst

Marché du centre-ville
toute l'année sam 9h à 13h
150 rue Main
☎ 506-546-8010
Le marché du centre-ville de Bathurst regroupe de nombreux kiosques de produits agricoles et d'artisanat.

La Nouvelle-Écosse

L'île du Cap-Breton

L'isthme de Chignecto

Halifax

L'ancienne Acadie

La route des phares

LA NOUVELLE-ÉCOSSE

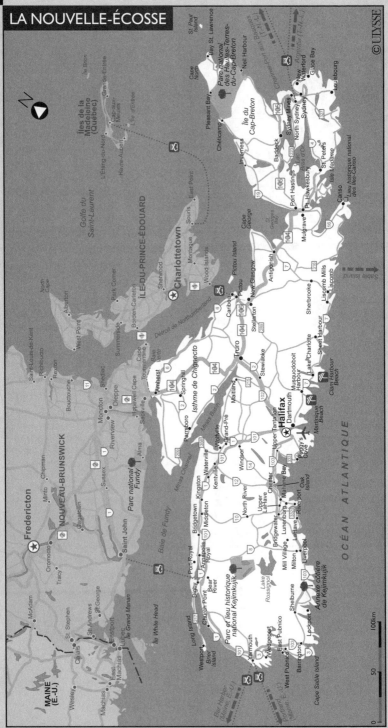

©ULYSSE

N

Îles de la Madeleine (Québec)

Golfe du Saint-Laurent

St Paul Island

Île Briton

Grande-Entrée

Île d'Entrée

Cap-aux-Meules

L'Étang-du-Nord

Haute-Aubert

Cape North

Bay St. Lawrence

Parc national des Hautes-Terres-du-Cap-Breton

Neil Harbour

Chéticamp

Pleasant Bay

Île du Cap-Breton

New Waterford

Glace Bay

Sydney Mines

North Sydney

Sydney

Louisbourg

Inverness

Baddeck

Bras d'Or

St Peters

Isle Madame

Canso

Lieu historique national des îles-Canso

Port Hastings

Pt. Hawkesbury

Mulgrave

St Georges Bay

Antigonish

ÎLE-DU-PRINCE-ÉDOUARD

Charlottetown

North Cape

Alberton

West Point

Richibucto

Saint-Louis-de-Kent

Rexton

Bouctouche

Shediac

Park Corner

Summerside

Borden-Carleton

Wood Islands

Souris

Montague

Cape George

Pictou Island

Pictou

New Glasgow

Stellarton

Détroit de Northumberland

Caribou

Cape Tourmentine

Shelburne

East Point

Baie Verte

Cape Jourimain

Sherbrooke

Sheet Harbour

Liscomb Mills

Liscomb

Sabie Island

Moncton

Riverview

Dieppe

Sackville

NOUVEAU-BRUNSWICK

Amherst

Springhill

Isthme de Chignecto

Parrsboro

Minas Basin

Truro

Stewiacke

Maitland

Wolfville

Grand-Pré

Windsor

Musquodoboit Harbour

Lake Charlotte

Clam Harbour Beach

Fredericton

Oromocto

Minto

Chipman

Gagetown

Sussex

Hopewell Cape

Sackville

Parc national Fundy

Alma

Baie de Fundy

Minas Channel

Kentville

Kingston

Middleton

Bridgetown

Port-Royal

Annapolis Royal

Bear River

Church Point

Digby

North River

Upper LaHave

Mahone Bay

Chester

Upper Tantallon

Peggy's Cove

Halifax

Dartmouth

Martinique Beach

OCÉAN ATLANTIQUE

Saint John

McAdam

Tracy

St George

St Stephen

St Andrews

Calais

Machias

East Machias

Wesley

Deer Island

Île Grand Manan

Île White Head

Bar Harbour

Portland (Maine)

MAINE (É.-U.)

Long Island

Brier Island

Westport

Yarmouth

Wedgeport

West Pubnico

East Pubnico

Barrington

Cape Sable Island

Lockeport

Shelburne

Milton

Liverpool

Mill Village

Parc et lieu historique national Kejimkujik

Lake Rossignol

Annexe côtière de Kejimkujik

Bridgewater

Lunenburg

LaHave

Riverport

Oak Island

OCÉAN ATLANTIQUE

0   50   100km

La magnifique province de la Nouvelle-Écosse forme une longue presqu'île rattachée au continent uniquement par l'étroite langue de terre de l'isthme de Chignecto. Ici la mer n'est jamais bien loin. En effet, aucune partie de la Nouvelle-Écosse n'est à plus de 50 km d'une rive, que ce soit celle de l'océan Atlantique, du détroit de Northumberland ou de la baie de Fundy. Cet environnement maritime a forgé autant le caractère et la vie de ses habitants que de splendides paysages. Ses côtes, qui s'étendent sur des centaines de kilomètres, renferment des havres et des baies où se sont déployés des villes et des villages de pêcheurs.

D'un charme indéniable, le patrimoine architectural néo-écossais se marie à merveille avec la beauté des sites naturels. Du plus petit hameau côtier jusqu'à Halifax, la capitale, rares sont les endroits où l'architecture des maisons et des bâtiments, qui datent souvent du XIXe siècle, ne s'accorde avec la majesté des lieux.

Les belles terres de la région ont été pendant un temps au cœur de la rivalité entre les Français et les Britanniques. D'abord habitées par les Micmacs, elles témoignent de la première colonie française en Amérique.

C'est en 1605, une année après la tentative ratée d'établissement dans l'île Sainte-Croix (qui fait aujourd'hui partie de l'État américain du Maine), qu'une expédition française menée par le sieur de Monts fonde, à l'embouchure de la rivière Annapolis, Port-Royal. On assiste alors à la naissance de l'Acadie.

En 1713, par le traité d'Utrecht, la France cède l'Acadie à la Grande-Bretagne; l'Acadie est rebaptisée Nova Scotia (c'est-à-dire «Nouvelle-Écosse» en latin). Devenus citoyens britanniques, d'origine française, les Acadiens proclament leur neutralité dans le conflit opposant la France à la Grande-Bretagne, mais cette non-ingérence ne sera pas suffisante pour calmer les autorités britanniques.

En 1755, alors qu'une nouvelle guerre est imminente, les Britanniques décident de prendre des mesures radicales: la déportation des Acadiens. De 1755 à 1763, environ la moitié des 14 000 Acadiens vivant sur la côte de la baie de Fundy seront déportés par bateau; les autres fuiront à travers les bois.

Dans les décennies suivantes, la Nouvelle-Écosse est l'hôte de nouvelles vagues d'immigration, notamment celle des Planters en quête de terres à cultiver, celle des loyalistes à l'issue de la guerre de l'Indépendance américaine et celle des citoyens des îles Britanniques, en particulier des Écossais.

En 1867, la Nouvelle-Écosse se joint à la Confédération du Canada, qui compte alors trois autres provinces: le Nouveau-Brunswick, l'Ontario et le Québec. À cette époque, la Nouvelle-Écosse est une colonie britannique prospère grâce à la construction navale, à la pêche et à la coupe de bois. En 1874, la province est reliée au reste du Canada par le chemin de fer Intercolonial.

La Nouvelle-Écosse est aujourd'hui la plus peuplée des provinces canadiennes de l'Atlantique.

La Nouvelle-Écosse

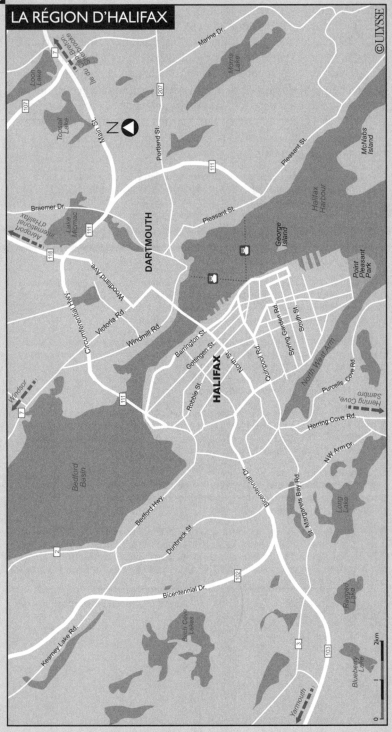

LA RÉGION D'HALIFAX

©ULYSSE

Halifax

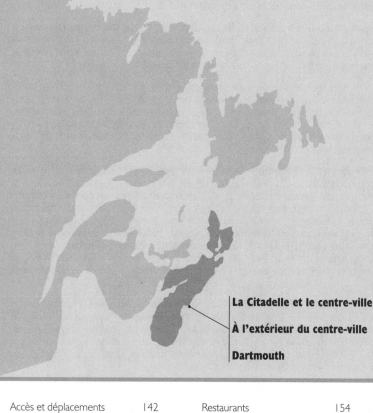

La Citadelle et le centre-ville

À l'extérieur du centre-ville

Dartmouth

Ville au riche patrimoine architectural, construite au pied d'une acropole surplombant l'un des plus longs ports naturels du monde, **Halifax** ★★★ se laisse découvrir avec ravissement. L'excellence du site, tant pour la navigation maritime que pour les stratégies militaires, fut déterminante dans son histoire. L'endroit, habité par les Micmacs, a été mis en valeur par les Britanniques à partir de 1749. Cette année-là, 2 500 soldats et colons sous le commandement du gouverneur Edward Cornwallis s'y installèrent, avec pour mission de protéger les intérêts britanniques sur le territoire de la Nouvelle-Écosse, car la France et ses colonies d'Amérique du Nord représentaient encore une menace considérable.

Dans les décennies suivantes, Halifax servit de château fort aux troupes britanniques lors de la guerre de l'Indépendance américaine et de la guerre de 1812 contre les États-Unis. Ce passé militaire est aujourd'hui évident dans le paysage urbain d'Halifax, avec notamment la Citadelle, dont la silhouette domine le centre-ville.

Halifax fut également une grande cité commerçante. Son ouverture sur l'Atlantique, grâce à ses installations portuaires, et, à partir de la fin du XIXe siècle, son rattachement au réseau de chemins de fer canadien y ont favorisé le commerce. Les Historic Properties, ces entrepôts de marchandises construits sur les quais, constituent le plus ancien ensemble architectural du genre au pays et témoignent de la longue tradition marchande de la ville.

Le 14 avril 1912, une tragédie se déroule près des côtes canadiennes: le naufrage du paquebot *Titanic* entraîne dans la mort des centaines de personnes. Appelés à la rescousse, des navires partent du port d'Halifax et y ramènent les corps des victimes, dont quelque 150 seront inhumés dans les cimetières de la ville. Durant la même période, la Première Guerre mondiale bouleverse l'Europe. Halifax joue alors un rôle capital pour le transport des troupes et des marchandises. Or, le 6 décembre 1917, un vaisseau norvégien, l'*Imo*, heurte dans le port d'Halifax un navire français, le *Mont-Blanc*, chargé d'explosifs. Vingt minutes après la collision, c'est l'explosion. L'onde de choc est terrible, une partie de la ville est défigurée, alors que près de 2 000 personnes meurent sur le coup et que des milliers d'autres sont blessées.

La municipalité régionale d'Halifax forme maintenant le plus grand centre urbain des provinces maritimes. Cette municipalité, qui inclut Dartmouth, totalise plus de 370 000 habitants. Plus qu'ailleurs dans les Maritimes, la métropole présente un visage diversifié, même cosmopolite, et possède de superbes musées et d'autres centres d'intérêt. On s'y balade avec beaucoup de plaisir, à la découverte de ses restaurants, de ses commerces hétéroclites et de ses rues animées.

Accès et déplacements

■ Orientation

Il est assez simple de s'orienter dans le centre-ville, la colline de la Citadelle et le port d'Halifax servant de principaux points de repère. La plus importante artère du centre-ville est Barrington Street.

■ En avion

Le **Halifax Robert L. Stanfield International Airport** *(1 Bell Blvd., Enfield,* ☎*902-873-4422, www.hiaa.ca)* accueille des avions en provenance des provinces canadiennes, des États-Unis et de l'Europe. Entre autres, la compagnie aérienne **Air Canada** *(*☎*888-247-2262, www.aircanada.com)* le dessert à partir des principales villes du pays. La compagnie **Airporter** *(19$ aller; départs tlj entre 6h et 1h,* ☎*902-873-2091, www.airporter. biz)* exploite un service de navette entre l'aéroport et les principaux hôtels du centre-ville.

■ En voiture

Entrer à Halifax en voiture et atteindre le centre-ville est généralement très facile, les directions étant toujours clairement indiquées. En cas de doute, rappelez-vous toujours qu'Halifax occupe la rive sud-ouest du port (Dartmouth occupant l'autre rive) et que le centre-ville donne directement sur le port.

■ En autocar (gare routière)

1161 Hollis St.
☎902-454-9321
www.acadianbus.com

■ En train (gare ferroviaire)

1161 Hollis St.
☎888-842-7245
www.viarail.com

■ En transport en commun

Halifax est dotée d'un réseau efficace de transport en commun, dénommé **Metro Transit** (*☎902-490-4000, www.halifax.ca*), qui comprend les autobus, le Metro Link (autobus express) et les traversiers. En été, les autobus **FRED** (*«Free Rides Everywhere Downtown»; début juil à fin oct tlj 10h30 à 17h*) offrent un service de navette qui permet de se déplacer gratuitement entre les principaux attraits du centre-ville.

Renseignements utiles

■ Renseignements touristiques

Scotia Square Visitor Information Centre
5251 Duke St.
☎902-490-5963

Halifax Airport Visitor Information Centre
Halifax Robert L. Stanfield International Airport
☎902-873-1223

Waterfront Visitor Information Centre
Sackville Landing, au pied de Sackville St.
☎902-424-4248

Halifax Argyle Visitor Information Centre
1598 Argyle St.
☎902-490-5946

Les sites Internet suivants apportent un bon complément d'information sur la ville d'Halifax:

www.halifax.ca
www.halifaxinfo.com
www.destinationhalifax.com

Attraits touristiques

La Citadelle et le centre-ville

▲ *p 151*   ● *p 154*   ● *p 156*   ■ *p 158*

Le **Lieu historique national de la Citadelle-d'Halifax ★★★** (*11,70$; début mai à fin oct tlj 9h à 17h, juil et août jusqu'à 18h; Citadel Hill, ☎902-426-5080, www.pc.gc.ca*) est le legs le plus éloquent de l'histoire militaire d'Halifax, une ville qui, depuis sa fondation en 1749, a joué un rôle stratégique de premier plan dans la défense de la Côte Est nord-américaine. Quatrième fort britannique à avoir vu le jour sur ce site, cette imposante construction en forme d'étoile et en surplomb sur la ville fut construite entre 1828 et 1856. Elle constituait le cœur de l'impressionnant système de défense visant à protéger le port de toute attaque.

La Citadelle peut être visitée seul ou en faisant un intéressant tour guidé qui relate l'histoire de la construction et des diverses fortifications ayant marqué le paysage d'Halifax depuis 1749 et qui en explique les aspects stratégiques.

Les visiteurs ont accès à l'ensemble des pièces qui servaient de baraquements aux militaires et d'entrepôts d'armes et de munitions, et peuvent circuler dans les corridors menant d'une pièce à l'autre et d'un niveau à l'autre. Ils peuvent également marcher sur les remparts, d'où l'on bénéficie d'une vue imprenable sur le port et la ville.

En été, des étudiants vêtus et armés comme des militaires du 78th Highlanders et de la Royal Artillery font des manœuvres à l'intérieur de l'enceinte. On peut aussi visiter sur le site un musée militaire, l'**Army Museum** *(entrée libre; début mai à fin oct; ☎ 902-422-5979)*, qui abrite une importante collection d'armes et d'uniformes britanniques et néo-écossais.

Devant la Citadelle, en direction du port, s'élève un des plus célèbres symboles d'Halifax: l'**Old Town Clock** ★ *(Citadel Hill, en face de l'entrée principale de la Citadelle)*. Cette horloge à quatre cadrans a été offerte en 1803 par le prince Édouard, fils de George III, roi de Grande-Bretagne, qui agit en tant que commandant en chef de la garnison d'Halifax de 1794 à 1800. Elle témoigne du fait que le prince était très attaché à la notion de ponctualité.

Au nord-ouest de la Citadelle se trouve le **Museum of Natural History** ★ *(3,75$; mar et jeu-sam 9h à 17h, mer 9h à 20h, dim 12h à 17h; 1747 Summer St., ☎ 902-424-7353 ou 902-424-6099, www.museum.gov.ns.ca)*, qui a pour objectifs de collectionner, de préserver et d'étudier les objets et les spécimens les plus représentatifs de la géologie, de la faune, de la flore et de l'archéologie de la Nouvelle-Écosse.

Le musée comprend entre autres des expositions consacrées à la botanique, aux fossiles, aux insectes, aux reptiles et à la vie marine, présentant notamment un squelette de baleine. On peut également voir un film sur les oiseaux côtiers de la province. L'exposition sur l'archéologie est d'un intérêt tout particulier. On y raconte la culture et le mode de vie des peuples ayant habité le territoire de la province au fil des siècles. L'exposition s'intéresse successivement à une peuplade du paléolithique, aux Micmacs, aux Acadiens et aux Britanniques.

Au sud-ouest de la Citadelle s'étendent les jolies aires verdoyantes des **Public Gardens** ★★ *(entrée libre; début mai à mi-nov tlj; entrée principale par South Park St., www.halifaxpublicgardens.ca)*, qui se présentent comme un jardin victorien de 7 ha (initialement un jardin privé, et ce, dès 1753, puis acquis en 1836 par la Nova Scotia Horticultural Society).

L'actuel aménagement des Public Gardens, achevé en 1875, est l'œuvre de Richard Power. Bel exemple du savoir-faire britannique, les Public Gardens cachent sous leurs grands arbres de jolis parterres

de fleurs, de petits lacs où baignent les canards et les cygnes, un pavillon, des fontaines et des statues. L'endroit est tout à fait propice à d'agréables balades, à mille lieues de l'atmosphère parfois turbulente du centre-ville d'Halifax.

Au sud des Public Gardens, près du Victoria Park, s'élève la **Cathedral Church of All Saints** ★ *(entrée libre; mi-juin à fin août lun-ven 9h à 17h; 1320 Tower Rd., ☎ 902-423-6002, www.cathedralchurchofallsaints.com)*, qui étonne par ses remarquables vitraux et ses superbes boiseries. Sa construction se termina en 1910, deux siècles après la première célébration anglicane au Canada. L'église se trouve dans un joli quartier de la ville, aux rues bordées de grands arbres et à proximité de certaines des grandes institutions d'enseignement d'Halifax.

➤➤➤ *Les attraits suivants sont situés dans le secteur du centre-ville et du port d'Halifax. Pour vous y rendre en partant de la Cathedral Church of All Saints, remontez Tower Road jusqu'à Spring Garden Road et tournez à droite pour rejoindre Barrington Street, que vous emprunterez en direction nord jusqu'au Grand Parade.*

Déjà, durant la décennie suivant la fondation d'Halifax, le **Grand Parade** *(entre Barrington St. et Argyle St.)* était le lieu d'échange et de rassemblement des résidants de la ville. C'est aujourd'hui un jardin en plein centre-ville, entouré de bâtiments en hauteur.

À l'extrémité sud du Grand Parade se dresse la **St. Paul's Anglican Church** ★ *(entrée libre; lun-ven 9h à 16h30; 1749 Argyle St., Grand Parade, ☎ 902-429-2240, www.stpaulshalifax.org)*, la plus ancienne église protestante du Canada, construite en 1750 d'après les plans de la St. Peter's Church de Londres, en Angleterre. Malgré quelques travaux d'agrandissement, la structure originale a été préservée jusqu'à maintenant. À l'intérieur de l'église, on peut voir une pièce de métal provenant du *Mont-Blanc*, l'un des navires qui provoqua une terrible explosion à Halifax en 1917.

Du côté nord du Grand Parade, on peut apercevoir l'hôtel de ville d'Halifax, soit le **City Hall** *(entrée libre)*, un élégant bâtiment de style victorien plus que centenaire.

HALIFAX centre-ville

145

Dartmouth

Woodside
(South Dartmouth)

H a l i f a x   H a r b o u r

Upper Water St.
Lower Water St.
Bedford Row
Hollis St.
Granville St.
George St.
Prince St.
Salter St.
Barrington St.
Bishop St.
Argyle St.
Blowers St.
Grafton St.
Market St.
Market St.
Brunswick St.
George St.
Duke St.
Cogswell St.

Royal
Artillery
Park
Queen St.
Birmingham St.
Clyde St.
Dresden Row
Brenton St.
Sackville St.
Queen St.

Rainnie Dr.
Spring Garden Rd
South Park St.

Ahern Ave.
Bell Rd
Public
Gardens
Park
Victoria
Park
College St.
University Ave.

Trollope St.
Summer St.
Camp Hill
Cemetery

500m
250
0

© ULYSSE

ATTRAITS TOURISTIQUES

1. BX Lieu historique national de la Citadelle-d'Halifax
2. BY Old Town Clock
3. AY Museum of Natural History
4. AY Public Gardens
5. AZ Cathedral Church of All Saints
6. CX Grand Parade
7. CX St. Paul's Anglican Church
8. CX City Hall
9. CY Discovery Centre
10. CY Art Gallery of Nova Scotia
11. CY Province House
12. CZ Alexander Keith's Nova Scotia Brewery
13. CX Historic Properties
14. CY Maritime Museum of the Atlantic
15. CZ Old Burying Ground
16. CZ Lieu historique national du Quai 21

Le **Discovery Centre** *(7,50$; lun-sam 10h à 17h, dim 13h à 17h; 1593 Barrington St., ☎902-492-4422, www.discoverycentre.ns.ca)* permet aux jeunes et aux moins jeunes de se familiariser avec différents phénomènes scientifiques. Sur place sont présentées plusieurs expositions interactives ayant pour objet d'assurer l'apprentissage par l'expérimentation.

Aménagée dans le Dominion Building, bel exemple de la richesse du patrimoine bâti de la fin du XIXe siècle, l'**Art Gallery of Nova Scotia** ★★★ *(10$; tlj 10h à 17h, jeu jusqu'à 21h; 1723 Hollis St., en face de la Province House, ☎902-424-7542, www.agns. gov.ns.ca)* regroupe, sur quatre étages de salles d'exposition modernes, la plus remarquable collection d'œuvres d'art de la Nouvelle-Écosse.

La collection permanente de plus de 14 000 œuvres est consacrée à la fois à l'art populaire et à l'art contemporain. Les artistes de la Nouvelle-Écosse et des autres provinces atlantiques y sont largement représentés, mais la collection inclut aussi les travaux d'artistes d'autres provinces canadiennes, des États-Unis et d'Europe. On y expose entre autres des tableaux, des sculptures, des dessins, des photographies et des objets de céramique. L'Art Gallery accueille aussi des expositions temporaires, et elle abrite une excellente boutique d'artisanat local.

Siège du gouvernement de la Nouvelle-Écosse, la **Province House** ★ *(entrée libre; juil et août lun-ven 9h à 17h, sam-dim 10h à 16h; sept à juin lun-ven 9h à 16h; 1726 Hollis St., ☎902-424-4661)*, un élégant bâtiment de style georgien datant de 1819, est le plus ancien édifice législatif provincial du Canada. Des visites guidées permettent de visiter la Chambre rouge, la bibliothèque et la salle des séances.

L'**Alexander Keith's Nova Scotia Brewery** ★ *(16$; 1496 Lower Water St., ☎902-455-1474, www.keiths.ca)*, la brasserie la plus réputée de la province, est établie en Nouvelle-Écosse depuis 1820. On y propose une intéressante visite guidée de ses installations. D'une durée d'environ une heure, elle est fort bien animée et se termine, bien entendu, par une incontournable dégustation de produits à la Stag's Head Tavern attenante.

Les bâtiments et les vieux entrepôts des quais d'Halifax, les plus anciens du genre au Canada, forment un ensemble attrayant et harmonieux appelé les **Historic Properties** ★★★ *(délimité par Duke St. et Lower Water St., ☎902-429-0530, www. historicproperties.ca)*. Plusieurs boutiques, restaurants et cafés s'y sont installés, et l'endroit se révèle très populaire et agréable. Ses rues étroites mènent à une promenade le long des quais d'Halifax.

Construit en 1963 à Lunenburg, le ***Bluenose II*** est la réplique du navire le plus chéri de l'histoire canadienne: le *Bluenose*, qui navigua sur les mers de 1921 à 1946 et qui est représenté sur la pièce de monnaie canadienne de 10 cents. Le *Bluenose II* est amarré au quai d'Halifax pendant environ une semaine au cours de l'été.

Le **Maritime Museum of the Atlantic** ★★★ *(9$; juin à sept tlj 9h30 à 17h30, mar jusqu'à 20h; mai et oct lun-sam 9h30 à 17h30, mar jusqu'à 20h, dim 13h à 17h30; nov à avr mar 9h30 à 20h, mer-sam 9h30 à 17h, dim 13h à 17h; 1675 Lower Water St., ☎902-424-7490, http://museum.gov.ns.ca/mma)*, qui donne directement sur le port d'Halifax, présente une superbe exposition traçant un portrait on ne peut plus complet de l'histoire navale de la ville.

Au rez-de-chaussée, on a reconstitué le magasin de William Robertson and Son, qui, pendant un siècle, était un établissement fournissant en matériel les armateurs, constructeurs et capitaines de navires.

Sur ce même niveau, on peut admirer des objets historiques relatifs à l'arsenal militaire d'Halifax et une collection d'embarcations de toutes sortes, notamment des barques de sauvetage. Le premier étage abrite surtout, quant à lui, la plus extraordinaire collection de modèles réduits de navires couvrant autant l'âge de la voile que l'âge de la vapeur. Parmi les collections du musée qui retiennent particulièrement l'attention, il ne faudrait pas oublier les vestiges du *Titanic*, qui sombra au large de l'île de Terre-Neuve.

Derrière le musée se trouve, amarré au quai des navires, l'***Acadia***, mis à l'eau en 1913 à Newcastle-on-Tyne, en Angleterre, et qu'on peut visiter. Il passa la plupart des 57 années suivantes à la recherche

Africville (1840-1969)

La population noire de la Nouvelle-Écosse se concentre dans la ville d'Halifax. Or, son histoire n'est pas banale: à la fin du XVIII siècle, les premiers immigrants arrivent au Canada, fuyant l'esclavagisme américain. Au milieu du XIX siècle, quelque 400 Noirs forment une communauté dans un bas quartier d'Halifax, la pauvreté et la ségrégation les incitant à se regrouper. Ces 80 familles, descendantes pour la plupart d'esclaves loyalistes à qui les Britanniques avaient promis terres et provisions, sont tenues à l'écart de la société par les autorités municipales, celles-ci refusant de reconnaître leurs titres de propriété.

Devenu zone de non-droit, ce quartier offre des conditions de vie précaires. Les installations que personne ne veut près de chez soi y sont érigées. On y construit, jusqu'au milieu du XX siècle, des fosses d'élimination des vidanges, un hôpital pour maladies infectieuses, un dépotoir et un incinérateur à ciel ouvert. On encourage l'implantation d'industries sales et malodorantes, sans canalisations d'eau, d'égouts ou d'électricité. Africville devient l'un des bidonvilles les plus insalubres et l'un des plus notoires du Canada. Oublié des services de police et d'incendie, il constitue le théâtre de commerces illégaux et de divertissements interdits.

Après la Seconde Guerre mondiale, Halifax projette de déplacer les résidants et de leur fournir des logements plus décents, faute d'installer les services essentiels à la communauté. En 1957, le rapport Stephenson recommande l'expropriation des résidants. Finalement, en 1962, le Conseil décide à l'unanimité de raser Africville. Les premières maisons sont démolies en 1963. Africville disparaît en 1969. Les autorités municipales proposent de reloger temporairement les résidants dans des logements sociaux du nord de la ville. Les habitants dépourvus de titre de propriété officiel se voient offrir une compensation de 500$, alors que les autres doivent réclamer des dommages et intérêts.

Le 5 juillet 2002, une plaque commémorative a été dévoilée au parc Seaview Memorial, sur l'ancien site d'Africville. Le gouvernement du Canada a alors exprimé ses regrets concernant l'expropriation des résidants et a reconnu ainsi l'importance historique d'Africville, symbole de la lutte contre le racisme et la ségrégation en Nouvelle-Écosse, reconnaissance rendue possible grâce aux efforts de l'Africville Geneaology Society et du Black Cultural Centre of Nova Scotia.

de données permettant de concevoir des cartes marines du littoral atlantique et de la baie d'Hudson.

À proximité du musée se trouve le **HMCS Sackville** *(www.hmcssackville-cnmt.ns.ca)*, une escorte de convoi maritime, qui servit lors de la Seconde Guerre mondiale. Il a été converti en un musée à la mémoire des marins ayant servi lors de cette guerre. Au centre d'interprétation, situé dans un

bâtiment adjacent, on présente un film d'une quinzaine de minutes sur la bataille de l'Atlantique.

Plus au sud, dans Barrington Street, à l'angle de Spring Garden Road, se trouve l'**Old Burying Ground** ★ *(entrée libre; mai à oct;* ☎ *902-429-2240)*, premier cimetière d'Halifax, aujourd'hui considéré comme un lieu historique national.

Halifax ■ **Attraits touristiques** ■ La Citadelle et le centre-ville

Le cimetière est pourvu de vieilles pierres tombales, dont certaines sont de véritables œuvres d'art. La plus ancienne, celle de John Connor, y a été déposée en 1754. Un plan, avec information sur le cimetière, est proposé à la **St. Paul's Anglican Church** (voir p 144).

Lors d'un séjour à Halifax, il ne faut pas rater l'occasion d'aller se balader sur la **Spring Garden Road** ★, une artère commerciale (voir p 158) affairée et sympathique.

Le Canada fut une terre d'asile pour des milliers de personnes. Durant plus de 40 ans, de 1928 à 1971, nombre de ces hommes et femmes venus s'installer au pays se sont arrêtés à Halifax au quai 21, aujourd'hui le **Lieu historique national du Quai 21** *(8,50$; mai à nov tlj 9h30 à 17h30, déc à mars mar-sam 10h à 17h, avr lun-sam 10h à 17h; 1055 Marginal Rd., ☎902-425-7770, www.pier21.ca)*. Le quai a également accueilli des milliers de réfugiés durant la Seconde Guerre mondiale. Enfin, il fut le lieu de départ des soldats canadiens partis se battre en terre étrangère. Lieu de transit, ce quai a été transformé depuis lors en un musée à la mémoire de tous ces gens.

Des expositions interactives visent à faire revivre aux visiteurs les moments émouvants vécus au quai 21, et un documentaire raconte la vie des personnes en transit. On y trouve en outre un café, un centre d'information touristique et une boutique de souvenirs.

À l'extérieur du centre-ville

▲ *p 153*   ⬤ *p 156*   ⤳ *p 156*   ▯ *p 158*

Délimité par les rues Young, Agricola, Duffus et Gottingen, **Hydrostone** est un secteur de la ville qui mérite une petite visite. Aujourd'hui considéré comme un lieu historique national, il a été développé à la suite de la grande explosion de 1917. On y retrouve plusieurs centaines de maisons en pierre, ainsi qu'un beau **marché public** et des **boutiques** (voir p 158). Hydrostone compte parmi les quartiers résidentiels les plus prisés d'Halifax.

Le **Point Pleasant Park** ★ *(entrée libre; à l'extrémité de Young Ave., www.pointpleasantpark.ca)*, d'une superficie de 75 ha, se trouve sur la pointe sud d'Halifax. Ce grand parc comprend plusieurs kilomètres de sentiers de randonnée pédestre le long de la côte avec de très beaux points de vue. Après le passage dévastateur de l'ouragan *Juan* en septembre 2003, le parc a perdu environ 75% de son couvert forestier. Il est actuellement en revitalisation.

En raison de sa localisation à l'entrée du port d'Halifax, Point Pleasant fut longtemps un lieu de défense stratégique pour la ville. C'est ici qu'en 1796-1797 fut érigée la première tour Martello en Amérique du Nord, aujourd'hui le **Lieu historique national Tour Prince-de-Galles** ★ *(entrée libre; juil à fin août tlj 10h à 18h; Point Pleasant Park, ☎902-426-5080, www.pc.gc.ca)*. S'inspirant d'une tour de la pointe corse de la Mortella, réputée imprenable, les Britanniques ont construit ce type de tour en maints endroits le long de leurs propres côtes et de celles de leurs colonies. La tour Prince-de-Galles faisait partie de l'important système de défense d'Halifax. De nos jours, elle abrite une exposition évoquant son histoire. Notez que le nom corse «Mortella» est devenu «Martello» quand les Britanniques se le sont approprié.

McNabs Island, cette île d'environ 5 km sur 1,5 km, située directement à l'entrée du port d'Halifax, fut elle aussi mise au profit de la défense de la ville. Entre 1888 et 1892, les Britanniques y ont érigé le fort McNab, dont les batteries étaient à cette époque les plus puissantes du système de défense d'Halifax.

On peut désormais en visiter les vestiges au **Lieu historique national Fort-McNab** ★ *(entrée libre; ☎902-426-5080, www.pc.gc.ca)*, tout en se baladant dans cette île paisible, dotée de jolis paysages et de sentiers de randonnée. Les bateaux pour McNabs Island partent de Fishermans Cove. Informez-vous auprès de **McNabs Island Ferries** *(12$ aller-retour; toute l'année; ☎902-465-456 ou 800-326-4563, www.mcnabsisland.com)* pour connaître l'horaire des traversiers.

Un peu à l'extérieur de la ville (une dizaine de kilomètres) se trouve un autre attrait digne de mention, le **Lieu historique**

Blockhaus et tours Martello

Dans plusieurs colonies britanniques, telles Halifax (Nouvelle-Écosse) et Kingston (Ontario), des fortifications furent construites selon le système défensif anglais. Elles étaient constituées de blockhaus et de tours Martello, répartis à divers endroits sur le territoire.

Un blockhaus est une tour carrée, surmontée d'un étage et faite de poutres de bois équarries posées horizontalement. Coiffé d'un toit en bardeaux de bois, il était protégé contre les intempéries. Lors des attaques, les soldats s'installaient à l'étage, d'où ils dominaient les assaillants. Le palier était en outre plus large que la base, de sorte que les militaires pouvaient tirer du mousquet à travers des trous judicieusement percés dans le plancher, empêchant ainsi l'ennemi d'approcher de la tour. Ces blockhaus, petits postes défensifs autonomes, pouvaient également servir de casernes et de réserves. Le blockhaus du fort Edward, à Windsor, en Nouvelle-Écosse, en est un bel exemple.

La tour Martello, pour sa part, était faite de maçonnerie et pouvait atteindre 10 m de haut. Au rez-de-chaussée se trouvait généralement un entrepôt, et l'étage servait de caserne. Ses épais murs devaient assurer une bonne protection aux soldats. Enfin, sa forme ronde permettait aux soldats de tirer au canon sur tous les fronts. Seize de ces tours furent construites au Canada: cinq à Halifax, une à Saint John (Nouveau-Brunswick), quatre à Québec et six à Kingston. Ce grand nombre s'explique par le faible coût de leur construction et par l'impression de robustesse qu'elles donnaient. Cependant, aucune des tours canadiennes ne fut jamais attaquée; on n'en connaît donc pas l'efficacité.

national de la Redoute-York *(entrée libre; tlj 8h à la tombée de la nuit; Purcell's Cove Rd.,* ☎ *902-426-5080, www.pc.gc.ca).* Cette redoute fut aménagée en 1793 en un lieu d'où l'on pouvait aisément observer le va-et-vient des bateaux dans le port de la ville, leur assurant ainsi une protection adéquate. Elle comprenait une batterie, une tour Martello et une palissade. Elle a servi tout au long du XIXe siècle et fut également utilisée durant la Seconde Guerre mondiale. On peut la visiter et bénéficier d'un point de vue unique sur le port d'Halifax.

En poursuivant sa route, on croise le **Sir Sandford Fleming Park**, un vaste jardin de 95 ha légué à la ville par Sir Fleming. Ce scientifique fut à l'origine de l'élaboration de la notion de fuseaux horaires standardisés, laquelle est aujourd'hui utilisée dans le monde.

Plus loin vers le sud se trouve Sambro, un village de pêcheurs d'où il est possible de prendre un bateau pour l'île Sambro, où se dresse le **Sambro Lighthouse**. Entièrement repeint pour son 250e anniversaire en 2008, il s'agit là du plus vieux phare encore en fonction en Amérique du Nord.

Dartmouth

▲ *p 154* ⬤ *p 156* ▯ *p 158*

Au quai donnant sur les Historic Properties, à Halifax, on peut prendre un le traversier de **Metro Transit** *(2$;* ☎ *902-490-4000, www.halifax.ca)* pour se rendre à Dartmouth, sur l'autre rive, d'où l'on a un excellent point de vue sur le port et McNabs Island. La ville de Dartmouth est pourvue d'un joli bord de l'eau, de splendides résidences, de plusieurs commerces et restaurants, et de quelques attraits touristiques.

Le **Dartmouth Heritage Museum** est un complexe muséal qui comprend deux maisons historiques. La première, la **Quaker House** ★ *(2$; juin à sept mar-dim 10h à 13h et 14h à 17h; 59 Ochterloney St., ☎902-464-2253, www.dartmouthheritagemuseum.ns.ca)*, est la seule qui reste des 22 maisons semblables construites à partir de 1785 par des baleiniers quakers originaires de la Nouvelle-Angleterre et venus s'installer à Dartmouth. Des guides en costumes d'époque expliquent aux visiteurs le mode de vie des quakers.

La deuxième, l'**Evergreen House** *(2$; juil et août mar-dim 10h à 17h, sept à juin mar-ven 10h à 17h, sam 10h à 13h et 14h à 17h; 26 Newcastle St., ☎902-464-2300, www.dartmouthheritagemuseum.ns.ca)*, fut construite en 1867 et est garnie de mobilier victorien. Des visites guidées soulignent l'histoire et le patrimoine culturel de Dartmouth. La maison loge également une galerie présentant des œuvres d'artistes locaux ainsi qu'une boutique de souvenirs.

L'**Institut océanographique de Bedford** ★ *(entrée libre; mai à août lun-ven 9h à 16h; 1 Challenger Dr., ☎902-426-4306, www.bio. gc.ca)* est le plus important centre de recherches océanographiques du Canada. Il ouvre ses portes aux visiteurs en été et expose des aquariums et des bassins où il est entre autres possible de toucher des homards et des crabes.

À l'est de Dartmouth, le **Cole Harbour Heritage Farm Museum** *(dons appréciés; mi-mai à mi-octobre lun-sam 10h à 16h, dim 12h à 16h; 471 Poplar Dr., ☎902-434-0222, www. coleharbourfarmmuseum.ca)* se donne pour mission de conserver et de mettre en valeur le patrimoine agricole de la région. Le musée regroupe plusieurs bâtiments anciens, divers outils et artéfacts de la vie rurale, des jardins et des animaux. Sur place, un chaleureux salon de thé affiche un menu léger.

Situé au sud de Dartmouth, **Fisherman's Cove** ★ *(mi-mai à mi-oct tlj; près de la route 322, Eastern Passage, ☎902-465-6093 www. fishermanscove.ns.ca)* est un ancien village de pêcheurs revitalisé à des fins touristiques. L'endroit est fort attrayant avec ses bâtiments et ses bateaux de couleurs vives et sa passerelle permettant d'agréables promenades. Plusieurs boutiques d'artisanat, des restaurants ainsi qu'un centre d'interprétation de la vie marine, le **Marine Interpretive Centre** *(1$)*, s'y sont installés.

🛶 Activités de plein air

■ Croisières

Harbour Hopper Tours *(25$; 1751 Lower Water St., ☎902-490-8687, www.harbourhopper.com)* propose des excursions sans pareilles. Confortablement installé dans un véhicule amphibie, vous parcourrez d'abord les rues de la ville, à la découverte des bâtiments historiques. Puis vous vous rendrez au port d'Halifax pour une balade en mer afin de contempler un autre visage de la capitale néo-écossaise.

Découvrir l'impressionnant port d'Halifax à bord d'un navire est une merveilleuse façon de connaître la ville. Les compagnies **Murphy's on the Water** *(22$; 1751 Lower Water St., ☎902-420-1015, www.murphysonthewater. com)* et **Tall Ship Silva** *(20$; Lower Water St., ☎902-429-9463, www.tallshipsilva.com)* proposent ce genre d'excursion.

■ Randonnée pédestre

Des circuits autoguidés dans les villes d'Halifax *(**Historic Downtown Walk**; durée de 2h à 3h)* et de Dartmouth *(**Dartmouth Heritage Walk**; durée de 1h à 2h)* ont été conçus pour permettre aux visiteurs de découvrir les principaux attraits de ces villes tout en se baladant à pied. Des plans illustrant ces circuits sont mis à la disposition des visiteurs dans les centres de renseignements touristiques.

Pour faire une balade des plus ravissantes par les belles journées estivales, parcourez le **Halifax Waterfront Boardwalk** *(3,8 km)*, une promenade aménagée au bord de la mer, le long des quais de la ville.

⚠ Hébergement

La Citadelle et le centre-ville

Halifax Heritage House Hostel
$ bc ☎ @

1253 Barrington St.
☎ 902-422-3863
www.hihostels.ca

Situé à quelques centaines de mètres de la gare et à une quinzaine de minutes à pied des principaux attraits de la ville, la Halifax Heritage House Hostel fait partie du réseau de l'Association internationale des auberges de jeunesse. Ce joli bâtiment historique peut accueillir 75 personnes dans des dortoirs ou des chambres et dispose d'une cuisinette.

Halliburton House Inn
$$$$ ☎ ⊎ ≡ @ ⚠

5184 Morris St.
☎ 902-420-0658 ou 888-512-3344
🖷 902-423-2324
www.halliburton.ns.ca

Dans une rue paisible d'un quartier résidentiel, près de la gare, et peu éloigné des principaux attraits d'Halifax, se cache le charmant Halliburton House Inn. Sympathique et élégante, cette auberge offre une solution de rechange aux grands hôtels du centre-ville. Quant au confort, le Halliburton House Inn n'a pas grand-chose à se reprocher. Les chambres ont beaucoup de cachet, et elles sont agréables, bien décorées et garnies de meubles d'époque.

L'auberge est également pourvue de quelques belles pièces communes, entre autres un petit salon près de l'entrée, une bibliothèque ainsi qu'une

élégante salle à manger (voir p 156) où l'on sert une excellente cuisine. Les trois bâtiments de l'auberge donnent quant à eux sur un joli jardin fleuri, très calme, où l'on peut s'attabler sous un parasol. La maison qui accueille le Halliburton House Inn fut d'abord la demeure construite en 1809 pour Sir Brenton Halliburton, juge en chef de la Cour suprême de la Nouvelle-Écosse.

Waverley Inn
$$$$ ☎ ⊎ ◎ ≡ @

1266 Barrington St.
☎ 902-423-9346 ou 800-565-9346
www.waverleyinn.com

Le Waverley Inn peut s'enorgueillir de sa riche tradition d'hospitalité. Cette belle maison bourgeoise fut construite en 1865-1866 pour Edward W. Chipman. Elle a été la résidence personnelle de ce riche marchand d'Halifax jusqu'en 1870, avant qu'il ne vive un revers de fortune qui devait le conduire à la faillite. Après quelques années, la maison fut rachetée par les sœurs Sarah et Jane Romans. En octobre 1876, le Waverley Inn ouvrit ses portes et, pendant plusieurs décennies, fut considéré comme le plus prestigieux hôtel de la ville. Plusieurs personnages célèbres l'ont d'ailleurs fréquenté, entre autres le poète Oscar Wilde, qui y séjourna en 1882.

Malgré les années qui passent, le Waverley Inn a su préserver en bonne partie sa grandeur d'antan. Bien sûr, il est moins luxueux, et ses chambres à la décoration un peu lourde offrent un confort aujourd'hui dépassé. Mais il présente

un intérêt certain pour qui veut découvrir l'atmosphère victorienne dans sa plus pure manifestation. Le prix de la chambre comprend le petit déjeuner et un goûter en soirée. Le Waverley Inn est situé près de la gare, à une quinzaine de minutes de marche des principaux attraits d'Halifax.

Citadel Halifax Hotel
$$$$ ⊎ ≈ ≡ ⛟ 🚗 @

1960 Brunswick St.
☎ 902-422-1391 ou 800-565-7162
www.citadelhalifax.com

Le Citadel Halifax Hotel occupe un bel emplacement à quelques pas de la Citadelle. On y trouve une piscine intérieure, un gymnase ainsi qu'une salle à manger et un bar. De plus, le stationnement est gratuit, ce qui représente un grand avantage à Halifax. Les chambres sont confortables, mais sans charme particulier.

Delta Barrington
$$$$ ⊎ ◎ ⫻ ≈ ≡ ⛟ 🚗 @

1875 Barrington St.
☎ 902-429-7410 ou 800-268-1133
🖷 902-420-6524
www.deltabarrington.com

Le Delta Barrington, un élégant bâtiment situé tout près des Historic Properties, s'ouvre sur un secteur animé de la ville comptant bon nombre de boutiques, de restaurants et de terrasses. Les chambres, un peu vieillottes, n'en restent pas moins confortables et meublées convenablement.

Delta Halifax
$$$$ ⊎ ⫻ ⋙ ◎ ≡ 🚗 🚗 @

1990 Barrington St.
☎ 902-425-6700 ou 800-268-1133
🖷 902-425-6214
www.deltahalifax.com

Le Delta Halifax dispose de chambres sobres et

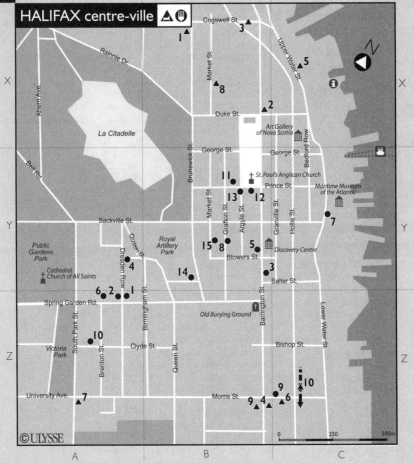

HALIFAX centre-ville

La Citadelle

Public Gardens Park

Victoria Park

©ULYSSE

0   250   500m

▲ HÉBERGEMENT

1.	BX	Citadel Halifax Hotel
2.	BX	Delta Barrington
3.	BX	Delta Halifax
4.	BZ	Halifax Heritage House Hostel
5.	CX	Halifax Marriott Harbourfront Hotel
6.	CZ	Halliburton House Inn
7.	AZ	Lord Nelson Hotel
8.	BX	Prince George Hotel
9.	BZ	Waverley Inn
10.	CZ	Westin Nova Scotian

● RESTAURANTS

1.	AZ	Anatolia Turkish Cuisine
2.	AZ	Cellar Bar & Grill
3.	BY	Chives Canadian Bistro
4.	AY	Fid
5.	BY	Five Fishermen
6.	AZ	Il Mercato
7.	CY	McKelvie's
8.	BY	Seven
9.	CZ	Stories
10.	AZ	The Fireside
11.	BY	The Granite Brewery
12.	BY	The Press Gang
13.	BY	The Wooden Monkey
14.	BY	Tom's Little Havana Cafe
15.	BY	Trident Booksellers & Cafe

confortables. Son bar, le Sam Slick's Lounge, est un endroit sympathique et chaleureux, idéal pour prendre un verre entre amis ou pour tenir des réunions informelles. L'hôtel comprend une piscine intérieure et de multiples installations sportives. Il donne accès à une galerie marchande, où l'on trouve boutiques et restaurants, et est situé à quelques minutes des principaux centres d'intérêt de la ville et du World Trade and Convention Centre.

Lord Nelson Hotel
$$$$ ♨ ≡ ⚲ ⚌ @ ♿ ⚠

1515 S. Park St.
☎ 902-423-6331 ou 800-565-2020
www.lordnelsonhotel.com

Le Lord Nelson Hotel présente bien des avantages: il est situé dans un secteur de la ville qui regorge d'activités, il fait face aux magnifiques Public Gardens, à quelques pas de Spring Garden Road, l'artère commerciale la plus animée d'Halifax, et ne se trouve pas très loin de plusieurs collèges et universités. Le Lord Nelson a gardé de la belle époque un impressionnant hall avec plafond à caissons décorés.

Prince George Hotel
$$$$ ⚌ ◎ ⫸ ♨ ≋ ≡ ⚲ @

1725 Market St.
☎ 902-425-1986 ou 800-565-1567
🖷 902-429-6048
www.princegeorgehotel.com

Le Prince George Hotel propose un excellent hébergement dans des chambres assez joliment meublées et luxueuses. Situé tout près du World Trade and Convention Centre, il fait partie de ces hôtels particulièrement

appréciés des gens d'affaires, car il dispose en outre d'une salle de conférences pouvant accueillir 200 personnes. De la terrasse, on bénéficie d'une excellente vue sur la ville.

Westin Nova Scotian
$$$$ ≡ ♨ @ ⚲ ⚌ Υ ≋ ◎ ⚲

1181 Hollis St.
☎ 902-421-1000
www.starwoodhotels.com

Le Westin abrite des chambres modernes au décor épuré dont certaines offrent une vue sur le port. L'hôtel est doté de tous les services et installations propres aux établissements de catégorie supérieure, entre autres une superbe piscine, un spa et des courts de tennis.

Halifax Marriott Harbourfront Hotel
$$$$-$$$$$
♨ ⫸ ≋ ≡ ⚲ ⚌ ⚲ ▲ @ ✳ ◎

1919 Upper Water St.
☎ 902-421-1700 ou 800-943 6760
🖷 902-422-5805
www.marriott.com

Des hôtels de grand luxe, Halifax en compte un bon nombre. Mais aucun de ceux-ci ne dispose d'un site aussi spectaculaire et enchanteur que le Halifax Marriott Harbourfront, situé directement sur les quais, tout juste à côté des Historic Properties. Par ailleurs, une attention particulière a été portée à la construction de cet hôtel afin de préserver l'harmonie de ce quartier d'Halifax, le plus ancien de la ville. Les chambres sont spacieuses, bien décorées et chaleureuses. L'hôtel compte deux restaurants, des salles de conférences, une piscine intérieure et

plusieurs autres installations sportives. Cela, sans oublier que l'établissement est relié par un passage intérieur au **Casino Nova Scotia** (voir p 157), un endroit très fréquenté pendant les soirs de fin de semaine.

À l'extérieur du centre-ville

Halifax Backpacker's Hostel
$ bc ⚲

2193 Gottingen St.
☎ 902-431-3170
www.halifaxbackpackers.com

Après avoir beaucoup voyagé à l'étranger, deux jeunes d'Halifax ont eu l'idée de créer cette sympathique auberge destinée à ceux qui voyagent sac au dos. Ce projet est devenu aujourd'hui une belle réussite et un endroit qui plaît beaucoup aux jeunes voyageurs. Des chambres privées, familiales et des dortoirs sont disponibles. Tout près, et dans le même état d'esprit, se trouve le café Alteregos. L'endroit est coloré et accueillant. On y vend du café équitable et des produits biologiques.

The Verandah Bed & Breakfast
$$-$$$ ⚲ @ ✳

1394 Edward St.
☎ 902-494-9500
www.theverandahbb.com

Dans un quartier résidentiel à proximité des universités et du centre-ville, le Verandah Bed & Breakfast, une charmante maison victorienne aux teintes joyeuses, compte deux chambres avec salle de bain privée ainsi qu'un studio. On s'y sent comme à la maison.

The Pebble
$$$$ 🐾 🚭 ◎

1839 Armview Terrace
☎902-423-3369 ou 888-303-5056
www.thepebble.ca

Situé dans une rue paisible en bordure d'un bras de mer (Northwest Arm), ce gîte touristique raffiné offre deux suites lumineuses, douillettes et au décor apaisant (l'une d'entre elles possède un balcon). The Pebble se démarque par l'attention portée aux détails qui caractérisent un hébergement de qualité supérieure ainsi que par sa localisation, à une distance raisonnable du centre-ville et à proximité d'espaces verts.

Holiday Inn Select Halifax Centre Hotel
$$$$ ♨ ░ ▨))) ◎ ≡ 🚭 @

1980 Robie St.
☎902-423-1161 ou 888-810-7288
▤902-423-9069
www.hihotelhalifax.ca

Le Holiday Inn Select dispose de chambres confortables, spacieuses et fonctionnelles. Il possède, en outre, une excellente salle à manger. Le seul inconvénient du Holiday Inn Select est sa situation, à au moins une quinzaine de minutes de marche du centre-ville et des principales activités.

Dartmouth

Slayter House Bed and Breakfast
$$$ 🐾 ≡ @

104 Slayter St.
☎902-463-0201
www.slayterhouse.ca

Cet agréable gîte touristique abrite trois chambres accueillantes et impeccablement décorées. Deux d'entres elles disposent d'un balcon.

🍽 Restaurants

Plus grande ville des provinces atlantiques, Halifax en est également la plus cosmopolite; par leur diversité, les restaurants témoignent avec éloquence de son statut de métropole de la région. À Halifax, on trouve de tout, notamment des grands restaurants qui rivalisent en qualité et en raffinement avec les meilleures tables des grandes villes du continent.

Les poissons et les fruits de mer occupent, bien entendu, une place de choix dans la gastronomie locale. On peut toutefois tout aussi bien se régaler d'une cuisine française, italienne, chinoise ou indienne, pour n'en nommer que quelques-unes. Cependant, ce qui étonne le plus, ce sont les nombreux cafés-terrasses le long des artères comme Spring Garden Road, Blowers Street ou Argyle Street, qui donnent à Halifax, pendant la saison estivale, une allure presque latine.

La Citadelle et le centre-ville

Voir carte p 152

Tom's Little Havana Cafe
$

5428 Doyle St.
☎902-423-8667

Tom's Little Havana Cafe est un endroit sans prétention, un resto-bar de quartier sympathique où l'on se sent immédiatement à l'aise. Les habitués viennent y prendre un verre, lire leur journal ou casser la croûte. Au menu se trouve un mélange hétéroclite de plats divers qui va de l'hummos à la chaudrée de palourdes.

Trident Booksellers & Cafe
$

1256 Hollis St.
☎902-423-7100

Quelle bonne idée de prendre un excellent café tout en bouquinant! Voilà le concept du Trident Booksellers & Cafe, un endroit vraiment sympathique. Le menu se limite à un choix très respectable de cafés, de chocolats chauds, de thés et, pendant la saison estivale, de rafraîchissements. Un choix restreint de pâtisseries complète le menu. Des journaux et des magazines y sont toujours proposés aux clients.

Anatolia Turkish Cuisine
$-$$

1518 Dresden Row
☎902-492-4568

Cet adorable restaurant, égayé de carreaux de céramique et de tapisseries provenant directement de Turquie, attire surtout une clientèle locale en quête de saveurs exotiques. Au centre trône un four à charbon de bois qui diffuse partout dans le restaurant les effluves des viandes grillées. Bien entendu, les kebabs de toutes sortes sont au cœur du menu. On y propose aussi plusieurs types d'entrées typiques de la Turquie et du Moyen-Orient. Pour de belles découvertes!

The Fireside
$-$$

1500 Brunswick St.
☎902-423-5995

Le Fireside est un pub typique avec ses belles boiseries et son atmosphère chaleureuse. On y vient d'abord pour prendre un verre (notamment de martini), mais on peut aussi y prendre une bouchée, le menu affichant des classiques tels que sandwichs au saumon, plats de crevettes et *quesadillas*.

The Granite Brewery
$-$$
1662 Barrington St.
☎902-422-4954
À Halifax, il n'y a pas meilleur endroit où prendre le pouls de la vie quotidienne que la Granite Brewery. Quelque peu à l'écart des principaux attraits touristiques de la ville, mais surtout à mille lieues de l'ambiance branchée ou chic des restaurants à la mode, cette brasserie sert plusieurs bières artisanales et des plats simples, vraiment pas chers et toujours copieux. L'aménagement, où prédominent les boiseries et quelques lampes diffusant une lumière tamisée, crée une ambiance conviviale et sans prétention.

Il Mercato
$$
5650 Spring Garden Rd.
☎902-422-2866
Pour une cuisine italienne inspirée, agrémentée d'un bon verre de vin, on se donne rendez-vous chez Il Mercato, un grand bistro à la décoration moderne et chaleureuse situé sur l'artère la plus animée de la ville. Au menu: des pâtes fraîches, des pizzas et quelques viandes apprêtées avec originalité, ainsi que des glaces italiennes et des desserts savoureux. En peu de temps, Il Mercato est devenu l'une des adresses les plus populaires à Halifax.

The Wooden Monkey
$$
1685 Argyle St.
☎902-444-3844
The Wooden Monkey est un sympathique restaurant santé affichant un menu végétarien et végétalien de qualité. Les produits qu'ils utilisent dans leurs recettes proviennent de l'agriculture biologique locale.

Cellar Bar & Grill
$$-$$$
5677 Brenton Place
☎902-492-4412
Ce bel établissement renferme deux salles à manger dont l'une décorée de briques, de pierres et de bois, aménagées au sous-sol, dans une cave qui réussit à être tout à fait invitante. La cuisine a également de quoi ravir. Au menu se côtoient le gaspacho (en été), les calmars, les escargots, plusieurs plats de pâtes (champignons sauvages, fruits de mer) et le saumon de l'Atlantique grillé. Bref, on y prépare une belle variété de plats parmi lesquels on aura du mal à choisir. Belle carte des vins.

McKelvie's
$$-$$$
1680 Lower Water St.
☎902-421-6161
Ici la thématique est résolument celle des fruits de mer et des poissons! Véritable institution à Halifax depuis 1930, McKelvie's offre une grande variété de poissons et de fruits de mer apprêtés de façon souvent originale, selon des recettes locales et d'ailleurs. On trouve aussi au menu quelques plats de pâtes, de volaille et de viande, ainsi que des salades et des sandwichs.

La grande salle à manger se trouve dans un fort bel édifice aux murs de briques et aux larges fenêtres, qui fut jadis une caserne de pompiers. McKelvie's est un endroit agréable, aéré et toujours très animé.

Chives Canadian Bistro
$$$
1537 Barrington St.
☎902-420-9626
Un décor ordinaire mais chaleureux, une ambiance décontractée typique d'un bistro et, surtout, une bonne cuisine font la réputation du Chives, aujourd'hui l'une des coqueluches de la restauration à Halifax. Le menu change à chaque saison et propose un mariage assez étonnant de plats traditionnels et contemporains. On privilégie ici les produits locaux achetés directement des pêcheurs et des producteurs agricoles. Toutefois, le chef Craig Flinn, qui a bourlingué à travers le monde, aime bien aussi surprendre avec des arômes venus d'ailleurs. La carte des vins offre un bon choix de produits locaux et internationaux. Ferme tôt!

Fid
$$$
1569 Dresden Row
☎902-422-9162
Fid intrigue et attire à la fois. Ce restaurant, doté d'une petite salle à manger épurée, est réellement dédié à la cuisine créative. Son sympathique chef, Dennis Johnston, crée un menu à la fois simple et innovateur qui privilégie toujours les produits frais du marché. Le menu change chaque jour, mais il est généralement d'inspiration française et asia-

tique. Le Fid est agrémenté d'une bonne cave à vins et d'un service irréprochable. Dennis Johnston a vécu 20 ans à Montréal et parle donc le français.

Stories
$$$
Halliburton House Inn
5184 Morris St.
☎902-444-4400
La salle à manger de l'élégant **Halliburton House Inn** (voir p 151) est l'endroit tout indiqué pour prendre un long dîner en tête-à-tête ou avec des amis. Cet établissement a certainement beaucoup de cachet, et il est meublé avec élégance et bon goût. Il s'en dégage une atmosphère d'opulence. Les fruits de mer et les viandes de qualité occupent une place de choix au menu, qui se compose de classiques préparés avec une touche de créativité.

The Press Gang
$$$-$$$$
5218 Prince St.
☎902-423-8816
Tel un repaire secret et mystérieux, la salle à manger du restaurant The Press Gang laisse paraître les poutres de bois massives, la brique ébréchée des murs et la pierre couverte de cire coulante provenant des nombreuses bougies qui lui confèrent une atmosphère enveloppante. Le menu présente des plats de fruits de mer et de viande, et un pianiste anime les soirées du jeudi au samedi.

Five Fishermen
$$$$
1740 Argyle St.
☎902-422-4421
L'un des plus anciens bâtiments de la ville (une vieille école aujourd'hui rénovée), le restaurant Five Fishermen est l'un des favoris des amateurs de fruits de mer et de poissons. Le homard vient, bien entendu, en tête de liste des plats proposés. Le menu affiche également du saumon de l'Atlantique, mais aussi divers steaks. Notez que sa cuisine est ouverte jusqu'à 22h les soirs d'été. En outre, sa sélection de vins est très élaborée.

Seven
$$$$
1579 Grafton St.
☎902-444-4777
Dans une somptueuse salle à manger, le restaurant Seven offre une fine cuisine d'influence internationale et un excellent choix de vins au verre. Au rez-de-chaussée se trouve un *lounge* qui présente un décor tout aussi recherché.

À l'extérieur du centre-ville

Jane's on the Common
$$
2394 Robie St.
☎902-431-5683
Surtout prisé pour son brunch du weekend, composé entre autres de beignets de crevettes, de morue en croûte, de crêpes au ricotta et de pain perdu (pain doré) au lait de coco, le Jane's on the Common loge dans un local aux couleurs vibrantes.

Dartmouth

John's Lunch
$-$$
352 Pleasant St.
☎902-469-3074
Ce petit casse-croûte rustique qui sert de la cuisine rapide est renommé pour ses *fish and chips* et autres fruits de mer frits.

Jamieson's Irish House & Grill
$$
5 Cumberland Dr.
☎902-433-0500
Fruits de mer et grillades figurent au menu de ce restaurant à l'atmosphère enveloppante et sympathique. On y présente des spectacles de musique celtique.

♪ Sorties

■ Activités culturelles

Cinéma

Les dernières productions américaines sont présentées à l'**Empire 8 Park Lane** (*5657 Spring Garden Rd.,* ☎902-423-7488, *www. empiretheatres.com*).

Musique

Halifax est la ville des provinces atlantiques où s'arrêtent le plus régulièrement les artistes de réputation internationale. Les concerts d'envergure de musique populaire ont lieu au **Halifax Metro Centre** (*1800 Argyle St.,* ☎902-451-1221, *www.halifaxmetrocentre.com*)

On peut assister à des concerts de musique classique donnés par l'orchestre du **Symphony Nova Scotia** (*billetterie et renseignements: 6101 University Ave.,* ☎902-494-3820, *www. symphonynovascotia.ca*).

Théâtre

La troupe de théâtre la plus réputée d'Halifax, soit celle du **Neptune Theatre** *(1593 Argyle St., ☎902-429-7070, www.neptunetheatre.com)*, présente un répertoire varié alliant entre autres des pièces dramatiques et des comédies musicales.

L'innovatrice troupe de **Sheakespeare by the Sea** *(don suggéré de 15$; juil et août 13h et 19h, Point Pleasant Park, ☎902-422-0295, www. shakespearebythesea.ca)*, qui explore le répertoire du grand dramaturge anglais, présente ses pièces en plein air à la Cambridge Battery du Point Pleasant Park.

■ Bars et discothèques

La ville d'Halifax compte un nombre impressionnant de pubs, de bars et de discothèques qui se concentrent pour la plupart au centre-ville. Dans le quartier historique de la ville, on découvre le **Lower Deck Pub** *(Historic Properties, Privateer's Warehouse, ☎902-425-1501)*. En soirée, ce pub offre l'occasion d'écouter de la musique traditionnelle des Maritimes.

The Fireside
1500 Brunswick St.
☎902-423-5995
The Fireside est un pub anglais chaleureusement orné de belles boiseries. Il est connu dans la capitale pour la préparation de ses martinis, à nul autre pareils, semble-t-il. Aux personnes préférant les boissons au houblon, il propose une bonne sélection de bières locales.

Granite Brewery
1662 Barrington St.
☎902-422-4954
La Granite Brewery a toute l'atmosphère d'une brasserie de quartier.

Bearly's
1269 Barrington St.
☎902-423-2526
Le Bearly's présente des spectacles de blues le mardi et du jeudi au dimanche, le mercredi étant dédié au karaoké. L'ambiance est sympathique et conviviale.

Reflexions Cabaret
5184 Sackville St.
☎902-422-2957
On danse sur une musique plus recherchée au Reflexions Cabaret. Quoique la clientèle soit variée, cette discothèque est surtout fréquentée par la communauté gay et lesbienne de la région d'Halifax.

Marquee Club
2037 Gottingen St.
☎902-429-3020
Ne soyez pas rebuté par l'aspect extérieur du Marquee, ni par son emplacement un peu en dehors du centre de la ville. En fait, le Marquee Club est un des hauts lieux de la scène musicale alternative d'Halifax. Des groupes locaux s'y produisent, et l'on y danse jusque tard dans la nuit. Clientèle de 20 à 30 ans.

Bitter End Martini Bar & Restaurant
1572 Argyle St.
☎902-425-3039
Le Bitter End offre plus d'une vingtaine de martinis dans une ambiance feutrée. On y trouve aussi un menu varié et abordable.

Mosaic Social Dining
1584 Argyle St.
☎902-405-4700
La jeunesse branchée d'Halifax se rend au chic Mosaic Social Dining pour prendre un verre et partager des tapas dans un décor moderne et épuré.

Old Triangle
5136 Prince St.
☎902-492-4900
Ce chaleureux pub irlandais présente, presque tous les soirs, des spectacles de musique celtique.

■ Casino

Situé non loin des Historic Properties, le **Casino Nova Scotia** *(tlj 10h à 4h; 1983 Upper Water St., ☎902-425-7777, www.casinonovascotia. com)* est de grande dimension et compte à la fois de nombreuses machines à sous et des tables de jeux. Il renferme deux salles de spectacle où sont présentés des concerts d'artistes locaux et internationaux.

■ Fêtes et festivals

Juillet

Atlantic Jazz Festival
☎902-492-2225
www.jazzeast.com
L'important festival de jazz de l'Atlantique présente, durant une semaine, plusieurs concerts (jazz, blues, musiques du monde, etc.) à travers la ville.

Halifax Pride Week Festival
☎902-431-1194
www.halifaxpride.com
À la fin de juillet, les célébrations de la communauté gay et lesbienne d'Halifax culminent avec un défilé haut en couleur.

Halifax - Sorties

Août

Halifax International Busker Festival

☎902-880-3995
www.buskers.ca

Des performances d'artistes de la rue, notamment des jongleurs, des acrobates et des musiciens, animent le port d'Halifax au cours de ces 10 jours de fête populaire.

Atlantic Fringe Festival

☎902-471-7081 ou 800-565-0000
www.atlanticfringe.ca

Plus de 200 pièces théâtrales innovatrices et à coût abordable sont présentées lors de l'Atlantic Fringe Festival.

Septembre

Atlantic Film Festival

☎902-422-6965
www.atlanticfilm.com

L'Atlantic Film Festival propose des films d'animation, des long métrages et des documentaires produits par des cinéastes locaux et internationaux.

🗓 Achats

■ Artères commerciales

Le quartier le plus sympathique pour magasiner est certainement celui des **Historic Properties** *(délimité par Duke St. et Lower Water St.)*, ce quartier historique situé en bordure des quais d'Halifax. Les boutiques qui proposent des produits d'artisanat ou des vêtements occupent une bonne part de cet ensemble à l'architecture harmonieuse du XIXe siècle. Ne manquez pas la galerie **Argyle Fine Art** *(1869 Upper Water St., ☎902-425-9456)*, qui expose des œuvres contemporaines et souvent avant-gardistes d'artistes canadiens.

Autre quartier historique, l'agréable secteur d'**Hydrostone** renferme une enfilade de maisons datant des années 1920 et abritant des boutiques et des restaurants. Parmi ses bonnes adresses figurent la **Bogside Gallery** *(5527 Young St., ☎902-453-3063)*, qui offre une fine sélection d'artisanat régional, et, pour les artisans tisserands, la jolie boutique **L.K. Yarns** *(5545 Young St., ☎902-431-9633)*, qui possède un vaste choix de laines, de fibres et de fils de toutes les couleurs et textures.

La **Spring Garden Road** est bordée d'une foule d'intéressants commerces, restaurants et cafés qui lui donnent des airs de «quartier latin». Parmi les adresses à retenir, on retrouve l'originale boutique écologique **P'lovers** *(5657 Spring Garden Rd., ☎902-422-6060)*, qui vend des produits de soins corporels biologiques, des vêtements de fibres de chanvre et de bambou, des livres et de l'artisanat.

■ Artisanat

La **Gallery Shop** *(1723 Hollis St., ☎902-424-4303)* de l'**Art Gallery of Nova Scotia** (voir p 146) offre un excellent choix d'artisanat régional et micmac, ainsi que des reproductions d'œuvres de peintres de la Nouvelle-Écosse.

■ Centres commerciaux

La **Granville Promenade** *(1854-1895 Granville St.)* et les **Barrington Place Shops** *(1903 Barrington St., près des Historic Properties)* sont deux complexes commerciaux situés tout près l'un de l'autre, dans des édifices historiques rénovés. On peut s'arrêter, le temps de prendre un rafraîchissement, à l'une des multiples terrasses de cafés ou de pubs à proximité.

■ Librairie

Woozles Children Bookstore

1533 Birmingham St.
☎902-423-7626 ou 800-966-0537

Établie en 1978, Woozles est la plus ancienne librairie pour enfants au Canada.

L'isthme de Chignecto

La route panoramique Sunrise

La route panoramique Glooscap

L'ISTHME DE CHIGNECTO

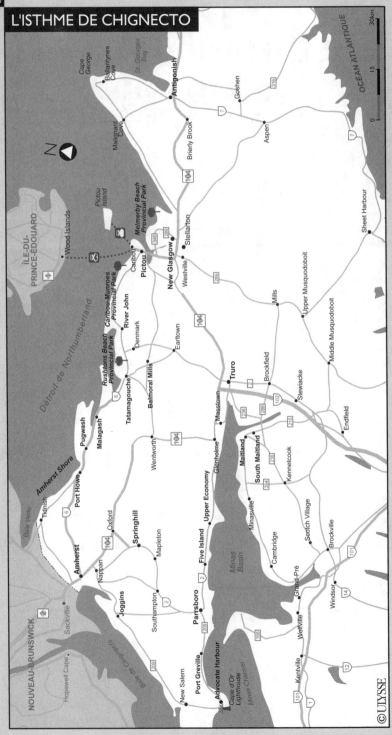

B ande de terre qui relie la Nouvelle-Écosse et le Nouveau-Brunswick, l'**isthme de Chignecto** ★ présente des paysages variés, bordés d'un côté par les eaux du détroit de Northumberland, et de l'autre par celles de la baie de Fundy.

En parcourant cette région, on découvre des sites spectaculaires et relativement peu fréquentés, en particulier le long de la baie de Fundy. Les marées de cette baie, qui sont les plus hautes et les plus fortes du monde, y ont en effet façonné des paysages d'une grande singularité. Dans le Minas Basin, ces marées peuvent atteindre 16 m, le débit s'avérant alors 40 fois plus élevé que celui du fleuve Saint-Laurent. Selon les océanographes, le rétrécissement graduel de la baie et le phénomène de résonance (la durée du retrait de l'eau est similaire au laps de temps entre deux marées hautes) sont principalement responsables de l'intensité des marées dans la baie de Fundy.

La côte du détroit de Northumberland est, quant à elle, surtout connue pour ses jolies plages de sable caressées par des eaux chaudes et agréables pour la baignade. Elle est connue pour avoir été le point d'arrivée, au cours des années 1770, des premiers colons écossais venus s'installer en Nouvelle-Écosse. Diverses manifestations culturelles témoignent toujours de l'influence écossaise dans la région.

Quelques villes de taille moyenne jalonnent l'isthme de Chignecto, notamment Amherst, qui constitue la porte d'entrée de la Nouvelle-Écosse.

Deux circuits vous sont proposés dans ce chapitre pour découvrir l'isthme de Chignecto:

La route panoramique Sunrise ★
La route panoramique Glooscap ★

Accès et déplacements

■ En voiture

La route panoramique Sunrise *(routes 104 et 6)* longe le détroit de Northumberland et relie l'île du Cap-Breton à la ville d'Amherst. La route panoramique Glooscap *(routes 2, 236 et 215)* permet pour sa part de se rendre d'Amherst à Windsor (**L'ancienne Acadie**, voir p 175) en contournant le Minas Basin.

■ En autocar (gare routière)

Irving Mainway
213 S. Albion St.
Amherst
☎902-667-8435

■ En train (gare ferroviaire)

Amherst Train Station
27 Station St.
Amherst
☎902-667-1059 ou 888-842-7245

■ En traversier

La compagnie **Northumberland Ferries** *(61$/ voiture aller-retour; mai à mi-déc;* ☎*877-635-7245, www.peiferry.com)* offre un service de traversier entre Caribou (près de Pictou) et Wood Islands (Île-du-Prince-Édouard). De Caribou, les piétons peuvent prendre un petit traversier jusqu'à Pictou Island *(5$; mai à nov, horaire variable;* ☎*902-485-6205, www.pictouislandferry.ca)*.

Renseignements utiles

■ Renseignements touristiques

Nova Scotia Visitor Information Centre
350 West River Rd., à l'intersection des routes 106 et 6
Pictou
☎902-485-6213
www.novascotia.com

L'isthme de Chignecto - Renseignements utiles

Central Nova Tourist Association
575 Prince St.
Truro
☎ 902-893-8782 ou 800-895-1177
🖩 902-897-6641
www.centralnovascotia.com

Route panoramique Sunrise
www.sunrisetrail.ca

Route panoramique Glooscap
www.glooscaptrail.com

Antigonish Eastern Shore Tourist Association
www.novascotiaseacoast.com

Pictou Recreation, Tourism & Culture
40 Water St.
Pictou
☎ 902-485-6057 ou 877-574-2868
www.townofpictou.com

Tatamagouche Visitor Information Centre
Fraser Cultural Centre
362 Main St.
Tatamagouche
☎ 902-657-3285

Pugwash Visitor Information Centre
10222 Durham St.
Pugwash
☎ 902-243-2449

Amherst Visitor Information Centre
1325 Fort Lawrence Rd., à la frontière du Nouveau-Brunswick et de la Nouvelle-Écosse
Amherst
☎ 902-667-8429

Springhill Visitor Information Centre
Anne Murray Centre
36 Main St.
Springhill
☎ 902-597-8614

Joggins Visitor Information Centre
100 Main St.
Joggins
☎ 902-251-2727

Parrsboro Visitor Information Centre
Fundy Geological Museum
162 Two Island Rd.
Parrsboro
☎ 902-254-3266

Truro Visitor Information Center
Glooscap Heritage Centre
65 Treaty Trail
Truro
☎ 902.843.3493
www.town.truro.ns.ca

South Maitland Visitor Information Centre
Fundy Tidal Interpretive Centre
9865 route 236
South Maitland
☎ 902-261-2298

Attraits touristiques

La route panoramique Sunrise ★

▲ p 169   🍴 p 171   🛏 p 172   🛍 p 174

De l'île du Cap-Breton jusqu'au Nouveau-Brunswick, la côte longeant le détroit de Northumberland cache quelques villes et villages historiques, lieux d'arrivée des premiers colons écossais à la fin du XVIIIe siècle, ainsi que plusieurs belles plages de sable. C'est dans cette région de la province, le long de la route panoramique Sunrise, que s'étendent les plages aux eaux idéales pour la baignade: le détroit de Northumberland, grâce au Gulf Stream, possède les eaux les plus chaudes au nord de la Virginie (É.-U.).

Antigonish

Antigonish est une petite ville où se dressent de jolis bâtiments, entre autres ceux de la **St. Francis Xavier University** *(www.stfx. ca)*, fondée en 1853. Tout comme Pictou (voir plus loin), Antigonish a accueilli à partir des années 1770 plusieurs colons d'origine écossaise. C'est d'ailleurs ici que, depuis 1861, se tiennent chaque année, à la mi-juillet, les **Highland Games** (voir p 173).

Ancienne gare ferroviaire, l'**Antigonish Heritage Museum** *(entrée libre; lun-ven 10h à 12h et 13h à 17h, aussi sam en été; 20 E. Main St.,* ☎ *902-863-6160, www.parl.ns.ca/aberitage)* expose des objets retraçant l'histoire de la région, des photographies et des documents d'archives.

Comme elle est située au carrefour de plusieurs axes routiers importants, Antigonish compte quelques lieux d'hébergement ainsi que des restaurants et des boutiques.

▸▸▸ *Prenez la route 104 en direction ouest.*

New Glasgow

Ville multiculturelle avec un accent écossais marqué, New Glasgow est le centre économique de la région de Pictou. La ville est située sur les berges de la rivière East, où sont aménagés d'agréables sentiers de randonnée. Parmi les attraits touristiques de New Glasgow figurent le **Carmichael-Stewart House Museum** *(dons appréciés; juin à sept lun-sam 9h30 à 16h30; 86 Temperance St.,* ☎*902-752-5583, www. parl.ns.ca/csmuseum)*. Ce musée loge dans une maison historique construite en 1880 par le sénateur James W. Carmichael. On y trouve des vêtements d'époque, de la verrerie, des artéfacts de la vie quotidienne, des photographies et une petite exposition sur le Mouvement scout de la région.

Melmerby Beach

Près de New Glasgow, la route 289 mène au **Melmerby Beach Provincial Park** *(www. novascotiaparks.ca)*, qui offre des aires de pique-nique, une cantine, une passerelle de bois, ainsi qu'une très belle plage surveillée qui s'étend sur 2 km.

▸▸▸ *Revenez à New Glasgow et quittez la ville par la route 104 Ouest. Roulez jusqu'à la sortie 22, où vous prendrez la route 6 en direction nord pour vous rendre à Pictou.*

Pictou ★

Pictou a une importance symbolique dans l'histoire de la Nouvelle-Écosse. En effet, c'est ici, en 1773, qu'a jeté l'ancre le *Hector*, un navire ayant à son bord les premiers colons d'origine écossaise qui s'installeront en Nouvelle-Écosse. Séduits par un climat et une géographie qui leur rappelaient leur pays d'origine, de nombreux Écossais suivront par la suite, colonisant d'autres régions de la côte et l'île du Cap-Breton. Le centre de Pictou a gardé de ces premières années de colonisation écos-

saise plusieurs jolis bâtiments bordant ses rues animées.

Le **Hector Heritage Quay** ★★ *(7$; juin à mi-oct lun-sam 9h à 17h, dim 10h à 17h30; juil et août mar-jeu jusqu'à 19h; 33 Caladh Ave.,* ☎*902-485-4371)* est un centre d'interprétation consacré à l'histoire de la goélette *Hector*, qui amena à Pictou, en 1773, les premiers colons d'origine écossaise. L'exposition présentée est très exhaustive. À l'arrière du bâtiment, on peut observer une réplique exacte du *Hector*. Boutique de souvenirs sur place.

Le **McCulloch House Museum** ★ *(3$; mi-mai à mi-oct mer-sam 9h30 à 17h30, dim 13h30 à 17h30; 100 Old Haliburton Rd.,* ☎*902-485-4563)* loge dans une maison modeste construite en 1806 pour le révérend Thomas McCulloch, un des personnages les plus influents de la région de Pictou à ses débuts. Il abrite des meubles d'origine.

Aménagé dans l'ancienne gare ferroviaire, le **Northumberland Fisheries Museum** ★ *(5$; mi-mai à mi-oct tlj 9h à 18h; 71 Front St.,* ☎*902-485-4972)* possède une collection d'objets reliés à l'histoire de la pêche dans la région et comprend un authentique baraquement de pêcheurs. Au même endroit, un bâtiment abrite des bassins d'incubation de homard *(2$)* qui permettent d'observer le développement de ce crustacé depuis son état larvaire jusqu'à sa maturité. On y a aussi récemment érigé un phare *(2$)* qui fait office de centre de recherche et présente une exposition de photographies relatant l'histoire de la pêche de la Nouvelle-Écosse, en plus de renfermer une boutique de souvenirs.

De Caribou, en bordure de Pictou, un service de traversier permet de se rendre à Wood Islands, à l'Île-du-Prince-Édouard (voir p 161).

Toujours depuis Caribou, il est possible de prendre un traversier (voir p 161) pour **Pictou Island**. Cette petite île paisible et très peu habitée compte entre autres trois plages sécuritaires pour la baignade, une colonie de phoques gris, quelques phares et un ancien cimetière. Comme il n'y a ni restaurants, ni boutiques, ni eau courante potable dans l'île, les visiteurs doivent planifier leur excursion en conséquence.

À proximité de Pictou, le **Caribou/Munroes Island Provincial Park** *(entrée libre; mi-juin à mi-oct; ☎ 902-485-6134 ou 902-662-3030, www.novascotiaparks.ca)* offre une belle plage, non surveillée, idéale pour la baignade. Le parc abrite un terrain de camping et un sentier de 2 km longeant les dunes jusqu'à l'île Munroes.

''' *À la sortie de Pictou, empruntez la route 6 en direction ouest, que vous suivrez jusqu'à Pugwash.*

River John

La visite agrotouristique de la **Lismore Sheep Farm** *(1$; mi-mai à fin déc tlj 9h à 17h, jan à mi-mai jeu-sam 10h à 16h; 1389 Louisville Rd., ☎ 902-351-2889, www.lismoresheepfarmwoolshop.com)* permet de mieux connaître les étapes de la production de la laine et de l'élevage de moutons. Il est possible d'observer de près les agneaux et les moutons, et des panneaux d'interprétation bonifient la visite des lieux. De nombreux produits artisanaux et des vêtements, faits de laine produite sur place, y sont vendus.

Rushtons Beach Provincial Park

Sur la route 6, à environ 10 km à l'est de Tatamagouche, le **Rushtons Beach Provincial Park** *(www.novascotiaparks.ca)* comporte une plage sablonneuse, des aires de pique-nique couvertes et une passerelle de bois bordant un marais qui attire de nombreuses espèces d'oiseaux.

Tatamagouche

Les expositions du **Sunrise Trail Museum** ★ *(3$; juin à sept tlj 9h à 17h; 216 Main St., ☎ 902-657-3007)* permettent aux visiteurs de découvrir le mode de vie des Micmacs, des Acadiens de Tatamagouche et des premiers colons, ainsi que l'agriculture et la construction navale au XIXe siècle.

Le **Fraser Cultural Centre** *(mai à oct; 62 Main St., ☎ 902-657-3285)* loge dans un bâtiment construit en 1889 et ayant successivement abrité la Croix-Rouge canadienne après la Seconde Guerre mondiale puis un hôpital. Il fait aujourd'hui office de centre culturel et renferme une galerie d'art qui présente les œuvres de jeunes artistes locaux. Il

abrite également un centre de renseignements touristiques.

Balmoral Mills

Moulin en fonction depuis 1874 et restauré en 2007, le **Balmoral Grist Mill** *(3,25$; juin à mi-oct lun-sam 9h30 à 17h30, dim 13h à 17h30; 660 Matheson Brook Rd., ☎ 902-657-3076)* est aujourd'hui un musée proposant aux visiteurs d'observer la fabrication artisanale de la farine, notamment de la fameuse «avoine écossaise» moulue à la pierre.

Malagash

À Malagash, on se doit de visiter l'un des vignobles de la Nouvelle-Écosse, **Jost Vineyards** *(entrée libre; mi-juin à mi-sept tlj 9h à 18h, mi-sept à mi-juin tlj 9h à 17h; 48 Vintage Lane, ☎ 902-257-2636 ou 800-565-4567, www.jostwine.com)*, pour en essayer les produits. La famille Jost, originaire de la vallée du Rhin, en Allemagne, est arrivée au Canada en 1970.

Pugwash

Pugwash est un populaire lieu de vacances. Il est notamment connu pour le **Gulf Shore Provincial Park** *(www.novascotiaparks.ca)*, situé à environ 5 km au nord, dont la longue plage est propice à la baignade et dont l'aire de pique-nique offre une superbe vue sur le détroit de Northumberland.

Port Howe

Accessible par la route 366, à quelques kilomètres de Port Howe, le **Heather Beach Provincial Park** *(novascotiaparks.ca)* possède une plage surveillée, excellente pour la baignade, et d'ailleurs très fréquentée les fins de semaine.

Amherst Shore

En continuant sur la route 366, on rejoint l'**Amherst Shore Provincial Park** *(☎ 902-662-3030, www.novascotiaparks.ca)*, situé à 26 km au nord-ouest de Pugwash. On y trouve une belle plage, à explorer lorsque la marée se retire, et propice à la baignade, ainsi qu'un sentier de randonnée de 2,5 km, des aires de pique-nique et un terrain de camping.

🌿 Activités de plein air

■ Golf

Fiddlers' Green Golf Course
750 Williams Point Rd.
Antigonish
☎902-863-3833
Face à un petit bras de mer près de la ville d'Antigonish, le Fiddlers' Green Golf Course possède un parcours à neuf trous entretenu de façon écologique, sans herbicides.

Nothumberland Links
1776 Gulf Shore Rd.
Pugwash
☎902-243-2808
www.northumberlandlinks.com
Ce parcours exceptionnel à 18 trous est situé directement sur la côte du détroit de Northumberland.

■ Kayak

Coastal Spirit Expeditions
Pictou Lodge Resort
172 Braeshore Rd.
Pictou
☎902-351-2283
www.coastalspiritexp.com
L'entreprise Costal Spirit Expeditions propose des excursions en kayak d'une journée ou d'une demi-journée, au départ du **Pictou Lodge Resort** (voir p 170), durant lesquelles les kayakistes ont la chance d'observer de près des phoques gris.

- - - - - - - - - - - - - - - - - - - -

La route panoramique Glooscap ★

La route panoramique Glooscap doit son nom au personnage mythique de *Kluskap*, l'«homme originel» issu des légendes micmaques, qui aurait merveilleusement façonné la région. Cette route relie Amherst et Windsor en contournant le Minas Basin. Elle est ponctuée de plusieurs caps qui s'avancent dans la baie de Fundy, révélant des scènes pittoresques splendides. Ici les magnifiques paysages marins sont modelés par le flot incessant des marées de la baie de Fundy, les plus grandes marées au monde. Elles atteignent jusqu'à 16 m dans le Minas Basin,

où l'on observe l'étonnant phénomène du mascaret: lorsque la marée se retire, les trésors des fonds marins se dévoilent aux visiteurs qui explorent les plages. En plus de ces richesses naturelles, la route panoramique Glooscap traverse plusieurs villes agréables et une multitude de charmants villages.

Amherst

Porte d'entrée de la Nouvelle-Écosse, Amherst renferme quelques établissements hôteliers ainsi qu'un important centre d'information touristique provincial. Son site, sur l'isthme de Chignecto, a d'abord intéressé les Acadiens, qui s'y sont installés en 1672, fondant un établissement dénommé «Beaubassin». Possession britannique depuis 1713, Beaubassin fut abandonné en 1750 par les Acadiens sur ordre de l'Armée française, qui, l'année suivante, érigea le fort Beauséjour (N.-B.), quelques kilomètres plus au nord sur des terres appartenant à la France.

Les Britanniques répliquèrent en construisant le fort Lawrence sur le site de ce qui avait été Beaubassin. Le fort Lawrence fut abandonné en 1755 à la suite de la prise du fort Beauséjour par les Britanniques, ce qui devait marquer le début de la déportation des Acadiens.

C'est en 1764, une année après la signature du traité de Paris, par lequel la France concédait l'ensemble de ses possessions en Amérique du Nord à la Grande-Bretagne, que des colons des îles Britanniques commencèrent à affluer dans la région, fondant Amherst.

La communauté a connu une croissance importante à partir des années 1880, lorsqu'elle fut intégrée au réseau des chemins de fer canadiens. C'est aujourd'hui une ville paisible d'environ 9 500 habitants dont le centre arbore quelques somptueux édifices publics en pierre. Dans un bâtiment historique (1838), on peut visiter le **Cumberland County Museum and Archives** *(3$; lun-ven 9h à 17h, sam 12h à 17h; 150 Church St.,* ☎*902-667-2561, www. creda.net/~ccmuseum/),* qui présente divers objets relatifs à l'histoire de la région. Une galerie d'art et de beaux jardins complètent les installations.

À l'extérieur du centre-ville se trouvent les **Amherst Point Bird Sanctuary Trails**. Bordé de plateformes d'observation, ce réseau de sentiers d'interprétation de 2,5 km sillonne une forêt ancienne et un marais. L'endroit est reconnu pour l'importance de sa faune ailée, et quelques 125 espèces y séjournent annuellement. Une agréable aire de pique-nique est aménagée en bordure du lac Layton's.

''' *Depuis Amherst, deux routes mènent à Parrsboro. Le premier itinéraire emprunte la route 2 et passe par la ville de Springhill.*

Springhill

Springhill a été fondée en 1790 par des colons loyalistes venus y vivre de l'agriculture. Mais l'endroit ne s'est finalement développé qu'à partir de 1871, alors que fut mise en exploitation la mine de charbon de la Springhill Mining Company.

Pendant près d'un siècle par la suite, Springhill a été l'un des grands lieux d'extraction de minerai de charbon en Nouvelle-Écosse. Ce travail pénible et dangereux ne s'est pas fait sans accidents et pertes de vie. En 1891, 125 hommes et garçons sont morts lors d'un accident dans une galerie, puis deux catastrophes survenues en 1956 et en 1958 entraînèrent respectivement la mort de 39 et 75 hommes.

À partir de ce moment, quelques mines sont restées en activité, mais l'extraction de minerai de charbon à grande échelle cessa à Springhill. Comble de malchance, la ville a également vécu deux incendies très dévastateurs dans son histoire, en 1957 et en 1975.

Pour tout savoir sur la chanteuse populaire Anne Murray, originaire de Springhill, rendez-vous à l'**Anne Murray Centre** *(6$; mi-mai à mi-oct tlj 9h à 16h30; 36 Main St., ☎902-597-8614, www.annemurraycentre. com)*. Les fans d'Anne Murray y apprécient l'exhaustivité de la collection d'objets ayant appartenu à la chanteuse ou rappelant les moments forts de sa carrière et de sa vie, la présentation faisant souvent appel à l'audiovisuel. Très peu de détails ont été négligés, l'exposition débutant par un arbre généalogique qui retrace les origines familiales des Murray, il y a plus de deux siècles.

Le **Springhill Miners' Museum** ★ ★ *(droit d'entrée; mi-mai à mi-oct tlj 9h à 17h; 145 Black River Rd., par la route 2, ☎902-597-3449)* offre une excellente occasion de découvrir ce que furent le travail et la vie des mineurs de Springhill. La visite commence par un arrêt au musée, où l'on explique l'évolution des techniques d'extraction du charbon et l'histoire souvent dramatique de l'industrie minière de Springhill. Les visiteurs sont par la suite invités à descendre dans une ancienne galerie.

''' *Toujours depuis Amherst, la route 242 longe la baie de Chignecto et le Minas Basin, puis mène à Truro en passant par Parrsboro.*

Joggins

En prenant la route 242 depuis Amherst, on pourra s'arrêter au **Joggins Fossil Centre** *(8$; mi-mai à mi-nov tlj 9h30 à 17h30; 100 Main St., ☎902-251-2727, www.jogginsfossilcliffs. net)*, qui présente l'une des plus grandes collections de fossiles au monde et abrite un café et une boutique de souvenirs. On peut aussi faire une visite guidée des **Joggins Fossil Cliffs** ★, un impressionnant site riche en fossiles, classé patrimoine mondial par l'UNESCO.

Advocate Harbour

Le **Cape Chignecto Provincial Park** *(5$; mai à nov; route 209, ☎902-424-5937, www. capechignecto.net)* saura plaire à ceux qui désirent faire de belles balades, car il compte huit sentiers de randonnée de 1 km à 51 km qui mènent à des points de vue splendides sur la région, ainsi que des plages et des falaises spectaculaires. Ce parc renferme aussi des emplacements de camping.

Également tout près d'Advocate Harbour se dresse le **Cape d'Or Lighthouse** *(à 6 km d'Advocate Harbour par une route de gravier, suivre les indications)*, un phare qui surplombe la baie de Fundy à l'endroit où elle rejoint le canal Minas. L'ancienne résidence du gardien du phare abrite désormais un restaurant (voir p 172) et une auberge (voir p 171).

Port Greville

À Port Greville, l'**Age of Sail Heritage Museum** *(3$; juil et août tlj 10h à 16h, juin, sept et oct jeu-lun 10h à 16h; 8334 route 209, ☎902-348-2030 ou 902-348-2060, www.ageofsailmuseum. ca)* invite les familles à découvrir l'héritage de l'industrie forestière et de la construction navale du Minas Basin, à travers l'histoire de la communauté et de nombreux artéfacts. Une ancienne église méthodiste datant de 1857 abrite la principale salle d'exposition. On peut également y faire la visite éducative d'un phare et d'une forge. Une boutique de souvenirs et un café au menu léger se trouvent sur place.

Parrsboro

Située en bordure du Minas Basin et à l'extrémité est de la baie de Fundy, la petite communauté de Parrsboro possède quelques jolis bâtiments datant du XIXᵉ siècle. Les paysages marins de la région, souvent dramatiques, sont façonnés par les marées et cachent des trésors pour les géologues.

C'est donc naturellement ici qu'a été construit le **Fundy Geological Museum ★** *(6,25$; mi-mai à oct tlj 9h30 à 17h30, nov à mi-mai horaire variable; 162 Two Island Rd., ☎902-254-3814, http://museum.gov. ns.ca/fgm)*, un musée provincial consacré à l'histoire géologique de la Nouvelle-Écosse et d'ailleurs. Les expositions présentent divers types de fossiles, de roches et de pierres sont intéressantes et bien animées, démontrant un souci de la vulgarisation. Le musée propose également une section sur les dinosaures, les reptiles et les insectes qui peuplaient la région il y a des millions d'années. Cette section abrite des ossements de dinosaures parmi les plus anciens du Canada.

À proximité de Parrsboro, on peut également visiter l'**Ottawa House By the Sea Museum** *(2$; fin mai à mi-sept tlj 10h à 18h; 1155 Whitehall Rd., ☎902-254-2376, www.ottawahouse. org)*. Cet établissement construit à la fin du XVIIIᵉ siècle a d'abord été une auberge avant de devenir la résidence d'été de Sir Charles Tupper, ancien premier ministre du Canada, qui fut également l'un des pères de la Confédération canadienne. L'exposition comprend des objets datant du début de la colonisation de la région.

Certaines pièces de la maison sont ornées de meubles d'époque.

Five Islands

Les falaises du **Five Islands Provincial Park** *(www.novascotiaparks.ca)*, qui atteignent 90 m, plongent dramatiquement dans le Minas Basin et présentent un majestueux paysage. Le parc abrite des emplacements de camping, une plage sans surveillance, des aires de jeux et de pique-nique, ainsi que plusieurs sentiers pédestres qui offrent des points de vue spectaculaires.

Upper Economy

En passant par le village d'Upper Economy, un arrêt s'impose à la **That Dutchman's Farm** *(3,50$; tlj 9h à 18h; 112 Brown Rd., ☎902-647-2751, www.thatdutchmansfarm. com)*, une ferme qui produit et vend du fromage gouda fabriqué à partir du lait provenant d'un élevage voisin. De jolis sentiers de randonnée sillonnent les lieux et conduisent les visiteurs à la découverte des différents pensionnaires de la ferme: émeus, cochons vietnamiens et chèvres miniatures. On y trouve également un café servant des repas légers d'inspiration hollandaise et une boutique d'artisanat local et hollandaise.

Truro

Desservie à partir de 1858 par un chemin de fer, et désormais au cœur du réseau routier de la province, Truro est le principal centre industriel et commercial de la région. Comptant une population d'environ 12 000 habitants, la ville est pourvue de quelques bâtiments historiques et de plusieurs boutiques, restaurants et lieux d'hébergement. Son centre-ville est construit sur les deux berges de la Salmon River, qui se jette plus loin dans le Minas Basin. On peut assister sur cette rivière à un phénomène naturel plutôt étrange: le **mascaret ★**, une vague qui remonte la rivière en sens inverse. Ce sont les puissantes marées de la baie de Fundy qui provoquent, deux fois par jour, ce mascaret.

Au cœur de la ville, on peut se détendre ou faire de la randonnée dans le **Victoria Park ★** *(entrée par Brunswick St.)*, un site naturel de 400 ha traversé par un ruisseau qui, à certains endroits, descend en cascade. Le parc abrite entre autres une piscine publique *(3,50$; fin juin à fin août tlj 13h à 16h30 et 18h à 19h30, sam-dim jusqu'à 20h)* dotée de jets d'eau et de toboggans.

Les visiteurs intéressés à mieux connaître l'histoire régionale se rendent à l'intéressant **Colchester Historical Society Museum** *(2$; mi-juin à fin août lun-ven 10h à 17h, sam 14h à 17h; début sept à mi-juin mar-ven 10h à 16h, sam 13h à 16h; 29 Young St., ☎902-895-6284).* En plus de ses expositions consacrées principalement à l'histoire et à la généalogie, le musée accueille des expositions temporaires d'envergure.

À quelques rues du musée, au 867 Prince Street, se cache une installation artistique plutôt inusitée. **Six sections du Mur de Berlin** ayant été offertes à la ville de Truro y sont exposées afin de rappeler l'importance de la paix mondiale.

En retrait du centre de la ville, près de la route 102, le **Glooscap Heritage Centre** *(6$; mi-mai à mi-oct lun-ven 8h30 à 19h30, sam-dim 10h à 18h; mi-oct à mi-mai lun-ven 8h30 à 16h30; 65 Treaty Trail, ☎902-843-3496, www.glooscapheritagecentre.com)* est facile à repérer grâce à son immense statue représentant le personnage mythique de *Kluskap*, l'«homme originel» issu des légendes micmaques. Engendré par la rencontre de la foudre et du sable, il aurait merveilleusement façonné la région. Le centre, dédié à la diffusion des légendes, us et coutumes micmaques, présente des expositions et un spectacle multimédia. On y trouve également le centre de renseignements touristiques de Truro ainsi qu'une boutique de souvenirs et d'artisanat amérindien.

Un autre attrait digne de mention à Truro est le **Little White Schoolhouse Museum** *(dons appréciés; juin à fin août lun-ven 10h à 17h; 20 Arthur St., ☎902-895-5170, http://lwsm. ednet.ns.ca),* aménagé dans une ancienne école bâtie à Riverton en 1868 et déplacée à Truro en 1976. Le musée expose des artéfacts reliés à l'enseignement et reconstitue une salle de classe typique du XIXe siècle.

▸▸▸ *De Truro, continuez par la route 2 jusqu'à la route 215 en direction de Maitland. Si vous ne désirez pas faire l'excursion vers Maitland, pour vous rendre rapidement à Windsor et entreprendre l'exploration de* **L'ancienne Acadie** *(voir p 175), prenez les routes 102 puis 101. Depuis la route 102, il est aussi possible de se rendre à Windsor par la route 14.*

South Maitland

Le **Fundy Tidal Interpretive Centre** *(mi-mai à fin août lun-ven 9h à 17h, sept à mi-oct mer-dim 9h à 17h; 9865 route 236, ☎902-261-2298, www.southmaitlandns.com)* permet d'en apprendre davantage sur le phénomène des marées et du mascaret. On y présente aussi une exposition relatant l'importance de la construction navale dans la région. La terrasse, qui est un point d'observation privilégié du mascaret, offre une vue impressionnante de la rivière, des falaises d'argile rouge et du Gosse Bridge. Le centre d'interprétation abrite une boutique d'artisanat et un bureau de renseignements touristiques.

Maitland

Désormais un minuscule hameau abritant quelques belles résidences anciennes, Maitland a été au cours du XIXe siècle un important centre de construction navale. C'est ici qu'un prospère entrepreneur local, William D. Lawrence, fit construire ce qui s'avéra le plus grand navire en bois de l'histoire du Canada.

Le *William D. Lawrence*, un magnifique navire dont les trois mâts faisaient 80 m de haut, faillit ruiner son concepteur. Mais le bateau, achevé en 1874, connut finalement une très belle carrière, naviguant sur toutes les mers du monde. On peut aujourd'hui visiter à Maitland le **Lawrence House Museum** ★ *(3,25$; juin à mi-oct lun-sam 9h30 à 17h30, dim 13h à 17h30; 8660 route 215, ☎902-261-2628, http://museum. gov.ns.ca/lh),* aménagé dans la résidence principale de William D. Lawrence, construite en 1870 sur un vallon dominant la baie. Les pièces de cette belle maison sont garnies de meubles dont la

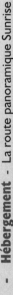

plupart lui ont appartenu. Dans une de ces pièces, une maquette de 2 m reproduit le *William D. Lawrence*.

🗡 Activités de plein air

■ Descente de rivière

Shubenacadie River Runners
8681 route 215
Maitland
☎902-261-2770 ou 800-856-5061
www.tidalborerafting.com
Les aventuriers désirant vivre l'expérience du mascaret directement sur la rivière Shubenacadie pourront se joindre aux expéditions éducatives d'une demi-journée organisées par l'entreprise Shubenacadie River Runners et prendre d'assaut la rivière à bord d'un canot pneumatique.

■ Golf

Amherst Golf Club
John Black Rd.
Amherst
☎902-667-1911
www.amherstgolfclub.com
L'Amherst Golf Club possède un parcours à 18 trous aménagé dans un joli paysage rural.

■ Kayak

NovaShores Adventures
20 School Lane
Advocate Harbour
☎902-392-2761 ou 866-638-4118
www.novashores.com
L'entreprise NovaShores Adventures propose entre autres des excursions en kayak d'une demi-journée dans la baie de Fundy. Les kayakistes pagaient le long de la rive et parmi les spectaculaires formations rocheuses du **Cape Chignecto Provincial Park** (voir p 166).

▲ Hébergement

La route panoramique Sunrise

Antigonish

Maritime Inn Antigonish
$$$ ♨ ≡ @
158 Main St.
☎902-863-4001 ou 888-662-7484
🖨 902-863-2672
www.maritimeinns.com
Le Maritime Inn Antigonish a l'avantage d'offrir de vastes chambres et d'être bien situé, en plein cœur de la ville.

Antigonish Victorian Inn
$$$-$$$$ ☏@ ≡ ☕
149 Main St.
☎902-863-1103 ou 800-706-5558
www.antigonishvictorianinn.ca
Établi dans une maison centenaire, l'Antigonish

Victorian Inn est un gîte touristique offrant des chambres colorées et des appartements tout équipés.

Pictou

Auberge Walker Inn
$$-$$$ ☏◎☕@
34 Coleraine St.
☎902-485-1433 ou 800-370-5553
www.walkerinn.com
L'Auberge Walker Inn niche dans un joli bâtiment de briques construit en plein cœur de Pictou en 1876. L'endroit a beaucoup de charme, et les chambres sont sobrement décorées.

Consulate Inn
$$-$$$ ☏◎≡❄▲@
157 Water St.
☎902-485-4554 ou 800-424-8283
www.consulateinn.com
Construite en 1810, cette belle résidence de pierres s'élève au cœur de Pictou face à la baie. Au cours

du XIXe siècle, elle abrita pendant quelque temps les locaux de la Banque de l'Amérique du Nord britannique, puis ceux du Consulat américain à Pictou, ce qui a inspiré ce nom aux aubergistes. En d'autres temps, elle servit de résidence à d'éminents citoyens de Pictou. Les chambres de l'auberge sont confortables, et certaines d'entre elles possèdent une baignoire à remous et jouxtent un balcon offrant une belle vue sur la baie. Derrière la résidence, on a aménagé un joli pavillon, idéal pour lire ou simplement se relaxer lors des jours de beau temps. On peut se faire servir en français au Consulate Inn. D'autres chambres sont disponibles dans deux bâtiments plus récents annexés au Consulate Inn.

Evening Sail
Bed and Breakfast
$$$ ☎☀△≡@

279 Denoon St.
☎902-485-5069 ou 866-214-2669
www.eveningsail.ca

Réparties dans deux charmants bâtiments, les chambres et les suites douillettes de l'Evening Sail sont dotées de balcons et représentent un excellent choix d'hébergement. Le bâtiment principal abrite la salle à manger où sont servis de divins petits déjeuners.

Pictou Lodge Resort
$$$-$$$$$
☀♨≡☀≡△◎@☞&

172 Braeshore Rd.
☎902-485-4322
www.pictoulodge.com
www.maritimesinns.com

Légèrement en retrait de la ville de Pictou, le long d'un petit bout de plage baignée par les eaux chaudes du détroit de Northumberland, se trouve le Pictou Lodge Resort, un ensemble de chalets et d'unités de type motel construits sur une grande propriété gazonnée. Idéals pour les familles, les rustiques chalets de bois rond disposent d'une chambre à coucher, d'une salle de bain moderne, d'un petit salon, d'une cuisinette ainsi que d'une galerie. Le restaurant du Pictou Lodge Resort sert une cuisine raffinée (voir p 172); dans ce superbe bâtiment de bois, à la fois élégant et chaleureux, trône un foyer de pierres. Des chalets modernes, plus luxueux et dotés de trois chambres à coucher, se sont récemment ajoutés au centre de villégiature. Des canots, des pédalos et des bicyclettes sont entre autres mis à la disposition des clients.

Tatamagouche

Train Station Inn
$$$-$$$$ ☎≡△☞♨@

21 Station Rd.
☎902-657-3222 ou 888-724-5233
www.trainstation.ca

Le Train Station Inn est une jolie auberge aménagée dans une ancienne gare de chemin de fer plus que centenaire et dans sept wagons transformés en unités d'hébergement des plus confortables. Ses chambres, pourvues d'une salle de bain privée, sont garnies de meubles d'époque. La clientèle a accès à une terrasse située à l'étage, un wagon-restaurant (voir «Train Station Dining Car» p 172), un café, un musée et une boutique de souvenirs.

Pugwash

Shillelagh Sheila's Country Inn
$$ ☎@

10340 Durham St.
☎902-243-2885
www.shillelaghsheilasinn.com

Cette auberge campagnarde à thématique irlandaise offre une ambiance sympathique et des chambres simples mais d'un bon rapport qualité/prix.

La route panoramique Glooscap

Amherst

Seven Gables B&B
$$ ☎◎

4448 Coastal Route 366
Tidnish Crossroads
☎902-661-2377
www.sevengablesbandb.com

Installé dans une belle maison de campagne au cachet victorien et entouré d'un grand terrain offrant une vue sur la baie Verte, ce gîte touristique propose quatre chambres empreintes de douceur et de romantisme.

Comfort Inn
$$$ ☎☞≡@❀&

143 S. Albion St.
☎902-667-0404
🖨902-667-2522
www.choicehotels.com

À proximité du centre-ville, on peut loger au Comfort Inn, qui dispose de chambres abordables offrant un bon confort. Service courtois.

Super 8 Motel Amherst
$$$ ☎@☞≡◎☞

40 Lord Amherst Dr.
☎902-660-8888877-503-7666
www.super8amherst.com

Légèrement à l'écart du centre-ville et de construction récente, le Super 8 Motel Amherst est idéal pour les familles. Il offre des chambres simples et agréables ainsi que de nombreux services et installations, telle une piscine intérieure chauffée, dotée d'un toboggan.

Parrsboro

Gillespie House Inn
$$$ ☎△

358 Main St.
☎902-254-3196 ou 877-901-3196
www.gillespiehouseinn.com

Le Gillespie House Inn est l'endroit recommandé pour qui recherche la détente dans un cadre bucolique. Autour de la maison historique (1890) s'étend une pelouse parsemée d'arbres matures et de chaises invitantes. Les chambres présentent un décor apaisant et sont garnies de meubles et de planchers de bois.

Advocate Harbour

The Lighthouse on Cape d'Or
$$-$$$ ᵇ⁄ₚ
à 6 km d'Advocate Harbour par une route de gravier (suivre les indications)
☎902-670-0534
www.capedor.ca

Installée dans la demeure du gardien du **Cape d'Or Lighthouse** (voir p 166), cette auberge toute simple de quatre chambres occupe un site majestueux et isolé offrant une vue imprenable sur la baie de Fundy. Elle abrite également un restaurant (voir p 172).

Truro

Royalty Bed & Breakfast
$$$ ✿ @
628 Prince St.
☎902-893-3112
www.royaltybandb.ca

Bien situé au cœur de la ville, le Royalty Bed & Breakfast est aménagé dans une majestueuse demeure datant de 1860. Il propose deux chambres élégantes et confortables. Les clients ont accès à une cuisine, à un salon ainsi qu'à une terrasse, et ils disposent d'une entrée privée.

Willow Bend Motel
$$$ ✿≈◉➳≡@
277 Willow St.
☎902-895-5325 ou 888-594-5569
www.willowbendmotel.com

Le Willow Bend Motel dispose de chambres offrant un bon confort, certaines étant munies d'une cuisinette tout équipée. Ce motel se démarque par ses installations particulièrement appréciées des familles, comme sa piscine extérieure chauffée près de laquelle se trouvent une terrasse et des barbecues.

Best Western Glengarry
$$$ ≡≈♨@⌂
150 Willow St.
☎902-893-4311 ou 800-567-4276
www.bwglengarry.com

Le Best Western Glengarry propose des chambres propres au décor moderne ainsi que plusieurs installations et services dont deux piscines (intérieure et extérieure), un bain à remous, un restaurant et un piano-bar.

Maitland

Foley House Inn Bed & Breakfast
$$-$$$ ✿@
9639 Cedar St.
☎902-261-2844 ou 888-989-0882
www.foleyhouseinn.com

Aménagé dans une accueillante maison centenaire, ce gîte touristique compte trois chambres douillettes et une suite offrant un très bon rapport qualité/prix. Trois des unités sont dotées d'un balcon.

🍴Restaurants

- - - - - - - - - - - - - - - - - -

La route panoramique Sunrise

Antigonish

Sunshine on Main Cafe & Bistro
$-$$
332 Main St.
☎902-863-5851

Le menu de cet agréable resto affiche une variété de plats, entre autres des pâtes à l'italienne, d'excellentes pizzas, des fruits de mer, des viandes et plusieurs mets végétariens. On y sert également de bons desserts et divers types de cafés. Le Sunshine on the Main est ouvert tôt le matin pour les petits déjeuners.

The Alcove Bistro & Lounge
$$-$$$
76 College St.
☎902-863-2248

Dans une atmosphère chaleureuse et détendue, l'Alcove Bistro & Lounge prépare une cuisine fusion où les saveurs internationales se mêlent aux produits locaux. Des spectacles *(droit d'entrée)* y sont présentés les vendredis soir.

Pictou

Carvers Studio & Coffee House
$
41 Coleraine St.
☎902-382-3332
www.carvers.ca

En plus d'être l'atelier du sculpteur Keith Matheson, le Carvers constitue un lieu de rencontre et d'événements artistiques, doublé d'un sympathique café-pub proposant un menu léger et de bons desserts.

Stone House Cafe & Pizzeria
$$
11 Water St.
☎902-485-6885

Situé dans une jolie résidence de pierres du quartier historique de Pictou, le Stone House Cafe & Pizzeria est un restaurant familial fort sympathique qui sert une cuisine simple mais bien apprêtée et qui fait notamment le bonheur des amateurs de pizzas à l'américaine. Par beau temps, on peut s'installer sur la terrasse face au port de Pictou.

Pictou Lodge Resort
$$$-$$$$
172 Braeshore Rd.
☎902-485-4322
www.pictoulodge.com
Dans une salle à manger chaleureuse, toute de bois revêtue et parée d'un grand foyer, le restaurant du **Pictou Lodge Resort** (voir p 170) propose une carte où les fruits de mer et autres produits frais et locaux sont à l'honneur.

Tatamagouche

Train Station Dining Car
$$-$$$
Train Station Inn
21 Station Rd.
☎902-657-3222 ou 888-724-5233
C'est dans le cadre original d'un wagon-restaurant que le **Train Station Inn** (voir p 170) invite ses convives à partager un repas sans prétention.

La route panoramique Glooscap

Amherst

Duncan's Pub
$-$$
49 Victoria St.
☎902-660-3111
www.duncanspub.ca
Le Duncan's Pub propose un menu varié, composé notamment de sandwichs et de fruits de mer, le tout à bon prix. L'ambiance est chaleureuse, et des spectacles de musique y sont présentés (voir plus loin).

Advocate Harbour

The Lighthouse on Cape d'Or
$$-$$$
à 6 km d'Advocate Harbour par une route de gravier (suivre les indications)
☎902-670-0534
Installé dans la demeure du gardien du **Cape d'Or Lighthouse** (voir p 166), ce restaurant percé d'une quinzaine de grandes fenêtres offre une vue spectaculaire. Le menu du déjeuner affiche entre autres des chaudrées de fruits de mer et des beignets de poisson. Le soir, la carte change selon l'arrivage des produits frais et locaux, mais elle présente toujours des plats de fruits de mer, de viande et des mets végétariens. Notez que l'établissement n'accepte que l'argent comptant.

Parrsboro

Glooscap Restaurant and Lounge
$-$$
756 Upper Main St.
☎902-254-3488
La carte de ce restaurant familial, qui se transforme en *lounge* le soir venu, affiche entre autres des plats de fruits de mer frits, fort bien apprêtés, ainsi que des sandwichs et autres hamburgers.

Truro

Neenamo's
$$-$$$
515 Prince St.
☎902-843-3131
Le Neenamo's sert une cuisine généreuse et soigneusement présentée dans un cadre élégant. En plus des plats de fruits

de mer, le menu affiche entre autres un risotto aux champignons sauvages et du poulet farci au fromage feta, lardons et miel.

♪Sorties

■ Activités culturelles

New Glasgow

Glasgow Square Theatre
155 Glasgow St.
☎902-752-4800 ou 800-486-1377
www.glasgowsquare.com
Centre culturel de New Glasgow, le Glasgow Square Theatre présente des pièces de théâtre et des spectacles de musique, en plus d'accueillir, sur une scène extérieure, plusieurs événements estivaux.

Pictou

deCoste Entertainment Centre
85 Water St.
☎902-485-8848 ou 800-353-5338
www.decostecentre.ca
Le deCoste Entertainment Centre est le centre culturel de Pictou. Au cours de l'été s'y tient entre autres la série *The Summer Sounds of Nova Scotia*, qui présente des spectacles de musique, de chant et de danse traditionnelle écossaise.

Amherst

Tantramar Theatre
98 Victoria St. E.
☎902-667-7002
www.tantramartheatre.ca
Le Tantramar Theatre organise des activités sociales et culturelles, entre autres des dîners-théâtre et des soirées-comédie.

Parrsboro

Ship's Company Theatre

18 Lower Main St.
☎902-254-2003
www.shipscompany.com
Au cours de la saison esti-vale à Parrsboro, on peut assister à des pièces de théâtre du répertoire cana-dien, plus particulièrement d'auteurs dramatiques des Maritimes, présentées au Ship's Company Theatre. Le bâtiment abrite un vieux traversier restauré, d'où le nom du théâtre.

Truro

The Marigold Cultural Centre

605 Prince St.
☎902-897-4004
www.marigoldcentre.ca
Ce centre culturel abrite une salle de spectacle et une petite galerie d'art.

■ Bars et discothèques

Antigonish

The Alcove Bistro & Lounge

76 College St.
☎902-863-2248
L'Alcove Bistro & Lounge présente des spectacles les vendredis soir. On peut y entendre divers styles musicaux, notamment du jazz et de la musique cel-tique.

Pictou

Carvers Pub

41 Coleraine St.
☎902-382-3332
Le Carvers possède une terrasse offrant une belle vue sur le port de Pictou. On y sert entre autres des bières artisanales et des vins locaux. Des spectacles de musique y ont souvent lieu les samedis soir.

Amherst

Duncan's Pub

49 Victoria St.
☎902-660-3111
Les vendredi et samedi soirs, le Duncan's Pub est animé par des spectacles de musique de tous genres. L'établissement affiche un vaste choix de scotchs et de whiskeys ainsi que de la bière pression ou en bouteille.

Truro

Kegger's Alehouse

72 Inglis Place
☎902-895-5347
La Kegger's Alehouse offre un excellent choix de bières pression. L'endroit est chaleureux, et l'on y présente des spectacles de musique du mercredi au samedi en soirée. Le menu affiche une cuisine de pub réconfortante.

■ Fêtes et festivals

Juillet

Antigonish Highland Games

Antigonish
Les Highland Games se tiennent chaque année à la mi-juillet. Il s'agit d'un important festival par lequel on célèbre les tra-ditions écossaises dans la musique, la danse et les activités sportives.

Evolve Music and Awareness Festival

Antigonish
www.evolvefestival.com
Le festival Evolve éveille les âmes à la musique et à la conscience sociale et environnementale. Pendant trois jours à la fin du mois de juillet, les festivaliers sont invités à planter leurs tentes et à assister à des ateliers et à des spectacles

d'artistes de renommée internationale.

The New Glasgow Riverfront Jubilee

Glasgow Square Theatre
155 Glasgow St.
New Glasgow
www.jubilee.ns.ca
À la fin de juillet, la scène extérieure du Glasgow Square Theatre s'anime et reçoit plus d'une vingtaine de formations musicales locales et internationales lors du Riverfront Jubilee.

Pictou Lobster Carnival

Pictou
pictoulobstercarnival.ca
À la mi-juillet, Pictou accueille le festival du homard. Au cours de cet événement festif, des spectacles de musique, des défilés, des courses de bateaux de pêche et des activités pour les enfants sont organisés.

Gathering of the Clans

Eaton Park
Pugwash
Le 1er juillet, Pugwash célèbre le Gathering of the Clans. Au cours de la journée, on y propose de nombreuses activités telles qu'un défilé avec des musiciens jouant de la cornemuse et du tambour, des spectacles de danse, des épreuves de force, des concerts en plein air et des ateliers d'artisanat.

Août

Dutch Mason Blues festival

Truro
www.dutchmason.com
Ce festival de blues ras-semble les amateurs de musique et de motocy-clettes pour trois jours de spectacles extérieurs accueillant des artistes internationaux. Un marché aux puces s'y installe, et

L'isthme de Chignecto - Sorties

l'on y organise une grande compétition de cuisine sur barbecue. Il est possible de planter sa tente sur place.

Septembre

Oktoberfest

Tatamagouche
www.nsoktoberfest.ca
Tatamagouche est l'hôte du deuxième Oktoberfest en importance au Canada (le premier étant celui de Waterloo, en Ontario). Ces deux jours de festivités sont marqués par des dégustations de bières et de mets allemands, des soirées de danse et un spectacle de musique traditionnelle.

Achats

■ Art et artisanat

Lyncharm Pottery

9 Pottery Lane
Antigonish
☎902-863-6970
Cet atelier-boutique présente une superbe collection de poteries artisanales. On y trouve des pièces uniques pour tous les budgets.

Sara Bonnyman's Pottery

326 Maple Ave.
Tatamagouche
☎902-657-3215
www.sarabonnymanpottery.com
Il est plaisant de visiter cette boutique de poteries artisanales et de profiter de son jardin environnant. En plus de présenter ses belles poteries classiques, l'artiste ouvre les portes de son atelier, pour permettre aux visiteurs de l'observer façonner l'argile sur son tour (en été seulement, du lundi au vendredi le matin).

Hooked Rugs

7 Electric St.
Amherst
☎800-328-7756
www.hookingrugs.com
L'artiste Deanne Fitzpatrick se spécialise dans la création de tapis muraux colorés, de toutes formes, styles et grandeurs. Elle ouvre les portes de son atelier aux visiteurs, qui pourront se procurer ses œuvres ainsi que du matériel pour en réaliser.

The Destination Gallery

219 Main St.
Parrsboro
☎902-254-2658
www.thedestinationgallery.com
The Destination Gallery renferme une galerie d'art, une boutique d'antiquités et de meubles anciens, un café et une friperie.

■ Articles pour la cuisine

Grohmann Knives

116 Water St.
Pictou
☎902-485-4224
Grohmann Knives est une entreprise familiale qui a ouvert ses portes dans les années 1950. On y produit des couteaux de grande qualité, aujourd'hui exportés dans plusieurs pays du monde.

■ Marchés publics

Pictou Weekend Market

fin juin à fin sept sam-dim 10h à 17h
71 Settler's Point
Pictou
www.pictouweekendmarket.com
Plusieurs artisans se rassemblent pour présenter les fruits de leur travail dans ce marché sympathique et rustique. On y trouve aussi, dans une moindre proportion, des produits agricoles.

Tatamagouche Farmers' Market

sam 8h à 12h
39 Creamery Rd.
Tatamagouche
☎902-657-2849
www.tatamagouchefarmersmarket.com
L'ancienne crémerie de Tatamagouche est devenue un important marché public. De nombreux comptoirs y proposent des produits artisanaux et agricoles, des plats cuisinés et des aliments issus de l'agriculture biologique.

■ Vin

Winery Store & Vintage Loft

Jost Vineyards
248 Vintage Lane
Malagash
☎800-565-4567
www.jostwine.com
À Malagash, les **Jost Vineyards** (voir p 164) abritent une boutique vinicole qui offre en vente des vins exclusifs, ainsi qu'une boutique d'artisanat, le Vintage Loft, qui offre une vaste sélection de produits artisanaux allant des bijoux à la gastronomie.

L'ancienne Acadie

Windsor

Falmouth

Grand-Pré

Wolfville

Port Williams

Canning

La route de Cape Split

Aleysford

Granville Ferry

Port-Royal

Annapolis Royal

Bear River

Digby

Long Island et Brier Island

Saint-Bernard

Pointe-de-l'Église

Yarmouth

Cape Forchu

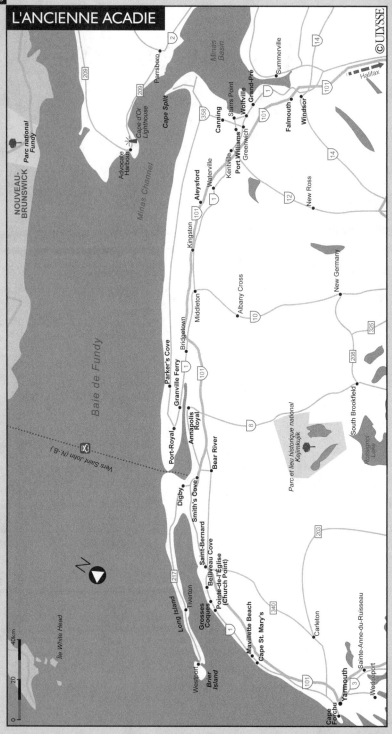

L'ANCIENNE ACADIE

© ULYSSE

En 1605, une année après l'arrivée des Acadiens en Amérique du Nord, Pierre Dugua, sieur de Mons, Samuel de Champlain et quelques dizaines d'hommes choisissent un site à l'embouchure de la rivière Annapolis pour fonder Port-Royal, premier établissement français permanent en Amérique. Port-Royal sera au cœur du développement de l'Acadie jusqu'en 1755, année de la déportation des Acadiens. Aujourd'hui, plusieurs sites patrimoniaux rappellent l'histoire de l'ancienne Acadie.

Cette région est un pur délice à visiter pour la splendeur de ses paysages, surtout aux abords de la baie de Fundy, de la vallée de la rivière Annapolis ou de la baie de Digby. **L'ancienne Acadie** ★★ compte aussi une multitude de jolis villages, dont certains sont parmi les plus agréables de la province.

Accès et déplacements

■ En voiture

La route 1 traverse la plupart des communautés de l'ancienne Acadie.

■ En autocar (gares routières)

Wolfville
Acadia University Sub
15 Horton Ave.
☎902-585-2110

Digby
Montague Needs Convenience
77 Montague Row
☎902-245-2048

■ En traversier

De Saint John (N.-B.) à Digby (N.-É.)

MV *Princess of Acadia*
2 départs par jour durant l'été, un départ par jour le reste de l'année
☎902-566-3838 ou 888-249-7245
🖷 902-566-1550
www.nfl-bay.com

De Bar Harbor et Portland (Maine) à Yarmouth (N.-É.)

The Cat
départs tlj alternativement depuis Bar Habor et Portland
☎877-359-3760
www.catferry.com

Renseignements utiles

■ Renseignements touristiques

Annapolis Visitor Information Centre
Tidal Power Generation Station
236 Prince Albert Rd.
Annapolis
☎902-532-5454
www.annapolisroyal.com

Digby Visitor Information Centre
237 Shore Rd.
Digby
☎902-245-5714
www.townofdigby.ns.ca

Yarmouth Visitor Information Centre
saisonnier
228 Main St.
Yarmouth
☎902-742-5033 ou 902-742-6639
www.yarmouthonline.ca

Attraits touristiques

Windsor ★

Au confluent des rivières Avon et Sainte-Croix, le lieu où s'élève aujourd'hui Windsor fut d'abord longtemps fréquenté par les Micmacs, qui le désignaient du nom de *Pisiquid*, lequel signifie «lieu de rencontre».

Les Acadiens s'y sont installés à partir de 1685, pratiquant l'agriculture grâce à un système de digues qui leur permettait de protéger leurs terres. La présence britannique ne s'est faite qu'en 1750, lorsque Charles Lawrence y fit érigé le fort Edward.

Cette région de l'Acadie était déjà possession britannique depuis 1713 à la suite du traité d'Utrecht. En construisant ce fort, Lawrence désirait toutefois affermir la domination britannique sur ce territoire et se protéger des Acadiens.

En 1755, alors que commençait la déportation des Acadiens, au fort Edward ont été rassemblés environ 1 000 Acadiens de la région avant qu'on ne les déporte.

Au cours du XIXᵉ siècle, Windsor a été un important centre de construction de navires et d'exportation de bois et de gypse. Malgré d'importants incendies en 1897 et en 1924, Windsor a su préserver de belles résidences.

Le **Lieu historique national du Fort-Edward** ★ *(entrée libre; toute l'année, visite guidée du blockhaus en juil et août; au centre de Windsor,* ☎ *902-532-2397 ou 902-532-2898, www. pc.gc.ca)* ne comprend qu'un blockhaus, la plus ancienne fortification du genre au Canada. C'est là le seul vestige du fort Edward, construit en 1750. Un centre d'interprétation offre des explications sur l'histoire du fort. Du site, la vue sur la rivière Avon est très belle.

Construite en 1835, la Haliburton House fut la résidence de Thomas Chandler Haliburton (1796-1865), juge, politicien, homme d'affaires, humoriste et auteur à succès. Abritant aujourd'hui le **Haliburton House Museum** ★ *(3,25$; début juin à mi-oct lun-sam 9h30 à 17h30, dim 13h à 17h30; 414 Clifton Ave.,* ☎ *902-798-2915, http://museum. gov.ns.ca)*, la maison de bois, d'apparence toute simple, est pourvue de magnifiques meubles victoriens d'époque. Elle est située sur un grand terrain de 10 ha joliment paysagé.

Haliburton s'est fait connaître au Canada et ailleurs en tant qu'auteur grâce à un personnage de roman qu'il a créé, soit Sam Slick, un marchand américain venu vendre des horloges en Nouvelle-Écosse. Haliburton, à travers son savoureux personnage, critiquait vivement, et avec humour, le manque d'esprit d'entreprise

des Néo-Écossais. Du nombre des expressions que Haliburton faisait dire à Sam Slick, plusieurs sont aujourd'hui devenues d'usage courant, en anglais comme en français, par exemple: *La vérité dépasse la fiction.* En août, le **Sam Slick Days Festival** (voir p 195) est dédié au célèbre personnage de Haliburton.

Bel exemple de l'architecture de l'époque victorienne, la **Shand House** *(3,25$; juin à mi-oct lun-sam 9h30 à 17h30, dim 13h à 17h30; 389 Avon St.,* ☎ *902-798-8213, http:// museum.gov.ns.ca)* a été construite en 1890-1891. Les meubles qu'on peut maintenant y voir appartenaient à la famille de Clifford Shand, premier propriétaire de la maison.

Windsor prétend être le lieu de naissance du hockey sur glace, sport national du Canada. Certes, bien d'autres villes au pays revendiquent ce statut. Quoi qu'il en soit, ce sport est pratiqué à Windsor depuis fort longtemps. Le **Windsor Hockey Heritage Centre** *(dons appréciés; mai à oct tlj 9h à 17h, nov à avr mar et jeu-ven 9h à 17h; 128 Gerish St.,* ☎ *902-798-1800)* dispose d'une belle collection de photos des premières équipes ainsi que de très anciennes pièces d'équipement.

Un autre attrait de la ville: les citrouilles géantes de la **Howard Dill Farm** *(entrée libre; 400 College Rd.,* ☎ *902-798-2728)*. Howard Dill, cet agriculteur qui détient le record Guinness de la plus grosse citrouille récoltée, permet aux visiteurs de parcourir ses impressionnants champs. Au même endroit, les amateurs pourront également visiter le **Cradle of Hockey Historic Site** *(Long Pond, Howard Dill Farm)*, où les étudiants du Windsor's King's College School jouent au hockey sur glace depuis les années 1800.

▸▸▸ *De Windsor, la route 1 se rend jusqu'à Grand-Pré, puis traverse les communautés de la vallée d'Annapolis.*

Falmouth

À Falmouth se trouve le vignoble **Sainte-Famille Wines** *(3,50$; visites guidées et dégustations mai à oct tlj 10h et 14h; 9 Dudley Park Lane,* ☎ *902-798-8311 ou 800-565-0993, www.st-famille.com)*, qui propose des visites

Le Grand Dérangement

Autour de 1670, un groupe d'Acadiens quitte la région de Port-Royal, premier établissement de l'Acadie fondé en 1605, pour s'installer sur les terres des abords du Minas Basin. Ces agriculteurs gagnent d'excellentes terres de pâturage sur le bassin, grâce à l'élaboration d'un système complexe de digues et d'aboiteaux, ce qui amène, dans les décennies suivantes, une croissance démographique constante.

La signature du traité d'Utrecht en 1713, alors que la France cède l'Acadie à la Grande-Bretagne, n'arrête pas le développement de la région de Grand-Pré. Cependant, les relations qu'entretiennent les colons acadiens avec les autorités britanniques restent ambiguës. Alors que la France et la Grande-Bretagne se préparent à livrer une lutte définitive pour le contrôle de l'Amérique du Nord, les Acadiens jouent la carte de la neutralité, refusant de porter allégeance à la Couronne britannique. D'abord, les Britanniques acceptent ce compromis. Mais à mesure que la tension monte entre les deux puissances coloniales, la neutralité des Acadiens devient de plus en plus irritante pour les autorités britanniques.

Les événements, comme l'attaque surprise de la garnison britannique de Grand-Pré par des troupes de Québec, où l'on soupçonne certains Acadiens d'avoir été de connivence, contribuent à ternir la bonne foi des Acadiens. En 1755, le gouverneur de la Nouvelle-Écosse, Charles Lawrence, ordonne que soient expulsés tous les Acadiens. La région du Minas Basin, avec quelque 5 000 habitants, est alors la plus populeuse, et Grand-Pré en est la plus importante communauté. Cette année-là, les troupes britanniques rassemblent en hâte les Acadiens, confisquent leurs terres et leurs bétails, et brûlent leurs maisons et leurs églises.

Les Acadiens sont embarqués de force sur des bateaux, souvent séparés de leur famille, puis déportés. Des quelque 14 000 colons qui peuplaient alors l'Acadie, environ la moitié ont subi l'exil forcé, certains navires sombrant en mer, d'autres repoussant les Acadiens vers les ports d'Amérique, d'Europe ou d'ailleurs. Certains d'entre eux, les ancêtres des Cajuns, après des années d'errance, trouvèrent refuge en Louisiane. Ceux qui ont pu échapper au Grand Dérangement ont dû se cacher, fuyant à travers les bois jusqu'à la côte, au nord-est du Nouveau-Brunswick, jusqu'au Québec. L'ordre de Lawrence eut pour effet de rayer l'Acadie de la carte.

guidées avec dégustation. Au début du mois d'octobre, on y célèbre les vendanges avec le Harvest Wine Fest, une fête au cours de laquelle les visiteurs peuvent s'en donner à cœur joie en piétinant les raisins. Une boutique permet d'acheter les vins produits au vignoble.

Grand-Pré ★ ★

Grand-Pré a été, avant la Déportation de 1755, l'une des plus importantes communautés acadiennes de la baie de Fundy. On peut encore voir à proximité les digues construites à l'époque par les Acadiens, qui servent toujours à protéger des eaux les terres très fertiles de la région.

L'ancienne Acadie - **Attraits touristiques** - Grand-Pré

En 2004, la Commission des lieux et monuments historiques du Canada a d'ailleurs reconnu l'importance de l'**Arrondissement historique rural de Grand-Pré**, qui s'étend sur un territoire incluant les villages de Grand-Pré et de Horton-ville et les terres agricoles environnantes. Cet arrondissement rural compte parmi les plus anciens modèles européens de colonisation et d'utilisation des terres au Canada.

Le **Lieu historique national de Grand-Pré** ★ ★ *(7,80$; site accessible en tout temps, centre d'interprétation et église mi-mai à mi-oct tlj 9h à 18h; route 1 ou route 101, sortie 10, 2205 Grand-Pré Rd., ☎902-542-3631, www. pc.gc.ca)* commémore l'établissement des Acadiens (1682-1755) et le triste événement de leur déportation (1755-1762). Sur le site se trouverait l'emplacement de l'ancienne église Saint-Charles-des-Mines, à l'intérieur de laquelle plus de 400 hommes et garçons acadiens furent emprisonnés avant d'être déportés.

Sur place, l'église-souvenir (1922) abrite les œuvres particulièrement émouvantes de Robert Picard, six grandes toiles évoquant la vie des colons acadiens et la Déportation. Son vitrail, conçu par l'artiste d'Halifax T.E. Smith-Lamothe, représente la déportation des Acadiens de Grand-Pré. Au parterre, on peut voir le buste d'Henry Longfellow, une statue d'Évangéline (1920), un puits et la croix Herbin (1909), qui rappellerait l'emplacement du cimetière de l'église Saint-Charles-des-Mines. L'auteur américain Henry Wadsworth Longfellow a écrit en 1847 un long poème intitulé *Evangeline*, qui raconte l'histoire de deux amoureux séparés par la Déportation.

Le centre d'accueil et d'interprétation propose une exposition portant sur l'histoire de Grand-Pré et de l'Acadie, un spectacle multimédia retraçant l'histoire de la Déportation, des vestiges d'aboiteaux et une boutique de souvenirs. Le site comprend également une forge, un potager acadien et une sculpture nommée *Déportation*, qui représente une famille à l'heure déchirante du Grand Dérangement.

Plus ancien vignoble de la Nouvelle-Écosse, le **Domaine de Grand Pré** ★ *(entrée libre; visites guidées et dégustations mai à oct tlj 11h, 15h et 17h; 11611 route 1, ☎902-542-1753, www.grandprewines.ns.ca)* est un superbe endroit qui vaut la peine qu'on s'y arrête. Il dispose aussi d'un restaurant réputé, ouvert pour le déjeuner et le dîner, ainsi que d'une boutique (voir p 195). Certains des vins que l'on y produit comptent parmi les meilleurs de la province.

Wolfville ★ ★

Wolfville est une mignonne petite ville universitaire aux belles rues bordées de grands ormes, derrière lesquels se cachent de somptueuses résidences victoriennes. La ville compte environ 3 500 résidants, alors que l'**Acadia University**, fondée en 1838, accueille environ 4 000 étudiants par année.

L'atmosphère victorienne et la beauté de la ville, ses excellents cafés et restaurants, ainsi que ses magnifiques auberges, en font un lieu tout désigné pour séjourner lors d'une visite de la région. Wolfville a été fondée en 1760, quelques années après la déportation des Acadiens, par des Planters de la Nouvelle-Angleterre attirés par la disponibilité d'excellentes terres agricoles. Le lieu fut d'abord connu sous les noms de «Upper Horton» et «Mud Creek», avant d'être baptisé «Wolfville» en 1830 en l'honneur du juge local Elisha DeWolf.

Le long du petit port naturel, on peut contempler, deux fois par jour, l'effet des hautes marées de la baie de Fundy. À proximité, on peut voir des aboiteaux construits par les Acadiens au XVIIe siècle. On ne doit pas manquer l'occasion d'aller s'y promener; aujourd'hui, d'intéressants sentiers pédestres les chevauchent sur plusieurs kilomètres.

Profitez de l'occasion d'une visite du joli campus universitaire pour faire un arrêt à l'**Acadia University Art Gallery** *(entrée libre; mar-mer et ven 12h à 16h, jeu 12h à 20h, sam-dim 13h à 16h; Beveridge Art Centre, angle Main St. et Highland Ave., ☎902-585-1373)*, où sont souvent présentées d'intéressantes expositions d'œuvres (contemporaines et de différentes époques) d'artistes locaux et internationaux.

Le **Randall House Museum** *(2$; mi-juin à mi-sept lun-sam 10h à 17h, dim 13h30 à 17h; 259 Main St., ☎902-542-9775)* expose des objets, des meubles, des peintures et des photographies aussi bien de la région que des trois générations de la famille Randall qui ont habité cette maison au XIXe siècle.

''' *Continuez par la route 1 jusqu'à Greenwich, où vous prendrez la route 358 jusqu'à Port Williams.*

Port Williams

C'est dans le village de Port Williams que se trouve le **Lieu historique provincial et national Prescott House Museum** ★ *(3,25$; juin à mi-oct lun-sam 9h30 à 17h30, dim 13h à 17h30; 1633 Starr's Point Rd., près de la route 358,* ☎*902-542-3984 ou 902-424-7398),* une remarquable grande maison de style georgien construite autour de 1814. Son premier propriétaire était Charles Ramage Prescott, un homme d'affaires d'Halifax qui, pour des raisons de santé, a quitté la ville pour s'établir dans ce comté. Il était aussi un grand horticulteur qui introduisit plusieurs varités de pommes en Nouvelle-Écosse. Avec ses meubles d'antan, la maison est magnifique. Mais on aime tout particulièrement se promener dans le petit jardin.

Canning

Situé légèrement à l'écart de la route 358, le vignoble **Blomidon Estate Winery** *(10318 route 221,* ☎*902-582-7565 ou 877-582-7565, www.blomidonwine.com)* est l'endroit tout indiqué pour faire une pause, un pique-nique ou une promenade dans un lieu bucolique. Les visiteurs peuvent se procurer des produits viticoles à la boutique attenante.

''' *Continuez par la route 358 vers Cape Split.*

La route de Cape Split ★ ★

Après avoir traversé de magnifiques paysages vallonnés et de petits villages pittoresques, arrêtez-vous au **Lookoff** ★ *(route 358),* un belvédère offrant une vue exceptionnelle sur le Minas Basin et la vallée d'Annapolis.

Tout près se trouve le **Blomidon Provincial Park** *(*☎*902-582-7319, www.novascotiaparks. ca),* où quatre sentiers de randonnée de

différents niveaux de difficulté permettent entre autres de découvrir de jolies chutes et de magnifiques points de vue.

Rendez-vous à l'extrémité de la route 358. De là, deux sentiers de 16 km aller-retour (4h à 5h de marche) mènent aux pointes rocheuses de **Cape Split** ★ ★. Le sentier situé près de la côte est d'un niveau de difficulté élevé, alors que celui qui suit les terres est de difficulté moyenne.

''' *De Cape Split, revenez à la route 1, que vous prendrez à droite. La route 1 longe la vallée d'Annapolis jusqu'à Annapolis Royal en traversant de belles communautés fondées à la fin du XVIIIe siècle.*

Aleysford

L'**Oaklawn Farm Zoo** *(6,50$; avr à mi-nov tlj 10h jusqu'au crépuscule; 1007 Ward Rd.,* ☎*902-847-9790, www.oaklawnfarmzoo.ca),* le plus important zoo de la province, abrite plusieurs espèces d'animaux exotiques dont un grand nombre de félins et de primates. Il exhibe fièrement le plus gros lion au monde, dénommé *Rutledge*.

''' *Avant d'arriver à Annapolis Royal, prenez la voie d'embranchement vers Granville Ferry.*

Granville Ferry

En passant par Granville Ferry, faites un saut au **North Hills Museum** ★ *(3$; juin à mi-oct lun-sam 9h30 à 17h30, dim 13h à 17h30; 5065 Granville Rd.,* ☎*902-532-2168, www. annapolisheritagesociety.com),* qui loge dans une maison de campagne érigée en 1764. Le musée expose une admirable collection privée ayant appartenu à Robert Patterson. Elle fut léguée, avec la maison, au Nova Scotia Museum. La collection comprend des tableaux du XVIIIe siècle, des œuvres de verrerie et de céramique ainsi que des meubles anciens. L'endroit offre une vue splendide sur le bassin d'Annapolis.

Port-Royal

En 1604, une année après avoir obtenu du roi de France le monopole de la traite des fourrures en Acadie, Pierre Dugua, sieur de Mons, accompagné de Samuel de Champlain et de 80 hommes, lance une première tentative de colonisation européenne de l'Amérique au nord de la Floride.

Après un hiver difficile dans l'île Sainte-Croix au printemps 1605, de Mons et ses hommes s'installent à l'embouchure d'un cours d'eau qu'on dénomme aujourd'hui la «rivière Annapolis», y fondant Port-Royal. De 1605 à 1613, l'établissement de Port-Royal occupait le site actuel du Lieu historique national de Port-Royal.

Après l'abandon des tentatives de colonisation dans cette région, la capitale de l'Acadie fut transférée pendant quelques années à LaHave, sur la côte atlantique, puis sur le site actuel d'Annapolis Royal.

Le **Lieu historique national de Port-Royal ★ ★** *(3,90$; mi-mai à fin juin et sept à mi-oct tlj 9h à 17h30, juil à fin août tlj 9h à 18h; Historic Lane, ☎ 902-532-2898 ou 902-532-2321, www.pc.gc.ca)* comprend une reconstitution fort bien faite de la petite fortification de bois, dénommée «Habitation», telle qu'on pouvait la retrouver en 1605. C'est à cet endroit que furent établies des relations cordiales et fructueuses entre les Français et les Micmacs. Au sein de l'Habitation, les visiteurs retrouvent l'ensemble des installations qui permettaient aux Français de survivre en Amérique. Il est possible de visiter une forge, un fournil et plusieurs autres bâtiments qui reconstituent la vie coloniale des artisans et des gentilshommes au XVIIᵉ siècle. Des guides-interprètes en costumes d'époque vous feront revivre ces années d'antan.

Port-Royal accueillit également la première représentation du Théâtre de Neptune. Il s'agissait d'un masque, ce genre théâtral qui allie légendes, chants, poésies lyriques et danses dans une œuvre dédiée au Roi. Ce masque, écrit par Marc Lescarbot en 1605, fut présenté sur des embarcations face à Port Royal. Autre fait à noter, Samuel de Champlain a fondé à Port-Royal le premier club social en Amérique du Nord: l'Ordre du Bon Temps. Créé dans le but d'animer les longs hivers et de maintenir le moral des hommes, ce club donnait l'occasion de faire bombance lors de véritables festins de gibier. Chaque membre était à tour de rôle le maître de cérémonie et le pourvoyeur de denrées.

Annapolis Royal ★ ★

C'est ici, entre 1635 et 1640, que fut rétabli Port-Royal, le cœur de l'Acadie. La favorable situation géographique du lieu permettait d'avoir un contrôle sur la circulation maritime. Lorsque les Britanniques s'en emparèrent en 1710, ils le rebaptisèrent «Annapolis Royal» en l'honneur de la reine Anne.

Jusqu'à la fondation d'Halifax en 1749, Annapolis Royal fut la capitale de la colonie britannique de la Nouvelle-Écosse. Aujourd'hui, Annapolis Royal, classé arrondissement historique national, se présente comme un village paisible à l'architecture riche; on y trouve des résidences datant du début du XVIIIᵉ siècle. On peut d'ailleurs loger dans certaines de ces belles maisons. Une visite de ses rues et de sa passerelle longeant les quais est un véritable plaisir. L'**Historical Association of Annapolis Royal** *(7$; mi-juin à mi-sept lun et mer-jeu 14h, départ au phare d'Annapolis Royal, ☎ 902-532-3035, www.tourannapolisroyal. com)* organise entre autres des visites guidées de l'arrondissement historique, d'une durée d'environ 1h30.

Le **Lieu historique national du Fort-Anne ★ ★** *(3,90$; mi-mai à fin juin et sept à mi-oct tlj 9h à 17h30, juil et août tlj 9h à 18h; St. George St., ☎ 902-532-2321 ou 902-532-2397, www. pc.gc.ca)* comprend l'ancien fort Anne, au centre duquel trône l'ancien quartier des officiers, converti en musée historique. L'exposition s'attarde à présenter tous les volets de l'histoire de ce fort qui fut d'abord français (Port-Royal) puis britannique. Ne manquez pas d'y admirer la grande tapisserie historique relatant 400 ans d'histoire en trois millions de points. Tout autour du fort, les aires verdoyantes, d'où l'on a une très belle vue sur les environs, sont propices à d'agréables promenades.

En exploitation depuis 1985, l'**Annapolis Tidal Power Generating Station ★** *(entrée libre; mi-mai à mi-oct; 236 Prince Albert Rd., ☎ 902-532-5454)* est l'une des trois stations hydroélectriques utilisant l'énergie des marées de la baie de Fundy. Avec les fortes marées de la baie de Fundy, la centrale produit environ 30 millions de kWh par année, soit assez d'énergie pour subvenir aux besoins de 4 500 maisonnées. Un bureau de renseignements touristiques et une exposition multimédia expliquant le fonctionnement de la station marémotrice se trouvent sur les lieux. Lorsque la marée le permet, on organise aussi des visites éducatives *(3$; les participants de moins de 16 ans doivent êtres accompagnés d'adultes).*

Il ne faut surtout pas manquer l'occasion d'aller se balader dans les **Annapolis Royal Historic Gardens** ★ ★ *(8,50$; mi-mai à mi-oct tlj 9h à 17h, juil et août tlj 8h à la tombée de la nuit; 441 St. George St.,* ☎ *902-532-7018, www. historicgardens.com),* des jardins aménagés avec grand soin d'après les traditions horticoles britanniques et acadiennes. Un restaurant affichant un menu léger, et doté d'une terrasse, ainsi qu'une boutique d'artisanat se trouvent sur place.

Une ancienne auberge et taverne servant de relais aux voyageurs en diligence, tenue par Corey O'Dell, qui fut notamment coursier pour le Pony Express (1860-1861), abrite aujourd'hui l'**O'Dell House Museum** *(3$; fin mai à début sept tlj 9h à 17h, début sept à fin mai lun-ven 13h à 16h; 136 St. George St.,* ☎ *902-532-7754, www.annapolisheritagesociety.com).* Dans le rez-de-chaussée de ce bâtiment victorien construit en 1868, on expose des artéfacts qui relatent le quotidien des habitants d'Annapolis Royal entre 1870 et 1900. À l'étage se trouve entre autres une exposition soulignant l'importance de la construction navale dans la région.

Construit en trois étapes (deux parties construites en 1710 et 1712, puis jointes en 1781), le Sinclair Inn est le plus ancien bâtiment présentant une architecture typiquement acadienne. En 1738, Erasmus Phillips l'utilisa comme lieu de rencontre de la première loge de francs-maçons au Canada. Aujourd'hui le **Sinclair Inn National Historic Site** ★ *(dons appréciés; juin à début sept lun-sam 9h à 17h, dim 12h30 à 17h, début sept à mi-oct mar-sam 9h à 17h; 232 St. George St.,* ☎ *902-532-7754, www. annapolisheritagesociety.com)* propose une intéressante visite guidée au cours de laquelle 10 «fantômes» nous racontent leur histoire, ainsi que celle du bâtiment, de la ville et de la société qui gravita autour, de 1710 à 1950.

À quelques kilomètres à l'ouest d'Annapolis Royal se trouvent les **Upper Clements Parks** *(23,50$ pour accès complet; fin juin à début sept tlj 11h à 19h; 2931 route 1,* ☎ *902-532-7557 ou 888-248-4567, www. upperclementsparks.com),* qui comprennent un impressionnant parc d'attractions et un parc d'animaux sauvages. De la mi-juillet à la mi-août, on y présente des spectacles de musique et des feux d'artifice les samedis soir.

🏄 Activités de plein air

■ Golf

Annapolis Royal Golf & Country Club
3816 route 1
☎ 902-532-2064
www.annapolisroyalgolf.com
Ce parcours de golf à 18 trous offre une magnifique vue sur le bassin d'Annapolis et le Lieu historique national du Fort-Anne.

Bear River

En poursuivant vers Digby, vous trouverez, un peu à l'écart de la route 101, le **Bear River First Nations Heritage & Cultural Centre** ★ ★ *(5$ accès au centre, 5$ randonnée guidée; sept et oct mar-sam 10h à 18h; 194 Reservation Rd.,* ☎ *902-467-0301, www. bearriverculturalcenter.com),* qui met en valeur l'histoire et la culture micmaques à travers des expositions interactives, des programmes interprétatifs et des activités culturelles. Le centre abrite une galerie qui souligne l'importance du rôle des chefs et des anciens dans la communauté et qui présente des artéfacts dont certains datent de 4 000 ans. Des guides-naturalistes proposent une randonnée éducative qui permet de reconnaître les plantes médicinales et de s'instruire sur leur utilisation traditionnelle. Les visiteurs pourront également assister à une démonstration de fabrication de canot d'écorce de bouleau, et en admirer un authentique sur les lieux d'un campement micmac recréé. Enfin, la tradition orale se poursuit au centre grâce à la présentation de pièces de théâtre, de concerts et de contes. Une boutique d'artisanat traditionnel se trouve dans la galerie.

Digby ★

Mignonne bourgade au pittoresque port de pêche, Digby est située aux abords du bassin d'Annapolis et du détroit de Digby, qui débouche sur la baie de Fundy. Elle est connue pour sa flotte de pêche aux pétoncles, l'une des plus importantes du genre au monde. Son port est donc un lieu toujours bien animé où l'on peut s'attarder longtemps, fasciné par le va-et-vient des bateaux.

Bâtiment de style georgien datant du milieu du XIXᵉ siècle, l'un des plus anciens de la ville, l'**Admiral Digby Museum** *(dons appréciés; mi-juin à fin août mar-sam 9h à 17h, dim 13h à 17h; sept à mi-oct mar-ven 9h à 16h30; fin oct à début juin mer et ven 9h à 16h30; 95 Montague Row,* ☎*902-245-6322, www.admuseum.ns.ca)* présente de nombreux artéfacts, photographies et mobiliers anciens révélant de l'histoire de Digby.

De Digby, on peut se rendre à Saint John, au Nouveau-Brunswick, par le traversier **MV *Princess of Acadia*** (voir p 177).

✖ Activités de plein air

■ Golf

Digby Pines Golf Resort and Spa
103 Shore Rd.
☎902-245-2511 ou 800-667-4637
www.digbypines.ca
Conçu par Stanley Thompson, le réputé parcours du Digby Pines Golf Resort and Spa comporte 18 trous.

■ Observation des baleines

Du mois de juin au mois d'octobre, l'entreprise suivante organise des excursions d'observation des baleines dans la baie de Fundy. Les croisières permettent de voir aussi un grand nombre d'oiseaux.

Petit Passage Whale Watch
49$
deux ou trois départs par jour
3450 East Ferry
☎902-834-2226
www.ppww.ca

Long Island et Brier Island ★

〉〉〉 *De Digby, vous pouvez suivre la route 217 vers Long Island et Brier Island.*

Véritables havres de paix, Long Island et Brier Island attirent chaque année des milliers de visiteurs, curieux d'apercevoir au large des mammifères marins, notamment des baleines qui viennent se nourrir dans la baie de Fundy pendant la saison estivale.

Brier Island s'avère un refuge exceptionnel pour les oiseaux, notamment au printemps et en automne, alors qu'ils s'y arrêtent quelque temps durant leur migration. Ici, la richesse des eaux attire la faune ailée; près de 250 espèces ont d'ailleurs pu y être observées.

Sur Long Island, le long du **Digby Neck**, près de Tiverton, un sentier de randonnée facile (2,4 km) guide les promeneurs en un point d'où il est possible d'observer le **Balancing Rock**, une célèbre formation de basalte.

Sur Brier Island, plusieurs sentiers pédestres permettent de faire d'agréables balades le long de ses côtes rocheuses et offrent de très beaux points de vue sur la baie.

✖ Activités de plein air

■ Observation des baleines et des oiseaux

De **Westport** (Brier Island) et de **Tiverton** (Long Island) partent, chaque jour d'été, des croisières d'observation des baleines et des oiseaux.

Brier Island Whale & Seabird Cruises
48$
juin à oct, deux à cinq départs par jour
223 Water St.
Westport, Brier Island
☎902-839-2995 ou 800-656-3660
www.brierislandwhalewatch.com

Pirate's Cove Whale & Seabird Cruises
45$
juin à oct, trois départs par jour
Tiverton, Long Island
☎902-839-2242 ou 888-480-0004
www.piratescove.ca

Les baleines de la baie de Fundy

La baie de Fundy constitue l'un des meilleurs endroits en Amérique du Nord pour observer de près les baleines. Chaque été, pour se nourrir, diverses espèces se rendent dans la baie, particulièrement riche en plancton et en krill. On peut à cette époque de l'année apercevoir principalement quatre espèces.

La baleine à bosse (*Megaptera novaeanglicae*) est une espèce qu'on retrouve dans plusieurs mers du monde. Sa population actuelle s'élève à environ 10 000 individus. On reconnaît aisément la baleine à bosse grâce à ses nageoires particulièrement grandes. Ce cétacé peut atteindre 15 m de long et peut vivre jusqu'à 80 ans.

Le rorqual commun (*Balaenoptera physalus*) se distingue par son nez allongé. Sa population est aujourd'hui estimée à 123 000, dont une petite partie sillonne les eaux de l'Atlantique. Pouvant atteindre 25 m de long et peser 80 tonnes, c'est le plus grand mammifère du monde après le rorqual bleu.

Le petit rorqual (*Balaenoptera acutorostrata*), qui mesure tout au plus 10 m, est un nageur rapide. Il favorise les eaux peu profondes des côtes et des estuaires où il est fréquemment possible de l'observer. On l'identifie à la tache blanche située au milieu de la surface supérieure de sa nageoire. Ce rorqual peut vivre 50 ans.

La baleine franche n'est plus chassée depuis 1935, mais on estime sa population mondiale à tout au plus 2 000, dont environ 300 se retrouveraient sur la côte est de l'Amérique. Pouvant atteindre 18 m et vivre 40 ans, cette baleine dispose de fanons qui atteignent jusqu'à 2 m et se remarque par la taille particulièrement grande de sa tête.

Des excursions en bateau pour observer les baleines sont organisées dans plusieurs ports de la baie de Fundy, que ce soit au Nouveau-Brunswick ou en Nouvelle-Écosse.

▸▸▸ *De Brier Island, vous n'aurez d'autre choix que de revenir sur vos pas vers Digby, où vous reprendrez la route 1 vers Saint-Bernard.*

Saint-Bernard

En arrivant sur la route, à partir de la très anglo-saxonne vallée d'Annapolis, vous serez surpris par le changement qui s'opère dans le paysage architectural. En effet, au centre du petit village acadien de Saint-Bernard se dresse une imposante église catholique. L'**église Saint-Bernard** est un symbole de la ferveur catholique, mais aussi de la persévérance et du courage des Acadiens.

En fait, sa construction a duré 32 ans, de 1910 à 1942, et a été possible grâce au travail bénévole des habitants du village. De Saint-Bernard jusqu'aux abords de Yarmouth, la côte est parsemée d'une douzaine de villages acadiens.

Ces villages ont été fondés après la Déportation par des Acadiens, lesquels, après avoir trouvé leurs anciennes terres des régions de Grand-Pré et de Port-Royal désormais occupées par des Planters (colons de la Nouvelle-Angleterre), se sont installés sur cette côte peu fertile à partir de 1767.

Pointe-de-l'Église ★

Sur la côte, vous croiserez le petit village acadien de Pointe-de-l'Église (Church Point), dont l'**église Sainte-Marie** ★ est splendide. Construite entre 1903 et 1905, elle est la plus grande et la plus haute église en bois d'Amérique du Nord. Son intérieur est très harmonieux et abrite un **musée** *(2$; fin mai à mi-oct tlj 9h à 18h)* où sont exposés des vêtements liturgiques, des photographies et des meubles anciens. Tout juste à côté s'élève l'**Université Sainte-Anne**, seule université de langue française en Nouvelle-Écosse; elle joue un rôle culturel majeur dans la communauté acadienne de la province. Elle loge le **Centre acadien** *(entrée libre; toute l'année lun-ven 8h30 à 12h et 13h à 16h)*, qui dispose d'une impressionnante documentation écrite sur l'histoire, la généalogie et la culture acadiennes.

Une visite de Pointe-de-l'Église et de sa région ne serait pas complète sans d'abord prendre le temps de manger de la **râpure** (mélange de pommes de terre râpées auxquelles on ajoute des morceaux de poulet, de bœuf ou des palourdes, et que l'on cuit au four), une recette locale.

Yarmouth

Fondée en 1761 par des colons du Massachusetts, Yarmouth a toujours gravité autour de l'intense activité de son port de mer, le plus important de l'ouest de la Nouvelle-Écosse. Comme il s'agit aujourd'hui d'un important port d'entrée pour les visiteurs en provenance des États-Unis, Yarmouth dispose d'un large choix d'établissements hôteliers et de restaurants ainsi que d'un excellent bureau de renseignements touristiques saisonnier (voir p 177). Deux traversiers relient Yarmouth à l'État du Maine (É.-U.) et au Nouveau-Brunswick (voir p 177).

Une bonne façon de découvrir l'histoire maritime et le patrimoine de la ville est de visiter le **Yarmouth County Museum & Archives** ★ *(3$ musée, 5$ musée et Pelton-Fuller House, voir ci-dessous; mi-mai à mi-oct*

lun-sam 9h à 17h, dim 13h à 17h; mi-oct à mi-mai mar-sam 14h à 17h; 22 Collins St., ☎902-742-5539, http://yarmouthcountymuseum.ednet.ns.ca). Ce petit musée régional, installé dans une ancienne église presbytérienne, étonne par la richesse de sa collection. On y trouve une foule d'objets pêle-mêle, entre autres des marines (scènes de navires), des meubles, des peintures anciennes, de la vaisselle, etc. La pièce maîtresse du musée est cependant l'ancienne lampe octogonale du phare du Cap Fourchu.

À l'adresse voisine se trouve la **Pelton-Fuller House** *(3$ maison, 5$ maison et Yarmouth County Museum; mi-mai à mi-oct lun-sam 9h à 17h, dim 13h à 17h; 20 Collins St., ☎902-742-5539)*. Il s'agit là d'une maison victorienne érigée à la fin du XIXe siècle, richement décorée de meubles antiques, de verrerie et d'argenterie.

Un autre voyage dans le temps mène au **Killam Brothers Shipping Office** *(entrée libre; mi-mai à mi-oct tlj 9h à 17h; 90 Water St., ☎902-742-5539)*, le plus ancien chantier de construction navale au Canada, où John Killam a construit le navire *Janet* en 1788. Le bâtiment abritait à l'époque une entreprise de cargo et un magasin de matériel de navigation. Aujourd'hui on y expose entre autres un modèle réduit du navire *Research* (1861).

Le **W. Laurence Sweeney Fisheries Museum** *(3$; mi-mai à fin oct tlj 10h à 18h; 112 Water St., ☎902-742-3457)* permet aux visiteurs de se familiariser avec les procédés et les traditions propres à la navigation et à l'industrie de la pêche. En plus des nombreux artéfacts, on y présente une reconstitution des anciens quais de Yarmouth et de l'activité qui y régnait, réalisée avec les matériaux originaux provenant de l'ancien bâtiment de Sweeney Fisheries.

Un autre musée étonnant, celui-là consacré aux véhicules de pompiers, le **Firefighters' Museum** ★ *(3$; juil et août lun-sam 9h à 21h, dim 10h à 17h; juin et sept lun-sam 9h à 17h; oct à mai lun-ven 9h à 16h, sam 13h à 16h; 451 Main St., ☎902-742-5525, http://museum.gov.ns.ca)* expose une collection de voitures de pompiers. La plus ancienne, qui était tirée par des hommes, date du début du XIXe siècle.

Cape Forchu

Sans doute moins spectaculaire que Peggy's Cove, mais certainement beaucoup plus paisible, la **Cape Forchu Lightstation ★** *(mai à oct; route 304, à 11 km de Yarmouth,* ☎ *902-742-4522, www.capeforchulight.com)*, érigée en 1839, occupe un promontoire rocheux. À l'intérieur, on présente une exposition de l'histoire du phare et de la communauté de Cape Forchu, et un café propose une cuisine légère et de savoureux desserts. Sur les lieux se trouvent aussi deux boutiques de souvenirs et une

agréable aire de pique-nique. L'impressionnante flotte de pêche de Yartmouth et le traversier *The Cat* passent régulièrement tout près d'ici. Un sentier panoramique mène au **Leif Erikson Park**, qui offre un superbe point de vue. Samuel de Champlain avait baptisé l'endroit «Cap Fourchu» en 1604, devenu Cape Forchu quand les Britanniques se le sont approprié.

''' *Au départ de Yarmouth, il faut prendre la route 3 vers l'est pour découvrir **La route des phares**, voir p 197.*

▲ Hébergement

Windsor

The Clockmaker's Inn
$$-$$$ ☎ ≡ @ ● ◎ ▲
1399 King St.
☎902-792-2573 ou 866-778-3600
www.theclockmakersinn.com
Superbe maison victorienne construite en 1894, le Clockmaster's Inn propose des chambres douillettes au décor attrayant.

Grand-Pré

Olde Lantern Inn
$$$-$$$$ ☎ ▲ ☞ ◎ ≡ @
11575 route 1
☎902-542-1389 ou 877-965-3845
www.oldlanterninn.com
Dans un cadre enchanteur situé à même les vignes et à proximité de la mer, l'Olde Lantern Inn est une splendide auberge adjacente au réputé vignoble qu'est le **Domaine de Grand Pré** (voir p 180). L'intérieur de cette résidence est vraiment très beau, à la fois sobre et élégant. Les quatre chambres sont fort bien meublées,

agréables et spacieuses. Le matin venu, on y sert des petits déjeuners gastronomiques.

Wolfville

Gardenhouse Bed & Breakfast
$$ ☎ ᵇᶜ/ₒₒ
220 Main St.
☎902-542-1703
www.gardenhouse.ca
Maison campagnarde construite en 1830, ce gîte touristique abordable et agréable représente une bonne option d'hébergement à Wolfville. Deux petites chambres coquettes partagent une salle de bain, et une troisième, plus grande, comprend un grand lit, un canapé-lit et une salle de bain privée.

Blomidon Inn
$$$ ♨ ≡ ◎ & @ ▲
195 Main St.
☎902-542-2291 ou 800-565-2291
www.blomidon.ns.ca
Un somptueux manoir centenaire abrite aujourd'hui le Blomidon Inn. À l'époque, de riches matériaux avaient été utilisés pour embellir la demeure, aussi y retrouve-t-on encore des cheminées de marbre et un superbe

escalier en bois sculpté. Rien ne manque pour faire de l'endroit un lieu d'hébergement de qualité supérieure: deux splendides salles à manger (voir p 192) à la cuisine raffinée et des salons richement meublés. Le bâtiment trône au centre d'une propriété bordée de grands ormes. Toutes les chambres sont garnies de meubles anciens et disposent d'une salle de bain privée. L'établissement loge également une boutique de souvenirs et d'artisanat.

Harwood House Bed & Breakfast
$$$ ☎ @ ▲
33 Highland Ave.
☎902-542-5707 ou 877-897-0156
www.harwoodhouse.com
Un peu en retrait de la rue principale, dans une rue paisible située tout près de l'université, se trouve la Harwood House, une belle demeure construite en 1932. Ses trois chambres sont très agréables et accueillantes. L'une d'entre elles est équipée pour recevoir les familles. La Harwood House occupe une belle grande propriété bien aménagée.

L'Acadie Vineyards
$$$ ● ▵ ≡
310 Slayter Rd.,
Gaspereau Valley
☎902-542-3034

La Gaspereau Valley est une superbe région agricole de vergers et de vignobles, un lieu paisible et champêtre qu'on découvre avec grand plaisir. L'Acadie Vineyards offre la possibilité de séjourner dans cette vallée, tout en n'étant qu'à quelques minutes seulement (en voiture) de Wolfville. Les chalets sont simples, bien équipés et comportent deux chambres. Ils occupent une vaste propriété où un projet de vignoble biologique est en développement.

Tattingstone Inn
$$$-$$$$ ●≡≈@▵◎
620 Main St.
☎902-542-7696 ou 800-565-7696
www.tattingstone.ns.ca

Le superbe Tattingstone Inn propose des chambres décorées avec goût, certaines renfermant des meubles du XVIIIe siècle. Ici, l'accent est mis sur le confort et l'élégance. Deux bâtiments abritent les chambres, les plus luxueuses se trouvant dans la maison principale.

Victoria's Historic Inn & Carriage House
$$$-$$$$ ●≡◎▵
600 Main St.
☎902-542-5744 ou 800-556-5744
www.victoriashistoricinn.com

Parmi les établissements de qualité et de grand confort à Wolfville, figure le Victoria's Historic Inn. Cette auberge possède un cachet d'une autre époque, car elle est aménagée dans une très belle demeure construite en 1893. Les

chambres, confortables et joliment décorées, disposent d'une salle de bain privée.

Canning

Farmhouse Inn Bed and Breakfast
$$$ ●≡◎▵@
9757 Main St.
☎902-582-7900 ou 800-928-4346
www.farmhouseinn.ca

On a cherché à conserver une ambiance champêtre dans chacune des chambres de ce gîte, qui sont décorées de papier peint, d'édredon fleuri, de poupées et d'un mobilier de bois. Des petites attentions, comme le café ou le thé servi à la chambre tous les matins, sont appréciées par la clientèle. L'établissement, situé dans le village, profite en outre d'un séduisant jardin planté d'érables donnant un certain cachet à la demeure.

Parker's Cove

The Cove Oceanfront Campground
$$ @≈
☎902-532-5166
www.oceanfront-camping.com

Situé directement sur la côte de la baie de Fundy, ce très beau terrain de camping offre tous les services et propose de magnifiques emplacements dont la vue ferait pâlir d'envie bien des propriétaires fonciers. On trouve sur place une piscine d'eau salée, et tous les emplacements pour tentes disposent d'un rond de feu et sont entourés d'arbres.

Annapolis Royal

Queen Anne Inn
$$-$$$$ ●♨◎≡
494 Upper St. George St.
☎902-532-7850 ou 877-536-0403
www.queenanneinn.ns.ca

Cette auberge aménagée dans un majestueux manoir construit à la fin du XIXe siècle offre un hébergement d'excellente qualité. Les lieux sont splendides et impressionnants. L'auberge renferme de grandes pièces aux plafonds élevés qui sont meublées d'antiquités. À l'origine, cette demeure fut celle de Norman Ritchie, qui l'a reçue de son père comme cadeau de mariage. La famille Ritchie a joué un rôle important sur la scène politique de la Nouvelle-Écosse depuis 1820. Normand Ritchie a siégé à la Cour suprême à la fin du XIXe siècle, et son frère, le politicien John William Ritchie, est considéré comme l'un des pères de la Confédération. Les chambres, réparties dans deux bâtiments, sont accueillantes et belles, et certaines disposent d'une baignoire à remous. Un excellent petit déjeuner est servi chaque matin. La salle à manger est ouverte au public du jeudi au samedi.

Annapolis Royal Inn
$$$ ●◎≡⁂▵&
3924 route 1
☎902-532-2323 ou 888-857-8889
www.portroyalinn.com

Légèrement situé à l'ouest d'Annapolis Royal, en bordure de la route menant à Digby, ce motel propose une trentaine de chambres très bien entretenues et fonctionnelles. Il convient tout particulièrement aux familles. Des barbecues, ainsi que des vélos et des canots offerts en location, sont mis à la disposition de la clientèle. L'établissement abrite également une boutique de souvenirs.

Hillsdale House
$$$ ✆ @ 🛏 ≡

519 St. George St.
☎ 902-532-2345 ou 877-839-2821
www.hillsdalehouse.ns.ca

St. George Street compte une succession de belles demeures victoriennes qui sont un véritable ravissement pour les yeux. On peut loger dans l'une de celle-ci, la Hillsdale House, une fort jolie résidence qui fut érigée au milieu du XIXᵉ siècle. Ses chambres sont bien aménagées et élégantes. Plusieurs espaces communs, notamment une véranda à l'arrière et d'agréables jardins, permettent à la clientèle de bien profiter des lieux.

The Bailey House Bed & Breakfast
$$$ ✆ @

150 St. George St.
☎ 902-532-1285 ou 877-532-1285
www.baileyhouse.ca

Érigée en 1770, une résidence de style georgien, située directement au bord de l'eau, abrite ce superbe gîte touristique. La maison possède de chaleureuses pièces communes, une terrasse et un jardin où les clients peuvent se détendre en admirant le bassin d'Annapolis. Deux des quatre chambres offrent d'ailleurs une vue imprenable sur ce plan d'eau. Les chambres, apaisantes, sont toutes impeccablement décorées et présentent un bel agencement de couleurs et de textures.

Garrison House Inn
$$$ ♨ ≡ ◎

350 St. George St.
☎ 902-532-5750 ou 866-532-5750
www.garrisonhouse.ca

Situé tout juste en face du fort Anne, le Garrison House Inn propose de confortables chambres meublées d'antiquités. Celle du dernier étage est certainement la plus étonnante, avec ses grandes fenêtres et ses multiples puits de lumière (réservez à l'avance). Des pièces communes très accueillantes, entre autres une bibliothèque fort mignonne, ainsi qu'un excellent restaurant au rez-de-chaussée contribuent au plaisir d'un séjour au Garrison House Inn.

Smith's Cove

Mountain Gap Inn
$$$$ ♨ ➤ ≡ ⋙ 🛏 ◎ △

217 route 1
☎ 902-245-5841 ou 800-565-5020
www.mountaingap.ns.ca

Ce centre de villégiature, le plus ancien de la province (1915), a un charme suranné irrésistible qui rappelle la Nouvelle-Angleterre du début du XXᵉ siècle. Ses chalets de bois et ses autres bâtiments occupent une grande propriété parsemée de fleurs sauvages en bordure de la baie de Digby. On y propose des chambres, des suites et des chalets qui ne sont jamais très luxueux (et qui parfois nécessiteraient des améliorations) mais qui offrent un confort respectable. Chaque chalet dispose d'une galerie idéale pour admirer les couchers de soleil sur la baie; le chalet nº 23 est particulièrement bien situé. À marée basse, un escalier permet de se

rendre jusqu'à la plage. Le Mountain Gap représente une bonne option d'hébergement pour les familles. Il possède en outre une piscine, une aire de jeux pour les enfants, un court de tennis et un bon restaurant.

Digby

Montague Row Bed and Breakfast
$$$ ✆ @ ➤

66 Montague Row
☎ 902-245-6039 ou 866-905-7755
www.montaguerow.com

Cette jolie maison victorienne abrite deux chambres douillettes et impeccablement décorées dont l'une offre une magnifique vue sur le bassin d'Annapolis. Sur la même propriété, on loue également une petite maison de construction récente, tout équipée et pouvant accueillir quatre personnes. Excellent rapport qualité/prix.

Seawind Motel
$$$ ✆ ≡ @ ➤

90 Montague Row
☎ 902-245-2573
www.seawinds.ns.ca

Le Seawind Motel a l'avantage d'être situé en bordure du port naturel de Digby, à quelques minutes de marche seulement de la plupart des restaurants. Les chambres sont propres, simples et aérées.

Digby Pines Golf Resort and Spa
$$$$ ≡ ⚓ ⋙ ❄ ♨ △ ♿ ⅄ @

103 Shore Rd.
☎ 902-245-2511 ou 800-667-4637
www.digbypines.ca

Dans un fort joli site naturel, sur un coteau surplombant la baie, s'élève l'impressionnant Digby

Pines Golf Resort and Spa. Malgré quelques signes de vieillissement, l'hôtel offre un séjour de qualité. En plus de profiter d'un lieu enchanteur, le complexe hôtelier abrite de jolies chambres, de beaux chalets, un tout nouveau spa, un bon restaurant (voir p 193) et un bar accueillant. On met de plus à la disposition des visiteurs toute une gamme d'installations sportives, notamment des courts de tennis, une piscine, un centre de conditionnement physique et un excellent parcours de golf.

Brier Island

The Brier Island Hostel
$ bc @ ☞
Westport
☎902-839-2273
www.brierislandhostel.com
Voici une auberge de jeunesse accueillante et très appréciée des voyageurs. Le Brier Island Hostel propose un hébergement dans des dortoirs bien entretenus et offre à sa clientèle l'accès à une cuisine tout équipée, un salon commun, une terrasse et quelques postes Internet. Voisin de l'auberge, se trouve le Lighthouse Cafe, qui sert des repas légers.

Brier Island Lodge
$$$ ◎
Westport
☎902-839-2300 ou 800-662-8355
www.brierisland.com
Sur l'île Brier, l'endroit le plus confortable où loger est le Brier Island Lodge. Cet établissement, un motel de deux étages, occupe un emplacement remarquable qui surplombe St. Mary's Bay. Les chambres sont modernes et spacieuses. La plupart d'entre elles

ont une grande fenêtre donnant sur la baie. Le restaurant (voir p 193), qui propose une bonne cuisine régionale, contribue à la qualité d'un séjour au Brier Island Lodge. On y loue également une maison pouvant accueillir six personnes. Sur la propriété, une petite ferme élève entre autres des moutons, des chèvres, des poules et des cochons.

Grosses Coques

Auberge Chez Christophe
$$ bc @ ☞
2655 route 1
☎902-837-5817
www.chezchristophe.ca
Le petit village acadien de Grosses Coques abrite l'Auberge Chez Christophe avec son réputé **Restaurant Chez Christophe** (voir p 193). Les cinq chambres sont simples, bien tenues et accueillantes. Une cuisine tout équipée et un salon commun sont mis à la disposition des clients. Les deux salles de bain sont partagées.

Cape St. Mary's

Saltwater esCape Guest Home
$$$$, séjour d'au moins deux nuitées @ ☞
482 Cape St. Mary's Rd.
☎902-645-2794 ou 604-739-0987
www.capesaintmary.ca
C'est à proximité de la plage de Mavillette qu'on découvre l'attrayante Saltwater esCape Guest Home. Louer une maison constitue une bonne formule d'hébergement dans cette région propice à la détente et aux belles balades sur la plage. Cette demeure spacieuse, et impeccablement entretenue, compte deux chambres, une cuisine tout

équipée et un salon doté d'un téléviseur à écran plat. Elle offre une vue sur les quais de pêche et le golfe du Maine.

Yarmouth

Voyageur Motel
$$-$$$ ◎ ❄ @
518 Lakeside Dr.
☎800-565-5026
www.voyageurmotelyarmouth.com
Avec son personnel attentionné, le Voyageur Motel s'avère un bon choix d'hébergement économique à Yarmouth. Il compte une quinzaine de chambres abordables, propres, spacieuses et confortables. Elles sont toutes dotées d'un réfrigérateur et d'un four à micro-ondes. Une salle à manger accueille la clientèle du motel au petit déjeuner.

Best Western Mermaid Hotel
$$-$$$ ≈ ☛ @ ☞
545 Main St.
☎902-742-7821 ou 800-772-2774
www.bwmermaid.com
Le Best Western Mermaid Hotel est installé dans un bâtiment de deux étages à l'entrée ouest de Yarmouth. Ses chambres sont propres et modernes, bien que quelque peu défraîchies. Il n'y a pas de restaurant sur place; on sert toutefois le café le matin. Pas très loin cependant, se trouve le **Captain Kelley's Restaurant** (voir p 193), l'un des restaurants les plus convenables de Yarmouth.

Harbour's Edge B&B
$$$ ☙
12 Vancouver St.
☎902-742-2387
www.harboursedge.ns.ca
Ce gîte constitue un établissement de choix pour qui aime les demeures d'époque. Rénovée avec minutie, cette ancienne

résidence est parvenue à conserver son charme d'antan. Le Harbour's Edge dispose de quatre chambres offrant un bon confort et pourvues d'une salle de bain privée. Outre la beauté de la maison, les visiteurs peuvent profiter d'une véranda s'ouvrant sur le vaste jardin qui donne sur le port de la ville. Ce jardin s'avère d'ailleurs un lieu sans pareil pour ceux qui aiment observer les oiseaux.

Comfort Inn
$$$ ✆ @ 🚗 ♿ ❄
96 Starrs Rd.
☎902-742-1119
www.choicehotels.ca

Le Comfort Inn est situé à proximité du port d'embarquement du traversier en partance pour le Maine (É.-U.). Ses chambres sont spacieuses, aérées et bien aménagées, et son personnel est courtois.

Guest Lovitt House Bed & Breakfast
$$$-$$$$ ✆ @
12 Parade St.
☎902-742-0372 ou 866-742-0372
www.guestlovitt.ca

Superbe demeure de la fin du XIXᵉ siècle, ce luxueux gîte touristique propose quatre chambres confortables et agréablement décorées dont une pourvue d'un grand balcon privé. Dans la cour, les clients ont accès à un bain à remous et peuvent monter à bord (et peut-être même conduire) une voiture antique datant de 1913: la Ford Model T Depot Hack.

The Manor Inn
$$$$ ✆ ≈ ◎ ♨ △
route 1
☎902-742-2487 ou 888-626-6746
www.manorinn.com

À quelques kilomètres à l'est de Yarmouth, sur une grande propriété en bordure du lac Doctors, se dresse le Manor Inn. Les chambres, de différents niveaux de qualité, sont aménagées dans le bâtiment principal, une résidence datant du milieu du XIXᵉ siècle, ainsi que dans l'ancienne maison du cocher, située tout juste à côté; certaines de ces chambres ont un foyer et une baignoire à remous.

🍴 Restaurants

Windsor

Spitfire Arms Ale House
$-$$
29 Water St.
☎902-792-1460

De passage à Windsor, arrêtez-vous au Spitfire Arms, un charmant et authentique petit pub anglais où le personnel est particulièrement sympathique. Le menu, très apprécié par les gens de la ville, est assez typique d'un pub, avec sa variété de plats économiques. La sélection de bières y est très bonne (voir p 194). Une belle surprise!

Grand-Pré

Le Caveau
$$$-$$$$
Domaine de Grand Pré
11611 route 1
☎902-542-7177

Le vignoble **Domaine de Grand Pré** (voir p 180) abrite le restaurant Le Caveau, dont le menu change au gré des saisons et de la disponibilité des produits locaux. On y sert une cuisine raffinée et d'inspiration internationale comprenant entre autres des plats de sanglier et de canard. L'établissement possède une agréable terrasse.

Wolfville

The Coffee Merchant
$
472 Main St.
☎902-542-4315

Si vous êtes en mal d'un bon café, faites un saut au Coffee Merchant, où l'on sert des cappuccinos et espressos. C'est un établissement suffisamment agréable pour qu'on puisse vouloir s'y attarder, lire les journaux ou regarder par la fenêtre le va-et-vient à Wolfville. Le menu est assez limité; il comprend toutefois des sandwichs, des soupes et d'autres petites douceurs.

Ivy Deck Garden & Bistro
$-$$
8 Elm Ave.
☎902-542-1868

Simple comme tout et fréquenté par une clientèle décontractée, l'Ivy Deck bénéficie d'une jolie terrasse. Sa cuisine ensoleillée et alléchante, d'inspiration méditerranéenne, comprend des pâtes, des quiches, des falafels, des salades et d'autres délicieux petits plats, ainsi qu'une belle variété de desserts maison, notamment des baklavas.

Acton's Grill & Cafe
$$-$$$
406 Main St.
☎902-542-7525

Malgré sa petite taille, Wolfville compte de nombreux bons restaurants. L'Acton's Grill & Cafe en est l'un des meilleurs exemples. Ce resto à l'ambiance quelque peu feutrée propose une nouvelle cuisine régionale, à la fois savoureuse et originale. La carte affiche une bonne sélection de vins.

Tempest
$$$-$$$$
117 Front St.
☎ 902-542-0588

Bâtiment historique admirablement rénové arborant une décoration épurée et des couleurs chaudes, le restaurant Tempest offre un tour du monde culinaire empreint de raffinement. On n'utilise ici que des produits biologiques ou de provenance locale, pour revisiter les grands classiques de la cuisine internationale tels que le poulet au beurre, le steak-frites, le curry thaïlandais et l'une des spécialités de la maison, la chaudrée d'aiglefin fumé et de chorizos (saucisses rouges).

Blomidon Inn
$$$$
195 Main St.
☎ 902-542-2291

Le Blomidon Inn compte deux salles à manger: une petite, très chaleureuse, aménagée dans la bibliothèque, et une autre, plus grande, richement décorée de chaises d'acajou et agrémentée d'une baie vitrée dévoilant un beau paysage. Le menu est tout à fait à la hauteur et affiche de délicieux plats de fruits de mer et de viande sauvagine (gibier à plumes).

Kentville

Paddy's Pub & Rosie's Restaurant
$-$$
42 Aberdeen St.
☎ 902-678-3199

Endroit sympathique s'il en est un à Kentville, cet établissement est à la fois un pub chaleureux, où l'on se rend pour savourer une

bière tout en grignotant des *nachos* ou des ailes de poulet, et un restaurant, où l'on concocte des plats plus raffinés, notamment des moules, des crevettes et autres fruits de mer. L'ambiance est décontractée et le service courtois.

Annapolis Royal

Cafe Restaurant Compose
$-$$
235 St. George St.
☎ 902-532-1251

Une salle à manger accueillante aux couleurs chaudes et aux fenêtres immenses et une ravissante terrasse qui offre une vue exceptionnelle sur la baie font de ce restaurant l'un des plus courus d'Annapolis Royal. Le menu compte plusieurs spécialités autrichiennes et internationales ainsi que des plats de fruits de mer. Outre le bœuf Stroganoff, les *schnitzel* et la goulasch, le menu du jour inclut souvent des chaudrées de fruits de mer, des soupes à l'oignon et des *lobster clubs* (sandwichs clubs au homard). Enfin, un bon choix de cafés européens ainsi que quelques desserts, dont certains autrichiens, complètent le menu.

Ye Olde Towne Pub
$$
11 Church St.
☎ 902-532-2244

Ye Olde Towne est vraiment dans la plus pure tradition des pubs anglais, tant par son ambiance que par sa décoration. Aménagé dans un bâtiment historique (1884) qui fut jadis une banque, le pub possède un charme certain. On s'y rend pour savourer l'un des plats typiques de ce genre d'établissement:

des steaks, des pâtes et des fruits de mer. Sa terrasse est un lieu populaire lors des belles journées d'été.

The Garrison House Restaurant
$$$
350 St. George St.
☎ 902-532-5750

Une des bonnes tables d'Annapolis Royal, le Garrison House Restaurant propose des plats de fruits de mer qui révèlent parfois une influence asiatique.

Digby

Boardwalk Cafe
$-$$
40 Water St.
☎ 902-245-5497

Le Boardwalk Cafe attire d'abord l'attention par sa terrasse qui surplombe la baie, et d'où la vue est excellente. En ce qui concerne le menu, il affiche des plats légers le midi: des salades, des soupes, des pâtes, des fruits de mer et des sandwichs, entre autres. En soirée toutefois, la carte change et devient plus sophistiquée. Les plats varient d'une journée à l'autre, selon les arrivages et l'humeur du chef. On y sert d'excellents espressos, des desserts maison et du pain frais.

O'Neil's Royal Fundy Seafood Market
$-$$
144 Prince William St.
☎ 902-245-6528

L'O'Neil's Royal Fundy, c'est d'abord une excellente poissonnerie qui offre les produits frais de la mer. Mais c'est aussi un petit restaurant disposant de quelques tables seulement. On y propose plusieurs petits plats de poisson et de fruits de mer à bon prix.

Fundy Restaurant
$$
34 Water St.
☎902-245-4950
L'agréable Fundy Restaurant offre une magnifique vue sur le bassin d'Annapolis depuis son solarium et ses terrasses. Son menu affiche des plats de fruits de mer frais (les pétoncles sont ici à l'honneur), de pâtes et de steak.

Annapolis Dining Room
$$$-$$$$
Digby Pines Golf Resort and Spa
103 Shore Rd.
☎902-245-2511
Cuisine classique et atmosphère distinguée sont au rendez-vous dans la salle à manger du **Digby Pines Golf Resort and Spa** (voir p 189). Elle présente aussi une excellente carte des vins et un intéressant choix de desserts.

Brier Island

Brier Island Lodge
$$-$$$
Westport
☎902-839-2300
Pour un dîner en tête-à-tête ou un repas léger le midi, la meilleure adresse de l'île est le restaurant du Brier Island Lodge. Le menu affiche une bonne sélection de fruits de mer et de viandes. Une belle grande fenêtre offre une vue splendide sur la baie.

Grosses Coques

Restaurant Chez Christophe
$-$$
2655 route 1
☎902-837-5817
En passant par le village de Grosses Coques, faites une pause au Restaurant Chez Christophe pour y découvrir une excellente

cuisine traditionnelle acadienne dans l'ambiance joviale et campagnarde d'une maison ancestrale. Il s'agit là d'une des bonnes tables, sans prétention, de la région. Les jeudis soir, des musiciens traditionnels animent la salle à manger.

Pointe-de-l'Église

Râpure Acadienne
$
1443 route 1
☎902-769-2172
Comme son nom l'indique, voici le restaurant par excellence pour expérimenter la célèbre «râpure acadienne». Comme il y peu de places assises à l'intérieur, prévoyez emporter votre commande pour faire un pique-nique.

Belliveau Cove

Roadside Grill
$-$$
3334 route 1
☎902-837-5047
Un peu à l'ouest de Pointe-de-l'Église, on peut s'arrêter pour casser la croûte au Roadside Grill. Dans ce petit restaurant sans prétention, les gens de la région se rencontrent pour échanger les dernières nouvelles en français. Le menu affiche quelques spécialités acadiennes, notamment des plats de râpure au bœuf, au poulet, aux palourdes ou aux coques.

Mavillette Beach

Cape View Restaurant
$-$$
157 John Doucette Rd.
☎902-645-2258
Le restaurant du Cape View Motel offre un joli point de vue sur la baie

de St. Mary's. Le menu propose quelques spécialités acadiennes, entre autres la râpure, et plusieurs petits plats de fruits de mer, de poulet et de viande. Le service est fort sympathique.

Yarmouth

Harris' Quick-N-Tasty
$-$$
490 route 1, à quelques kilomètres au nord de Yarmouth
Dayton
☎902-742-3467
Harris' a fait du *lobster roll* (guedille au homard) sa spécialité. Pourtant, ce petit restaurant aux allures de casse-croûte offre une étonnante variété de plats, qui vont du hamburger à l'assiette de fruits de mer. L'ambiance est familiale et sans prétention. On y sert également des plats pour emporter.

Captain Kelley's Restaurant, Lounge and Pub
$$
577 Main St.
☎902-742-9191
Cette belle salle à manger ornée de boiseries est aménagée dans une grande résidence construite à la fin du XIXe siècle qui loge également un pub anglais. La cuisine du «capitaine» varie beaucoup, allant des pâtes aux plats de fruits de mer, en passant par la râpure acadienne. En général, les plats sont bien apprêtés.

Chez Bruno Bistro
$$
222 Main St.
☎902-742-0031
Chez Bruno Bistro propose une cuisine où les produits frais et locaux sont à l'honneur. On y trouve par exemple des crevettes à la sauce provençale. La salle à manger, peinte de

L'ancienne Acadie - **Restaurants** - Yarmouth

couleurs chaudes, est invitante.

Rudder's Seafood Restaurant & Brew Pub
$$
96 Water St.
☎ 902-742-7311

Très populaire et toujours animé, le Rudder's sert une cuisine sans prétention, à prix raisonnable, typique d'un pub. On y vient pour manger, mais aussi pour s'amuser et déguster une des bières brassées sur place. En été, par beau temps, sa grande terrasse est particulièrement recherchée.

Stanley Lobster
$$
1066 Overton Rd.
☎ 902-742-8291
www.stanleylobster.com

Durant l'été, Stanley Lobster permet aux clients de choisir leur homard et de le faire cuire directement sur place. Attablés à l'extérieur, dans une atmosphère des plus sympathiques, les convives savoureront des homards cuits à la vapeur tout en bénéficiant d'une magnifique vue sur le port de Yarmouth et la baie de Fundy.

♪ Sorties

■ Activités culturelles

Windsor

Mermaid Theatre of Nova Scotia
132 Gerrish St.
☎ 902-798-5841
www.mermaidtheatre.ns.ca

Le Mermaid Theatre of Nova Scotia est une compagnie de théâtre pour

enfants de renommée internationale. Elle se spécialise dans l'adaptation d'œuvres littéraires en pièces de théâtre mettant en scène de superbes marionnettes.

Annapolis Royal

King's Theatre
209 St. George St.
☎ 902-532-7704
www.kingstheatre.ca

Le King's Theatre présente, depuis 1921, des films commerciaux et de répertoire, ainsi que des spectacles de musique, de danse et des pièces de théâtre.

■ Bars et discothèques

Windsor

Spitfire Arms Alehouse
29 Water St.
☎ 902-792-1460
www.spitfirearms.com

Le Spitfire Arms Alehouse propose une quinzaine de bières pression dont quelques bières artisanales d'Halifax et de Montréal. On y présente des spectacles de musique tous les jeudi, vendredi et samedi.

Wolfville

Paddy's Pub
460 Main St.
☎ 902-542-0059

Ce pub très fréquenté par les étudiants universitaires est le lieu tout indiqué pour s'amuser à Wolfville. Des musiciens s'y produisent régulièrement.

Port Williams

The Port: A Gastropub
980 Terry's Creek Rd.
☎ 902-542-5555

Gastropub est le terme anglais désignant un pub

qui propose un menu raffiné. The Port, bien situé sur les berges de la rivière Cornwallis, offre, bien sûr, un bon choix de bières artisanales brassées sur place.

Digby

Club 98
34 Water St.
☎ 902-245-4950

Le Club 98 est l'endroit par excellence pour danser et festoyer à Digby. On y trouve aussi des tables de billard.

Yarmouth

Rudder's Brew Pub
96 Water St.
☎ 902-742-7050

Le Rudder's est le lieu tout indiqué pour prendre un verre à Yarmouth. La bière est fabriquée sur place, des musiciens s'y produisent les mercredi, vendredi et samedi, et l'ambiance y est toujours festive, particulièrement en fin de soirée. En été, lorsque le soleil se met de la partie, sa grande terrasse est particulièrement recherchée.

■ Fêtes et festivals

Mai

Apple Blossom Festival
Kentville
www.appleblossom.com

L'Apple Blossom Festival souligne les traditions agricoles de la vallée d'Annapolis et invite les gens à célébrer le retour du printemps en prenant part à plusieurs activités, entre autres un défilé, et à se balader dans les vergers en fleurs.

Juillet

Yarmouth Seafest
Yarmouth
www.seafest.ca
Autour du port de Yarmouth se tient une foule d'activités pour toute la famille. Festin de fruits de mer, concours de mangeurs de homards, préparation de chaudrée de palourdes par différents chefs de Yarmouth, spectacles de musique, défilé nocturne de bateaux ornés de lumières, bref, la ville festoie pendant 10 jours.

Août

Sam Slick Days Festival
Windsor
www.samslick.ca
Fête de rue, défilé, feux d'artifice, danse et spectacles sont au programme du Sam Slick Days Festival, qui souligne l'importance de ce personnage créé par Thomas Chandler Haliburton, écrivain et homme politique né à Windsor en 1835.

Digby Scallop Days
Digby
www.digbyscallopdays.com
Au cours de cette grande fête, on peut entre autres assister à des spectacles de musique, à un défilé familial, à des feux d'artifice, à une course d'embarcations faites de matériaux recyclés, à des séances de lutte et à une fête de rue.

Festival acadien de Clare
municipalité de Clare (Saint-Bernard, Grosses Coques, Pointe-de-l'Église, Cape St. Mary's)
www.festivalacadiendeclare.ca
Durant les deux premières semaines du mois d'août se tient le Festival Acadien de Clare, le plus ancien festival acadien au Canada. Depuis ses débuts en 1955,

on y organise un concours de personnification d'Évangéline et Gabriel, un grand défilé, une compétition de bûcherons, un bazar populaire et des spectacles en plein air. Des séances de contes, des concerts et des pièces de théâtre sont également présentés dans plusieurs salles communautaires. Le festival prend fin le 15 août, fête nationale des Acadiens, avec le Tintamarre et un feu d'artifice.

Septembre

Deep Roots Festival
Wolfville
www.deeprootsmusic.ca
Ce festival célèbre la richesse de la musique traditionnelle et moderne de la Nouvelle-Écosse et de ses diverses influences.

Octobre

Pumpkin Regatta
Windsor
www.worldsbiggestpumpkins.com
Oui, il s'agit bien d'une régate sur le lac Pesaquid, où les rameurs pagaient à bord de véritables citrouilles géantes. Un événement pour le moins original!

Septembre

The Hants County Exhibition
Windsor
www.hantscountyex.com
Depuis 1765, cette foire agricole, la plus ancienne d'Amérique du Nord, est un important rassemblement qui vise à faire la promotion de l'agriculture régionale. On y présente entre autres des spectacles équestres et canins.

🛍 Achats

■ Alimentation

Grand-Pré

Tangled Garden
11827 route 1
☎ 902-542-9811
www.tangledgarden.ns.ca
Cette boutique offre une vaste sélection de produits gourmets, faits sur place et superbement présentés. On peut notamment s'y procurer des confitures, des gelées de fines herbes et des chutneys. Les visiteurs ont accès à un agréable jardin fleuri qui abrite un étang et un labyrinthe.

Domaine de Grand Pré
11611 route 1
☎ 902-542-1753
www.grandprewines.ns.ca
On peut se procurer (et déguster sur place) des produits viticoles, gastronomiques et artisanaux à la boutique du Domaine de Grand Pré.

Port Williams

Foxhill Cheese
1660 Lower Church St.
☎ 902-542-3599
www.foxhillcheesehouse.com
On trouve ici des fromages, des yogourts et des gelatos produits artisanalement sur place à partir du lait des vaches de la ferme Foxhill.

Brier Island

D.B. Kenney Fisheries
301 Water St.
Westport
www.dbkenneyfisheries.com
Pour vous procurer des poissons et des fruits de mer frais, salés ou fumés, rendez-vous chez D.B. Kenney Fisheries.

L'ancienne Acadie - Achats

■ Galeries d'art

Wolfville

Harvest Gallery
462 Main St.
☎ 902-542-7093
www.harvestgallery.ca
La Harvest Gallery présente de l'art et de l'artisanat de grande qualité produits localement.

Annapolis Royal

ARTsPLACE
396 St. George St.
☎ 902-532-7069
www.arcac.ca
L'ARTsPLACE fait la promotion de l'art contemporain dans la communauté d'Annapolis Royal.

■ Marché public

Annapolis Royal

Farmers' and Traders' Market
St. George St. (en face du King's Theatre)
Le marché public d'Annapolis Royal propose des produits agricoles et de l'artisanat dans une ambiance très animée.

La route des phares

LA ROUTE DES PHARES

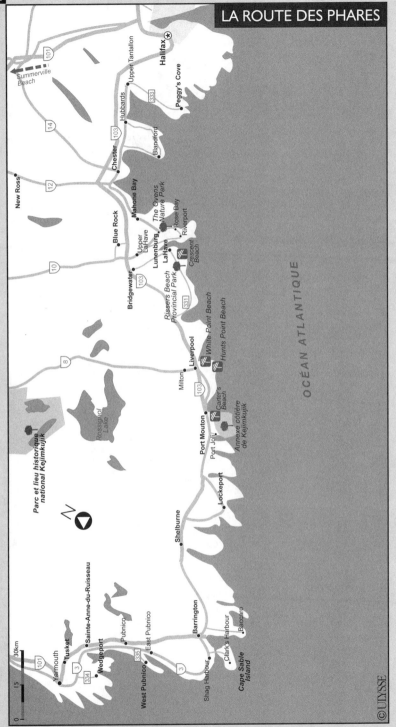

© ULYSSE

Tout en révélant des scènes maritimes parmi les plus pittoresques de la province, la **route des phares** ★ ★ longe la côte sud-ouest de la Nouvelle-Écosse. Ici, la belle nature sauvage se marie avec harmonie au chapelet de villages pleins de charme.

En s'y baladant, on traverse des hameaux et des ports de pêche aux maisons de bois datant du XIXᵉ siècle, époque où la région prospérait grâce à la construction de goélettes servant à la pêche. Le long de cette côte, on découvre, sur la pointe des caps rocheux, la silhouette d'une trentaine de phares, dont celui de Peggy's Cove, le plus célèbre des provinces maritimes. La côte sud-ouest de la Nouvelle-Écosse est ponctuée d'une multitude de petites îles et d'anses, ce qui en fait une région idéale pour la pratique du canot et du kayak de mer.

Accès et déplacements

■ En voiture

Depuis Halifax ou Yarmouth, la route des phares longe la route panoramique 3. Les automobilistes peuvent aussi emprunter la route 103 qui lui est parallèle.

Renseignements utiles

■ Renseignements touristiques

Destination Southwest Nova Scotia
☎877-552-4040
www.destinationsouthwestnova.com

Lunenburg Visitor Information Centre
11 Blockhouse Hill Rd.
Lunenburg
☎902-634-8100

Nova Scotia Lighthouse Preservation Society
www.nslps.com

Attraits touristiques

- -
Wedgeport et ses environs

En longeant l'océan vers l'est, à quelques kilomètres de Yartmouth, on traverse, de Wedgeport à West Pubnico, une série de petits villages de pêcheurs peuplés d'Acadiens.

Un fait rare en Nouvelle-Écosse, la présence acadienne dans cette partie de la province s'est maintenue sans interruption depuis 1653. De nombreuses personnes

portent d'ailleurs le nom de famille «d'Entremont» et sont les descendants directs du sieur d'Entremont, le premier colon français à s'être établi dans la région.

Il est intéressant de noter que les Acadiens de cette partie de la province ont préservé plusieurs vieux termes ou expressions qui n'ont plus cours chez les autres Canadiens français. Un bel exemple: au lieu de «soixante-dix», «quatre-vingts» et «quatre-vingt-dix», on dit ici «septante», «octante» et «nonante».

Wedgeport est un port de pêche encore très actif; on peut visiter en été le **Musée de la pêche sportive au thon et centre d'interprétation** *(droit d'entrée; mi-juin à mi-sept; 57 Tuna Wharf Rd., route 344, ☎902-663-4345, http://tuna.mindseed.ca)*, un musée consacré à la pêche sportive au thon (photographies, trophées, équipement naval) qui abrite notamment un bassin tactile. À côté du musée se trouvent un restaurant et un sentier de randonnée (5,4 km) doté d'une plateforme d'observation et de passerelles de bois.

- -
Tusket

▲ *p 210*

Plus loin, à Tusket, un joli village bordé de plans d'eau, un arrêt s'impose à l'**Argyle Township Court House and Archives** ★ *(2$; juin à oct lun-ven 9h à 17h, juil et août tlj 9h à 17h; route 3, ☎902-648-2493, www.argylecourthouse.com)*. Érigé en 1805, ce bâtiment est le plus ancien du genre au Canada. On peut visiter la salle d'audience, les cellules et les quartiers du geôlier.

Sainte-Anne-du-Ruisseau

En continuant par la route 3, on ne pourra manquer la superbe **église Sainte-Anne-du-Ruisseau ★** *(route 3)*. Cette église, aux plafonds et aux vitraux splendides, a été reconstruite en 1900 à la suite de l'incendie du bâtiment original, élevé en 1808. Sainte-Anne-du-Ruisseau est l'une des plus anciennes paroisses catholique de la région (1799).

''' *En poursuivant vers le sud-est par la route 3, on croisera la route 335, qui mène à West Pubnico.*

West Pubnico

▲ *p 210* ◐ *p 214*

Installé dans une maison datant de 1864, le **Musée acadien et Centre de recherche** *(3$; mi-mai à mi-oct lun-sam 9h à 17h, dim 12h30 à 16h30; 898 route 335, ☎902-762-3380, www.museeacadien.ca)* abrite une excellente collection d'objets, entre autres des instruments de musique, des meubles anciens, un aboiteau et plus de 300 appareils photo antiques. On y trouve également un potager acadien traditionnel et un centre de recherche présentant une section étoffée sur l'histoire et la généalogie acadienne.

Quant au **Village Historique Acadien de la Nouvelle-Écosse** *(4$; début juin à mi-oct tlj 9h à 17h; ☎902-762-2530 ou 888-381-8999, http://museum.gov.ns.ca/av)*, il permet de découvrir l'Acadie du milieu du XVIIe siècle jusqu'à la fin du XIXe siècle. En plus de visiter le vieux cimetière, les cabanes de pêcheurs et l'ancienne forge, il faut observer la nature et l'écosystème marin de cette région à travers ses marais et son pré salé.

''' *Continuez vers l'est par la route 3.*

Cape Sable Island ★

▲ *p 210*

De Barrington Passage, la route 330 permet d'accéder, à la traverse d'un pont-jetée d'environ 1 km de long, à Cape Sable Island, une petite île paisible aux paysages splendides façonnés par la mer. Relativement peu fréquentée et un peu en retrait des circuits touristiques, Cape Sable Island reste un endroit authentique qui compte quelques hameaux de pêcheurs, des phares, de magnifiques plages sauvages de sable blanc (North East Point, Stoney Island, South Side et Hawk Beach), une agréable promenade de planches longeant la côte ainsi que des aires protégées de nidification. Les espaces naturels entre Daniel's Head et Hawk Beack se

L'incident de Shag Harbour

Shag Harbour doit sa relative notoriété à un incident inusité survenu le 4 octobre 1967. Cette nuit-là, plus d'une dizaine de témoins aperçoivent dans le ciel un objet volant lumineux qui, rapidement, s'écrase dans l'océan, laissant apparaître une lumière blanche et une mousse jaunâtre à la surface de l'eau. Malgré d'intenses recherches effectuées notamment par les pêcheurs et la Gendarmerie royale du Canada, aucune trace de l'objet en question n'a pu être trouvée, et l'affaire fut alors classée comme non résolue par la Défense nationale.

Une aire de pique-nique est aujourd'hui aménagée près du lieu de l'incident, et le village de Shag Harbour abrite également un petit musée consacré aux OVNI.

prêtent bien à l'observation des oiseaux. **Hawk Beach** abrite également les vestiges pétrifiés d'une ancienne forêt maintenant submergée (visible à marée basse) datant de plus de 1 000 ans et offre une magnifique vue sur le **Cape Lighthouse**, le plus haut phare de la province, qui se trouve sur une petite île près de la côte.

Les amateurs d'histoire locale peuvent visiter l'**Archelaus Smith Museum** *(dons appréciés; juin à mi-sept lun-ven 9h30 à 17h30, dim 13h30 à 17h30; Centreville, 915 route 330, ☎902-745-2642)*, consacré à la vie d'Archelaus Smith, premier colon britannique à s'être établi sur Cape Sable Island. On trouve à Cape Sable Island quelques lieux d'hébergement et des restaurants.

''' *Reprenez la route 3 vers Barrington.*

Barrington

Barrington, un ancien village acadien détruit par les Britanniques lors du Grand Dérangement, a été reconstruit en 1761 par une cinquantaine de familles de pêcheurs, dont des quakers, provenant de Cape Cod et de Nantucket aux États-Unis. Quatre années plus tard commençait la construction de ce qui allait devenir l'**Old Meeting House Museum** ★ *(3$; juin à fin sept lun-sam 10h à 18h, dim 13h à 18h; 2408 route 3, ☎902-637-2185, http://museum.gov. ns.ca/omh)*, aujourd'hui un lieu historique national. La Meeting House servit à la fois de lieu de culte aux diverses confessions et de lieu de rencontre pour les civils. Ce bâtiment, de style Nouvelle-Angleterre, est le plus ancien lieu de culte non conformiste au Canada. Son musée retrace l'histoire du bâtiment et de la région.

Barrington est pourvue d'un autre intéressant site historique, le **Barrington Woolen Mill Museum** ★ *(3$; début juin à fin sept lun-sam 10h à 18h, dim 13h à 18h; 2368 route 3, ☎902-637-2185, http://museum.gov.ns.ca/ bwm)*, un moulin construit en 1882, dont la turbine était, à l'origine, actionnée par les eaux tumultueuses de la rivière. Le Woolen Mill renferme un centre d'interprétation où l'on explique comment les moulins ont révolutionné le processus du tissage de la laine et où l'on relate la vie des gens qui y ont travaillé.

Shelburne ★

▲ *p 210* ⚫ *p 214* ➔ *p 216* 🛏 *p 217*

Shelburne a été fondée en 1783, l'année de la fin de la guerre de l'Indépendance américaine, dès l'arrivée d'une trentaine de navires ayant à bord des milliers de loyalistes. L'année suivante, elle comptait déjà plus de 10 000 personnes, formant l'une des communautés les plus populeuses d'Amérique du Nord. Aujourd'hui, Shelburne est un paisible village dont la rue qui borde son port naturel, **Dock Street** ★, est flanquée de beaux bâtiments anciens constituant un ensemble harmonieux. Au mois de juillet, Shelburne commémore le débarquement des loyalistes au cours d'une importante reconstitution historique. Durant cette fin de semaine, les visiteurs sont invités à assister (et à participer) à plusieurs activités; ils y verront entre autres une parade militaire, une reconstitution d'un campement loyaliste et des mises en scène historiques.

Ce quartier historique de Shelburne comprend entre autres le **Ross-Thomson House & Store Museum** ★ *(3$; juin à mi-oct tlj 9h30 à 17h30; 9 Charlotte Ln., ☎902-875-3219)*, une maison abritant un magasin général de la fin du XVIIIᵉ siècle. On peut y voir de la marchandise, de l'ameublement et des personnages typiques de ce genre de commerce dans les années 1780.

Dans le même secteur, on peut s'arrêter au **John C. Williams Dory Shop Museum** ★ *(3$; juin à sept tlj 9h30 à 17h30; 11 Dock St., ☎902-875-3219)*, un atelier où étaient construites de petites embarcations de pêche au XIXᵉ siècle.

Également d'un intérêt particulier, le **Shelburne County Museum** *(3$ en été, gratuit en hiver; juin à mi-oct tlj 9h30 à 17h30, mi-oct à fin mai lun-ven 9h30 à 12h et 13h30 à 16h30; 20 Dock St., ☎902-875-3219, www. historicshelburne.com)* présente une collection évoquant entre autres l'arrivée des loyalistes et l'histoire de la construction de navires dans les environs.

Pour sa part, le **Muir-Cox Shipyard** *(3$; juin à sept tlj 9h30 à 17h30; 7 George St.)* est l'un des plus anciens chantiers de construction navale en Nouvelle-Écosse. On y trouve aujourd'hui un centre d'interprétation

La route des phares – **Attraits touristiques** - Shelburne

relatant l'histoire des grands navires et exposant des outils utilisés par les artisans d'ici et des environs pour leur construction.

Un laissez-passer *(8$)* qui permet de visiter ces quatre sites d'intérêt est disponible du début juin à la mi-septembre. On peut se le procurer à l'un des quatre musées.

Lockeport

▲ *p 211*

Lockeport, une jolie bourgade située quelques kilomètres après Shelburne, possède certaines des plus belles plages de sable blanc de la province.

On en trouve plusieurs dans la région immédiate de Lockeport, dont **Crescent Beach** ★ qui s'étend sur 1,5 km. Cette plage spectaculaire était auparavant représentée sur les billets de 50$ canadiens. Évidemment, Crescent Beach est très populaire et peut parfois être littéralement envahie par les véhicules des vacanciers qui se stationnent sur la plage même. Pour une plage plus tranquille (et sans véhicule), optez pour celle du **Rissers Beach Provincial Park**, un peu plus au sud, près de Petite Rivière.

À Lockeport, il est possible de loger dans quelques *bed and breakfasts* (gîtes touristiques) ou dans des chalets le long de la plage.

En continuant en direction de Liverpool, on remarquera quelques autres superbes plages de sable, notamment **Carter's Beach** (près de Port Mouton), **Summerville Beach** (Summerville Beach Provincial Park, près de Summerville Centre), **Hunts Point Beach** et **White Point Beach** *($)*. On trouvera également des lieux d'hébergement près de ces plages.

Port Mouton

Le long de la côte sud-ouest de la Nouvelle-Écosse gisent nombre d'épaves, témoins de la navigation incessante dans ces eaux au fil des ans. Quelques-unes d'entre elles sont devenues des récifs artificiels sans pareils pour la faune marine et des lieux prisés par les plongeurs.

Au large de Port Mouton, le Spectacle Marine Park compte une quinzaine de sites de plongée, certains dévoilant de fabuleux paysages marins naturels, d'autres étant constitués d'épaves. Parmi celles-ci figure le *Matthew Atlantic*, qui fait partie des récifs artificiels que peuvent explorer les plongeurs de tous les niveaux.

Notez cependant que l'industrie de l'aquaculture, qui pourrait s'intensifier dans la région, cause déjà certains dommages à l'écosystème marin de la région, notamment à la plage de Carter's. En effet, selon les vents et les courants, l'eau bordant cette plage peut devenir boueuse et laisser paraître une écume jaunâtre. Au moment de mettre sous presse, les citoyens de la région et l'organisme Friends of Port Mouton Bay *(www.friendsofportmoutonbay. ca)* luttaient pour préserver la qualité et la beauté de leur environnement devant un autre projet d'aquaculture qui s'installerait près de l'épave du *Matthew Atlantic*.

▸▸▸   *Prenez la Central Port Mouton Road puis la Old Woods Property Road pour vous rendre à l'Annexe côtière de Kejimkujik.*

Une partie du parc et lieu historique national Kejimkujik, l'**Annexe côtière de Kejimkujik** ★ *(3,90$ pour la journée; mi-juin à début sept tlj 8h30 à 20h, début sept à mi-juin 8h30 à 16h30; Maitland Bridge, ☎902-682-2772)*, s'étend sur 22 km au bord de l'océan près de Port Mouton. Cette portion du parc protège une nature plus tourmentée. Bordée de falaises abruptes sculptées par les glaciers, l'Annexe côtière n'en compte pas moins quelques anses blotties ici et là cachant des plages de sable. Des sentiers et des passerelles de bois permettent de découvrir le lieu et d'observer sa flore et sa faune; parfois, le long du littoral, on peut apercevoir des phoques.

▸▸▸   *Reprenez la route 3 ou 103 vers Liverpool.*

Le homard américain (*Homarus americanus*)

Le homard américain, ou «homard du Maine», habite la côte est de l'Amérique du Nord, de la Nouvelle-Écosse jusqu'à la Caroline du Nord. Bien avant l'arrivée des Européens en Amérique, les Autochtones connaissaient l'existence de ce crustacé et s'en servaient principalement pour engraisser leurs champs. On dit qu'à cette époque les homards étaient à ce point nombreux qu'on pouvait les ramasser à la main sur le rivage.

Le homard est désormais considéré comme l'un des mets les plus savoureux qui soient. Il demeure maintenant en forte demande sur tous les marchés du monde. Sa popularité a entraîné l'émergence d'une industrie de la pêche localisée dans plusieurs communautés des côtes canadiennes et américaines. Afin d'éviter la surexploitation de la ressource, les gouvernements du Canada et des États-Unis imposent des normes concernant la taille minimale des homards pouvant être pêchés.

Le renouvellement des stocks de homards est un long processus. Des quelque 10 000 œufs pondus par une femelle, seulement 1% survivent plus de quatre semaines, et très peu se rendront jusqu'à maturité. Il faut environ cinq ans pour qu'un homard atteigne sa taille adulte, et pour y arriver il doit muer pas moins de 25 fois.

Réputé nécrophage, le homard préfère toutefois la chaire fraîche et se nourrit de coques, de moules, d'oursins, de crabes et parfois de plantes. La couleur du homard est dû à la présence de trois pigments dans sa carapace: le bleu, le rouge et le jaune. Il arrive qu'à la naissance un ou plusieurs de ces pigments soient manquants; la carapace peut alors être soit rouge, bleue, blanche (albinos) ou noire pigmentée de jaune. C'est au large de la Nouvelle-Écosse, semble-t-il, que l'on a pêché le plus gros homard au monde: il mesurait plus de 1,10 m, pesait 20 kg et avait atteint l'âge respectable de 100 ans.

Liverpool

Le port de Liverpool était, à la fin du XVIIIᵉ siècle et au début du siècle suivant, un lieu très fréquenté par les corsaires à la solde de la Grande-Bretagne. Les corsaires étaient différents des pirates, parce qu'ils travaillaient pour le compte d'un gouvernement, ce qui leur donnait, en quelque sorte, un statut officiel et une protection. Lorsqu'ils pillaient les villages ou s'attaquaient aux navires ennemis, une partie du butin devait être remise à leur protecteur.

Le **Perkins House Museum** *(2$; juin à fin oct lun-sam 9h30 à 17h30, dim 13h à 17h30; 105 Main St., ☎902-354-4058, http://museum.gov.ns.ca/peh)* fut la maison de Simeon Perkins, marchand et homme politique originaire de l'État américain du Connecticut, qui a été rendu célèbre surtout grâce à son journal personnel décrivant la vie de la colonie entre 1766 et 1812. La maison Perkins, que l'on peut visiter, est de style Nouvelle-Angleterre et a été construite en 1766. Le musée relate la politique locale, le mode de vie colonial, l'histoire maritime (dont le commerce) et le rôle historique des corsaires.

Le **Queens County Museum** *(2$; août à mi-oct lun-sam 9h30 à 17h30, dim 13h à 17h30; mi-oct à fin juil lun-sam 9h à 12h et 13h à 17h; 109 Main St.,* ☎*902-354-4058, www. queenscountymuseum.com)* raconte l'histoire fascinante de la région. On y présente des documents, des archives et des artefacts qui soulignent l'influence des corsaires ainsi que l'importance des patrimoines micmaque et africain et de l'industrie de la construction navale dans le comté de Queens.

Érigé en 1902 et désigné comme lieu historique national, l'ancien hôtel de ville de Liverpool abrite aujourd'hui le **Sherman Hines Museum of Photography** *(4$; mi-mai à mi-oct lun-sam 10h à 17h30, juil et août aussi ouvert dim 12h à 17h30; 219 Main St.,* ☎*902-354-2667, www. shermanhinesphotographymuseum.com).* Le musée présente entre autres une *camera obscura,* des objets liés au domaine de la photographie ainsi que des œuvres de photographes internationaux, canadiens et locaux, dont celles de Sherman Hines, originaire de Liverpool.

Les amateurs d'histoire apprécieront la visite du plus ancien cimetière de Liverpool (1760), l'**Old Burial Ground** *(Main St., angle Old Bridge St.,* ☎*902-354-5741),* ponctué de panneaux d'interprétation expliquant de façon anecdotique «l'histoire derrière la stèle».

Le multifonctionnel **Rossignol Cultural Centre** ★ *(lun-sam 10h à 17h30, dim 12h à 17h30; 205 Church St.,* ☎*902-354-3067, www. rossignolculturalcentre.com)* englobe une remarquable variété d'attraits culturels: des musées, des galeries d'art, des bibliothèques et des expositions sur la faune et la flore. Sous un même toit, on retrouve une douzaine de lieux distincts, dont un musée de l'apothicaire, un musée des arts folkloriques, un musée de la chasse et de la pêche, une galerie exposant des sculptures et des peintures d'animaux sauvages et une galerie présentant des courtepointes. L'endroit surprend par la qualité de ses expositions, mais aussi par l'originalité des moyens utilisés pour mettre en valeur les thématiques exploitées. À l'extérieur se trouvent notamment la reconstitution d'une cabane de bois rond, une yourte et un tipi.

Érigé en 1855, le **phare du Fort Point Lighthouse Park** *(dons appréciés; mi-mai à mi-oct tlj; 21 Fort Lane,* ☎*902-354-5741)* s'avère l'un des plus anciens de la Nouvelle-Écosse. Les visiteurs peuvent explorer l'intérieur du phare qui présente une exposition portant sur les corsaires et sur la construction navale, animée par des guides interprètes en costumes d'époque. Les lieux abritent également une boutique de souvenirs et d'artisanat, ainsi qu'un terrain doté de tables de pique-nique d'où l'on peut apercevoir le phare de Coffin Island.

Parc et lieu national Kejimkujik ★ ★

De Liverpool, la route 8 mène au **parc et lieu historique national Kejimkujik** *(5,80$ pour la journée; mi-juin à début sept tlj 8h30 à 20h, début sept à mi-juin 8h30 à 16h30; Maitland Bridge,* ☎*902-682-2772),* qui s'étend sur 381 km² au centre de la Nouvelle-Écosse. Ce territoire sillonné de rivières tranquilles et poissonneuses était autrefois peuplé par les Micmacs qui y avaient établi leur camp de chasse et de pêche. Pourvu d'emplacements de camping, il constitue d'ailleurs encore une halte de choix pour les amateurs de canotage, car il demeure parcouru de nombreux cours d'eau facilement accessibles.

Le parc national Kejimkujik réserve les plus beaux sentiers de randonnée pédestre aux amateurs de balades en forêt. Il en comprend plusieurs, couvrant quelques kilomètres tout au plus, qui permettent de partir à la découverte de magnifiques paysages naturels. Que l'on préfère une promenade le long du ruisseau Rogers (1 km), une promenade jusqu'à la chute Mill (1 km), l'observation de la faune ailée de la pointe Peter (3 km) ou une randonnée jusqu'à la plage de Merrymakedge (3 km), chaque excursion permet de se familiariser avec les différents trésors de ce vaste espace sauvage.

››› *De retour à Liverpool, suivez la route 103 jusqu'à Mill Village puis prenez la route 331 vers LaHave.*

LaHave

🅾 *p 214*

Baptisé «LaHève» par Champlain et de Mons, qui s'y attardèrent en 1604, ce petit cap a été choisi par Isaac de Razilly pour l'établissement de la capitale de l'Acadie de 1632 à 1636. On peut aujourd'hui y voir un monument sur l'emplacement où s'élevait le fort Sainte-Marie-de-Grâce, construit pour protéger la petite colonie. Tout près, le **Fort Point Museum** *(entrée libre; juin à fin sept tlj 10h à 17h; 100 Fort Point Rd., route 331, ☎902-688-1632, www. fortpointmuseum.com)* présente une exposition sur les débuts de la colonie et sur l'histoire régionale.

▸▸▸ *Continuez sur la route 331 vers Bridgewater.*

Bridgewater

▲ *p 211* 🍴 *p 216*

Construite sur les deux berges de la rivière LaHave, Bridgewater est une petite ville affairée comptant quelques restaurants et établissements hôteliers. On peut visiter le **DesBrisay Museum** *(3,50$; mai à sept tlj 9h à 17h, oct à avr mer-dim 13h à 17h; 130 Jubilee Rd., ☎902-543-4033)*, qui abrite une collection d'artefacts et de photographies relatant l'histoire naturelle et industrielle de la région ainsi que de sa population. Le musée accueille régulièrement des expositions itinérantes et dispose d'une boutique de souvenirs. On trouve également sur les lieux une aire de pique-nique et des sentiers de randonnée.

Pour tout apprendre sur la révolution qu'a créée l'utilisation de la force motrice du moulin dans l'industrie du tissage de la laine, rendez-vous au **Wile Carding Mill Museum** ★ *(3,50$; juin à fin sept lun-sam 9h30 à 17h30, dim 13h à 17h30; 242 Victoria Rd., ☎902-543-8233)*. Des guides en costumes d'époque proposent d'intéressantes visites du moulin et présentent les diverses étapes du tissage de la laine.

▸▸▸ *Prenez la route 3 vers Upper LaHave puis la route 332 vers Riverport.*

Riverport

En 1861, l'**Ovens Natural Park** ★ *(8$; route 332, ☎902-766-4621, www.ovenspark. com)* attira les chercheurs d'or venus y tenter leur chance. Peu à peu, ces prospecteurs délaissèrent le site, mais d'autres curieux prirent leur place, ceux-là venant plutôt pour profiter de la beauté des lieux. En effet, depuis fort longtemps, la mer sculpte le roc des falaises et y a creusé des grottes dans lesquelles elle s'engouffre violemment. Des sentiers sont aménagés au bord des précipices, révélant des points de vue magnifiques. Il est également possible de visiter les grottes en prenant part à une excursion en bateau. Notez que les visiteurs qui désirent prendre part à ces excursions doivent s'en informer auprès de la direction du parc puisqu'au moment de mettre sous presse, les visites en bateau étaient suspendues.

Le parc compte des emplacements de camping et des chalets en location, une boutique de souvenirs, un musée qui présente une exposition sur les chercheurs d'or, une piscine, une fermette, des aires de jeux pour les enfants et un restaurant.

▸▸▸ *Reprenez la route 332 vers Lunenburg.*

Lunenburg ★ ★

▲ *p 211* 🅾 *p 215* 🍴 *p 216* 🛏 *p 217*

Lunenburg est certainement l'un des ports de pêche les plus pittoresques des provinces atlantiques. Fondé en 1753, ce deuxième établissement britannique de la Nouvelle-Écosse, après Halifax, comptait une population surtout composée de «protestants étrangers» originaires d'Allemagne, du Montbelliard et de Suisse.

L'allemand était d'ailleurs d'usage courant à Lunenburg jusqu'à la fin du XIXᵉ siècle, et l'on a préservé certaines traditions culinaires jusqu'à aujourd'hui. Le village occupe un magnifique site sur les flancs escarpés d'une péninsule bordée par un port naturel des deux côtés. Plusieurs de ses maisons et bâtiments colorés datent de la fin du XVIIIᵉ siècle et du XIXᵉ siècle.

La route des phares — Attraits touristiques — Lunenburg

En fait, avec son architecture, Lunenburg a des airs qui rappellent quelque peu le Vieux Continent. Lunenburg a d'ailleurs été classé «patrimoine mondial» par l'UNESCO en raison justement de son architecture. Port de pêche très actif, Lunenburg a également une longue tradition de construction navale.

C'est ici que fut construit, en 1921, le célèbre *Bluenose*, une goélette remarquable n'ayant jamais subi la défaite lors de compétitions de vitesse, et ce, pendant 18 ans.

En été, Lunenburg est fort agréable à visiter. Ses rues sont bordées de multiples commerces et boutiques proposant des produits de qualité. Ses galeries d'art sont particulièrement intéressantes. Le village s'anime de plus d'une foule d'activités, entre autres le populaire **Lunenburg Folk Harbour Festival** (voir p 217), présenté au début d'août.

Le **Fisheries Museum of the Atlantic ★ ★** *(10$ en été, 4$ reste de l'année; mi-mai à mi-oct tlj 9h30 à 17h30, juil et août mar-sam jusqu'à 19h, mi-oct à mi-mai lun-ven 9h à 16h; 68 Bluenose Dr.,* ☎*902-634-4794, http:// museum.gov.ns.ca/fma)*, aménagé dans une ancienne usine de transformation du poisson, commémore l'héritage des pêcheurs des provinces atlantiques.

Le monde de la pêche y est présenté avec exhaustivité sur trois étages comprenant un aquarium, une exposition sur les 400 ans d'histoire de la pêche dans les Grands Bancs de Terre-Neuve, un atelier où l'on peut voir un artisan construire une barque de pêche, une exposition consacrée à la pêche à la baleine, une exposition sur l'histoire du *Bluenose*, etc. Trois navires sont amarrés au quai derrière le bâtiment du musée, dont la goélette *Theresa E. Connor*, construite en 1938 à Lunenburg, qui a pêché dans les bancs pendant un quart de siècle. Allouez un minimum de 3h pour une visite complète du musée.

Lorsqu'il n'est pas en mer, il est possible de visiter le *Bluenose II (entrée libre;* ☎*902-634-4794 ou 866-579-4909, http://museum. gov.ns.ca/bluenose)*, qui est amarré dans le port de Lunenburg environ neuf mois par année. De juillet à septembre, on propose des **croisières** *(40$; départs tlj 9h30 et 13h30)* de 2h aux visiteurs. Le *Bluenose*

II, une goélette de 43,5 m construite en 1963, est la réplique du célèbre *Bluenose* qu'on retrouve sur la pièce de dix cents canadiens.

Lunenburg compte également un site de plongée bien particulier. En 1994, le **HMCS Saguenay**, un destroyer canadien, fut intentionnellement coulé au large de Lunenburg pour devenir la figure de proue du Lunenburg Marine Park. Comme il se doit, cette épave est devenue un refuge unique pour la faune marine, qui la peuple en abondance, faisant de ce site un endroit magnifique pour la plongée en Nouvelle-Écosse.

En arpentant les rues de Lunenburg, on est séduit par ses jolies résidences et ses beaux édifices, entre autres la **St. John's Anglican Church** *(81 Cumberland St.)* et la **St. Andrew's Presbyterian Church** *(111 Townsend St.)*.

Les amateurs de train et les enfants apprécieront certainement l'**Halifax & Southwestern Railway Museum** *(6$; mai à fin oct lunsam 10h à 17h, dim 13h à 17h; nov à fin avr sam 10h à 17h, dim 13h à 17h; 11188 route 3,* ☎*902-634-3184, www.hswmuseum.ednet. ns.ca)*, qui se donne pour mission de préserver et promouvoir le patrimoine ferroviaire de la région. L'exposition présente une reconstitution du comptoir de la gare de Bridgewater et d'une voiture de passagers ainsi qu'une impressionnante maquette sillonnée par un train miniature, rappelant les principaux sites d'intérêt de la région. On y expose aussi des photographies, des artefacts et autres outils liés aux chemins de fer et datant des années 1880 à 1950.

Le **Knaut Rhuland House Museum** *(2$; juin à fin sept lun-sam 12h à 18h, dim 12h à 16h; 125 Pelham St., 902-634-3498, www. lunenburgheritagesociety.ca)* loge dans une maison construite en 1793, fort bien conservée. Le musée présente des objets anciens et des expositions qui relatent l'histoire locale.

À proximité de Lunenburg, ne ratez pas l'occasion de vous rendre au petit hameau de pêcheurs de **Blue Rock ★**. Paisible et très pittoresque, ce cap rocheux, avec ses quelques maisons, domine l'océan.

▸▸▸   *Prenez la route 3 vers l'est.*

Le *Bluenose*

Le *Bluenose* occupe une place à part dans l'histoire maritime canadienne. Construite à Lunenburg en 1921, cette formidable goélette a remporté toutes les courses de vitesse auxquelles elle a participé tout au long de sa carrière.

Après un été passé à la pêche, le *Bluenose* remporte en octobre 1921, à la surprise de tous, l'International Fishermen's Trophy, une course rassemblant des navigateurs canadiens et américains. Par la suite, et ce, jusqu'en 1938, jamais le *Bluenose* n'a été vaincu, même si plusieurs Canadiens ou Américains ont conçu des navires dans le seul but de le battre. Doté de huit voiles, le *Bluenose* était une superbe goélette de 49 m de long. Sa coque était en chêne rouge, en épinette et en pin; son pont, en sapin de Douglas; et sa structure, en acajou. Le *Bluenose* nécessitait un équipage de 18 personnes et pouvait atteindre une vitesse de 16 nœuds.

La gloire du *Bluenose* et d'autres goélettes de pêche a pris fin au début des années 1940, avec l'arrivée massive de chalutiers modernes à coque d'acier. En 1942, malgré les efforts de son capitaine Angus Walters, le *Bluenose* fut vendu dans les Antilles, où il naviga jusqu'en 1946.

Le *Bluenose* a cependant été, d'une certaine façon, immortalisé, puisqu'il apparaît sur la pièce de monnaie canadienne de 10 cents. En outre, une réplique du *Bluenose*, le *Bluenose II*, a été construite en 1963 à Lunenburg et depuis sillonne les mers.

En été, le *Bluenose II* est généralement amarré au port de Lunenburg ou d'Halifax et propose d'agréables croisières. On peut en connaître davantage sur l'histoire du *Bluenose* en visitant le site Internet *www.bluenose2.ns.ca*.

Mahone Bay ★ ★

On reconnaît aisément Mahone Bay à ses **trois églises**, chacune plus que centenaire, construites l'une à côté de l'autre et faisant face à la baie. Des «protestants étrangers», à l'instar de Lunenburg (voir ci-dessus), en ont été les premiers colons en 1754. Comme quelques autres communautés de la côte atlantique, son port servit de refuge aux corsaires. Ceux-ci pillèrent jusqu'en 1812 les navires et les villages ennemis, rétribuant au passage les autorités britanniques pour s'assurer leur protection. Plus tard, jusqu'à la fin du XIXᵉ siècle, Mahone Bay a connu une période de grande prospérité grâce à la pêche et à la construction navale.

Les belles grandes maisons anciennes qui bordent les rues du village témoignent aujourd'hui de cette période faste. Mahone Bay est dotée de plusieurs auberges et gîtes touristiques de qualité, ainsi que d'un joli port de plaisance. On peut également visiter le **Settlers Museum** *(entrée libre; juin à sept mar-sam 10h à 17h, dim 13h à 17h; 578 Main St.,* ☎ *902-624-6263, www.settlersmuseum.ns.ca)*, aménagé dans la maison Bégin (1855), qui présente une exposition relatant l'histoire des premiers colons protestants de Mahone Bay et de la construction navale ainsi qu'une collection de meubles anciens, de vaisselle et d'autres artéfacts de la région.

▶▶▶ *Poursuivez par la route 3.*

Chester ★

▲ *p 213* ⬤ *p 216* ▯ *p 217*

Chester a été fondée dans les années 1760 par des familles provenant de la Nouvelle-Angleterre. Au début du XIXe siècle, lorsque fut construit le premier hôtel, Chester est devenu un centre de villégiature très populaire.

Plusieurs résidants fortunés d'Halifax y possèdent une maison secondaire, et le village est pourvu de plusieurs hôtels et restaurants de qualité, d'un golf de 18 trous, d'une salle de spectacle (voir p 216), de ports de plaisance et de boutiques d'artisanat. Perchée sur un promontoire dominant la baie Monroe, Chester a fière allure avec ses belles résidences et ses arbres magnifiques.

Bel exemple d'architecture georgienne, une demeure construite en 1806 loge le **Lordly House Museum** *(entrée libre; juin à mi-oct mar-sam 10h à 16h, dim 13h à 16h; 133 Central St., ☎902-275-3842 ou 902-275-3826, www.chesterbound.com/lordly/LordlyHouse.htm)*. Le musée présente l'histoire de la région de Chester et le quotidien de la famille Lordly.

Oak Island, l'île mystérieuse

Tous ceux qui se sont mis à rêver en pensant s'emparer du trésor d'Oak Island ne se sont jamais réveillés plus riches car, de fait, il n'a pas encore été découvert, s'il existe… Légende ou réalité, le trésor d'Oak Island fait encore aujourd'hui couler beaucoup d'encre: l'île serait le lieu de la plus longue et de la plus célèbre chasse au trésor du monde, qui a débuté en 1795…

Cette année-là, dans la petite Oak Island, une île située au large de la côte est de la Nouvelle-Écosse, des jeunes découvrent les traces d'un ancien puits. Croyant y trouver un trésor quelconque, ils se mettent à creuser un trou de plusieurs mètres de profondeur. Après qu'ils n'eurent mis au jour que des pierres et une plateforme faite de billots et de fibres de cocotier, ils abandonnent.

Certaines personnes ayant été mises au parfum depuis la découverte du puits, on aurait déniché en 1804 une pierre arborant des inscriptions inconnues, à une profondeur de 27 m. Par malheur, elle s'est volatilisée quelque temps après.

Les constructeurs du puits ont fait preuve d'ingéniosité dans leur installation: un dispositif, composé de canaux d'inondation (ou étaient-ce des formations naturelles?), fait en sorte que chaque fois qu'on creuse à leur hauteur le puits se remplit d'eau, faisant obstacle aux fouilles.

Depuis, plusieurs entrepreneurs ont englouti des fortunes dans la recherche du trésor. Au cours des années 1990, une entreprise dont le propriétaire possède la majorité de l'île a même investi des millions de dollars. Tout ce qu'elle a découvert de plus, ce sont quelques chaînons de fer du XVIIIe siècle, une paire de ciseaux d'origine espagnole datant de 300 ans et des pièces de monnaie en cuivre… Ou nous cache-t-elle ce qu'elle a vraiment trouvé?

New Ross

En prenant la route 12 à partir de Chester, on accède au **Ross Farm Museum** ★ *(6$; mai à oct tlj 9h30 à 17h30, nov à avr mer-dim 9h30 à 16h30;* ☎ *902-689-2210, http://museum. gov.ns.ca/rfm)*, une ferme de 23 ha où se sont succédé cinq générations de la famille Ross à partir de 1816. Des guides en costumes d'époque animent ce site comprenant une dizaine de bâtiments et des animaux représentatifs des grandes fermes du XIXe siècle.

▸▸▸ *À Upper Tantallon, prenez la route 333.*

Peggy's Cove ★ ★

L'aspect pittoresque de Peggy's Cove, ce minuscule village côtier, a charmé bien des peintres et des photographes. Son petit port protégé des eaux tumultueuses est bordé de hangars construits sur pilotis. Plus loin, on peut se promener sur des blocs de granit où s'élève le célèbre **phare de Peggy's Cove**, qui, en été, abrite un bureau de poste. En marchant sur ces blocs de granit, soyez prudent, surtout lorsque l'océan est déchaîné. Malgré l'afflux de touristes, Peggy's Cove a conservé un cachet bien particulier.

Érigée en 1883-1884, la **St. John's Anglican Church** *(8 Church Rd.)* présente une architecture de style néogothique élégante et épurée. À l'intérieur se trouvent deux impressionnantes fresques réalisées par William E. deGarthe en 1963.

À la sortie de Peggy's Cove, arrêtez-vous au **William E. deGarthe Memorial Monument** ★, où une sculpture représentant 32 pêcheurs, leurs épouses et leurs enfants se trouve dans une paroi de 30 m de long. William E. deGarthe, qui a consacré cinq ans à concevoir cette sculpture, était fasciné par la beauté de Peggy's Cove, où il résida de 1955 jusqu'à sa mort en 1983, et par la vie et le courage des pêcheurs qui l'habitent.

Au large de la côte sud-ouest évolue une faune marine variée. Phoques, baleines à bosse et macareux moines comptent parmi les espèces qu'il est possible d'observer en prenant part à l'une des excursions en bateau proposées au départ de Peggy's Cove.

🪶 Activités de plein air

■ Canot et kayak

La côte sud-ouest de la Nouvelle-Écosse est ponctuée d'une multitude de petites îles et d'anses, ce qui en fait une région idéale pour la pratique du canot et du kayak de mer. Pour ceux qui sont grisés à l'idée de pagayer seul sur les flots marins, plusieurs entreprises louent des embarcations et organisent des excursions.

Loon Lake Outfitters
mi-mai à début sept
parc national et lieu historique Kejimkujik
Jakes Landing
☎ 902-682-5253
www.friendsofkeji.ns.ca

Vous pourrez louer des canots et kayaks chez Loon Lake Outfitters et profiter des nombreuses possibilités d'excursions sur les rivières du parc national et lieu historique Kejimkujik.

Rossignol Surf Shop
55$
Port Joli et Port Mouton
☎ 902-354-7100
www.surfnovascotia.com

East Coast Outfitters
65$/demi-journée
617 Main St.
Mahone Bay
☎ 902-624-0334
www.eastcoastoutfitters.net

East Coast Outfitters organise des excursions de kayak de mer guidées d'une durée de 2h30 à plusieurs jours. Ces excursions permettent d'admirer les îles et les paysages grandioses des environs de Mahone Bay ainsi que l'abondante faune marine de la région, notamment des marsouins et des phoques.

■ Golf

White Point Golf Club
sortie 20A ou 21 de la route 103
☎ 902-354-2711 ou 800-565-5068
www.whitepoint.com

La route des phares - Activités de plein air

Le White Point Beach Resort abrite un parcours de golf à neuf trous qui compte parmi les plus beaux des provinces atlantiques.

Chester Golf Club
Chester
☎902-275-4543
www.chestergolfclub.ca

Le Chester Golf Club présente un parcours à 18 trous bien entretenu. Il offre une magnifique vue sur l'océan.

Bluenose Golf Club
Lunenburg
☎902-634-4260
www.bluenosegolfclub.com

Occupant une péninsule faisant face au port de Lunenburg, le Bluenose Golf Club dispose d'un parcours à neuf trous.

■ Observation des baleines et des oiseaux

Lunenburg Whale Watching Tour
45$
mai à fin oct, quatre excursions par jour
Lunenburg
☎902-527-7175
www.novascotiawhalewatching.com

Four Winds Charter
35$
mai à oct
Shining Waters Marine
148 Nautical Way
Tantallon
☎902-492-0022 ou 877-274-8421
www.fourwindscharters.com

▲ Hébergement

Tusket

Plum Tree Bed & Breakfast
$$ ☙ bc
189 Gavel Rd.
☎902-648-3159
www.plumtreebb.com

Le Plum Tree Bed & Breakfast est installé dans une paisible maison centenaire entourée d'un terrain bien aménagé et ponctué de magnifiques jardins. L'établissement offre deux chambres simples et confortables avec salle de bain partagée. Les propriétaires possèdent deux chats et un chien, qui accompagnera volontiers les visiteurs dans le sentier pédestre menant à la rivière.

West Pubnico

Red Cap Restaurant & Motel
$$ ≡ ⊯ @ ♨
1034 route 335 S.
☎902-762-2112

Le sympathique Red Cap propose des chambres simples et très bien tenues. L'établissement abrite également un restaurant (voir p 214).

Cape Sable Island

Cape Sable Cottages
$$$$-$$$$$ ☙ ≡
37 Long Point
☎902-745-0168
www.capesablecottages.com

Loin des circuits traditionnels, Cape Sable Island attire les vacanciers à la recherche de lieux paisibles, authentiques et sans prétention. On y trouve quelques options d'hébergement, dont les Cape Sable Cottages qui proposent des chalets avec vue sur la mer. Chaque chalet est très bien équipé et dispose d'une ou deux chambres. Des canots, des kayaks et des pédalos sont mis à la disposition des clients pour location, et l'on peut se baigner à proximité. Il s'agit d'un endroit particulièrement approprié pour des vacances familiales.

Shelburne

Cape Cod Colony Motel
$$ ≡ @ ✿
234 Water St.
☎902-875-3411
www.capecodmotel.ns.ca

Pour un hébergement à bon prix, choisissez le Cape Cod Colony Motel, dont les chambres, quoique défraîchies, sont bien tenues. De cet établissement, on peut aisément se rendre à pied jusqu'à Dock Street.

Cooper's Inn
$$$ ☙ ♨ ♿ @
36 Dock St.
☎902-875-4656 ou 800-688-2011

En plein cœur du quartier historique de Shelburne, faisant face au port, le Cooper's Inn est l'une des meilleures auberges de la province. Cette ancienne demeure magnifiquement rénovée fut construite en 1785 pour un riche marchand loyaliste. La décoration de chacune des chambres et le choix des mobiliers ont été faits avec un tel souci du détail qu'une simple visite du Cooper's Inn constitue en soi un véritable plaisir. Toutes les chambres sont confortables et pourvues d'une salle de bain privée. Au dernier étage, une splendide suite, très lumineuse, a été aménagée. En outre, l'une des chambres est aisément accessible aux personnes à mobilité réduite. Chacune des chambres porte le nom d'un ancien propriétaire de la maison.

Millstones Bed & Breakfast
$$$ ♦ @ ❀

2 Falls Ln.

☎902-875-4525 ou 866-240-9110
www.millstonesbedandbreakfast.com
Cet accueillant gîte niche dans une coquette maison construite au milieu du XIXᵉ siècle près de l'entrée de Shelburne. On y compte trois chambres agréables dotées d'une salle de bain privée ainsi qu'une suite plus luxueuse. Le Millstones Bed & Breakfast est situé dans un bel environnement le long de la rivière Roseway.

Lockeport

Pour profiter à plein de la belle plage de sable fin de Lockeport, on peut loger aux **Seaside Cottages at Ginger Hill** (*$$$$; @ ♦; route 3, Crescent Beach,* ☎902-656-2089, *www.seasidecottages. ns.ca*) ou aux **Ocean Mist Cottages** (*$$$$* ⌂ ⛵ ♦ @; *1 Gull Rock Rd., Crescent Beach,* ☎ 902-656-3200, *www.oceanmistcottages.com*). Ces chalets sont à peu de distance les uns des autres et donnent directement sur Crescent Beach. Dans chacun des cas, ils sont confortables et renferment deux chambres à coucher.

Summerville Beach

Quarterdeck Beachside Villas & Grill
$$$-$$$$ ♦ ◎ ⛵ ⌂ @

sortie 20 de la route 103
☎902-683-2998 ou 800-565-1119
www.quarterdeck.ns.ca
Des villas tout confort, une longue plage de sable fin, une ambiance décontractée et un excellent restaurant ont fait la réputation du Quarterdeck. Ses villas, construites directement sur la plage, comptent deux chambres à coucher, un salon avec foyer, une cuisinette très bien équipée et une salle de bain moderne. La plus grande des chambres, située à l'étage, dispose notamment d'une baignoire à remous et d'une splendide terrasse d'où l'on peut admirer l'océan. Le Quarterdeck convient on ne peut mieux au séjour relaxant en famille ou en amoureux.

White Point

White Point Beach Resort
$$$$-$$$$$ ⛵ ≋ ◎ ♦ ≡ ⅄

sortie 20A ou 21 de la route 103
☎902-354-2711 ou 800-565-5068
www.whitepoint.com
Le White Point Beach Resort offre un hébergement moderne et luxueux dans de petits cottages ou dans des chambres d'un grand bâtiment donnant directement sur une plage de 1,5 km de long. Le complexe est joli, et son aménagement a été conçu avec soin et avec bon goût afin de faire profiter les occupants au maximum de la beauté des lieux. En plus de la baignade à la plage ou dans la piscine, on peut pratiquer le golf et le tennis ou aller à la pêche.

Le bar est particulièrement agréable et offre un vue magnifique sur l'océan.

Liverpool

Lane's Privateer Inn
$$$ ♦ ⛵ ⅃ @

27 Bristol Ave.
☎902-354-3456 ou 800-794-3332
🖷902-354-7220
www.lanesprivateerinn.com
Le Lane's Privateer Inn propose des chambres propres, un peu vieillottes et décorées sans prétention mais à prix raisonnables. Il est bien situé, sur la rive opposée au centre de Liverpool, en bordure de la rivière Mersey. L'établissement est doté d'un pub qui présente des spectacles de jazz.

Bridgewater

Comfort Inn
$$$ ♦ ⛵ ⅄ @

49 North St.
☎902-543-1498
www.choicehotels.com
Le Comfort Inn abrite des chambres propres et bien aménagées et affiche un bon rapport qualité/prix. Tout comme les autres établissements de Bridgewater, il a l'avantage d'être à une trentaine de minutes en voiture de Lunenburg, où, en certaines périodes de l'été, le choix de lieux d'hébergement disponibles est restreint.

Lunenburg

Homeport Motel
$$-$$$ ≡ ♦ ◎ @

167 Victoria Rd.
☎902-634-8234 ou 800-616-4411
www.homeportmotel.com
Doté de chambres et de suites tout équipées (jusqu'au lave-vaisselle!), ce

motel offrant un excellent rapport qualité/prix s'avère un bon choix pour les familles. Une aire de jeux, des barbecues et une laverie sont mis à la disposition de la clientèle.

Brigantine Inn
$$-$$$ 🐾 ♨ ≡ @ 🍽

82 Montague St.
☎902-634-3300 ou 800-360-1181
www.brigantineinn.com

Le Brigantine Inn est très favorablement situé près du port. Les chambres, à la décoration agréable, et très propres, disposent, pour la plupart, de grandes fenêtres et d'un balcon offrant une superbe vue. Le Brigantine loue également des suites *(120 Montague St.)* plus luxueuses et une unité en annexe *(en face de l'auberge, au 91 Montague St.)* qui renferme deux chambres ainsi qu'une cuisinette et dont l'entrée est privée.

Bluenose Lodge
$$$ 🐾 ♨ @ 🔟 🍽

10 Falkland St.
☎902-634-8851 ou 800-565-8851
www.bluenoselodge.ca

Installé dans une belle maison victorienne construite en 1863, le Bluenose Lodge déborde de charme et réserve à ses clients un accueil chaleureux. Les chambres du bâtiment principal sont lumineuses, confortables et très bien tenues. L'établissement propose aussi trois suites dont une avec cuisinette.

1826 Maplebird House Bed & Breakfast
$$$ 🐾 ≈ @

36 Pelham St.
☎902-634-3863 ou 888-395-3863
www.maplebirdhouse.ca

Cette demeure, érigée il y a plus de 150 ans, témoigne

des premières années de Lunenburg. D'un cachet indéniable, elle a dû être rénovée afin de retrouver son éclat, toutes ces années ayant laissé leur marque. Ces travaux lui ont ainsi permis de retrouver ses allures d'autrefois, tout à fait charmantes, ainsi qu'un confort adéquat. Parmi les installations dignes de mention, soulignons la piscine dans le jardin ainsi que la véranda donnant sur le port.

Pelham House B&B
$$$ 🐾

224 Pelham St.
☎902-634-7113 ou 800-508-0446
www.pelhamhouse.ca

Si vous êtes de ceux qui aiment les gîtes impeccablement tenus, vous serez comblé en logeant à la Pelham House. Les quatre chambres à coucher sont décorées de façon distincte et offrent quelques avantages précieux (l'une d'entre elles a un accès à la véranda qui s'ouvre sur le port). On tient à bien traiter les vacanciers, et pour ce faire rien n'est négligé: le petit déjeuner est délectable, la salle à manger, fort belle, et la salle de séjour où l'on peut lire ou regarder la télévision, vaste et chaleureuse. Même si une chambre est disponible pour les familles, l'endroit n'est pas idéal pour les jeunes enfants.

Lunenburg Arms
$$$ ♨ 🍴 @ ≡ 🛒 @

94 Pelham St.
☎902-640-4040 ou 800-679-4950
www.eden.travel

Le Lunenburg Arms, un hôtel-boutique comptant une vingtaine de chambres, se démarque des auberges et des gîtes touris-

ristiques de la région. Les chambres, bien aménagées et modernes, offrent un excellent confort, et certaines bénéficient d'une superbe vue sur le port.

Rum Runner Inn
$$$ ♨ ❄ @ ≡

66 Montague St.
☎902-634-9200 ou 888-778-6786
www.rumrunnerinn.com

Tout près du Brigantine Inn (voir plus haut), le Rum Runner Inn propose des chambres de type motel avec vue sur le port.

Arbor View Inn
$$$-$$$$ 🐾 @ @

216 Dufferin St.
☎902-634-3658 ou 800-890-6650
www.arborview.ca

C'est d'abord la vue magnifique du port qui distingue l'Arbor View Inn des autres établissements de la ville. Se dressant sur une colline non loin du centre-ville, il profite d'un site paisible, et son vaste jardin bien entretenu permet d'en jouir pleinement. Sa décoration intérieure est tout aussi réussie: chacune des pièces est garnie de belles antiquités, de papier peint et d'oeuvres d'art qui parviennent à créer une ambiance chaleureuse. Les deux suites sont dotées d'une terrasse privée.

Boscawen Inn
$$$-$$$$ 🐾 ♨ 🛒 @ △

150 Cumberland St.
☎800-354-5009
www.boscawen.ca

Le Boscawen Inn est aménagé dans une superbe maison victorienne construite en 1888 au cœur de Lunenburg, sur le flanc de la colline qui domine le port. Son emplacement est spectaculaire, et son agréable terrasse avant offre une vue imprenable sur le quartier historique de Lunenburg. La maison est dotée de plusieurs salons où vous pourrez vous détendre. Chaque chambre ou pièce de la maison est garnie de meubles d'époque.

Mariner King Inn
$$$-$$$$ ❦ ≡ ⌂ @ ⚲
15 King St.
☎ 902-634-8509
www.marinerking.com

Lunenburg offre l'occasion de découvrir le charme d'époque de ses multiples belles résidences du XIXᵉ siècle, dont plusieurs sont maintenant d'accueillantes auberges. Le Mariner King Inn est installé dans une belle maison victorienne construite vers 1825. Récemment renovés, l'intérieur de la maison et les chambres présentent un décor victorien. Le midi et en soirée, on sert une très bonne cuisine italienne dans le restaurant attenant à l'auberge, la Trattoria Della Nonna.

Lunenburg Inn
$$$$ ❦ ◎ ≡ ❋ @
26 Dufferin St.
☎ 800-565-3963
www.lunenburginn.com

Ce gîte touristique est sans conteste l'un des plus agréables lieux de séjour de Lunenburg. Aménagé dans une somptueuse résidence victorienne à l'orée du quartier historique de la ville, le Lunenburg Inn offre un hébergement de qualité. Les clients bénéficient de plusieurs splendides aires communes ainsi que de deux vérandas couvertes. Les chambres sont confortables et modernes,

tout comme les suites qui disposent en plus de baignoires à remous. Le matin venu, le petit déjeuner est toujours gargantuesque et savoureux.

Mahone Bay

Hammock Inn the Woods B&B and Yoga
$$ ❦ bc
198 Woodstock Rd.
☎ 902-624-0891
www.hammockinnthewoods.com

Ce gîte touristique propose à sa clientèle un séjour relaxant et confortable. En plus des hamacs, de la terrasse, du bain à remous et des sentiers de randonnée, des séances de yoga sont organisées tous les jours à l'aurore. L'établissement compte trois chambres qui partagent deux salles de bain.

Ocean Trail Retreat
$$ ≈ ● ⌂
R.R.1
☎ 902-624-8824 ou 888-624-8824
www.oceantrailretreat.com

L'Ocean Trail Retreat présente différentes formules d'hébergement pouvant répondre aux besoins variés des voyageurs; il est possible d'y louer une chambre de type motel ou un chalet (location à la semaine durant la haute saison, **$$$$** la nuitée hors saison) équipé d'une cuisinette et de deux chambres. Tous profitent d'un aménagement intérieur moderne, quoiqu'un peu froid. Ils offrent cependant plusieurs avantages, entre autres en ce qui concerne les chalets, pourvus d'un balcon avec barbecue. Les clients ont accès à une piscine extérieure chauffée.

Edgewater Bed & Breakfast & Sea Loft Cottage
$$$-$$$$ ❦ ● @
44 Mader's Cove Rd.
☎ 902-624-9382 ou 866-816-8688

Ce magnifique gîte touristique, paisible et un peu à l'écart de Mahone Bay, abrite trois chambres décorées et meublées avec beaucoup de goût. L'établissement est doté d'une agréable véranda offrant une magnifique vue sur la baie. Une maison de construction récente avec cuisine tout équipée, et pouvant loger deux personnes, est également offerte en location.

Chester

Windjammer Motel
$$ ♨ @ ⇆ ≡
4070 route 3
☎ 902-275-3567

Chester a toujours été prisée des riches familles. Les prix relativement bas des chambres du Windjammer Motel contribuent toutefois à démocratiser l'activité touristique à Chester. Les chambres sont assez typiques de ce type d'hébergement. Le Windjammer se trouve à l'entrée de Chester sur la route 3, après Mahone Bay.

Mecklenburgh Inn
$$$ ❦ @
78 Queen St.
☎ 902-275-4638
www.mecklenburghinn.ca

Aménagé dans une accueillante et colorée résidence construite à la fin du XIXᵉ siècle, le Mecklenburgh Inn propose quatre chambres mignonnes, de même qu'une terrasse pourvue d'un hamac et de chaises d'où l'on bénéficie d'une superbe vue de la baie. Il fait bon se détendre dans son charmant salon doté d'un foyer.

Blandford

Century House B&B
$$$ ☙

5206 route 329

☎ 902-228-2041 ou 888-680-8808

Sur la route entre Chester et Peggy's Cove se niche ce gîte tout à fait charmant, installé dans une maison plus que centenaire qui se dresse au bord de la mer. Mignonne à souhait, la Century House présente une décoration agrémentée d'œuvres d'artistes locaux: une belle façon d'entrer en contact avec l'art de la région. On se soucie également du bien-être des voyageurs, qui profitent de chambres bien tenues et d'un accueil fort courtois.

Hubbards

Dauphinee Inn
$$$-$$$$ ☙ ◎ ♨ @

167 Shore Club Rd.

☎ 902-857-1790

www.dauphineeinn.com

Construit en hauteur sur la rive de l'anse de Hubbards, le Dauphinee Inn est une auberge des plus paisibles où l'on peut se détendre dans un site enchanteur. Chaque chambre dispose d'un large balcon où l'on peut s'asseoir à son aise pour admirer le va-et-vient des voiliers. Dotées d'une baignoire à remous, les suites, au dernier étage, sont particulièrement resplendissantes. En soirée, on peut déguster une excellente cuisine

dans la salle à manger de l'auberge ou sur la terrasse, très agréable au coucher du soleil.

Restaurants

West Pubnico

Red Cap Restaurant
$-$$

Red Cap Restaurant & Motel

1034 Route 335 S.

☎ 902-762-2112

En traversant les villages acadiens de cette partie de la province, on sera tenté de s'arrêter au moins quelques instants pour discuter un peu avec ces gens chaleureux que sont les Acadiens. Un déjeuner au Red Cap peut en être le prétexte. Ce restaurant sans prétention propose un menu abordable composé de quelques mets acadiens, de spécialités régionales et de plats de fruits de mer.

Shelburne

The Sea Dog Saloon
$-$$

1 Dock St.

☎ 902-875-2862

Le Sea Dog Saloon affiche un menu sans grande originalité, mais les plats sont bons. On s'y rendra surtout parce que sa cuisine ne ferme qu'à 21h (20h30 le dimanche), et pour la belle vue qu'il offre sur le port.

Charlotte Lane Cafe
$$

13 Charlotte Ln.

☎ 902-875-3314

Le Charlotte Lane Cafe, très coquet, fait une cuisine originale et rafraîchissante

où se côtoient de délicieux plats de fruits de mer et des spécialités suisses, toujours bien présentés. Les entrées sont également très appétissantes. Derrière l'établissement, une petite terrasse avec quelques tables seulement devient par les jours de beau temps l'endroit le plus agréable de Shelburne. On y trouve également une boutique d'artisanat.

Lothar's Café
$$-$$$

149 Water St.

☎ 902-875-3697

Cet agréable restaurant sans prétention sert une cuisine européenne agrémentée de spécialités allemandes et régionales.

LaHave

LaHave Bakery
$

route 331

☎ 902-688-2908

Si vous êtes de passage à LaHave, prenez le temps d'entrer dans cette boulangerie artisanale. Une bonne odeur de pain embaume toujours les lieux. Il fait bon s'y attarder, assis à l'une de ses tables aux chaises dépareillées, le temps de s'offrir un sandwich ou une pizza.

Summerville Beach

Quarterdeck Beachside Villas & Grill
$$

route 3, sortie 20 de la route 103

☎ 902-683-2998

Le Quarterdeck Beachside Villas & Grill, situé pratiquement sur la plage de Summerville, est une excellente adresse pour les fruits de mer et les poissons. Ce restaurant, dont la grande terrasse arrière est construite sur pilotis, donne sur l'océan. L'endroit est particulièrement agréable à l'heure du petit déjeuner. On peut aussi s'y attabler en soirée ou choisir la très chaleureuse salle à manger. Les plats sont succulents, et le service est attentionné et sympathique. On peut y louer des chambres ou des cottages donnant sur la plage (voir p 211).

Lunenburg

Historic Grounds Coffee House
$
100 Montague St.
☎902-634-9995
www.historicgrounds.com

Pour un repas léger, on peut s'arrêter quelques instants dans ce petit café pourvu d'une terrasse qui donne sur les quais. L'endroit est modeste, mais sert de bons cappuccinos, espressos et cafés au lait ainsi qu'une variété de thés.

Knot Pub
$-$$
4 Dufferin St.
☎902-634-3334

Un pub fidèle à la tradition, avec son ambiance détendue, sa sélection de bières et son menu, où figurent des plats simples comme les hamburgers, les steaks, les poissons-frites et les ailes de poulet. Atmosphère amicale et sans prétention.

Magnolia's Grill
$-$$
128 Montague St.
☎902-634-3287

Le Magnolia's Grill a beaucoup de cachet avec ses murs tapissés de photos de diverses époques, ses hautes banquettes et ses bouquets de fleurs naturelles qui ornent les tables. On y prépare une cuisine simple mais délicieuse qui convient on ne peut mieux le midi. D'excellentes soupes, des sandwichs et des salades, ainsi que quelques mets un peu plus élaborés, composent l'essentiel du menu. Le *fish cake*, une recette locale, est l'un des bons plats proposés. Des desserts, des thés, des tisanes et des cafés complètent le menu.

The Grand Banker Seafood Bar & Grill
$-$$
82 Montague St.
☎902-634-3300

En soirée, il est parfois assez difficile de trouver une place libre au Grand Banker Seafood Bar & Grill, tellement l'endroit est devenu populaire grâce à son emplacement avantageux et à son aménagement intérieur très invitant. Le menu se compose principalement de plats simples mais bien réussis, par exemple les pétoncles ou les crevettes grillées, les *crab cakes*, les pâtes aux fruits de mer et les steaks.

Boscawen Inn
$$-$$$
150 Cumberland St.
☎800-354-5009

Le Boscawen Inn, une maison victorienne construite à flanc de colline, est un bon endroit pour apprécier la beauté naturelle des lieux et l'harmonie architecturale. Le menu de son élégante salle à manger affiche surtout d'excellents plats de poisson et de fruits de mer. L'établissement dispose d'une jolie terrasse surplombant le port.

Old Fish Factory Restaurant
$$-$$$
Fisheries Museum of the Atlantic
68 Bluenose Dr.
☎902-634-3333

Pas de doute ici, ce sont les fruits de mer et le poisson qui font la réputation de ce restaurant qui fait partie du **Fisheries Museum of the Atlantic** (voir p 206). On y vient pour ses prix raisonnables, mais aussi pour la vue des quais, certainement la plus belle de Lunenburg, et pour l'aspect agréable de sa salle à manger avec ses grandes fenêtres et ses hauts plafonds. L'endroit convient notamment aux familles. Fait à noter, le Fish Factory sert sa propre bière, la Ice House Ale.

Trattoria della Nonna
$$-$$$
9 King St.
☎902-640-3112

La Trattoria della Nonna sert une fine cuisine italienne dans une belle salle à manger aérée. Les pizzas cuites au four à bois traditionnel, la cuisine savoureuse, la présentation soignée des plats et la carte des vins élaborée font de ce restaurant l'une des bonnes adresses de Lunenburg.

Fleur de Sel
$$-$$$$
53 Montague St.
☎902-640-2121

Une des bonnes tables de la province, le restaurant Fleur de Sel sert une excellente cuisine française contemporaine dans un cadre raffiné. Le brunch du dimanche est particulièrement réputé. La salle à manger, meublée et décorée dans un style épuré, est aussi élégante que chaleureuse. Le menu change au gré des saisons et des produits disponibles, car la fraîcheur des aliments est l'une des clés du succès de ce restaurant. Le Fleur de Sel loue également une suite à l'étage.

Mahone Bay

The Cheesecake Gallery
$-$$
533 Main St.
☎902-624-0579
Un peu déconcertant avec les nombreuses toiles d'artistes locaux qui ornent ses murs, le Cheesecake Gallery est un petit café attachant. On y propose un menu simple constitué, entre autres, de recettes locales. Évidemment, le choix de gâteaux et de desserts est bon. Par beau temps, on peut profiter d'un agréable aménagement extérieur.

The Innlet Café
$$
249 Edgewater St., à l'extrémité de la baie
☎902-624-6363
Cet agréable restaurant, joliment décoré et pourvu d'une petite terrasse, présente une étonnante variété de plats de viande, de volaille, de fruits de mer et de poisson. Quelques plats plus légers, comme des quiches, des pâtes, des salades et des sandwichs, figurent également au menu et conviennent bien pour le déjeuner.

Chester

Foc'sle
$-$$
42 Queen St., angle Pleasant St.
☎902-275-1408
La taverne Foc'sle, une institution locale bien connue, concocte une cuisine familiale peu originale, mais tout de même satisfaisante et peu coûteuse. On y vient aussi en soirée, car le Foc'sle est l'une des plus anciennes tavernes de la Nouvelle-Écosse.

The Rope Loft
$$-$$$
36 Water St., à la marina
☎902-275-3430
Avec sa décoration intérieure aux allures d'un chaleureux pub irlandais et sa terrasse qui donne directement sur la marina, ce restaurant a vraiment tout ce qu'il faut pour qu'on veuille s'y attabler à toute heure de la journée, que le temps soit beau ou maussade. Son menu n'est pas décevant, bien que peu original. On y trouve principalement des fruits de mer et poissons, des steaks et des volailles.

♪Sorties

■ Activités culturelles

Shelburne

Osprey Arts Centre
107 Water St.
☎902-875-2359
www.ospreyartscentre.com
L'Osprey Arts Centre présente des concerts et des spectacles de danse ainsi que des pièces de théâtre qui s'adressent notam-

ment à un jeune public. Le centre abrite également la Coastline Gallery, qui propose des expositions temporaires. On y projette des œuvres cinématographiques canadiennes.

Liverpool

The Astor Theatre
59 Gorham St.
☎902-354-5250
www.astortheatre.ns.ca
Érigé en 1902, The Astor Theatre (nommé «Liverpool Opera House» à l'origine) présente des films et des spectacles de musique. Il s'agit là de la plus ancienne salle de spectacle de la province.

Chester

Chester Playhouse
22 Pleasant St.
☎902-275-3933 ou 800-363-7529
www.chesterplayhouse.ns.ca
De mars à décembre, on présente au Chester Playhouse des pièces de théâtre, des concerts et autres spectacles de musique.

Hubbards

Shore Club
250 Shore Club Rd.
☎902-857-9555
www.shoreclub.ca
Le Shore Club est le plus ancien *dance-hall* de la province toujours en activité. En plus de ses soirées de danse et de ses spectacles de musique, on y organise, de juin à octobre, de populaires «soupers de homards».

■ Fêtes et festivals

Juin

Shelburne County Lobster Festival

Shelburne
www.shelburnenovascotia.com
La capitale canadienne du homard fête en grand lors du Shelburne County Lobster Festival. Activités et concours sportifs, repas communautaires, expositions artistiques et spectacles de musique sont au rendez-vous.

Juillet

Privateer Days

Liverpool
☎902-354-4500
www.privateerdays.com
Les Privateers Days célèbrent l'importance des corsaires dans l'histoire locale. Cet événement se démarque par ses reconstitutions historiques qui font replonger les participants et les visiteurs en 1780. Des visites thématiques de la ville et de l'ancien cimetière, guidées par des interprètes en costumes d'époque, des spectacles de musique et une foire d'artisanat sont également à l'agenda.

South Shore Exhibition

Bridgewater
☎902-543-3341
www.thebigex.com
Si vous passez par Bridgewater au cours de la dernière semaine du mois de juillet, ne manquez pas d'assister à cette importante foire agricole surnommée *The Big Ex*, qui allie rodéos, concours bovins et équestres ainsi que du divertissement en musique pour toute la famille.

Mahone Bay Classic Boat Festival

Mahone Bay
☎902-624-0348
www.mahonebayclassicboatfestival.org
Le défilé naval du Classic Boat Festival s'avère une excellente occasion d'admirer des bateaux de toutes sortes, notamment de belles embarcations de bois. On organise aussi une course de «bateaux» construits par les participants (la construction se fait sur place en quelques heures!), des spectacles de musique et des feux d'artifice.

Août

Lunenburg Folk Harbour Festival

Lunenburg
☎902-634-3180
www.folkharbour.com
Ce festival de musique folk traditionnelle et contemporaine offre de nombreux spectacles en plein air, des ateliers de musique et un concours pour auteurs-compositeurs.

🛍 Achats

■ Artisanat

Shelburne

Charlotte Lane Cafe & Craft

13 Charlotte Ln.
☎902-875-3314
En plus d'être une des plus agréables tables en ville (voir p 214), le Charlotte Lane Cafe présente une fort belle variété de pièces créées par des artisans de la province.

Mahone Bay

Amos Pewter

589 Main St.
☎902-624-9547
www.amospewter.com
L'une des boutiques d'artisanat les plus populaires de la province, Amos Pewter offre une vaste sélection de bijoux, d'objets décoratifs et d'accessoires en étain. On peut apercevoir sur place les artisans à l'œuvre.

Chester

The Warp & Woof Gifts & Gallery

81 Water St.
☎902-275-4795
Gravures, poteries, chandails de laine... on trouve dans cette boutique quelques belles créations d'artisans des provinces atlantiques.

Artifacts in Clay

4138 route 3
☎902-275-4271
www.artifactsns.com
La boutique Artifacts in Clay propose des pièces de céramique émaillées aussi originales que pratiques, au design inspiré des beautés de la nature et de la vie marine.

■ Galeries d'art

Lunenburg

Anderson

160 Montague St.
☎902-640-3400
www.andersonmontague.com
Les amateurs de photographie contemporaine seront ravis de la grande qualité des œuvres présentées et mises en marché à la galerie Anderson.

La route des phares - Achats

Houston North Gallery
110 Montague St.
☎ 902-634-8869

Ceux qui s'intéressent à l'art inuit et amérindien ne doivent surtout pas manquer de visiter la Houston North Gallery, qui possède une collection remarquable de sculptures et de peintures.

■ Marchés publics

Lunenburg

Lunenburg Farmers' Market
mai à oct jeudi dès 8h
angle Victoria Rd. et Green St.
www.lunenburgfarmersmarket.com

Beau temps, mauvais temps, le marché public de Lunenburg étale ses comptoirs de produits frais: du pain artisanal, des petites douceurs maison, des légumes et même des plantes et des fleurs.

Hubbards

Hubbards Farmers' Market
mai à oct sam 8h à 12h
Hubbards Barn and Community Park
57 route 3
www.hubbardsfarmersmarket.com

Visiter le marché public de Hubbards constitue une activité de choix. Ce marché, qui offre une foule de produits agricoles et artisanaux de qualité, loge dans la grange communautaire, dotée d'une terrasse où il fait bon prendre une pause et boire un excellent café. Les lieux sont aussi propices à la randonnée pédestre et aux pique-niques en famille.

■ Souvenirs

Lunenburg

Wild Elements
55 Montague St.
☎ 902-643-8212
www.wildelements.ca

Des produits de beauté aux produits gastronomiques en passant par les articles de cuisine stylisés, la boutique Wild Elements regorge littéralement d'idées-cadeaux.

Bluenose II Company Store
121 Bluenose Dr.
☎ 902-634-1963

Ici le célèbre *Bluenose* est vraiment à l'honneur, et quiconque cherche un souvenir à l'effigie de cette goélette aura l'embarras du choix. En outre, les profits servent à une bonne cause: maintenir en service le *Bluenose II*.

L'île du Cap-Breton

D'Halifax à Port Hastings

Port Hastings

Ceilidh Trail

Cabot Trail

Sydney

Glace Bay

Louisbourg

Marion Bridge

St. Peter's

Isle Madame

Lac Bras d'Or

L'ÎLE DU CAP-BRETON

© ULYSSE

- - - - - Cabot Trail

OCÉAN ATLANTIQUE

Vers Channel–Port aux Basques (T.-N.-L.)

Vers Argentia (T.-N.-L.)

St. Paul Island

Meat Cove

Bay St. Lawrence

Dingwall

South Harbour

Neils Harbour

Pleasant Bay

Cape North

Presqu'île

Parc national des Hautes-Terres-du-Cap-Breton

Chéticamp

Petit Étang

Pointe Cross

Grand Étang

Cap Le Moine

Saint-Joseph-du-Moine

Ingonish

Wreck Cove

Skirh

Briton Cove

North Shore

Bird Island

Indian Brook

Englishtown

St. Ann's

Baddeck

New Waterford

Glace Bay

Mira Gut

Sydney Mines

North Sydney

Sydney

Louisbourg

Gabarouse

Lieu historique national de la Forteresse-de-Louisbourg

Marion Bridge

Big Pond

Framboise

Fourchu

St-Esprit

Grand River

Chapel Island

Irish Cove

Grande-Anse

St. Peter's

Isle Madame

Louisdale

Eskasoni

Iona

Lac Bras d'Or

Belle Côte

Margaree Forks

Northeast Margaree

Inverness

Strathlorne

Glenville

Mabou

West Mabou Beach Provincial Park

Port Hood

Mabou

Judique

Maryvale

Campbell

Troy

Havre Boucher

Port Hastings

Canso Causeway

Canso

Cape Canso

Mulgrave

Wagmatcook

Whycocomagh

Craigmore

Golfe du Saint-Laurent

Vers les Îles de la Madeleine

East Point

Souris

Montague

Î.-P.-É.

Wood Islands

Island Pictou

Caribou

Cape George

St. Georges Bay

Antigonish

Guysborough

Sherbrooke

0   15   30km

Pourvue de charmants hameaux, de forêts encore sauvages et de falaises qui plongent dans l'océan Atlantique, forgeant ainsi des paysages spectaculaires, beaux à couper le souffle, l'**île du Cap-Breton** ★ ★ ★ flotte au nord-est de la Nouvelle-Écosse.

Cette île découverte, semble-t-il, par John Cabot en 1497 fut colonisée très tôt par les Français, qui s'y installèrent dès le XVIIᵉ siècle et la baptisèrent «île Royale». En 1713, le traité d'Utrecht, qui formalise la cession de l'Acadie à la Grande-Bretagne, pousse la France à compenser cette perte en accélérant le développement de l'île Royale, notamment avec la construction de la forteresse de Louisbourg en 1719.

L'île Royale, mis à part la colonie vivant à Louisbourg, est alors parsemée de villages acadiens sur sa côte nord. Cependant, l'île ne demeure pas possession française et passe définitivement aux mains des Anglais en 1758. Louisbourg est alors détruite (1760). Aujourd'hui reconstruite, la forteresse compte parmi les sites historiques les plus impressionnants de l'est du Canada.

L'île du Cap-Breton attire chaque année des visiteurs amoureux de la nature venus profiter d'espaces sauvages exceptionnels, tel le vaste parc national des Hautes-Terres-du-Cap-Breton, qui leur offre des sentiers de randonnée et de magnifiques points de vue.

Pour pleinement jouir des beautés de cette île, il faut envisager de suivre le Cabot Trail, qui fait le tour de sa partie nord: une route escarpée, bordée d'une dense forêt et ponctuée de coquets villages. Une visite en Nouvelle-Écosse ne saurait être complète sans un arrêt à l'île du Cap-Breton.

Accès et déplacements

■ En avion

Le **Sydney Airport** *(☎902-564-7720, www.sydneyairport.ca)* accueille des vols en provenance des provinces atlantiques et d'ailleurs au Canada, ainsi que de Saint-Pierre-et-Miquelon.

■ En voiture

La façon la plus rapide de se rendre à l'île du Cap-Breton depuis Halifax est d'emprunter la route 102 jusqu'à Truro puis la route 104 jusqu'à Port Hastings. Il est également possible d'y aller en suivant la route 7, qui longe l'océan Atlantique jusqu'à Liscomb puis rejoint la route 104 à Antagonish. Ceux qui souhaitent longer la côte jusqu'à Port Hastings pourront passer par Canso et suivre les routes 211, 316 et 16.

■ En autocar

Des autocars vont d'Halifax à Sydney *(Acadian Lines, ☎800-567-5151, www.smtbus.com)*. Sachez cependant qu'il n'y a pas d'autocar faisant le tour de l'île du Cap-Breton (à l'exception des cars touristiques privés). Hormis autour de Sydney *(Cape Breton Regional Municipality Transit, ☎902-539-8124, www.cbrm.ns.ca)*, vous ne pourrez pas vous déplacer aisément. Vous devrez recourir soit à la location d'une voiture ou à vos propres moyens.

■ En traversier

Marine Atlantic

Channel-Port aux Basques (T.-N.-L.) à North Sydney (N.-É.): un départ par jour, toute l'année

Argentia (T.-N.-L.) à North Sydney (N.-É.): un départ par jour, de juin à août

355 Purves St.
North Sydney
☎800-341-7981
www.marine-atlantic.ca

Renseignements utiles

■ Renseignements touristiques

Destination Cape Breton
☎902-563-4636
www.cbisland.com

Port Hastings Provincial Visitor Information Centre
96 route 4, à l'entrée de l'île
Port Hastings
☎902-625-4201

Attraits touristiques

D'Halifax à Port Hastings

▲ p 232   ◐ p 235

En longeant l'océan Atlantique depuis Halifax, vous traverserez des communautés rurales bien paisibles et quelques ports de pêche, et vous pourrez profiter de superbes plages de sable comme **Martinique Beach**, à Musquodoboit Harbour, et **Clam Harbour Beach**, près de Lake Charlotte.

Sherbrooke

Quelques coquettes maisonnettes composent l'essentiel de ce hameau d'environ 400 habitants. Il attire des visiteurs en raison de la rivière St. Mary's, qui coule non loin et qui s'avère excellente pour la pêche.

Vous pourrez prendre le temps de visiter le **Sherbrooke Village ★** *(10$; début juin à mi-oct tlj 9h30 à 17h; ☎902-522-2400, http://museum.gov.ns.ca/sv)*, où se trouve une reconstitution du village tel qu'il se présentait de 1860 jusqu'aux années 1900. Le site compte environ 80 bâtiments, et des guides en costumes d'époque vous en feront visiter plus d'une vingtaine.

>>> *Continuez par la route 211 puis 316, que vous suivrez jusqu'à ce qu'elle croise la route 16. Prenez la direction de Canso.*

Canso

Dès 1605, le poste de Canso a été fondé à cet endroit car le site était favorablement protégé des forts courants de l'océan par Grassy Island et se trouvait à l'entrée de Chedabucto Bay. La ville sert essentiellement de départ aux visites du **Lieu historique national des Îles-Canso** *(dons appréciés; juin à mi-sept; 0,5 km au large du quai de Canso; navettes gratuites pour Grassy Island, départ à la demande; ☎902-295-2069)*. Plaque tournante de la pêche commerciale au XVIIIe siècle, la région de Canso fut au cœur de bien des convoitises, Anglais et Français se la disputant. On retrouve ainsi, sur Grassy Island, les ruines de fortifications datant du XVIIIe siècle, un ancien poste de pêche colonial de la Nouvelle-Angleterre et un sentier d'interprétation.

Au **Canso Visitor Information Centre** *(juin à mi-sept tlj 10h à 18h; sur le quai, près d'Union St.)*, les visiteurs peuvent regarder un court film relatant l'histoire de la colonisation de Grassy Island jusqu'à la destruction de l'établissement, au printemps 1744. Le centre expose également une maquette de l'île telle qu'elle apparaissait avant 1744, ainsi que des cartes géographiques, des photos et des artéfacts datant du XVIIe siècle.

>>> *Allez rejoindre la Transcanadienne (route 104) en suivant la route 16.*

Port Hastings

Port Hastings est relié à la terre ferme par la **Canso Causeway** (chaussée de Canso). Cette route sur digue, qui traverse le détroit de Canso, s'étire sur près de 1 400 m et atteint 65 m de profondeur. Il s'agit de la chaussée la plus profonde au monde. Sa construction a nécessité plus de 10 tonnes de roches.

Le petit village de Port Hastings est en quelque sorte la porte d'entrée de l'île du Cap-Breton. Sans grand charme, il constitue cependant une étape importante, car c'est à partir de ce village que vous devrez choisir de suivre la route vers Sydney ou de prendre le Ceilidh Trail. Vous y trouverez une foule de services et installations utiles, notamment des restaurants, des stations-service et, surtout,

La culture gaélique

Depuis 1996, en Nouvelle-Écosse, le mois de mai est le *Gaelic Cultural Awareness Month* (mois de la sensibilisation à la culture gaélique), pour que soit célébré le rôle important que la langue gaélique a joué dans l'histoire de la province. Il faut reconnaître que les descendants des colons écossais qui se sont établis dans la province, les Gaëls, ont largement contribué à la diversité culturelle de la Nouvelle-Écosse et de toute l'Amérique du Nord. Leur langue et leur culture (chansons, histoires, mélodies, danses d'antan) ont de fait influencé de très nombreuses personnes, collectivités et institutions. À l'île du Cap-Breton, les Gaëls s'enorgueillissent de leur patrimoine ancien. Leur langue, le gaélique écossais, ressemble au gaélique irlandais – ces deux langues celtiques provenant du vieil irlandais.

Il y a quelque 2 500 ans, la culture et les langues celtiques commencèrent à se propager dans l'actuelle Europe de l'Ouest. Avec les siècles, la culture celtique se retrancha sur les côtes ouest de l'Europe: Irlande, Écosse, pays de Galles, Cornouailles, île de Man, Bretagne. Au tournant du XVIIIe siècle jusqu'au milieu du XIXe siècle, en raison de pressions politiques, économiques, religieuses et culturelles, plusieurs dizaines de milliers de Gaëls quittèrent l'ouest de l'Écosse pour se rendre en Nouvelle-Écosse. Et 25 000 d'entre eux vinrent à l'île du Cap-Breton, où leur culture et leur langue se sont développées. Pour la plupart, le gaélique était leur première langue. Au début du siècle dernier, environ 75 000 personnes parlaient le gaélique à l'île du Cap-Breton.

En Nouvelle-Écosse, la culture gaélique bénéficie de plusieurs appuis pour survivre. Depuis sa création, le Gaelic Council of Nova Scotia s'emploie à renforcer la position de la langue et de la culture gaéliques en Nouvelle-Écosse. Le **Highland Village Museum** (voir p 232) et le **Celtic Colours International Festival** (voir p 238) de Sydney commémorent et célèbrent la culture celtique. Sans oublier *Celtic Heritage*, un magazine sur la culture celtique publié six fois l'an à Halifax.

un bureau de renseignements touristiques (voir plus haut).

Le village abrite le **Gut of Canso Museum & Archives** *(dons appréciés; mi-juin à mi-oct lun-ven 9h à 17h, sam-dim 12h à 16h; 9 Church St.,* ☎ *902-625-1295 ou 902-625-0779, www.porthastingsmuseum.org)*, un musée installé dans une maison centenaire, qui retrace l'histoire locale et les étapes de construction de la Canso Causeway.

▸▸▸ *Depuis Port Hastings, suivez la route 19.*

Ceilidh Trail

▲ *p 232* ◍ *p 235*

En continuant votre route le long de la côte ouest, vous parviendrez au Ceilidh Trail. Colonisée par des Écossais, la région sillonnée par cette piste ancestrale est encore empreinte de la culture gaélique. Plus qu'ailleurs à l'île du Cap-Breton, c'est dans les villages ponctuant le Ceilidh Trail que l'on peut le mieux découvrir l'héritage écossais. La musique gaélique est d'ailleurs très présente dans cette région, et les visiteurs auront plusieurs occasions d'assister à des spectacles.

Le long du Ceilidh Trail, on rencontre quelques-unes des belles plages de l'île, caressées par les eaux chaudes de la baie de St. George ou par le golfe du Saint-Laurent. On en compte plusieurs près de **Port Hood ★** et de **West Mabou** ainsi qu'à **Inverness**.

Judique

Le **Celtic Music Interpretive Centre** *(12$; tlj 9h à 17h; 5471 route 19,* ☎*902-787-2708, www.celticmusicsite.com)* est l'endroit idéal pour découvrir et apprécier la musique traditionnelle de l'île du Cap-Breton. Des représentations musicales accompagnées de danses sont offertes aux visiteurs. Le centre abrite également des expositions interactives, une boutique de souvenirs et des documents d'archives.

Un *ceilidh*

Ceilidh (se prononce «qué-lit») est l'un des rares mots gaéliques à s'être fait une place dans la langue anglaise. Si quelqu'un parle aujourd'hui d'un *ceilidh*, on pourrait penser, si l'on est natif de la Nouvelle-Écosse, à un spectacle de musique et de danse celtiques, par exemple. Cette interprétation moderne diffère beaucoup de la définition traditionnelle de *ceilidh*. La traduction la plus fidèle de ce mot gaélique est «visite à la maison», et sa signification englobait beaucoup de traditions.

Pendant des siècles, la culture gaélique s'est surtout transmise oralement. Les jeunes générations apprenaient et absorbaient le savoir traditionnel de manière informelle auprès de leurs aînés. Au nombre des formes culturelles transmises, on compte les contes et légendes, les blagues et les anecdotes, les histoires de sorcellerie, de lutins, les proverbes, l'histoire locale et les chansons.

L'endroit où se passait le *ceilidh* jouait un rôle important dans la transmission des connaissances culturelles gaéliques. Chaque localité avait au moins un lieu de rencontre communautaire. La fréquence des visites rendait les gens très proches les uns des autres. Les *taigh ceilidh* (maisons du *ceilidh*) étaient les rendez-vous par excellence où se rencontrer, surtout durant les longues soirées d'hiver.

Chaque maison de *ceilidh* avait une spécialité. Une maison pouvait attirer ceux qui s'intéressaient plus au violon et à la musique en général tandis que, dans une autre, on avait plus de chance d'entendre des histoires ou d'apprendre des chansons. Et d'autres encore présentaient de la danse et des cornemuseurs.

Comme le voulait l'hospitalité traditionnelle des Hautes-Terres du Cap-Breton, chaque visiteur se voyait offrir à manger et aussi à boire, que ce soit du thé ou quelque chose de «plus fort», parfois durant toute la soirée et la nuit. Tous étaient les bienvenus, et cette hospitalité permettait de faire en sorte que les moins fortunés, ceux qui n'avaient pas de chez-soi, trouvaient nourriture, abri et chaleur, en se déplaçant d'une maison à l'autre dans les localités. On voyait encore des musiciens, des chanteurs et des raconteurs itinérants au tournant du XXe siècle dans la région du Cap-Breton.

Mabou ★

En plus d'abriter une vaste plage sablonneuse, des marais et des champs jadis voués à l'agriculture, le **West Mabou Beach Provincial Park** *(www.novascotiaparks.ca)* dispose de plusieurs sentiers de randonnée et d'une aire de pique-nique.

La culture gaélique est bien présente à Mabou. L'ancien magasin général du village loge aujourd'hui **The Bridge/An Drochaid Museum** *(entrée libre; juil et août mar 12h à 16h, mer-sam 9h à 17h, dim 12h à 16h; 11513 route 19, ☎902-945-2311)*, qui expose des photographies et des objets relatifs au patrimoine gaélique de la région ainsi que des documents d'archives manuscrits et audiovisuels. Le musée comporte une petite salle où sont présentés des spectacles de musique et de danse traditionnelles.

Sur le Ceilidh Trail, Mabou est l'endroit le plus agréable où loger.

Glenville

Quelques kilomètres passé Mabou, vous pourrez visiter la **Glenora Distillery** *(7$; mi-mai à oct tlj 9h à 17h, visites guidées aux heures; 13727 route 19, ☎800-393-0491, www.glenoradistillery.com)*, où l'on concocte le seul whisky *single malt* en Amérique du Nord. L'endroit abrite également une boutique, une auberge, des chalets, un restaurant et un pub (voir p 235).

Inverness

Inverness possède plusieurs attraits dignes de mention, entre autres une plage surveillée, flanquée d'une promenade en planches d'où il est possible d'observer des baleines. Au cours de l'été, sa baie est envahie par les flottilles des pêcheurs de homard, de thon et de crabe.

Au-delà de la pêche, l'industrie minière (charbon) a joué un rôle indéniable dans le développement de ce village. Installé dans une ancienne gare du chemin de fer Canadien National, l'**Inverness Miner's Museum** *(entrée libre; juin à sept lun-ven 9h à 18h, sam-dim 12h à 17h; 62 Lower Railway St., ☎902-258-3822, http://members.tripod.com/~Dongael)* dépeint le patrimoine local notamment à travers des expositions, photographies, peintures et autres objets liés à l'histoire minière du village. Le musée renferme aussi une galerie d'art qui présente des costumes d'époque et des courtepointes.

L'**Inverness County Centre for the Arts** *(fin juin à mi-sept lun-ven 10h à 17h, sam-dim 13h à 17h; mi-sept à fin mai lun-ven 10h à 17h; 16080 route 19, ☎902-258-2533, www.invernessarts.ca)* est à la fois une excellente galerie d'art où sont exposées des œuvres d'artistes régionaux, une boutique de souvenirs et une salle de spectacle.

''' *La route 19 rejoint le Cabot Trail à Margaree Forks.*

Cabot Trail ★ ★ ★

▲ *p 232*   🍴 *p 236*   🛏 *p 237*   🎒 *p 238*

Le Cabot Trail, une route construite le long de falaises escarpées se jetant dans l'océan Atlantique, est ponctué de hameaux pittoresques. Le long de la route, les points de vue sont nombreux et révèlent tous des panoramas magnifiques; prenez le temps de vous y arrêter pour contempler le tableau de cette nature sauvage où se côtoient une mer agitée, des collines escarpées et une forêt dense, peuplée d'une faune variée.

Northeast Margaree

Non loin de Margaree Forks, faites un arrêt à Northeast Margaree afin de visiter le **Margaree Salmon Museum** *(1$; mi-juin à mi-oct tlj 9h à 17h; 60 E. Big Interval Rd., ☎902-248-2848)*. Vous pourrez y découvrir les divers attirails utilisés pour la pêche au saumon.

La route remonte et longe le golfe du Saint-Laurent, vous menant jusqu'au plateau dénudé de la région acadienne du Cap-Breton. Se succèdent alors des villages à la toponymie francophone: Belle-Côte, Cap Le Moine, Saint-Joseph-du-Moine et Grand-Étang.

Cap Le Moine

Dans le village de Cap Le Moine, entre Margaree Harbour et Chéticamp, vous croiserez un attrait touristique plutôt

L'île du Cap-Breton - Attraits touristiques - Cabot Trail

inusité. Il s'agit du **Joe's Scarecrow Village**, un rassemblement d'épouvantails, tous différemment vêtus et masqués, affichant leur propre personnalité. Un sentiment d'étrangeté émane des lieux…

Chéticamp

Parmi les villages traversés par le Cabot Trail, Chéticamp se présente comme un bourg tranquille composé de simples maisonnettes et d'un port de pêche. De là partent des bateaux d'excursions pour l'observation des phoques et des baleines.

Le centre culturel **Les Trois Pignons** *(5$; mai, juin, sept et oct tlj 9h à 17h; juil et août tlj 9h à 19h;* ☎*902-224-2642, www.lestroispignons. com)*, qui comprend un bureau de renseignements touristiques, est l'ambassadeur régional de la culture acadienne. Le centre abrite le **Musée du tapis hooké et la vie de chez nous**, une impressionnante collection de tapis crochetés parmi laquelle on retrouve les œuvres d'Elizabeth LeFort, ainsi que des objets relatant la vie quotidienne à Chéticamp durant la colonisation.

Chéticamp s'avère un bon lieu de ravitaillement avant d'atteindre le parc national des Hautes-Terres-du-Cap-Breton. Non loin de là, le paysage change pour faire place aux forêts et aux falaises escarpées du parc, un vaste plateau d'une hauteur de 366 m qui occupe le nord de l'île. Les paysages se révèlent alors de plus en plus spectaculaires.

Parc national des Hautes-Terres-du-Cap-Breton ★ ★ ★

Le magnifique **parc national des Hautes-Terres-du-Cap-Breton** *(7,80$; toute l'année; centres d'information mi-mai à mi-oct;* ☎*902-224-2306, www.pc.gc.ca/breton)*, créé en 1936, protège 950 km² de territoire sauvage aménagé pour plaire aux amateurs de grands espaces. Ce parc, le plus ancien de l'est du Canada, possède mille et une ressources: des points de vue magnifiques, une forêt peuplée d'une faune fascinante, 25 sentiers de randonnée pédestre, des plages, des terrains de camping et même un golf. On peut donc le parcourir en tous sens en s'adonnant à maintes activités.

Parmi les randonnées pédestres les plus populaires et les plus spectaculaires figure le **Skyline Trail**, un sentier doté de promenades en planches formant une boucle de 9,2 km. Situé entre Chéticamp et Pleasant Bay, le sentier Skyline aboutit à un promontoire offrant une vue imprenable sur les montagnes et sur le golfe du Saint-Laurent d'où l'on peut parfois apercevoir des baleines. Les randonneurs croisent régulièrement des orignaux et des pygargues au cours de cette randonnée.

Pleasant Bay

Une fois le parc traversé, vous croiserez, en longeant la côte, le village de Pleasant Bay, un endroit agréable où séjourner. Ce village, réputé être l'un des meilleurs endroits pour observer des baleines en Nouvelle-Écosse, abrite le **Whale Interpretive Centre** *(4,50$; juin à mi-oct;* ☎*902-224-1411)*. En plus de présenter un bassin tactile, le centre d'interprétation recèle des répliques en miniature de quelques espèces de baleines.

Cape North

En poursuivant sur le Cabot Trail, on rencontre le village de Cape North et le **North Highlands Community Museum and Culture Centre** *(entrée libre; fin juin à fin oct tlj 10h à 18h; 29263 Cabot Trail,* ☎*902-383-2579, www.northhighlandsmuseum.ca)*. Le musée propose des expositions à thèmes variés, comme la vie maritime, la colonisation, l'artisanat et les transports. Des spectacles de musique et d'autres événements culturels y sont présentés.

▸▸▸ *Depuis Cape North, prenez Bay St. Lawrence Road.*

Bay St. Lawrence ★

Construit au bord de l'eau, le charmant village de pêcheurs de Bay St. Lawrence est composé de maisonnettes de bois et d'un port très pittoresque où vous aurez le plaisir d'observer les cormorans planant au-dessus des flots.

▸▸▸ *Reprenez Bay St. Lawrence Road vers St. Margaret Village, au sud de Bay St. Lawrence, puis prenez Meat Cove Road.*

Meat Cove ★

En poursuivant vers l'est, vous pourrez contempler le canyon formé par les versants des collines: la vue y est très belle. La route longe des falaises et serpente jusqu'à Meat Cove, le village le plus au nord de la Nouvelle-Écosse, où vous pourrez pique-niquer tout en ayant une superbe vue en plongée sur les flots.

''' *Retournez sur vos pas pour rejoindre le Cabot Trail (route 19).*

Ingonish

Sur la route d'Ingonish, vous croiserez de jolis phares, notamment celui de **Neils Harbour**, qui est toujours en activité.

Ingonish, qui renferme cinq petites communautés (Ingonish Ferry, Ingonish Harbour, Ingonish Beach, Ingonish Centre et Ingonish), se prête bien aux activités de plein air. En plus d'une plage sablonneuse, on y trouve des lacs et des rivières propices à la baignade et à la pêche, un mont de ski alpin *(Ski Cape Smokey, www. skicapesmokey.com)* et l'un des parcours de golf les plus prisés d'Amérique du Nord: le **Highlands Links Golf Course** (voir p 228).

Englishtown

Depuis Englishtown, il est possible de faire une sortie en mer jusqu'aux côtes de **Bird Island**, où l'on peut observer des macareux moines. Ces attachants «perroquets des mers» s'y rendent de mai à août pour nicher. Des excursions (voir p 228) permettent d'apercevoir d'autres espèces, entre autres le guillemot à miroir, le petit pingouin et le grand héron.

St. Ann's

Fondé en 1938, le **Gaelic College of Celtic Arts and Crafts** *(☎902-295-3411, http:// gaeliccollege.edu)* baigne dans un cadre champêtre et permet de s'initier profondément à la culture gaélique de la Nouvelle-Écosse. Les salles d'exposition du musée qui s'y trouve, **The Great Hall of the Clans** *(7$; juin mer-dim 9h à 17h, juil et août tlj 9h à 17h, sept mer-dim 9h à 17h)*, présentent l'histoire, la culture et la colonisation écossaise dans la région ainsi que son patrimoine gaélique. On remarquera d'ailleurs que, partout dans la région, plusieurs personnes parlent encore le gaélique. La présentation des expositions est très moderne, utilisant le multimédia de manière très intéressante. Si vous avez un ancêtre écossais, vous pourrez essayer de trouver votre tartan familial (tissu à carreaux traditionnel écossais), et même repartir avec un kilt en passant par la boutique, où plus de 500 tartans sont disponibles, ce qui en fait la plus grande collection au Canada! Une belle et surprenante visite! On peut même y suivre de petits cours de langue gaélique, en plus des ateliers sur la confection de tartans et autres vêtements conçus avec ce tissu.

''' *Poursuivez par le Cabot Trail (route 19) jusqu'à Baddeck.*

Baddeck

Surplombant le lac Bras d'Or, Baddeck se présente comme un village coquet, où il fait bon prendre le temps de se balader ou de s'installer sur une petite terrasse pour s'offrir un petit repas. Ce village est charmant à souhait et possède des attraits qui méritent le détour. On y trouve entre autres un site touristique passionnant: la résidence d'été de l'inventeur Alexander Graham Bell.

Le **Lieu historique national Alexander-Graham-Bell** ★★ *(7,80$; mai tlj 9h à 17h, juin tlj 9h à 18h, juil à mi-oct tlj 8h30 à 18h, mi-oct à fin oct tlj 9h à 17h; Chebucto St., route 205 à la sortie est du village, ☎902-295-2069, www. pc.gc.ca)* présente toute une série d'inventions élaborées par Bell, de même que les instruments dont il s'est servi lors de ses recherches.

On y relate également la vie de Bell. Ainsi, vous apprendrez que, après avoir longtemps enseigné le langage gestuel aux sourds-muets, il en vint à créer une oreille artificielle qui enregistrait les sons et, en poursuivant ses recherches en ce sens, qu'il en vint à créer le téléphone.

L'île du Cap-Breton - Attraits touristiques - Cabot Trail

Alexander Graham Bell

Né à Édimbourg (Écosse) en 1847, Alexander Graham Bell vint s'établir avec ses parents au Canada, à Brantford, Ontario, en 1870. Très tôt, ce brillant inventeur s'intéressa, à l'instar de son père, à l'enseignement d'un langage gestuel pour les sourds-muets.

Ces recherches l'emmenèrent à enseigner à l'université de Boston, où il forma des professeurs de langage gestuel. C'est en créant une oreille artificielle permettant d'enregistrer les sons qu'il mit au point, en 1876, une invention qui le rendra célèbre: le téléphone. Une fois riche, il passa une partie de sa vie, avec son épouse Mabel, elle-même sourde-muette, à Baddeck (Nouvelle-Écosse), dans sa résidence d'été, où il continua ses recherches dans divers domaines.

🎣 Activités de plein air

■ Golf

Highlands Links
Ingonish Beach
☎902-285-2600 ou 800-441-1118
www.highlandslinksgolf.com
Dans le parc national des Hautes-Terres-du-Cap-Breton se trouve un magnifique golf, le Highlands Links, qui compte parmi les plus spectaculaires parcours de la Nouvelle-Écosse.

■ Kayak

Les côtes déchiquetées de l'île du Cap-Breton réservent des panoramas sans pareils. Les excursions en kayak sont particulièrement recommandées à tous ceux qui voudraient les observer d'un tout autre point de vue. Quelques entreprises en organisent, notamment:

North River Kayak Tours
North River, près de Baddeck
☎902-929-2628
www.northriverkayak.com

■ Observation des baleines

Whale Cruisers
27$
juin à mi-oct, deux ou trois départs par jour
Chéticamp
☎902-224-3376 ou 800-813-3376
www.whalecruisers.com

Capt Mark's Whale & Seal Cruise
25$
juin à fin oct, trois ou quatre départs par jour
Pleasant Bay
☎902-224-1316 ou 888-754-5112
www.whaleandsealcruise.com

■ Observation des oiseaux

Donelda's Puffin Boat Tours
Englishtown
☎902-929-2563
www.puffinboattours.com
Donelda's Puffin Boat Tours organise des excursions d'observation des oiseaux à Bird Island, où nichent entre autres des macareux moines.

›› *Depuis Baddeck, empruntez les routes 105 et 125 jusqu'à Sydney.*

Sydney

▲ *p 235* 🍽 *p 237* 🛏 *p 237*

Avec environ 25 000 habitants, Sydney constitue la plus grande ville de l'île du Cap-Breton. Le colonel Joseph Frederick Wallet DesBarres, un Canadien d'origine suisse, accompagné d'un groupe constitué notamment de citoyens anglais et de loyalistes venant des États-Unis, fonde la ville en 1785. Quelques années plus tard, des immigrants écossais viendront à leur tour s'y établir.

Sydney connaît cependant un développement majeur au début du XXe siècle, alors que des entreprises produisant de l'acier s'y implantent. Ces entreprises utilisaient le charbon extrait dans les villes environnantes de Glace Bay, New Waterford, Sydney Mines et Reserve Mines. Après la fermeture définitive des aciéries et des mines de charbon au début des années 2000, l'économie de Sydney s'est diversifiée et mise aujourd'hui sur ses richesses culturelles et naturelles pour promouvoir le tourisme. La ville dispose de tous les services pour bien accueillir le visiteur, et elle demeure un bon arrêt pour se reposer avant d'entreprendre la visite de Louisbourg.

Le **Cossit House Museum** *(2$; juin à mi-oct lun-sam 9h30 à 17h30, dim 13h à 17h30; 75 Charlotte St., ☎902-539-7973, http://museum. gov.ns.ca/ch)* loge dans ce qui serait la plus ancienne (1787) construction de la ville. Maintenant restaurée et décorée de meubles d'époque, la maison a l'aspect qu'elle avait jadis. Des guides en costumes d'époque vous feront visiter les lieux et répondront à vos questions.

Non loin de là, vous pourrez voir la **Jost Heritage House** *(2$; juin à août lun-sam 9h à 17h, sept et oct lun-sam 10h à 16h; 54 Charlotte St., ☎902-539-0366 ou 902-539-7998)*, qui fut la demeure d'un riche marchand. Elle abrite entre autres des expositions sur la vie marine et des objets liés au métier d'apothicaire.

Si vous désirez en connaître plus sur l'histoire de Sydney, rendez-vous au **St. Patrick's Church Museum** *(2$; mi-juin à sept lun-sam 9h30 à 17h30, dim 13h à 17h; 87 Esplanade, ☎902-562-8237)*. Construite vers 1830, l'église catholique qui accueille ce musée est la plus ancienne du Cap-Breton. On y présente une exposition relatant le passé de la ville.

››› *Suivez la route 4 jusqu'à Glace Bay.*

Glace Bay

Glace Bay est située au bord de l'Atlantique dans une région riche en charbon, minerai qui était d'ailleurs à la base de sa principale industrie jusqu'au début des années 1990. Son nom tire ses origines du

français et réfère aux morceaux de glace flottant à la dérive au large des côtes. Cette petite ville d'une quinzaine de milliers d'habitants compte deux attraits intéressants: le Lieu historique national Marconi et le Miner's Museum.

Guglielmo Marconi (1874-1937) s'est fait connaître pour avoir démontré qu'il était possible d'envoyer un message par télégraphie sans fil (T.S.F.). À l'âge de 22 ans, il avait déjà élaboré un poste qui permettait d'envoyer un message par T.S.F. sur une courte distance. En 1902, il parvint à envoyer le premier message outre-Atlantique de son poste émetteur installé à Table Head, un secteur de Glace Bay. Dans le **Lieu historique national Marconi** ★ *(entrée libre; juin à mi-sept tlj 10h à 18h; Timmerman St., ☎902-295-2069, www.pc.gc.ca)*, vous pourrez prendre connaissance de ses découvertes et voir sa table de travail, de même que le poste radio d'où fut envoyé le premier message.

La région de Glace Bay a jadis possédé une industrie minière qui s'est développée très tôt; déjà en 1720, les soldats français de Louisbourg venaient chercher le charbon à Port Morien. L'essor de cette industrie s'était cependant vraiment amorcé au début du XXe siècle, alors qu'on avait créé des mines, notamment à New Waterford.

Pour vous familiariser avec cette ancienne industrie, rendez-vous au **Cape Breton Miner's Museum** ★★ *(5$ accès au musée, 5$ visite guidée de la mine; juin à fin août tlj 10h à 18h, mar jusqu'à 19h; reste de l'année lun-ven 9h à 16h; 42 Birkley St., ☎902-849-4522, www.minersmuseum.com)*. Des expositions présentent quelques méthodes et divers outils utilisés pour extraire le charbon. On peut également visiter un village minier du début du XXe siècle qui a été reconstitué. Enfin, sans doute la partie la plus fascinante du musée: l'exploration d'une ancienne mine de charbon commentée par un guide.

››› *Depuis Glace Bay, prenez la route 255 jusqu'à Mira Gut, d'où vous accéderez au Marconi Trail pour vous rendre à Louisbourg.*

Louisbourg

▲ *p 235* ● *p 237* ➔ *p 237*

La ville de Louisbourg attire les visiteurs en raison de la forteresse de Louisbourg, construite non loin, qui constitue l'attrait principal de la région. La ville renferme des commerces destinés aux touristes, hôtels, motels et restaurants composant l'essentiel des établissements. Il faut compter une journée complète pour visiter la forteresse.

Situé à l'extérieur de la ville même de Louisbourg, le **Lieu historique national de la Forteresse-de-Louisbourg** ★ ★ *(17,60$; juil et août tlj 9h à 17h30, mi-mai à fin juin et sept à mi-oct tlj 9h30 à 17h; ☎902-773-2280, www.pc.gc.ca)* bénéficie aujourd'hui d'un site de choix, loin de tout développement moderne, ce qui permet de mieux recréer l'atmosphère de la jeune colonie française dans les années 1740. Il s'agit en fait de la plus importante reconstitution de ville fortifiée française du XVIIIᵉ siècle en Amérique du Nord. La forteresse fut érigée au bord de l'eau, en un lieu stratégique d'où l'on voyait venir les bateaux ennemis, afin de contenir leurs attaques. Aujourd'hui, près du quart de la forteresse a été reconstruite et, durant l'été, elle s'anime d'une foule de figurants en costumes qui recréent la vie quotidienne de Louisbourg: le boulanger, le pêcheur et sa famille, les soldats, etc.

À partir de 1719, et après avoir perdu plus tôt l'Acadie, devenue la Nouvelle-Écosse, les autorités françaises décident de construire une ville fortifiée dans l'île Royale; la forteresse de Louisbourg commence à prendre forme. Son érection présente dès lors de grands défis, car il s'agit du système de fortifications le plus complexe jamais réalisé en Nouvelle-France.

Outre sa vocation militaire, Louisbourg constitue un port de pêche et une ville commerçante, si bien que très tôt elle compte pas moins de 2 000 habitants. Tout est conçu pour permettre aux colons et aux soldats de s'acclimater à leur nouvel environnement; casernes, maisons, quartiers de la garnison, et ce, malgré des conditions de vie difficiles. La présence française dans l'île Royale irrite toutefois les colonies anglaises postées plus au sud. En 1744, alors que la guerre pour la succession d'Autriche est déclarée en Europe entre la France et l'Angleterre, la garnison de Louisbourg en profite pour investir les villages anglais environnants et s'empare ainsi d'un avant-poste anglais de Grassy Island.

La situation dérange à tel point les Anglais postés en Nouvelle-Angleterre qu'en 1745 William Shirley, gouverneur du Massachusetts, décide d'envoyer ses troupes assaillir ce bastion français. C'est ainsi que 4 000 soldats des troupes de la Nouvelle-Angleterre s'approchent de Louisbourg et encerclent la forteresse, réputée imprenable. Cependant, les troupes françaises, sous-équipées et mal organisées, ne peuvent contrer une telle attaque. Après un siège de six semaines, les autorités de Louisbourg se rendent aux troupes britanniques.

À la suite du traité de paix entre les deux puissances européennes en 1748, Louisbourg est rendue à la France. En 1758, cependant, le fort est reconquis par les Britanniques. Dix ans après cette dernière conquête, la forteresse est laissée à l'abandon, et il faudra attendre longtemps pour qu'elle soit reconstruite.

Outre la forteresse, les visiteurs pourront s'arrêter au **Louisbourg Marine Museum** *(2,50$; juin à fin sept lun-ven 10h à 20h; 7548 Main St., ☎902-733-2252, http://bmuseums. tripod.com/LMM.html)*, qui dépeint l'histoire et la vie marines, l'évolution de l'industrie et des techniques de la pêche, de même que l'histoire sociale de la région. Le musée renferme entre autres un aquarium, une embarcation et de l'ancien équipement de pêche, ainsi que des objets retrouvés dans l'épave *Le Chameau* (1725).

⁕⁕⁕ *Pour vous rendre à St. Peters depuis Louisbourg, prenez la route 22 en direction de Sydney. Vous aurez alors le choix de passer par la route 327 (Fleur-de-Lis Trail) et de marquer un arrêt à Marion Bridge ou de poursuivre jusqu'à Sydney pour rejoindre la route 4.*

Marion Bridge

À Marion Bridge se trouve l'un des parcs les plus impressionnants de la Nouvelle-Écosse, le **Two Rivers Wildlife Park ★★** *(6$; tlj; ☎902-727-2483, www.tworiverspark.ca)*. Dans ce parc de plus de 200 ha vivent dans leur milieu naturel des ours noirs, des lynx, des orignaux et des couguars. Il faut profiter de la vue spectaculaire sur les rivières Mira et Salmon, emprunter les sentiers et les pistes de ski de fond, pêcher dans les étangs et s'adonner à la baignade.

St. Peter's

🔲 p 238

St. Peter's est situé sur l'étroite bande de terre séparant l'océan Atlantique du lac Bras d'Or. C'est en 1630 qu'une colonie s'installa sur l'actuel site et y créa un fort dénommé «fort Saint-Pierre». Une vingtaine d'années plus tard, Nicolas Denys prit possession du fort et y créa un poste de traite et de pêche. Vous pourrez en connaître plus sur ce pionnier français en visitant le **Nicolas Denys Museum** *(0,50$; juin à sept tlj 9h à 17h; 46 Denys St., ☎902-535-2379)*.

Après la capture de Louisbourg en 1758, ce poste de traite se développa peu à peu et connut un essor marquant, quand, en 1854, les colons anglais décidèrent d'y creuser un canal afin de permettre un accès à la navigation entre le lac Bras d'Or et l'océan. Aujourd'hui, le **Lieu historique national du Canal-de-St. Peters** *(entrée libre; mi-mai à mi-oct tlj; ☎902-733-2280, www.pc.gc.ca)* accueille chaque année de nombreuses embarcations que l'on peut observer en se rendant au parc aménagé de part et d'autre du canal. Une exposition extérieure explique le fonctionnement de l'écluse.

››› *Poursuivez par la route 4 jusqu'à Grande Anse, où vous prendrez la route 320 pour vous rendre à l'Isle Madame.*

Le pygargue à tête blanche (*Haliaeetus leucocephalus*)

Emblème des États-Unis, le pygargue à tête blanche est le seul de la famille des pygargues à se retrouver en Amérique du Nord. On peut l'apercevoir à divers endroits du Canada, notamment dans l'île du Cap-Breton, près de grands plans d'eau, d'où il puise l'essentiel de sa nourriture, le poisson. Cet imposant oiseau, dont les ailes peuvent atteindre une envergure de 2,5 m, peut peser jusqu'à 7 kg et vivre 40 ans. Monogame, il reste fidèle à son partenaire jusqu'à la mort.

Isle Madame

Cette presqu'île d'environ 45 km² est paisible à souhait et comporte d'agréables aires de pique-nique. L'Isle Madame fut colonisée par des Acadiens, et encore aujourd'hui on y retrouve des francophones.

Lac Bras d'Or ★

Le lac Bras d'Or est un bras de mer de près de 1 100 km² entouré de collines. Il s'étire ainsi sur une bonne partie de l'île, qu'il divise en deux parties: les Basses-Terres et les Hautes-Terres du Cap-Breton.

Vaste étendue d'eau salée, le lac attire bon nombre d'espèces animales, notamment le magnifique pygargue à tête blanche, que l'on peut observer à l'occasion. De plus, le lac et ses nombreux bras (Channel St. Andrews, Channel St. Patrick) sont riches en poissons, comme la truite et le saumon, pour le plaisir des amateurs de pêche.

Très tôt, les rives de ce lac poissonneux attirèrent les peuplades autochtones, et les Micmacs y élurent domicile. Ces derniers possèdent encore des territoires près du lac, quatre communautés y ayant été créées: Whycocomagh, Eskasoni, Wagmatcook et Chapel Island. Outre les communautés autochtones, plusieurs villages sont situés au bord du lac. Il est possible d'en faire le tour par la **Bras d'Or Lakes Scenic Drive ★** *(repérez les panneaux affichant un pygargue à tête blanche)*.

Les visiteurs ayant opté pour le tour du lac Bras d'Or et appréciant la culture gaélique ne manqueront pas de faire un arrêt au **Highland Village** *(9$; juin à mi-oct; ☎902-725-2272, http://museum.gov.ns.ca/hv)*, à **Iona**. Il s'agit là d'une reconstitution d'un village de colons écossais (forge, moulin, magasin général, etc.), animé par des guides en costumes d'époque et abritant des animaux de la ferme.

▲ Hébergement

D'Halifax à Port Hastings

Liscomb Mills

Liscombe Lodge Resort and Conference Centre
$$$$ ✆ ♨ ≋ ⇌))) ◎ ☂ ▲
2884 route 7
☎902-779-2307 ou 800-665-6343
www.liscombelodge.ca
Si vous partez d'Halifax par la route 7 pour vous rendre à l'île du Cap-Breton, à mi-chemin vous rencontrerez le Liscombe Lodge Resort, un véritable paradis pour les amants de la nature car il est situé au bord de l'eau, ce qui permet aux visiteurs de s'adonner à la pêche et au canotage. L'endroit se révèle tranquille, les chambres sont confortables, et le site est magnifique.

Canso

Whitman Wharf House B&B
$$$ ✆ bc @ ◎
1309 Union St.
☎902-366-2450 ou 888-728-2424
www.whitmanwharf.com
Cette accueillante maison victorienne avantageusement située face au port de Canso propose trois chambres simples et

confortables qui partagent une salle de bain. La qualité de cet établissement se révèle par des petits détails comme les produits de toilette et de beauté fabriqués sur place et mis à la disposition des clients.

Ceilidh Trail

Port Hood

Haus Treuburg Country Inn and Cottages
$$$ ♨ ☂ @
175 Main St.
☎902-787-2116
www.haustreuburg.com
Avec sa plage privée, son restaurant réputé, ses trois chambres chaleureuses, ornées de boiseries, et ses trois chalets modernes et tout équipés, cet établissement offre un excellent rapport qualité/prix.

Mabou

Mabou River Inn
$$$ @ ☂ ♨
route 19, angle Southwest Ridge Rd.
☎902-945-2356 ou 888-627-9744
http://mabouriverinn.com
Le sympathique Mabou River Inn propose des chambres propres et sans prétention et des appartements tout équipés, pratiques pour les familles.

L'établissement renferme un restaurant. Notez que les salles de bain sont privées, mais que la plupart sont situées à l'extérieur des chambres.

Cabot Trail

Margaree Valley

Normaway Inn, Cabins & Suites
$$$-$$$$ ◎ ♨ ▲ ☂
691 Egypt Rd.
☎902-248-2987 ou 800-565-9463
www.normaway.com
Accueillant les vacanciers depuis une soixantaine d'années, le Normaway Inn a bien du charme avec son magnifique jardin s'étendant sur quelques centaines d'hectares et lui conférant un cachet champêtre. Son bâtiment principal ressemble d'ailleurs quelque peu à une maison de ferme. Les chambres sont aménagées dans le bâtiment principal, dans des chalets et dans la Mac-Pherson House. Certains des chalets sont pourvus d'un foyer et d'une baignoire à remous. Une belle salle de séjour, très chaleureuse, est mise à la disposition de la clientèle.

Chéticamp

Merry's Motel
$$ ☙

15356 Cabot Trail (route 19)
☎902-224-2456

Le sympathique Merry's Motel représente un bon choix d'hébergement à Chéticamp. D'un excellent rapport qualité/prix, il propose des chambres impeccables dans une formule de gîte touristique ou de motel incluant un petit déjeuner léger.

L'Auberge Doucet Inn
$$$ ☙ ♨ ⌁ @

1 km au sud-ouest de Chéticamp
☎902-224-3438 ou 800-646-8668
www.aubergedoucetinn.com

Construite sur un coteau près du village, L'Auberge Doucet Inn loue de grandes chambres confortables. L'aménagement de son parterre avant est quelque peu décevant, mais l'auberge profite néanmoins d'un bel environnement et d'un beau point de vue sur le golfe du Saint-Laurent.

Laurie's Motor Inn
$$$ ☙ ♨ ⌁ ◎

15456 Laurie Rd.
☎902-224-2400 ou 800-959-4253
www.lauries.com

Le motel Laurie's Motor Inn s'allonge en face du golfe du Saint-Laurent. La décoration intérieure de l'établissement n'est pas des plus originales, mais les chambres, suites et appartements, répartis dans cinq bâtiments, restent néanmoins confortables et propres. Si vous avez une fringale ou que vous voulez prendre un bon repas, n'hésitez pas à vous rendre à la salle à manger du Laurie's, dont les plats, notamment de fruits de mer, sont très convenables.

Pleasant Bay

Windswept Bed & Breakfast
$$ ☙ bc

☎902-224-1424

Ce gîte touristique situé sur une ferme compte trois chambres coquettes avec salle de bain partagée. La véranda offre une vue magnifique sur l'océan et les baleines.

Dingwall

Markland Coastal Resort
$$$$-$$$$$ ☙ ♨ ≈ ⌁

à 3 km de Dingwall
☎902-383-2246 ou 800-872-6084
www.marklandresort.com

Une excellente adresse pour se reposer, admirer la mer, marcher sur la plage et d'où partir à la découverte du Cabot Trail, le Markland Coastal Resort propose un hébergement confortable dans des chalets de bois rustiques et chaleureux. Chaque chalet abrite quelques chambres attenantes à une terrasse. Derrière la grande propriété gazonnée faisant face aux chalets s'étend une plage sauvage. Le Markland est un endroit tout désigné pour les couples ou les familles qui aiment les lieux paisibles et retirés, et qui apprécient les grands espaces. Après une longue journée de plein air, on appréciera la bonne cuisine servie dans la salle à manger (voir p 236).

South Harbour

Hideaway Campground & Oyster Market
$ @

401 Shore Rd.
☎902-383-2116
www.campingcapebreton.com

À quelques kilomètres au sud de Cape North, le Hideaway Campground & Oyster Market est une bonne option de camping dans la région. En plus des emplacements pour tentes et véhicules récréatifs, on y fait la location de chalets rustiques *($)* d'une pièce et d'une maison d'été tout équipée qui compte quatre chambres *($$$* ☙ *)*.

Ingonish

Castle Rock Country Inn
$$$-$$$$ ☙ ♨ ⌁

39339 Cabot Trail (route 19)
Ingonish Ferry
☎902-285-2700 ou 888-884-7625
http://ingonish.com/castlerock

Cette belle demeure georgienne transformée en auberge bénéficie d'un fort bel emplacement qui offre un excellent point de vue sur la région avoisinante. L'endroit est très paisible et convient tout à fait aux amants de la nature. Ses chambres présentent un bon confort et sont sobrement décorées. Les clients peuvent se détendre sur la jolie terrasse.

Ingonish Chalets
$$$ *chambre*
$$$$ *chalet*
☙ ⌁ ◎

36784 Cabot Trail (route 19)
Ingonish Beach
☎902-285-2008 ou 888-505-0552
http://ingonishchalets.com

Ce petit établissement, qui comprend des chalets et des chambres de motel, se trouve à proximité de l'une des belles plages de cette partie de l'île. Tant les chalets que les chambres sont confortables, propres et accueillants.

Keltic Lodge
$$$$-$$$$$
≡ �🍴 ≋ ♨ ⛄ @

Middle Head Peninsula
☎902-285-2880 ou 800-565-0444
www.kelticlodge.ca

Le Keltic Lodge bénéficie d'un site spectaculaire en bordure de falaises surplombant la mer. Quelque peu en retrait des routes d'accès, au cœur d'une véritable oasis de tranquillité, le Keltic Lodge est un établissement hôtelier de grande qualité situé à proximité du Cabot Trail. Le lieu a fière allure, et les chambres des chalets, de l'auberge et du bâtiment principal sont coquettes et confortables. La salle à manger présente un menu gastronomique.

Indian Brook

Cabot Shores
$-$$$ ᵇ/ₚₚ @ ⛟

route 19
☎902-929-2584
www.cabotshores.com

Vers le sud du Cabot Trail, dans la région de St. Ann's Harbour, se trouve un des beaux établissements hôteliers de l'île du Cap-Breton: Cabot Shores. Plusieurs types d'hébergement y sont offerts. Vous pourrez décider de passer la nuit en chambre dans le bâtiment principal. Les chambres sont très confortables et, lorsque vous êtes couché, une fenêtre de la longueur du lit et à votre hauteur permet de contempler l'océan. Plutôt agréable. Si vous êtes en groupe, vous pourrez décider de louer une maisonnette, tout aussi confortable et sympathique. Vous êtes plutôt

du type camping? Le lieu propose 15 magnifiques emplacements éloignés les uns des autres, sans aucun service, par contre. Vous pourrez profiter de la salle commune le soir, dans le superbe bâtiment principal à toit cathédrale, où l'on propose des leçons de yoga et de méditation à l'occasion. Une magnifique adresse, en tous points!

Baddeck

Bras D'Or Lakes Campground
$ @ ≋

route 105, à 5 km à l'ouest de Baddeck
☎902-295-2838
www.brasdorlakescampground.com

Sur un beau terrain privé donnant directement sur le grand lac Bras d'Or, ce camping est tout indiqué pour ceux qui débutent ou terminent leur grand tour de l'île sur le Cabot Trail. On y trouve tous les services.

Silver Dart Lodge
$$ ≡ ≋ ⛟ ♨ ⛄ ⛟

257 Shore Rd., route 205, sortie 8
☎902-295-2340 ou 800-565-8439
www.silverdartlodge.com

Le Silver Dart Lodge partage avec la **MacNeil House** (**$$$$** ≡ ⛟) un superbe parc de 38 ha donnant sur le très beau lac Bras d'Or. Bénéficiant ainsi d'un site d'une tranquillité exquise, ces établissements sont idéaux pour se reposer. Le Silver Dart propose des chambres confortables et jolies, ainsi que quelques chalets dont certains sont dotés d'un foyer, alors que la MacNeil House dispose de chambres luxueuses, certaines également pourvues d'un foyer.

Telegraph House
$$$ ♨ @ ⦿ ≡ ⛟

479 Chebucto St., route 205
sortie 9
☎902-295-1100 ou 888-263-9840
http://baddeck.com/telegraph

Au cœur de la ville se dresse une maison victorienne ayant fière allure, la Telegraph House, dont les chambres, au charme un peu vieillot, sont plaisantes et confortables.

Auberge Gisele's Inn
$$$-$$$$ ≋))) ♨ ⦿ ≡ ⛄ @

387 Shore Rd.
☎902-295-2849 ou 800-304-0466
www.giseles.com

Construite au bord du lac Bras d'Or et proposant des chambres avec une belle vue, l'Auberge Gisele's Inn est une bonne adresse à retenir. À votre arrivée, vous serez séduit par l'allée bordée de pins, au bout de laquelle vous apercevrez cette belle demeure bourgeoise aux chambres toutes joliment décorées. À côté, une annexe de style motel abrite des chambres au confort moderne.

Inverary Resort
$$$-$$$$ ♨ ⛟ ≋))) ≡ ⛄ 🍴

route 105, sortie 8
☎902-295-3500 ou 800-565-5660
www.inveraryresort.com

Le chaleureux Inverary Resort compte deux types de chambres, certaines étant aménagées dans le bâtiment principal et d'autres dans de mignons petits chalets de bois. La décoration et le vaste parc lui confèrent un cachet rustique, bien approprié à la campagne néo-écossaise.

Sydney

Delta Sydney
$$$ ⊎ ⇆))) ≈ ◎ ⛤ ⚲
300 Esplanade
☎902-562-7500 ou 800-565-1001
www.deltahotels.com

Le centre-ville de Sydney est concentré essentiellement dans quelques rues aux abords de la rivière, et c'est dans ce secteur que se trouvent la majorité des hôtels de la ville, notamment le Delta Sydney, avec sa façade donnant sur la rivière Sydney. Il s'agit d'un hôtel offrant des chambres sans grand charme mais tout à fait fonctionnelles. Il a l'avantage de disposer d'une belle piscine dotée d'un toboggan, ce qui ne sera pas sans déplaire aux enfants.

Cambridge Suites Hotel Sydney
$$$$ ⚲ ≈ ≡ ⊎))) ⇆ ⛤ ⚲ @
380 Esplanade
☎902-562-6500 ou 800-565-9466
www.cambridgesuitessydney.com

Juste à côté se dresse le Cambridge Suites Hotel, qui possède des chambres au confort similaire à celles du Delta Sydney, bien qu'ici on ait porté plus d'attention à la décoration. Chaque chambre est en fait un petit appartement équipé d'une cuisinette. L'établissement abrite aussi un excellent restaurant, le Goody's.

Louisbourg

Louisbourg Harbour Inn Bed & Breakfast
$$$ ⚲ ◎ ✳ @
9 Lower Warren St.
☎888-888-8466
www.louisbourgharbourinn.com

Situé au cœur du village, à distance de marche de la forteresse et face à la baie, ce gîte touristique propose des chambres bien aménagées, dotées pour la plupart de balcons et de baignoires à remous, de planchers de bois franc et offrant une vue sur la baie. Cet établissement s'adresse à une clientèle adulte uniquement.

Cranberry Cove Inn
$$$ ◎ @ △ ⊎
12 Wolfe St.
☎902-733-2171 ou 800-929-0222
www.cranberrycoveinn.com

Cette superbe auberge compte six chambres et suites des plus invitantes. Elles sont toutes décorées avec soin et pourvues d'une salle de bain privée, d'accès Internet sans fil, et la plupart ont une baignoire à remous et un foyer.

Point of View Suites
$$$-$$$$ ⊎ ◎ ⇆ ⚲ @
15 Commercial St.
☎902-733-2080 ou 888-374-8439
www.louisbourgpointofview.com

Pas très loin de la forteresse de Louisbourg s'élève un bon établissement abritant des chambres modernes, fort bien aménagées et chaleureuses. Certaines chambres disposent d'une cuisinette et d'un balcon. La salle à manger propose d'excellents plats, entre autres de crabe des neiges, en saison. Comme son nom le laisse entendre, cet établissement bénéficie d'un excellent point de vue sur la mer.

Restaurants

D'Halifax à Port Hastings

Guysborough

The Rare Bird Pub / Chedabucto Bay Brewery
$$
80 Main St.
☎902-533-2078
www.rarebirdpub.com

Perdu dans un sympathique petit village du nord de la côte atlantique de la Nouvelle-Écosse, le Rare Bird Pub s'empreint d'un caractère très anglais. Il fait bon s'y arrêter le midi, question de savourer un bon petit repas arrosé d'une bière noire. L'ambiance, chaleureuse et volontairement surannée, est réussie, et la terrasse donnant sur la baie est magnifique. Est-il besoin de mentionner que les bières sont excellentes?

Ceilidh Trail

Glenville

Glenora Inn & Distillery Resort
$$$
route 19
☎800-839-0491
www.glenoradistillery.com

Sur la route à proximité de Mabou s'élève l'un des établissements les plus connus de l'île du Cap-Breton, le Glenora Inn, qui est à la fois une auberge et une distillerie préparant un whisky *single malt*. On peut s'attabler dans sa salle à manger le temps de déguster une chaudrée de fruits de mer, des plats

de truite, de saumon ou encore d'agneau, tout en se laissant bercer par la musique celtique.

Mabou

The Red Shoe Pub
$$

route 19
☎902-945-2326
www.redshoepub.com

La Nouvelle-Écosse étonne au moindre tournant de la route. Sur le Ceilidh Trail, un peu avant le Cabot Trail, dans le petit village de Mabou, se trouve le Red Shoe Pub, qui appartient à la Rankin Family, ce célèbre groupe de musique traditionnelle canadienne. Et chose rare, des spectacles de musique celtique ou traditionnelle y sont présentés chaque jour des mois de juillet et d'août! L'ambiance, très *British* (ou *Irish*) *pub*, transporte littéralement les clients de l'autre côté de l'Atlantique, et l'on en ressort profondément réjoui et satisfait. Le menu est sympathique et affiche plusieurs spécialités locales, comme la délectable *clam chowder*. Un arrêt (presque) obligatoire!

- - - - - - - - - - - - - - - - - -
Cabot Trail

Chéticamp

Laurie's
$-$$$

Laurie's Motor Inn
15456 Laurie Rd
☎902-224-2400

Au restaurant Laurie's du **Laurie's Motor Inn** (voir p 233), vous serez peut-être surpris de constater que le menu affiche aussi bien du homard que des hamburgers. En fait, ce restaurant s'adresse à tous,

tant en raison des goûts que du porte-monnaie de chacun. On y cuisine tout de même de succulents plats, telle «l'assiette du pêcheur», qui comprend homard, crabe et crevettes. Le service, en acadien, est tout ce qu'il y a de plus courtois. On vous dira aimablement: *Enjoy le repas!*

Le Gabriel Restaurant & Lounge
$-$$$

Main St.
☎902-224-3685
www.legabriel.com

Le Gabriel propose un menu varié, dont des mets acadiens, qui saura plaire à tous. L'établissement possède une vaste salle à manger conviviale et animée. On y présente régulièrement des spectacles de musique.

Pleasant Bay

Rusty Anchor
$$

23197 Cabot Trail (route 19)
Par les belles journées d'été, il fait bon se retrouver sur la terrasse de ce petit resto qui donne directement sur les flots bleus de l'océan. Au menu figurent en belle place les produits de la mer, toujours frais et bien apprêtés. Essayez le célèbre *lobster roll*!

Dingwall

Markland Coastal Resort
$$-$$$

à 3 km de Dingwall
☎902-383-2246

Le **Markland Coastal Resort** (voir p 233) accueille ses convives dans une salle à manger en pin coquettement décorée mais sans extravagance. On y propose un menu fort intéres-

sant dont la simple lecture vous mettra en appétit.

Ingonish

Avalon the Restaurant
$$$

Castle Rock Country Inn
39339 Cabot Trail (route 19)
☎902-285-2700

Ceux qui veulent prendre un bon repas dans un lieu calme et reposant se rendent au **Castle Rock Country Inn** (voir p 233). Le restaurant de l'auberge propose un menu bien élaboré offrant une place de choix aux poissons et aux fruits de mer.

Purple Thistle Dining Room
$$$$

Keltic Lodge
Middle Head Peninsula
☎902-285-2880

Le Purple Thistle est le restaurant du magnifique **Keltic Lodge** (voir p 234). Dans une atmosphère raffinée, vous pourrez savourer quelques spécialités préparées notamment à partir de délices de la mer. L'hôtel possède également un second restaurant, l'**Atlantic** *($$)*, plus simple, où l'on peut prendre un bon déjeuner.

Baddeck

Yellow Cello Cafe
$

route 105, à 5 km à l'ouest de Baddeck
☎902-295-2838
www.brasdorlakescampground.com

L'offre de restaurants et d'hôtels à Baddeck est grande, mais il semble difficile d'y trouver un établissement présentant un bon rapport qualité/prix. Une exception: le Yellow Cello Cafe est sympathique, sans prétention, et propose un menu italien avec entre autres des pizzas à pâte fine délicieuses. Une bonne sélection de mets végétariens y est aussi proposée, et des musiciens locaux ajoutent à l'ambiance, réussie, les soirs d'été.

McCurdy's Dining Room
$$
Silver Dart Lodge
257 Shore Rd.
☎902-295-2340
Le **Silver Dart Lodge** (voir p 234) est fort agréablement situé au bord du lac Bras d'Or, et son restaurant, le McCurdy's, qui donne sur ces flots magnifiques, offre à ses convives une atmosphère sans pareille. Outre la vue, on y vient pour goûter de bons plats de fruits de mer à la carte ou au buffet. Des spectacles de musique celtique y sont présentés les soirs d'été.

Baddeck Lobster Suppers
$$-$$$
17 Ross St.
☎902-295-3307
Pour déguster du homard à Baddeck, il faut se rendre aux Baddeck Lobster Suppers. Le plat principal comprend un homard et autant de soupe de fruits de mer (*seafood chowder*), de moules, de salades et de desserts que vous le désirez.

- - - - - - - - - - - - - - - - - -
Sydney

Le long de Charlotte Street, vous trouverez de petits *snacks* proposant frites et hamburgers.

Bean Bank Cafe
$
243 Charlotte St.
☎902-562-5400
www.beanbank.ca
Le Bean Bank Cafe est rafraîchissant dans un uni-

vers caféinique composé presque exclusivement de Tim Horton's. On peut y demander un bon café au lait et prendre un petit repas santé. L'ambiance est chaleureuse.

The Highland Mermaid Restaurant
$$
Delta Sydney
300 Esplanade
☎902-567-7015
Le restaurant de l'hôtel **Delta Sydney** (voir p 235) propose un menu tout à fait adéquat où les plats de poisson sont à l'honneur. Il bénéficie en outre de larges baies vitrées donnant sur l'eau et offrent une belle vue. On y sert le petit déjeuner.

Joe's Warehouse
$$-$$$
424 Charlotte St.
☎902-539-6686
Ne vous laissez pas intimider par l'aspect «western» du Joe's Warehouse car il s'agit en fait d'une institution à Sydney. Même si la décoration n'a rien de très raffiné, il ne s'en dégage pas moins une atmosphère fort agréable. De toute façon, on vient chez Joe's pour déguster de délicieuses et copieuses portions de *prime ribs* (côtes de bœuf). Le menu est varié, et Joe's apprête aussi des fruits de mer.

- - - - - - - - - - - - - - - - - -
Louisbourg

Lieu historique national de la Forteresse-de-Louisbourg
$-$$
☎902-733-2280
Dans le **Lieu historique national de la Forteresse-de-Louisbourg** (voir p 230), on a aménagé trois restaurants d'époque animés par des serveurs costumés, et une

boulangerie se trouve à l'intérieur d'un des bâtiments faisant face à la mer. L'**Hôtel de la Marine** et le **Grandchamps** offrent un menu simple dans une ambiance décontractée. Un peu plus élaboré, le menu du jour du restaurant **L'Épée Royale** affiche entre autres du rôti de bœuf et de la blanquette de porc.

Grubstake
$$-$$$
7499 Main St.
☎902-733-2308
Le Grubstake se spécialise dans les plats de fruits de mer. Le menu propose aussi des grillades, de la volaille et des pâtes.

Sorties

■ Activités culturelles

Louisbourg

Louisbourg Playhouse
11 Aberdeen St.
☎902-733-2996
www.louisbourgplayhouse.com
Le Louisbourg Playhouse loge dans un superbe bâtiment revêtu de bardeaux de cèdre érigé pour le tournage du film *Squanto: A Warrior's Tale*, en 1993. On y présente des spectacles de musique et de danse ainsi que du théâtre.

■ Casino

Sydney

Casino Nova Scotia Sydney
525 George St.
☎902-563-7777 ou 866-334-1114
www.casinonovascotia.com/sydney
Machine à sous, jeux de table et tournois de poker vous attendent au populaire casino de Sydney.

■ Fêtes et festivals

Juin

Festival de l'Escaouette
Chéticamp
www.festivallescaouette.com
Le Festival de l'Escaouette
célèbre le patrimoine acadien de Chéticamp. On
y présente une comédie
musicale à grand déploie-
ment (*Le Grand Cercle*) ainsi
que des soirées de danses
et de chansons tradition-
nelles.

Octobre

Celtic Colours International Festival
Sydney
www.celtic-colours.com
Des communautés de
tous les coins de l'île du
Cap-Breton participent
au Celtic Colours International Festival, au début
du mois d'octobre. Parmi
les nombreux événements
organisés figurent les spectacles de chants gaéliques,
les concerts de violon, de
cornemuse et d'accordéon,
les soirées de danse, les
repas communautaires,
les *ceilidh*, et les ateliers
portant sur les us et cou-
tumes, la langue et les arts
gaéliques.

🎁 Achats

■ Artisanat et souvenirs

Inverness

Bear Paw Gifts and Crafts
Central Ave.
☎ 902-258-2528
www.thebearpaw.ca
La boutique Bear Paw offre
un bel assortiment d'objets
décoratifs, d'artisanat et de
musique du Cap-Breton.
On y organise à l'occasion
des *ceilidh*, ces rencontres
culturelles gaéliques souvent accompagnées de
spectacles de musique traditionnelle.

Cabot Trail

Plusieurs magasins propo-
sent des pièces d'artisanat
régional ou autochtone le
long du Cabot Trail. Courtepointes, tapis crochetés
traditionnels acadiens,
sculptures en bois, verre
soufflé, pierres taillées et
poteries sont autant d'articles qu'on peut y acheter.

Indian Brook

Leather Works
45808 Cabot Trail
☎ 902-929-2414
www.leather-works.ca
La boutique Leather Works
présente de superbes articles de cuir dont des sacs,
des portefeuilles et des
tabliers de travail. Généralement, les artisans ouvrent
les portes de leur atelier
aux visiteurs derrière la
boutique.

St. Peter's

MacIsaac Kiltmakers and Celtic Giftshop
4 MacAskill Dr.
☎ 902-535-4000
www.mackilts.com
Pour vous procurer un
kilt fabriqué à partir de
tartan de première qualité
et entièrement cousu à la
main, et pour choisir les
accessoires traditionnels
s'y rattachant, rendez-vous
chez MacIsaac Kiltmakers
and Celtic Giftshop. Vous
y trouverez également un
nombre impressionnant
de bijoux et des objets
décoratifs, ainsi que de la
musique celtique.

L'Île-du-Prince-Édouard

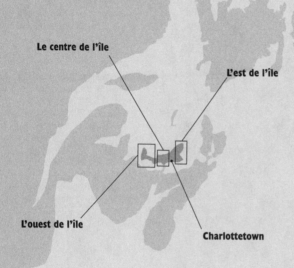

Le centre de l'île

L'est de l'île

L'ouest de l'île

Charlottetown

L'ÎLE-DU-PRINCE-ÉDOUARD

© ULYSSE

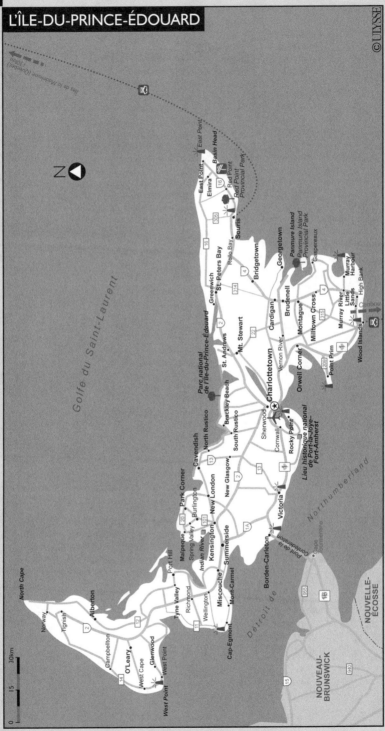

Îles de la Madeleine (Québec) - 130km

East Point
Basin Head
Elmira
East Point
Red Point
Red Point Provincial Park
Souris
Greenwich
St. Peters Bay
Rollo Bay
Bridgetown
Georgetown
Pannure Island
Pannure Island Provincial Park
Gaspereaux
Murray Harbour
Brudenell
Cardigan
Montague
Milltown Cross
Little Sands
High Bank
Caribou
Murray River
Wood Islands
Point Prim
Orwell Corner
Vernon River
Mt. Stewart
St. Andrews
Parc national de l'Île-du-Prince-Édouard
Greenwich
Charlottetown
Sherwood
Cornwall
Rocky Point
Lieu historique national de Port-la-Joye–Fort-Amherst
Brackley Beach
North Rustico
South Rustico
Cavendish
New Glasgow
Park Corner
Spring Valley
Burlington
New London
Indian River
Kensington
Summerside
Mont-Carmel
Miscouche
Wellington
Richmond
Tyne Valley
Port Hill
Malpeque
Victoria
Borden-Carleton
Pont de la Confédération
Cap-Egmont
Cape Tormentine
Détroit de Northumberland

North Cape
Norway
Tignish
Alberton
Campbellton
O'Leary
Glenwood
West Cape
West Point

Golfe du Saint-Laurent

NOUVEAU-BRUNSWICK
NOUVELLE-ÉCOSSE

N

0   15   30km

I le où se marient dans une rare harmonie les paysages ruraux et maritimes, l'Île-du-Prince-Édouard incarne, à bien des égards, la douceur de vivre. Au détour de ses routes tranquilles, on découvre, derrière de jolis vallons cultivés, de pittoresques petits ports de pêche, de mignonnes églises blanches de quelques paisibles villages endormis ou la lueur des phares dominant la mer à partir d'étroites pointes isolées.

Ce qui frappe surtout dans ces paysages pleins de charme, c'est l'éblouissante palette de leurs coloris: le jaune et le vert clair des champs rencontrant le rouge des falaises de grès et le bleu azur de la mer.

Bordée au nord par le golfe du Saint-Laurent et au sud par le détroit de Northumberland, cette île est d'abord reconnue pour ses magnifiques dunes et plages de sable blanc qui s'étendent à perte de vue le long de la mer et qui sont souvent désertes. Il va sans dire que ces plages sont d'une beauté exceptionnelle et comptent certainement parmi les plus belles de l'est du continent. Elles offrent d'innombrables occasions de baignade, de longues promenades et de découvertes extraordinaires.

Même si ce sont d'abord ces plages qui attirent les visiteurs dans l'île, ceux-ci ont généralement tôt fait de découvrir que l'Île-du-Prince-Édouard possède bien d'autres splendeurs. À commencer par sa capitale, Charlottetown, une petite ville dont l'architecture et l'atmosphère uniques lui confèrent un charme qui semble appartenir à une autre époque.

Puis il y a encore bien d'autres choses à découvrir, par exemple les plus sympathiques dîners de homard qu'on puisse imaginer, l'univers romanesque du pays d'*Anne of Green Gables* ou la richesse de la faune et de la flore du magnifique parc national de l'Île-du-Prince-Édouard.

S'étendant sur 5 660 km², l'Île-du-Prince-Édouard est la plus petite province canadienne. L'explorateur Jacques Cartier en longea les côtes en 1534 et aurait même mis pied à terre sur l'actuel site d'Alberton. En 1603, Samuel de Champlain revendiqua l'île au nom de la France et l'appela l'«île Saint-Jean». Terre des Micmacs, l'île fut ensuite colonisée par les Acadiens à partir de 1720, jusqu'à ce qu'elle tombe, en 1758, aux mains des Britanniques, qui la rebaptiseront en 1799 en l'honneur du fils du roi George III, Edward.

Comme dans les autres provinces atlantiques, la construction navale amène ici un véritable âge d'or qui se termine dans la seconde partie du XIXe siècle. À cette même époque, on commence à discuter dans les colonies britanniques de l'Amérique du Nord de la possibilité de créer une structure politique commune.

C'est finalement à Charlottetown, en 1864, que se réuniront les délégués de chacune de ces colonies, et trois années plus tard naîtra de cette conférence le Dominion du Canada. C'est aujourd'hui avec fierté que les habitants de l'île rappellent que leur province a été le berceau de la Confédération canadienne.

L'itinéraire que nous vous proposons à l'Île-du-Prince-Édouard est divisé en quatre circuits:

Charlottetown ★ ★
Le centre de l'île ★ ★
L'est de l'île ★
L'ouest de l'île ★

L'île-du-Prince-Édouard

Accès et déplacements

■ En avion

Si vous venez dans l'île par avion, vous arriverez au **Charlottetown Airport** *(Maple Hills Ave.,* ☎*902-566-7997, www.flypei.com)*, situé à environ 5 km du centre-ville de la capitale provinciale par la route 15. **Air Canada** *(*☎*888-247-2262, www.aircanada. ca)* est la principale compagnie aérienne desservant cet aéroport. Quatre agences de location de voitures sont sur place, notamment **Budget** *(*☎*800-268-8900)*.

■ En voiture

L'Île-du-Prince-Édouard possède un bon réseau routier. En raison du transport interurbain peu développé, seuls les véhicules automobiles ou le vélo permettent d'en faire le tour.

L'île est accessible depuis Cape Tourmentine, au Nouveau-Brunswick, par le **pont de la Confédération** *(41,50$ par voiture aller-retour;* ☎*902-437-7300 ou 888-437-6565, www.confederationbridge.com)*. Ce pont de près de 13 km de long enjambe le détroit de Northumberland.

Pour les insulaires, l'inauguration du pont en 1997 représentait une véritable révolution: le détroit pouvait désormais être franchi en 15 min en voiture, alors qu'auparavant il fallait compter au moins une demi-heure en traversier. Il est possible de payer en argent comptant, par carte de crédit ou par carte de débit.

■ En autocar

Les services d'autocars à l'Île-du-Prince-Édouard sont très limités. Il est cependant possible de se rendre à Cavendish à partir de Charlottetown en montant à bord de la *Beach Shuttle*, gérée par **Prince Edward Tours** *(25$ aller-retour le même jour; fin juil à début sept départs tlj 9h, 11h30, 14h30 et 17h; début juin à fin juil et début sept à fin sept départs tlj 9h et 16h;* ☎*877-286-6532, www.destinationpei.com)*.

La compagnie d'autocars **Acadian Lines** *(*☎*800-567-5151, www.smtbus.com)* dessert Charlottetown au départ des autres provinces atlantiques.

■ En traversier

Du mois de mai au mois de décembre, à partir du continent, on peut se rendre à l'Île-du-Prince-Édouard en prenant le traversier de **Northumberland Ferries** *(61$/ voiture aller-retour;* ☎*877-635-7245, www. peiferry.com)*, qui relie Caribou (Nouvelle-Écosse) à Wood Islands (Î.-P.-É.). La durée du trajet est de 75 min. Selon la saison, il y a entre trois et neuf départs par jour.

L'Île-du-Prince-Édouard est également reliée aux Îles de la Madeleine (Québec) par un autre traversier, le **N.M. Madeleine** *(82$/voiture, 44$/adulte; une traversée par jour; il est préférable de réserver;* ☎*888-986-3278, www.ctma.ca)*, qui arrive à Souris, près de la pointe nord-est de l'île, après 5h de traversée.

■ En transport en commun

La ville de Charlottetown s'est dotée d'un service de transports en commun en 2005: sept lignes de tramways sillonnent maintenant la ville du lundi au samedi *(2$;* ☎*902-566-9962, www.city.charlottetown. pe.ca)*.

■ À vélo

L'ancien chemin de fer qui jadis sillonnait l'île a trouvé une nouvelle vocation; il a été recouvert de poussière de roche et transformé en plusieurs sentiers de randonnée et en voies cyclables qui traversent l'île d'est en ouest. L'ensemble porte le nom de **Confederation Trail** et totalise quelque 270 km. Une carte du réseau est disponible sur le site Internet de **Tourism Prince Edward Island** *(www.tourismpei.com/ pei-confederation-trail)*.

Renseignements utiles

■ Renseignements touristiques

Tourism Prince Edward Island
☎902-368-4444 ou 800-887-5453
www.tourismpei.com

Tourism Charlottetown
91 Water St.
Charlottetown, PE C1A 7M4
☎800-955-1864
www.walkandseacharlottetown.com

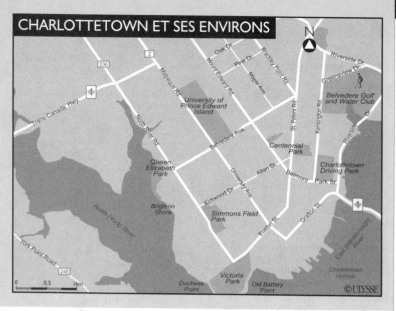

CHARLOTTETOWN ET SES ENVIRONS

Borden-Carleton Visitor Information Centre
100 Abegweit Dr.
Borden-Carleton
☎ 902-437-8570 ou 800-463-4734
Principal bureau provincial d'information touristique de l'île, le Borden-Carleton Visitor Information Centre se trouve tout juste au pied du pont de la Confédération.

Kensington Railyards and Welcome Centre
route 20
Kensington
☎ 902-836-3031 ou 877-836-3031
www.kata.pe.ca

Cavendish Visitor Information Centre
route 6, à l'intersection de la route 13
Cavendish
☎ 902-963-7830 ou 800-463-4734

Wood Islands Visitor Information Centre
sur la route menant au traversier
Wood Islands
☎ 902-962-7411 ou 800-463-4734

Souris Visitor Information Centre
95 Main St.
Souris
☎ 902-687-7030 ou 800-463-4734

St. Peters Visitor Information Centre
1915 Cardigan Head Rd., route 2
St. Peters
☎ 902-961-3540 ou 800-463-4734

Tourism Summerside
98 Water St., Suite B
Summerside, PE C1N 4N6
☎ 902-436-6042 ou 877-734-2382
www.visitsummerside.com

■ Visites guidées

Abegweit Sightseeing Tours
départs au Confederation Centre of the Arts
145 Richmond St.
Charlottetown
☎ 902-894-9966
www.abegweittours.ca
Activité destinée aux gens de tout âge, la visite de Charlottetown en autobus de deux étages de type londonien est proposée plusieurs fois par jour par Abegweit Sightseeing Tours. Des visites de la côte sud ou de la côte nord sont également organisées.

Attraits touristiques

- -
Charlottetown ★ ★

▲ *p 264* ● *p 272* ⤳ *p 277* ▯ *p 278*

Charmante et coquette, Charlottetown offre une ambiance bien particulière. Car malgré sa taille, Charlottetown n'est pas qu'une petite ville des Maritimes comme les autres; elle est également une capitale provinciale avec tout le prestige, l'élégance et les institutions que cela comporte.

Bien sûr, tout semble être à échelle réduite, mais, qu'à cela ne tienne, la capitale de l'Île-du-Prince-Édouard possède son propre édifice parlementaire et une somptueuse résidence officielle pour son lieutenant-gouverneur, un grand complexe culturel consacré aux arts visuels et de la scène, de jolis parcs et des rangées d'arbres derrière lesquelles se cachent de belles demeures victoriennes.

Ajoutant à son charme, Charlottetown a été construite sur un joli site en bordure d'une baie où se rencontrent les rivières Hillsborough, North et West. Cet emplacement, lieu de rassemblement des Micmacs, était connu des explorateurs et colonisateurs français au XVIIIe siècle. Mais ce n'est qu'en 1768, sous l'impulsion de colons britanniques, que la ville a véritablement pris naissance. Elle fut nommée Charlottetown en l'honneur de l'épouse du roi de Grande-Bretagne, George III.

Moins d'un siècle plus tard, Charlottetown est passée à l'histoire en tant que berceau de la Confédération canadienne. C'est en effet dans cette petite ville, en 1864, que les délégués des colonies britanniques d'Amérique du Nord se sont réunis afin de discuter de la création du Dominion du Canada.

Le **Confederation Centre of the Arts ★ ★** *(entrée libre; horaire variable; 145 Richmond St., ☎902-628-1864 ou 800-565-0278, www. confederationcentre.com)* a été inauguré en 1964, soit un siècle après la rencontre décisive des pères de la Confédération à Charlottetown. Ce complexe a été conçu afin de faire connaître à la fois la culture

canadienne d'aujourd'hui et son évolution depuis plus d'un siècle.

Le centre des arts comporte plusieurs facettes: il renferme entre autres un musée présentant des expositions variées et de qualité et logeant une galerie d'art et une bibliothèque publique, ainsi que plusieurs belles salles de spectacle. En été, on peut y voir la comédie musicale *Anne of Green Gables*. Présentée chaque été depuis maintenant plus de trois décennies, cette comédie musicale occupe agréablement une soirée à Charlottetown, tout en permettant de s'initier à l'univers de la plus célèbre auteure de l'île, Lucy Maud Montgomery.

Le **Lieu historique national Province House ★ ★** *(3,15$; juin à mi-oct tlj 8h30 à 17h, mi-oct à fin mai lun-ven 8h à 17h; 165 Richmond St., ☎902-566-7626, www.pc.gc.ca)* peut être, à juste titre, considéré comme le véritable lieu de naissance de la Confédération canadienne. En effet, c'est ici que se sont réunis en 1864 les 23 délégués du Canada-Uni (l'Ontario et le Québec), de la Nouvelle-Écosse, du Nouveau-Brunswick et de l'Île-du-Prince-Édouard, afin de préparer la Confédération de 1867. Ironiquement, l'hôtesse de cette conférence décisive, l'Île-du-Prince-Édouard, ne décida d'adhérer au Dominion du Canada que quelques années plus tard, soit en 1873. On peut voir la salle où a été élaborée la Confédération canadienne et regarder un document audiovisuel expliquant cet événement. La Province House loge l'Assemblée législative de l'Île-du-Prince-Édouard.

La **St. Paul's Anglican Church ★** *(101 Prince St., angle Grafton St.)* a été érigée en 1896 en remplacement de diverses autres églises anglicanes construites au XVIIIe siècle. Son intérieur est splendide, notamment sa voûte de boiseries et ses vitraux.

Bel exemple du style gothique, la **St. Dunstan Basilica ★** *(145 Great George St., angle Sydney St.)* est le bâtiment religieux le plus impressionnant de l'Île-du-Prince-Édouard. Elle fut construite dès 1916 sur l'emplacement où s'étaient succédé trois églises catholiques au cours du XIXe siècle.

La jolie rue Great George, où l'on peut visiter plusieurs brocanteurs et boutiques

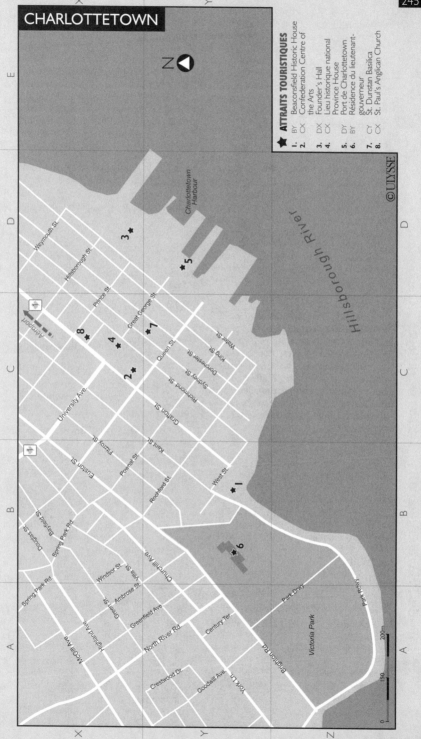

CHARLOTTETOWN

Charlottetown Harbour

Hillsborough River

Weymouth St.
Hillsborough St.
Prince St.
Great George St.
Water St.
King St.
Queen St.
Dorchester St.
Richmond St.
Sydney St.
Grafton St.
University Ave.
Fitzroy St.
Kent St.
Pownal St.
Euston St.
Rochford St.
West St.
Park Rdwy
Spring Park Rd
Bayfield St.
Douglas St.
Windsor St.
Villa St.
Green St.
Ambrose St.
Churchill Ave.
Greenfield Ave.
Highland Ave.
Spring Park Rd
McGill Ave.
Century Ter.
North River Rd
Brighton Rd
Crestwood Dr.
Goodwill Ave.
York Ln.
Park Rdwy
Victoria Park

aéroport

N

© ULYSSE

0   150   200m

d'artisanat, débouche sur le petit **port de Charlottetown**, un endroit particulièrement agréable de la ville où se trouve, en plus d'un parc et d'une marina, le **Peake's Wharf** ★ *(au bout de Great George St.)*, qui regroupe quelques mignons bâtiments où se sont installées des boutiques. À proximité s'élèvent le très chic hôtel **Delta Prince Edward** (voir p 267) ainsi que quelques restaurants.

On trouve également au port de Charlottetown le **Founder's Hall** ★ *(7$; fév à nov horaire variable; 6 Prince St., ☎902-368-1864, www.foundershall.ca)*. Ce musée présente l'histoire canadienne, de l'époque des pères de la Confédération jusqu'à nos jours, par l'entremise d'impressionnantes expositions multimédias. Différentes **promenades guidées** *(10$; en français et en anglais)* dans les rues du vieux Charlottetown en compagnie d'un guide en costume d'époque sont aussi proposées au départ du Founder's Hall.

La **Beaconsfield Historic House** ★ *(4,50$; juil et août 10h à 17h, reste de l'année horaire variable, appelez avant de vous présenter; 2 Kent St., ☎902-368-6603)* a été érigée en 1877 pour James Peake, riche constructeur de navires, et son épouse, Edith Haviland Beaconsfield. L'une des plus luxueuses résidences de la province, elle compte 25 pièces et huit foyers. Le Peake's Wharf (voir ci-dessus), dans le port de Charlottetown, a été nommé en l'honneur de James Peake.

Après la faillite personnelle de James Peake, en 1882, ce sont ses créanciers, la famille Cunall, qui habitèrent la résidence. Comme cette famille n'avait pas d'héritiers, la maison Beaconsfield servit d'école de formation pour jeunes filles à partir de 1916; elle fait office de musée depuis 1973.

De l'autre côté de la rue Kent, on aperçoit, derrière de beaux arbres, la splendide **résidence du lieutenant-gouverneur** *(angle Kent St. et Government Dr.)*, qui, depuis 1835, est la demeure du représentant de la Couronne britannique à l'Île-du-Prince-Édouard. Cette demeure se trouve en bordure du magnifique **Victoria Park** ★, un espace vert bien aménagé où il fait bon se promener.

🚣 *Activités de plein air*

■ *Croisières*

Peake's Wharf Boat Cruises
Peake's Wharf, au bout de Great George St.
☎902-566-4458
Cette entreprise propose différentes excursions au départ du Peake's Wharf pendant la saison estivale.

■ *Vélo*

Quelques entreprises proposent la location de vélos à Charlottetown:

Smooth Cycle
17$/demi-journée, 25$/jour
330 University Ave.
☎902-566-5530 ou 800-310-6550
www.smoothcycle.com

MacQueen's Island Tours
25$/jour
430 Queen St.
☎902-368-2453 ou 800-969-2822
www.macqueens.com
En plus de la location de vélos, cette entreprise organise des excursions autonomes de cinq ou six nuitées comprenant l'hébergement, les petits déjeuners, le transfert des bagages et le soutien technique en cas de bris d'équipement.

Le centre de l'île ★★

▲ p 267   ⬤ p 274   ➔ p 277   ▯ p 278

Ce circuit couvre tout le centre de l'île, incluant les régions appelées «Anne's Land» (Au pays d'Anne) et «South Shore» (Côte sud). Elle s'étend de la côte sud donnant sur le détroit de Northumberland, à l'est de Charlottetown, jusqu'à la côte nord de l'île, qui baigne dans le golfe du Saint-Laurent, entre le village de Malpeque et Tracadie.

Cette belle contrée agricole, plutôt plane le long de la côte sud, offre, le long de la côte nord, certains des plus beaux paysages de l'île, où de jolis vallons cultivés conduisent à de splendides falaises escarpées ou à certaines des plus belles plages de sable fin de l'île. Une partie importante de la côte nord du centre de l'île, où se trouve un écosystème unique en son genre, est protégée par le parc national de l'Île-du-Prince-Édouard.

Ce secteur de la côte nord est appelé «Au pays d'Anne», car c'est à **New London** (voir p 249), qu'est née Lucy Maud Montgomery, et c'est également ce beau coin de pays qui a inspiré l'auteure de *Anne of Green Gables*. Les nombreux admirateurs de L.M. Montgomery dans le monde peuvent ainsi faire un véritable pèlerinage dans les lieux ayant marqué la jeunesse de la plus célèbre artiste de l'île. En ce qui concerne la région de la Côte sud, son attrait majeur consiste en de petits villages côtiers, entre autres le très mignon village de Victoria.

Rocky Point ★

,,, *En quittant Charlottetown, empruntez la transcanadienne jusqu'à Cornwall, puis suivez la route 19 (surveillez les panneaux annonçant le circuit panoramique du Héron bleu) en direction sud jusqu'à Rocky Point.*

Rocky Point se trouve à l'extrémité d'une bande de terre, à l'embouchure de la West River et en face de la Hillsborough, qui fut toujours un site stratégique en regard de la défense de Charlottetown et de tout l'arrière-pays contre d'éventuelles attaques en provenance de la mer. Il est donc naturel que ce lieu ait intéressé les empires coloniaux qui se livraient bataille pour le contrôle de l'île.

Les Français furent les premiers à s'y établir dans les années 1720, y fondant Port la Joye, assiégé dès 1758 par les Britanniques, qui y établirent le fort Amherst. Le parachèvement du fort eut lieu la même année, alors que la guerre opposant la France et l'Angleterre prenait son véritable essor.

Durant toute la guerre, la garnison britannique protège l'île des invasions françaises et contrôle la circulation maritime dans le détroit de Northumberland. Mais à partir de 1763, avec la fin du conflit, ce fort perd vite de son importance, et en 1768 les troupes britanniques l'abandonnent.

Le **Lieu historique national de Port-la-Joye–Fort-Amherst ★** *(3,90$; mi-juin à début sept tlj 9h à 17h;* ☎ *902-566-7626, www.pc.gc.ca)* renferme un petit centre d'interprétation qui présente une exposition de divers documents relatifs à la colonie française (Port la Joye) et à la présence britannique sur ce site (fort Amherst). Il ne reste aujourd'hui du fort Amherst que très peu chose. On a cependant, depuis le site, une belle vue sur les plaines avoisinantes et la ville de Charlottetown.

La route entre Rocky Point et Victoria *(route 19)*, très paisible, révèle à l'occasion de beaux points de vue sur le détroit. Les fermes, les petits hameaux tranquilles et les parcs provinciaux composent l'essentiel de cette région champêtre à souhait. Ici et là, vous apercevrez en bordure de route des comptoirs de fortune aménagés par les agriculteurs qui y vendent, durant la belle saison, une infime partie de leur récolte.

Victoria ★

Victoria est un charmant village côtier aux rues bordées de quelques jolies résidences témoignant de l'opulence d'une autre époque, et la vie semble y couler bien paisiblement.

Fondé en 1767, ce port de mer devait jouer un rôle prédominant dans l'économie régionale, et ce, jusqu'à la fin du XIXe siècle, alors qu'il perdit peu à peu de son importance à la suite du développement du chemin de fer dans l'île. On voit encore à l'occasion, depuis ce port jadis actif, quelques bateaux de pêcheurs mouillant au large.

Aujourd'hui, l'intérêt de Victoria réside dans son cachet un peu vieillot et dans la gentillesse de ses résidants. Il offre une belle occasion de découvrir la vie rurale dans l'île. Victoria compte deux auberges, quelques restaurants et un chocolatier réputé.

En arrivant de l'est, vous croiserez d'abord le **Victoria Community Park**, qui s'étend au bord de l'eau et comprend une petite plage et une aire de pique-nique. À proximité, on peut visiter le minuscule **Victoria Seaport Lighthouse Museum** *(dons appréciés; juil à début sept tlj 10h à 17h; route 116,* ☎ *902-658-2602)*, qui présente quelques anciennes photographies de Victoria. Comme le musée se trouve à l'intérieur d'un phare, on peut en profiter pour y monter et observer la côte, ses alentours et le village.

Le centre de Victoria n'est composé que de peu de rues, où se trouvent, de part et d'autre, des boutiques, des restaurants ainsi que la **Victoria Playhouse** *(20 Howard St.,* ☎ *902-658-2025, www.victoriaplayhouse. com)*, qui présente, tout au long de l'été, des concerts et du théâtre de bonne qualité, ajoutant au pittoresque du village.

''' *Prenez la route 1 en direction ouest pour vous rendre à Borden-Carleton.*

Borden-Carleton

Borden-Carleton constitue l'un des endroits les plus visités de l'île, car il est le point d'arrivée (ou de départ) des usagers du célèbre **pont de la Confédération** ★ ★ *(www.confederationbridge.com)*, qui rejoint le Nouveau-Brunswick. Il s'agit du plus long pont ininterrompu à appuis multiples au monde. Faisant près de 13 km de long sur 60 m dans sa partie la plus élevée, il demeure une solution de rechange au traversier dont les débuts remontent à

1917. Vous pourrez en apprendre davantage sur le pont et la vie des insulaires en faisant un arrêt au **Borden-Carleton Visitor Information Centre** (voir p 243), situé au pied du pont.

Pour découvrir comment sont confectionnées les poupées *Anne of Green Gables*, on peut faire une visite industrielle de **Cavendish Figurines** *(entrée libre; 99 Abegweit Dr., au pied du pont de la Confédération,* ☎ *902-437-2663, www.cavendishfigurines.com)*.

''' *De Victoria ou de Borden-Carleton, si vous ne désirez pas poursuivre votre route vers l'ouest jusqu'à Summerside (voir le circuit **L'ouest de l'île**, p 261), nous vous conseillons de prendre la route secondaire 231, qui va rejoindre la route 2, et de continuer jusqu'à Kensington.*

Kensington

Kensington est une communauté importante de cette partie de l'île. Située à la jonction des routes 2 et 20, elle est la porte d'entrée du «pays d'Anne». On peut obtenir des renseignements sur la ville et

Un pont pour l'île

Le vieux rêve de construire un pont reliant l'Île-du-Prince-Édouard au reste du territoire canadien a finalement vu le jour en 1997. De Cape Tourmentine (N.-B.) à Borden-Carleton (Î.-P.-É.), ce pont s'étend sur 12,9 km de long, pour ainsi traverser le détroit de Northumberland.

Ce fut un audacieux projet exigeant l'utilisation de technologies de pointe, et dont la construction a demandé l'embauche de plus de 5 000 personnes dont environ 1 000 personnes de la région. L'érection du pont n'a cependant pas fait que des heureux au sein de la population de l'île. Tout au long des travaux une bonne partie des insulaires s'est mobilisée pour dénoncer ce projet qui allait mettre fin, selon eux, à la singularité de leur art de vivre. Quelques années après, la polémique s'est quelque peu estompée. Le pont permet maintenant un accès plus facile à l'île.

Le caractère bucolique de l'Île-du-Prince-Édouard reste cependant encore intact, et l'île demeure toujours la plus paisible de toutes les provinces canadiennes.

la région au bureau d'information touristique situé dans le **Kensington Railyards and Welcome Centre** *(entrée libre; juil à sept tlj 9b à 20b, mai à juil et sept à oct tlj 9b à 16b; route 20, ☎902-836-3031 ou 877-836-3031, www.kata.pe.ca),* situé juste à côté d'une des plus jolies gares de l'île. Le principal attrait touristique de Kensington, la **Haunted Mansion** *(9$; mi-juin à mi-sept horaire variable, également ouvert de la mi-oct à l'Halloween; 81 Victoria St., ☎902-836-3336, www.bauntedmansionpei.ca.),* est, comme son nom l'indique, une maison hantée. D'ailleurs, plusieurs fantômes hanteraient toujours ses murs. Ne manquez pas de visiter la cave: frissons garantis. Vous pourrez profiter de votre visite pour faire une balade dans les jardins aquatiques qui font aussi partie de l'attraction.

''' *Quittez Kensington par la route 20. Prenez à gauche Hamilton Road (route 104) pour vous rendre à Indian River.*

Indian River

Indian River a été jusqu'en 1935 un lieu fréquenté par les Micmacs, desquels origine, semble-t-il, son nom. Aujourd'hui, Indian River n'est ni une ville ni même un village, mais plutôt le lieu de l'impressionnante **St. Mary's Roman Catholic Church ★** *(route 104),* la plus grande église en bois de l'Île-du-Prince-Édouard, qui peut recevoir jusqu'à 600 personnes. Construite entre 1900 et 1902, St. Mary's est l'œuvre du plus célèbre architecte de l'île, William C. Harris. On remarquera, notamment, son autel de *Green Gables* de style néogothique et l'élégance de son clocher.

''' *Revenez sur vos pas par la route 104 et prenez à gauche la route 20 pour vous rendre à Malpeque.*

Malpeque

Malpeque, dont le nom d'origine micmaque signifie «large baie», est une jolie petite communauté bordée de plans d'eau. Son nom est à l'origine des célèbres huîtres Malpèque, désormais connues partout dans le monde, qui sont pêchées dans la baie.

La ville comprend un musée intéressant, le **Keir Memorial Museum** *(2$; début juil à début sept lun-ven 9b à 17b, sam-dim 13b à 17b; reste de l'année sur rendez-vous; route 20, ☎902-836-3054),* dont les pièces d'exposition en rotation illustrent l'histoire de la région à l'époque des Micmacs et des Acadiens, ainsi que les activités liées à la pêche aux huîtres.

Pour mieux contempler la baie, on peut se rendre tout près, dans le **Cabot Beach Provincial Park** *(entrée libre; mi-mai à mi-sept; route 20, ☎902-836-8945),* dont les plages sauvages sont peu fréquentées et offrent une tranquillité absolue, sans doute en raison de sa situation loin des sentiers battus.

''' *Poursuivez votre chemin sur la route 20.*

Park Corner

Park Corner a été offert en 1755 à James Townshend pour le récompenser de ses services dans l'Armée britannique. Ce lieu a été rendu célèbre par l'une des descendantes directes de Townshend, Lucy Maud Montgomery. On peut y visiter aujourd'hui l'**Anne of Green Gables Museum ★** *(4$; juin et sept tlj 9b à 16b, juil et août tlj 9b à 17b, mai et oct tlj 11b à 16b; ☎902-436-7329 ou 902-886-2884, www.annesociety.org/anne),* qui était en fait une maison bien-aimée de Lucy Maud Montgomery appartenant à sa tante Annie et à son oncle John Campbell. C'est dans cette maison adorée que s'est tenu son mariage en juillet 1911. Aujourd'hui devenue une maison historique, elle est garnie de meubles d'époque ainsi que de plusieurs objets personnels ayant appartenu à l'auteure et à sa famille.

''' *Reprenez la route 20 pour vous rendre à New London.*

New London

La petite communauté de New London a l'insigne honneur d'avoir été le lieu de naissance de l'auteure ayant fait le plus connaître l'Île-du-Prince-Édouard à l'étranger. Son principal attrait touristique est la maison où elle naquit en 1874: le **Lucy Maud Montgomery Birthplace** *(3$; mi-mai à mi-oct tlj 9b à 17b; à l'intersection des routes 6 et 20, ☎902-886-2099 ou 902-436-7329).*

L'Île-du-Prince-Édouard - Attraits touristiques - Le centre de l'île

Dans cette maison modeste, on retrouve certains objets personnels ayant appartenu à L.M. Montgomery, notamment sa robe de mariée et ses cahiers d'écriture.

Plus loin sur la route 6 se trouve l'atelier-boutique de **Village Pottery** *(mai à oct; 10567 route 6, ☎902-886-2473, www.villagepottery. ca),* qui présente les poteries de grandes artistes canadiennes, des œuvres sur tissus et de l'artisanat de l'île de qualité. Le jardin de vivaces ponctué de pierres de l'île, est également très accueillant.

··· *Empruntez la route 6 en direction est pour rejoindre Cavendish.*

Cavendish ★

La région de Cavendish constitue un haut lieu du tourisme à l'Île-du-Prince-Édouard. Elle est aussi l'endroit tout désigné pour des vacances en famille grâce à de nombreuses attractions pour les enfants. Situé près de certaines des plus belles plages de l'île et de plusieurs grands attraits touristiques, Cavendish possède un bon nombre de lieux d'hébergement, de restaurants et de boutiques. Servant bien souvent de porte d'entrée au parc national de l'Île-du-Prince-Édouard, l'endroit abrite un excellent centre d'information touristique.

Le **Site patrimonial de la Maison Green Gables** ★ *(7,80$; toute l'année, horaire variable; route 6, à l'ouest de Cavendish, ☎902-963-7874, www.pc.gc.ca/greengables)* englobe la maison qui a inspiré Lucy Maud Montgomery et les lieux où elle situe l'action de son célèbre roman *Anne of Green Gables.* Construite vers le milieu du XIXe siècle, cette maison appartenait à David et Margareth MacNeill, des cousins du grand-père de l'auteure.

L.M. Montgomery aimait beaucoup se promener dans le «sentier des amoureux» qui se trouvait dans le bois de la propriété. Elle fut à ce point inspirée par ces lieux qu'elle en fit le décor de son célèbre roman. Dès 1936, la maison fut rattachée au parc national de l'Île-du-Prince-Édouard.

Au cœur de Cavendish se trouve l'**Avonlea Village of Anne of Green Gables** ★ *(19$; mi-juin à fin août tlj 10h à 18h, sept tlj 10h à 16h; 8779 route 6, ☎902-963-3050, www.avonlea. ca).* Ce site touristique comprend plus d'une dizaine de bâtiments, reconstruits ou d'époque, qui évoquent le village d'Avonlea. Des guides-interprètes animent les lieux en personnifiant certains des personnages des contes d'Avonlea. En plus de la visite, le village offre également des spectacles musicaux, des lectures de contes et des balades en calèche. On y trouve aussi plusieurs commerces proposant des produits locaux. Une belle activité familiale!

Lucy Maud Montgomery

C'est le 30 novembre 1874 que naquit Lucy Maud Montgomery à New London. Mais dès sa prime jeunesse, elle doit quitter son lieu de naissance pour Cavendish, où habitent ses grands-parents, Alexander et Lucy MacNeill, qui l'élèvent après le décès de sa mère. Elle écrit un premier roman inspiré de sa vie d'orpheline, *Anne of Green Gables* (Anne... la maison aux pignons verts), qui est, dès sa parution en 1908, un très grand succès qui sera traduit en 16 langues.

L.M. Montgomery publie ensuite 23 autres livres jusqu'à sa mort, en 1942. Son œuvre la plus marquante reste cependant l'histoire d'Anne, cette charmante petite orpheline aux cheveux roux et au visage constellé de taches de son.

LES ENVIRONS DE CAVENDISH

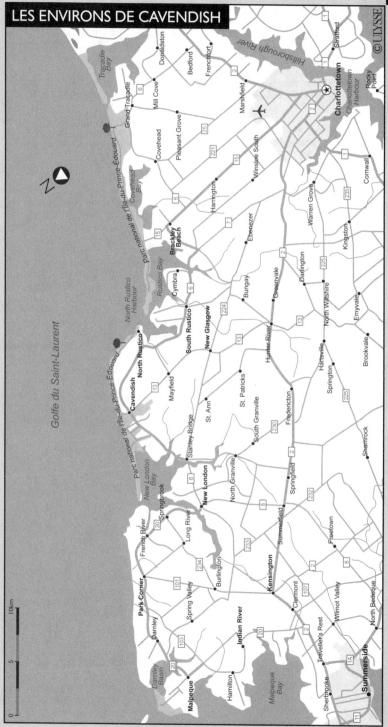

©ULYSSE

N

Golfe du Saint-Laurent

Parc national de l'Île-du-Prince-Édouard

Tracadie Bay

North Rustico Harbour

Rustico Bay

New London Bay

Covehead Bay

Hillsborough River

Charlottetown Harbour

Darnley Basin

Malpeque Bay

Stratford

Rocky Point

Charlottetown

Cornwall

Kingston

Emyvale

Brookvale

Warren Grove

Darlington

North Wiltshire

Hansville

Springton

Shamrock

Fredericton

Greenvale

Hunter River

Bungay

Ebenezer

Harrington

Winslee South

Marshfield

Frenchfort

Bedford

Donaldston

Mill Cove

Grand Tracadie

Covehead

Pleasant Grove

Brackley Beach

Cymbra

South Rustico

New Glasgow

North Rustico

Cavendish

Mayfield

St. Ann

St. Patricks

South Granville

North Granville

Stanley Bridge

New London

Springbrook

Long River

French River

Park Corner

Darnley

Spring Valley

Burlington

Indian River

Hamilton

Malpeque

Sherbrooke

Kensington

Summerfield

Springfield

Clermont

Wilmot Valley

Traveller's Rest

North Bedeque

Fleetown

Summerside

2

6

15

221

25

15

7

6

224

13

13

13

230

2

6

8

232

233

234

101

103

20

20

20

8

2

225

235

225

2

107

1A

1

11

0   5   10km

Le **Fantazmagoric Museum of the Strange and Unusual** *(mi-juin à début sept tlj 10h à 22h; 9018 Cavendish Rd.,* ☎*902-963-3242)* présente, quant à lui, d'insolites expositions sur les excentricités de la science et de la nature, la médecine alternative, les records du monde, les dinosaures, le folklore de l'île ou encore sur le désastre du *Titanic.*

Un autre musée tout aussi intrigant est le **Ripley's Believe It or Not! Museum** *(10,95$; juin et sept tlj 9h30 à 17h30, juil et août tlj 9h à 22h; 8863 Cavendish Rd., route 6,* ☎*902-963-2242, www.ripleys.com).* Vous pourrez toucher le mur de Berlin, voir bouger un robot de 3 m fait à partir de pièces de voiture et vous promener dans les 14 galeries contenant des objets surprenants provenant des quatre coins du monde. Incroyable!

Adjacent au Ripley's, le **Wax World of the Stars** *(adultes 11$, enfants 7$; début juin à mi-sept tlj; 8863 Cavendish Rd., route 6,* ☎*902-963-3444, www.waxworldpei.com)* propose des répliques en cire de personnalités connues, entre autres Michael Jordan, Julia Roberts, Harry Potter et Shrek.

Parc national de l'Île-du-Prince-Édouard ★★★

Une visite de l'île ne saurait être complète sans un arrêt d'au moins une journée dans le **parc national de l'Île-du-Prince-Édouard** *(7,80$; toute l'année, centre d'accueil ouvert de mi-mai à mi-oct; le centre d'accueil Cavendish se trouve près de l'intersection des routes 6 et 13;* ☎*902-672-6350, www.pc.gc. ca).* Le parc s'étend sur plusieurs dizaines de kilomètres le long de la côte nord de l'île, de Blooming Point à la baie de New London. Créé en 1937, il a pour but de protéger un environnement bien particulier comprenant, entre autres, des dunes avec leur écosystème fragile, des falaises de grès rouge, des plages magnifiques et des marais salés.

En février 1998, le parc a été agrandi pour englober la péninsule de Greenwich, qui s'étend à l'est de la baie de **St. Peters** (voir p 258).

On peut découvrir différents aspects de la faune et de la flore du parc en empruntant l'un des nombreux sentiers balisés (voir p 254), accessibles à tous.

Les plages du parc, qui s'étendent sur près de 40 km, sont idéales pour la baignade. Elles comptent parmi les plus belles de l'est du continent. Prenez garde toutefois aux dunes qui les bordent, car elles abritent parfois les nids du pluvier siffleur, ce petit oiseau menacé d'extinction. Pour protéger cet environnement fragile, des passerelles ont été aménagées. Des sites pour l'observation des oiseaux se trouvent au **marais Brackley**, au **cap Orby**, au **quai de Covehead** et le long du **pont-jetée de l'île de Rustico**.

Les golfeurs pourront s'adonner à leur sport dans le parc, sur le terrain du **Green Gables Golf Course** (voir p 254), un parcours à 18 trous qui offre de magnifiques points de vue sur la mer et les falaises.

Il existe trois terrains de camping dans le parc national de l'Île-du-Prince-Édouard. Celui de **Cavendish**, situé près de l'océan, offre 200 emplacements profitant d'une foule de services. D'autres emplacements pour camper sont proposés au camping **Stanhope**. Le troisième, **Brackley Group Tenting**, n'accepte que les groupes *(réservations obligatoires).* Pour obtenir des renseignements et faire vos réservations, composez le ☎902-672-6350.

▸▸▸ *Au départ de Cavendish, prenez la route 13 Sud jusqu'à New Glasgow.*

New Glasgow ★

Depuis Cavendish, on traverse de beaux paysages vallonnés pour se rendre jusqu'à New Glasgow, un petit village pittoresque dont les belles résidences s'élèvent de chaque côté de la rivière Hunter. On visite New Glasgow pour son charme rural, mais également pour ses bons restaurants et pour sa **Prince Edward Island Preserve Co.** *(2841 New Glasgow Rd., à l'intersection des routes 224 et 258;* ☎*800-565-5267, www.preservecompany.com),* qui est à la fois une belle boutique où l'on déniche plusieurs produits faits sur place (entre autres, confitures, gelés, miel et thés) et une excellente table (voir p 274).

Les **New Glasgow Country Gardens** *(fin mai à début oct;* ☎*902-964-4300),* qui font aussi partie de la Prince Edward Island Preserve Co., sont de magnifiques jardins de 5 ha sillonnés de 2 km de sentiers. En été, vous pourrez assister à des concerts de musique tous les dimanches.

Pour tout apprendre sur la confection des jouets en bois, rendez-vous à la **Toy Factory** (voir p 279), où vous attendent toutes sortes de toupies, chevaux, bateaux, casse-têtes, fabriqués à la main et à l'ancienne.

▸▸▸ *Pour vous rendre de New Glasgow à North Rustico, empruntez la route 258 en direction est et prenez à gauche Rustico Road (route 6).*

North Rustico ★

Charmant village où la pêche, en particulier au homard, est la principale activité, North Rustico donne autant sur la baie de Rustico que sur le golfe du Saint-Laurent.

Du village, on accède directement à l'une des belles plages de sable du parc national de l'Île-du-Prince-Édouard. On peut également se rendre tout près, à North Rustico Harbour, où les paysages maritimes sont splendides, et visiter le **Rustico Harbour Fishery Museum** *(mi-juin à fin sept; 318 Harbourview Dr.,* ☎*902-963-3799 ou 902-963-2525)* pour découvrir l'histoire de l'industrie de la pêche à l'Île-du-Prince-Édouard. Quelques entreprises organisent des excursions de pêche en haute mer, offrant ainsi aux visiteurs l'occasion de mettre leurs talents de pêcheur à l'épreuve et de profiter d'une belle balade sur les flots. Les excursions partent du port.

▸▸▸ *Revenez sur vos pas par la route 6 pour rejoindre South Rustico.*

South Rustico ★

D'abord un important site micmac connu sous le nom de *Tabooetooetun*, la région de la baie de Rustico a été, sous le Régime français, l'un des premiers lieux de colonisation de l'île. Transformé au fil des années, le terme «Rustico» provient d'ailleurs du nom du premier colon français à s'être installé dans la région, soit René Rassicot.

South Rustico est en fait un carrefour en pleine campagne autour duquel se sont greffées les principales institutions de la communauté acadienne: l'église, le presbytère, le cimetière, l'école et la banque, aujourd'hui transformée en musée: le **Farmers' Bank of Rustico Museum** ★ *(4$; juin à sept lun-sam 9h30 à 17h30, dim 13h à 17h; Church Rd.,* ☎*902-963-3168, www.farmersbank.ca).* La banque a été fondée en 1864 par le père George-Antoine Belcourt, avec pour objectif de permettre aux Acadiens de prendre leur place dans le développement économique.

Elle fut la première banque populaire au pays et, pendant un certain temps, la plus petite banque à charte du Canada. L'exposition relate le travail du père Belcourt, et le bâtiment se trouve sur un site classé.

Tout juste à côté, la modeste **St. Augustine's Roman Catholic Church** *(Church Rd.)* est la plus ancienne église acadienne de l'île.

▸▸▸ *Poursuivez sur la route 6.*

Brackley Beach

Petit hameau en bordure de la baie de Rustico, Brackley Beach mérite qu'on s'y arrête un moment, le temps d'admirer son phare converti en auberge, le **Baywatch Lighthouse**. La vue depuis le sommet est superbe.

The Dunes Studio Gallery & Café ★ *(mai à oct tlj 10h à 18h; route 15,* ☎*902-672-2586, www.dunesgallery.com)* expose et vend les œuvres d'une cinquantaine d'artistes canadiens, ainsi que des poteries, des sculptures, des peintures et des photographies d'artistes de la province. La galerie loge dans un bâtiment à l'architecture étonnante donnant sur de beaux jardins aquatiques et des dunes panoramiques. Sur cette même route, le **Brackley Beach Drive-in Theatre** *(8$; mi-mai à début oct; route 15,* ☎*902-672-3333)* propose un parcours de minigolf à 18 trous et la projection d'un film chaque soir au cinéma en plein air.

L'île-du-Prince-Édouard - Attraits touristiques - Le centre de l'île

🏄 Activités de plein air

■ Golf

Le terrain du **Green Gables Golf Course** *(à partir de 55$; route 6, Cavendish,* ☎*902-963-4653 ou 888-870-5454, www.greengablesgolf. com)*, un parcours à 18 trous, est situé dans le parc national de l'Île-du-Prince-Édouard.

■ Kayak

En prenant part à l'une des excursions en kayak organisées par **Outside Expeditions** *(370 Harbourview Dr., North Rustico,* ☎ *902-963-3366 ou 800-207-3899, www. getoutside.com)*, vous verrez l'île sous un jour différent, en longeant le littoral nord et ses falaises rouges ou en descendant la rivière Murray. Ces escapades plairont également aux amateurs de faune ailée, car elles sillonnent quelques zones privilégiées pour l'observation des oiseaux.

■ Pêche en haute mer

Quelques entreprises organisent des excursions de pêche en haute mer, offrant ainsi aux visiteurs l'occasion de mettre leurs talents de pêcheur à l'épreuve et de profiter d'une belle balade sur les flots.

Vous pouvez prendre part à ces excursions depuis différents endroits de l'île:

Richard's Deep-Sea Fishing
Covehead Harbour, parc national de l'Île-du-Prince-Édouard
☎902-672-2376

Salty Seas Deep-Sea Fishing
Covehead Harbour, parc national de l'Île-du-Prince-Édouard
☎902-672-3246 ou 902-672-2681
www.virtuo.com/salty

Aiden Deep-Sea Fishing
North Rustico
☎902-963-3522 ou 866-510-3474
www.peifishing.com

■ Randonnée pédestre

Dans le **parc national de l'Île-du-Prince-Édouard** (voir p 252), divers sentiers mènent à la découverte de la faune et de la flore de cette partie de l'île. Le sentier **Reeds and Rushes** (0,7 km) vous entraîne

à travers la forêt jusqu'à un marais au-dessus duquel une passerelle de bois permet d'observer toute une variété d'insectes, de plantes et d'animaux. Le sentier **Farmlands** (3,3 km) conduit au cœur du parc à travers la végétation; vous parcourrez entre autres une forêt d'épinettes. Le sentier **Bubbling Springs** (2,7 km) traverse également une forêt d'épinettes et mène à un poste d'observation construit au bord d'un étang d'où vous pouvez contempler divers oiseaux aquatiques. Trois autres sentiers donnent l'occasion de découvrir la forêt; il s'agit des sentiers **Homestead** (6,7 km à 8 km), **Haunted Wood** (1,4 km), **Balsam Hollow** (1 km) et **Cavendish Duneslands** (2,3 km).

■ Vélo

Le **parc national de l'Île-du-Prince-Édouard** (voir p 252) est, particulièrement le long du sentier **Homestead** (6,7 km à 8 km), un lieu exceptionnel pour rouler sans crainte et voir des paysages magnifiques.

Outside Expeditions
location 35$/jour
370 Harbourview Dr.
North Rustico
☎902-963-3366 ou 800-207-3899
www.getoutside.com
Outside Expeditions propose des promenades à vélo de quelques heures à quelques jours, pour vous faire découvrir quelques-unes des plus séduisantes régions de la province.

- -

L'est de l'île ★

À l'est de Charlottetown s'ouvre une belle région rurale qui plaira à ceux qui recherchent la tranquillité des plages désertes, l'atmosphère fébrile des petits ports de pêche et la beauté des baies qu'on découvre aux tournants de la route. Ses paysages variés sont quelque peu vallonnés dans sa partie la plus septentrionale et, sans être toujours spectaculaires, sont souvent jolis et harmonieux.

Dans cette portion de l'île dépourvue de grandes communautés, la vie tourne essentiellement autour du monde de la pêche et de l'agriculture. Parcourir l'est de l'île est donc l'occasion d'explorer un beau coin de pays tout en renouant avec un mode de vie où la nature a encore sa place.

''' *Au départ de Charlottetown, empruntez la route 1 est pour vous rendre à Orwell Corner.*

Orwell Corner

Si découvrir le mode de vie dans la douce campagne de l'île au XIXᵉ siècle vous intéresse, alors il ne faut pas rater la chance de visiter l'**Orwell Corner Historic Village** ★ *(7,50$; fin mai à fin juin lun-ven 9h à 17h, début juil à fin août tlj 9h30 à 17h30, début sept à début oct dim-jeu 9h à 17h; route 1, à 30 km à l'est de Charlottetown,* ☎*902-651-8515, www.orwellcorner.isn.net).* Ce lieu charmant, qui fait revivre la communauté agricole de 1890, abrite des bâtiments restaurés, entre autres une jolie petite école qui semble être tirée d'un roman de L.M. Montgomery, une église, une fabrique de bardeaux, des granges, une forge et une maison de ferme servant à la fois de magasin général et de bureau de poste.

Des guides-interprètes en costumes d'époque animent les lieux et répondent aux questions des visiteurs. Orwell Corner n'a pas la taille des autres villages historiques du genre, comme Kings Landing, au Nouveau-Brunswick. Par contre, il a l'avantage d'être paisible et mignon.

À quelques centaines de mètres du village historique d'Orwell Corner s'élève, cachée dans un lieu enchanteur, la **Sir Andrew Macphail Homestead** *(dons appréciés; fin juin à début oct mer et ven-dim 11h à 19h30, jeu 11h à 16h30; route 1,* ☎*902-651-2789, www.macphailhomestead.ca).* Natif de l'île, Andrew Macphail (1864-1938) eut une carrière extraordinaire dans les domaines de la médecine et de la recherche, mais aussi en tant que journaliste et auteur. Sa maison, meublée comme au début du XXᵉ siècle, est un bel héritage patrimonial. Une petite salle de restaurant (voir p 275) y a été aménagée, et l'on peut y prendre des repas légers. De plus, il est possible de faire de belles balades à pied sur la grande propriété en empruntant un sentier de 2 km.

Point Prim

À proximité du village d'Eldon, la route 1 croise la petite route 209, qui mène au **Point Prim Lighthouse** ★ *(dons appréciés; début juil à fin août tlj 9h à 17h; route 209,* ☎*902-659-2412),* construit et dessiné en 1845 par Isaac Smith, architecte de la Province House de Charlottetown. On peut visiter le phare, et les alentours sont tout désignés pour un pique-nique. Le point de vue sur la mer vaut ce petit détour.

''' *Revenez à la route 1 et longez la côte jusqu'à Wood Islands.*

Wood Islands

Le village de Wood Islands, point de départ du traversier en partance pour Caribou, en Nouvelle-Écosse (voir p 242), est doté d'un important centre d'information touristique (voir p 243). L'endroit est fort joli et offre un beau **point de vue** ★ sur le détroit de Northumberland.

À proximité s'étendent de belles plages, souvent désertes, idéales pour la baignade. On peut également se baigner à la plage du **Wood Islands Provincial Park** *(mi-juin à mi-sept tlj),* situé quelques kilomètres plus à l'est. Rappelez-vous que, bien que les plages le long du détroit de Northumberland soient souvent moins spectaculaires, les eaux qui les baignent, en revanche, sont nettement plus chaudes que celles du golfe du Saint-Laurent au nord de l'île. La végétation du parc est surtout constituée de feuillus.

Il est aussi possible de se rendre au **Wood Islands Lighthouse and Interpretive Museum** *(5,25$; début juin à début sept tlj 9h30 à 18h; 173 Lighthouse Rd.,* ☎*902-962-2022),* où, en plus de profiter de la vue, on peut visiter des salles thématiques portant, entre autres sujets, sur la contrebande de rhum et les phares de l'île.

''' *Empruntez la route 4 pour vous rendre à Little Sands.*

Little Sands

À Little Sands, sur un petit plateau surplombant les eaux du détroit de Northumberland, apparaissent soudain les vignes du **Rossignol Estate Winery** ★ *(mai* à oct lun-sam 10h à 17h, dim 13h à 17h, reste de l'année sur rendez-vous; route 4, ☎902-962-4193, www.rossignolwinery.com), le seul vignoble de l'île. La famille Rossignol y produit plusieurs vins de table, un cidre et quelques liqueurs de fruits qu'on peut déguster sur place.

On se fera également un plaisir de vous expliquer comment les raisins sont cultivés et pressés, et de quelle façon sont stockés les vins de la famille. La boutique du Rossignol Estate Winery met également en valeur de jolies pièces d'artisanat ainsi que les toiles de Nancy Perkins, une artiste de Little Sands.

''' *Poursuivez en direction est par les routes 4 et 18.*

Murray Harbour

Murray Harbour, qui s'étend sur les berges de la rivière Murray, possède quelques jolies résidences d'époque et un mignon petit port de plaisance.

Ouvert en 2006, le **Rail Head Park** célèbre plus de 200 ans d'histoire de cette communauté portuaire qui fut desservie par le chemin de fer. L'ancien emplacement de la gare a été transformé en un endroit tranquille parmi les bouleaux, le long de la rivière South. Une exposition retrace l'histoire des industries et des personnages de la région. Des sentiers de randonnée relient le bord de la rivière à un tronçon de 40 km du **Confederation Trail** (voir p 242).

''' *Poursuivez sur la route 18 jusqu'à l'embranchement de la route 4. Prenez à droite pour vous rendre à Murray River.*

Murray River

Murray River est une petite communauté dynamique pourvue de bonnes boutiques d'artisanat local, entre autres **The Old General Store** *(mi-juin à mi-oct tlj, reste de l'année sur rendez-vous; 9387 Main St., ☎902-962-2459)*. À proximité de Murray River, dans le village de Gladstone, se trouve le **Kings Castle Provincial Park** *(début juin à mi-sept; route 348, ☎902-962-7422)*. Des statues représentant des personnages de

contes jalonnent le parc. Un terrain de jeu très bien conçu pour les enfants, des activités de loisir et une jolie plage donnant sur la rivière sauront satisfaire petits et grands.

C'est de Murray River que partent les excursions d'**observation des phoques** (voir p 260). Des douzaines de ces mammifères marins se prélassent sur les côtes des îles environnantes, paressant au soleil.

''' *Continuez par la route 4 Nord.*

Milltown Cross

Cette petite bourgade, située à l'intérieur des terres au sud de Montague, abrite le très joli **Buffalo Land Provincial Park** *(toute l'année; ☎902-652-8950)*. En suivant les sentiers pédestres, on a accès à une plateforme d'observation donnant sur 40 ha d'où l'on peut observer un troupeau de bisons. Il est préférable cependant de s'y rendre tôt en matinée ou tard dans la soirée pour les voir de plus près.

''' *Au départ de Milltown Cross, dirigez-vous vers la côte par les routes 317 et 17 pour rejoindre Gaspereaux. De là, empruntez Panmure Island Road (route 347) pour vous rendre à Panmure Island.*

Panmure Island ★

À **Gaspereaux**, un pittoresque village de pêcheurs de homards, un carrefour mène à Panmure Island. Sur la route de l'île Panmure se trouve le **Panmure Island Provincial Park** ★ *(début juin à mi-sept; ☎902-838-0668 ou 902-652-8950)*, qui renferme certaines des plus belles plages de sable de l'Île-du-Prince-Édouard. Sur quelques kilomètres, ces plages bordées de dunes sont souvent désertes. Sur l'île, qui est en fait une presqu'île, on peut se rendre au **Panmure Island Lighthouse** *(juil et août tlj, juin et sept sur rendez-vous; route 347, ☎902-838-3568)*, le plus ancien phare de bois de l'Île-du-Prince-Édouard, pour profiter d'un beau panorama.

''' *Revenez à la route 4 à Milltown Cross et roulez en direction nord pour rejoindre Montague.*

Montague et ses environs ★

Malgré sa taille plutôt modeste, Montague n'en reste pas moins l'une des plus grandes communautés de l'est de la province. On y trouve quelques commerces, boutiques et restaurants, ainsi que l'intéressant **Garden of the Gulf Museum** ★ *(3$; juin à sept lun-sam 9h à 17h; 564 Main St., ☎902-838-2467, www.montaguemuseum. com)*, le plus ancien (1958) musée de la province, qui loge dans l'ancien bureau de poste de Montague. La collection porte sur l'histoire régionale de même que sur l'histoire militaire. On y découvre la vie des pionniers tout en explorant le centre de recherche familiale.

Des colonies de phoques viennent près des côtes de l'île, et il est possible de partir en excursion pour observer ces gros mammifères marins. Montague est le lieu de départ des croisières qu'organise **Cruise Manada** (voir p 260). D'autres départs se font à la marina de Brudenell, au nord de Montague par la route 4.

Brudenell

À Brudenell se dresse le **Roma at Three Rivers** *(5$; fin juin à début sept, tlj 10h à 18h; ☎902-838-3413, www.roma3rivers.com)*, un site historique commémorant la colonie française du XVIIIe siècle, la construction navale de l'ère victorienne et le lieu de naissance du père de la Confédération A.A. Macdonald. Les éléments d'une exposition archéologique ponctuent les sentiers de découverte de la nature jusqu'à la plage qui donne sur la rivière.

''' *Revenez à la route 4 Nord. Pour rejoindre la côte et Georgetown, prenez à droite la route 3 (Georgetown Road) à la hauteur de Pooles Corner.*

Georgetown

Georgetown est un petit port de pêche qui a vécu la belle époque de la construction des navires de bois. À cette époque, on a su profiter des avantages du port naturel de Georgetown, qui, en plus d'être bien protégé, est le plus profond de l'île. Aujourd'hui, plusieurs boutiques et cafés on vu le jour à proximité du port, créant ainsi un endroit particulièrement agréable.

Le **Georgetown Train Station Interpretive Centre** *(☎902-652-2397)* a pour but de faire découvrir l'histoire et la culture de cette jolie ville située au bord de l'eau. De plus, pourquoi ne pas bénéficier d'une promenade sur le **Confederation Trail** (voir p 242), qui passe devant la gare, et explorer le jardin commémoratif que sont les **A.A. Mac-Donald Memorial Gardens** *(entrée libre; début mai à fin déc tlj; route 3, ☎902-652-2924)*? Vous pourrez relaxer sur un de ses nombreux bancs ou encore pique-niquer.

Sur la route 3, le **Brudenell River Provincial Park** ★ *(mi-mai à début oct tlj; ☎902-652-8966)* bénéficie d'un site exceptionnel sur la rivière. Dans ce parc provincial s'étendent également deux vastes parcours de golf à 18 trous. Le parc est en outre doté d'un sentier pédestre qui longe la rivière jusqu'à Georgetown, d'un bon hôtel et d'emplacements de camping. Vous pourrez aussi vous promener sur le Confederation Trail, qui n'est situé qu'à 1 km du parc.

''' *Revenez sur vos pas par la route 3. À Roseneath, prenez à droite Wharf Road pour rejoindre la route 321 et vous rendre à Cardigan.*

Cardigan

Petite communauté donnant sur la baie qui porte son nom, Cardigan fut au XIXe siècle un centre de construction navale. On y trouve aujourd'hui quelques intéressantes boutiques d'artisanat ainsi qu'une jolie marina.

''' *Reprenez la route 321 en direction nord. Prenez à droite la route 4 (Seven Mile Road) pour vous rendre à Bridgetown.*

Bridgetown

La ville de Bridgetown est un endroit idéal pour observer la faune de l'île. Parcourir le **Boughton River Trail** *(point de départ à côté du pont de Bridgetown)* permet d'admirer l'écosystème de la rivière Boughton dans son état naturel. Ce sentier de randonnée et d'équitation de 4,5 km, ponctué de panneaux d'interprétation, mène à des plateformes d'observation.

>>>   *Poursuivez par la route 4. À Dingwell Mills, prenez à droite la route 2, qui vous conduira vers Souris.*

Souris

La petite ville de Souris est, avec ses quelque 1 200 habitants, la plus importante communauté de l'est de l'Île-du-Prince-Édouard. Dans Main Street, de jolis bâtiments témoignent de l'importance de Souris, dont les plus resplendissants sont l'**hôtel de ville** *(75 Main St.)*, le **Matthew and McLean Heritage Building** *(95 Main St.)*, construit en 1869 et maintenant désigné site patrimonial, et la **St. Mary's Church** *(Longworth St.)*. Le **Souris Beach Provincial Park** *(mi-juin à mi-sept; route 2,* ☎*902-652-8950)* offre une aire de pique-nique et une plage non surveillée. Du port, les eaux rouges de la rivière Souris s'abîment dans la mer. Avec un peu de chance, surgira peut-être le *Lydia*, navire naufragé lors de son premier voyage en 1876. La légende locale raconte en effet que le vaisseau fantôme et son équipage essaient toujours désespérément de rentrer au port. De Souris, un **traversier** (voir p 242) mène aux Îles de la Madeleine.

>>>   *De Souris, dirigez-vous vers l'est par la route 16 pour vous rendre à Basin Head.*

Basin Head ★

Superbement situé sur une des plus belles plages de sable de l'île et à proximité de magnifiques dunes, le **Basin Head Fisheries Museum** ★★ *(4$; fin mai à fin sept tlj; route 16,* ☎*902-357-7233 ou 902-368-6600)* permet au visiteur d'en apprendre beaucoup sur tous les aspects du merveilleux monde de la pêche autour de l'île. Le bâtiment muséal renferme une intéressante collection d'objets historiques liés à la vie et au métier des pêcheurs d'antan. Il est flanqué de hangars à bateaux où sont exposées des embarcations de diverses tailles et de diverses époques, de même que d'un atelier où des artisans locaux fabriquent des boîtes en bois comme on en utilisait jadis pour l'emballage du poisson salé. Un peu plus loin se trouve une ancienne conserverie. À tous égards, ce musée est l'un des plus intéressants de la province. On se doit néanmoins de combiner à la visite du musée une balade sur les plages et les dunes avoisinantes.

>>>   *Poursuivez sur la route 16.*

East Point

Pour une magnifique vue sur l'océan et sur les paysages côtiers des environs, rendez-vous à l'extrémité la plus orientale de l'île, où se trouve l'**East Point Lighthouse** ★ *(visite guidée 4$; mi-juin à début sept tlj; route 16,* ☎ *902-357-2106, www.eastpointlighthouse.com)*, un phare construit en 1867. Il est ouvert en été, et l'on peut y monter.

>>>   *Continuez le long de la côte sur la route 16. Après North Lake, prenez à gauche la route 16A pour vous rendre à Elmira.*

Elmira

Toute petite communauté rurale à proximité de la pointe la plus orientale de l'île, Elmira possède un des six musées de la Fondation pour les musées et le patrimoine de l'Île-du-Prince-Édouard: l'**Elmira Railway Museum** ★ *(3$; mi-juin à début sept tlj 9h à 17h; route 16A,* ☎*902-357-7234, www.elmirastation.com)*. Situé dans un décor pastoral, il loge dans l'ancienne gare d'Elmira, fermée depuis 1982. En plus du bâtiment principal, on y voit un hangar à marchandises et un wagon stationné sur une voie ferrée. Une petite balade en train miniature *(\$)* est aussi proposée aux visiteurs. Ce musée fait bien revivre l'aventure glorieuse de la construction du chemin de fer de l'Île-du-Prince-Édouard à travers une excellente exposition.

>>>   *Revenez vers la route 16 et prenez à gauche pour vous rendre à St. Peters Bay.*

St. Peters Bay ★

St. Peters Bay a été le site, en 1719, du tout premier établissement français dans l'île Saint-Jean (aujourd'hui l'Île-du-Prince-Édouard) avec l'arrivée de deux marins normands, Francis Douville et Charles Carpentier, dont le navire s'était échoué à Naufrage, un peu plus à l'est. L'endroit fut nommé «Havre Saint-Pierre», prospéra grâce à la pêche et comptait environ 400 colons lors de la déportation des Acadiens en 1755.

Le pluvier siffleur

Dans le parc national de l'Île-du-Prince-Édouard, on compte à peine une centaine de ces petits oiseaux d'environ 20 cm au plumage beige rappelant la couleur du sable, avec quelques plumes noires à la tête et au cou. Le pluvier siffleur se nourrit d'insectes et de minuscules crustacés, aussi le voit-on souvent fouiller le sable en quête de sa nourriture. C'est aussi dans le sable, un peu au-dessus de la ligne des marées hautes, qu'il construit son nid.

Pendant les 28 jours d'incubation des œufs et jusqu'au départ des oisillons à la fin de juillet, les parents gardent le nid, qui est bien caché dans le sable, le mettant ainsi à l'abri des prédateurs.

Malheureusement, les nids demeurent peu visibles pour les promeneurs qui, ne les remarquant pas, leur causent des dégâts irréparables. Le nombre de ces oiseaux a beaucoup baissé depuis les 10 dernières années, et il faut, pour permettre à la population de croître, bien protéger les nids de toute perturbation.

St. Peters Bay est désormais un fort joli village dont les somptueuses résidences s'étendent de chaque côté de la baie éponyme. Quelques superbes plages sont accessibles le long de la côte.

▸▸▸ *De St. Peters Bay, la route 313 mène à la péninsule de Greenwich.*

Péninsule de Greenwich ★ ★

Depuis février 1998, la péninsule de Greenwich est annexée au **parc national de l'Île-du-Prince-Édouard** (voir p 252) dans le but de protéger et de préserver les ressources naturelles qu'elle renferme.

Le secteur comprend un vaste réseau de dunes côtières fragiles, des terres humides et divers habitats naturels abritant de nombreuses plantes rares. Parmi les plus spectaculaires caractéristiques naturelles protégées à Greenwich, il faut mentionner la dune en forme de *U*, majestueuse et très mobile, ainsi que les contre-crêtes ou cordons dunaires qui l'accompagnent. Ces contre-crêtes sont très rares en Amérique du Nord. En outre, le secteur est un habitat propice au pluvier siffleur, un petit oiseau de rivage en danger de disparition.

L'histoire de Greenwich est également remarquable. On trouve sur les lieux des vestiges des principales cultures qui ont peuplé l'Île-du-Prince-Édouard depuis 10 millénaires, notamment les premiers Autochtones, les *Mi'gmaq*, les colons français et acadiens, ainsi que les immigrants écossais, irlandais et anglais.

Le **centre d'interprétation de Greenwich** (*mi-mai à mi-oct tlj, horaire réduit le reste de l'année;* ☎ *902-961-2514*) explique pourquoi et combien il importe de protéger les précieuses ressources naturelles et culturelles réunies dans le secteur. La grande salle renferme divers panneaux et montages interactifs mettant en valeur les caractéristiques naturelles uniques de l'endroit, une maquette en trois dimensions de la péninsule et une exposition multimédia sur l'histoire humaine de Greenwich.

Trois sentiers d'auto-interprétation réservés à la promenade et à la randonnée pédestre, variant de 1,25 km à 4,5 km, ont été aménagés à Greenwich. En outre, des activités d'interprétation sont proposées en anglais et parfois en français tous les jours en juillet et en août. Pour en savoir davantage, consultez les babillards ou demandez le calendrier des activités. L'installation balnéaire, qui regroupe une tour d'observation, des cabines et des douches, se trouve dans la partie centrale du secteur. La plage est surveillée de la fin juin à la fin août.

''' *Revenez à St. Peters Bay et quittez la ville par la route 2 pour vous rendre à St. Andrews.*

St. Andrews

Un bref arrêt s'impose dans la petite communauté rurale de St. Andrews, le temps de visiter la petite **St. Andrew's Chapel** *(dons appréciés; juil et août tlj 9h30 à 16h30; 32 Ash Dr.,* ☎*902-961-2096)*, dont l'histoire a été marquée par deux déménagements! Construite en 1803 sur son emplacement actuel, elle fut glissée à l'hiver 1964 sur les glaces de la rivière Hillsborough jusqu'à Charlottetown, où elle servit d'école pour jeunes filles. Restaurée en 1988, elle fut déménagée une seconde fois, deux ans plus tard, sur son site initial.

''' *Poursuivez par la route 2.*

Mount Stewart

À Mount Stewart, on peut découvrir la riche histoire naturelle et culturelle de la première rivière patrimoniale de l'Île-du-Prince-Édouard, la rivière Hillsborough, grâce à la fascinante exposition présentée au **Hillsborough River Eco-Centre** *(dons appréciés; juil et août tlj 10h à 18h, reste de l'année horaire variable; 104 Main St.,* ☎*902-676-2050 ou 902-676-2881, www.hrec.mountstewartpei. ca)*. On y propose des visites guidées et des programmes éducatifs. Une tour d'observation permet de mieux comprendre l'environnement du secteur. Cette portion de la rivière est idéale pour le canotage, et les sentiers voisins sont parfaits pour la marche, le vélo, l'observation des oiseaux et l'exploration de la nature.

🏹 Activités de plein air

■ Croisières

Si vous désirez partir en promenade sur les flots, rendez-vous à Cardigan pour prendre part à la croisière organisée par **Cardigan Sailing** *(70$/pers.; marina de Cardigan, route 311,* ☎*902-583-2020)*.

■ Golf

Comptant parmi les plus beaux terrains de golf de la province, voire du Canada, **The Links at Crowbush Cove** *(à partir de 75$;* ☎*902-368-5761 ou 800-235-8909)* est aménagé autour des dunes près de Morell. Tout au long du parcours à 18 trous, les golfeurs profitent de paysages marins stupéfiants.

Le **Brudenell River Golf Course** *(à partir de 57$; Roseneath,* ☎*902-368-5761 ou 800-235-8909)*, un golf de 18 trous situé dans le Brudenell River Provincial Park, jouit également d'un emplacement splendide. En outre, les golfeurs profiteront d'un vaste parc paisible.

■ Observation des phoques

Des colonies de phoques viennent près des côtes de l'île, mais il est aussi possible de partir en excursion pour observer ces gros mammifères marins.

Cruise Manada
adultes 24$, enfants 12,50$
juil et août, départs tlj 10h, 13h et 15h30
sept et mi-mai à fin juin, départs tlj 13h
Montague Marina
☎902-838-3444 ou 800-986-3444
www.cruisemanada.com

Marine Adventures Seal Watching
adultes 20$, enfants 12$
juil à sept, départs tlj 10h, 13h et 15h30
route 4
Murray River
☎902-962-2494
www.sealwatching.com

■ Randonnée pédestre et vélo

Un tronçon du **Confederation Trail** (voir p 242) mène les visiteurs dans l'est de l'île, de Mount Stewart à Elmira. Il longe la baie de St. Peters et donne l'occasion d'admirer les dunes de la péninsule de Greenwich. Il traverse en outre des lieux boisés et des terres humides où l'on peut apercevoir diverses espèces d'oiseaux, entre autres des bernaches.

Le **Brudenell River Provincial Park** (voir p 257) possède également des sentiers de randonnée.

Présence des Acadiens

Bien que les Acadiens ne se soient installés dans la région d'Évangéline qu'en 1812, leur présence dans l'île remonte aux années 1720, à l'époque où l'île était une colonie française connue sous le nom d'«île Saint-Jean». Ces premiers colons venaient de l'ancienne Acadie (la Nouvelle-Écosse actuelle) pour fonder les établissements de Port-la-Joye, de Pointe-Prime, de Malpèque et plusieurs autres.

Au cours des décennies suivantes, la population acadienne s'est accrue graduellement, puis a connu une croissance rapide à partir de 1755, avec l'arrivée de réfugiés fuyant la Déportation. Cependant, en 1758, l'île Saint-Jean tomba entre les mains des Britanniques, qui déportèrent environ 3 000 des 5 000 Acadiens de l'île. Après la guerre de Sept Ans, les Acadiens qui sont restés ou qui sont revenus dans l'île s'installèrent principalement dans les environs de la baie de Malpèque. Ce n'est qu'en 1812 que certaines familles quittèrent cette région pour s'établir dans le sud-ouest de l'île, fondant La Roche (Cap-Egmont) et Grand-Ruisseau (Mont-Carmel).

Aujourd'hui, les Acadiens de l'Île-du-Prince-Édouard ont de nombreuses occasions de se réunir et d'inviter les visiteurs à partager leur culture. D'ailleurs, plusieurs événements culturels sont organisés dans l'île, entre autres l'**Exposition agricole et le Festival acadien de la région Évangéline** (voir p 278), qui a lieu à la fin d'août à Abram-Village.

L'ouest de l'île ★

▲ *p 271*   🍴 *p 276*   🛍 *p 277*   🛏 *p 278*

L'ouest de l'île possède la deuxième ville en importance de la province, Summerside, avec environ 14 000 habitants, mais aussi les régions les plus isolées. C'est également dans cette partie de l'île, au sud-ouest de Summerside, qu'on peut partir à la découverte de l'Acadie de l'Île-du-Prince-Édouard, celle des familles Arseneault, Gallant, Richard et autres, qui habitent un chapelet de minuscules villages côtiers aux noms savoureux: Cap-Egmont, Saint-Chrysostome, Mont-Carmel, Maximeville, etc.

Ici, dans la région d'Évangéline, la langue française et la culture acadienne forment un héritage que les gens sont fiers de préserver. Une balade dans l'ouest de l'île permet de découvrir ce patrimoine, mais offre aussi l'occasion de visiter une région pittoresque et paisible qui vit essentiellement de la pêche et de la culture des pommes de terre. Jolis, ses paysages sont même parfois spectaculaires, notamment près de North Cape.

Summerside ★

Summerside connaît une période d'effervescence économique grâce au pont qui, depuis 1997, relie l'île au Nouveau-Brunswick. C'est une ville agréable avec de belles résidences victoriennes et un joli bord de mer. En tant que principal centre urbain de l'ouest de l'île, Summerside est également pourvue de plusieurs commerces, lieux d'hébergement et restaurants.

Le **Spinnakers' Landing** ★ *(boutiques ouvertes tlj mi-juin à mi-sept; 150 Harbour Dr.,* ☎ *902-888-8364, www.spinnakerslanding.com)* constitue un bon endroit où commencer la visite de Summerside. Cette agréable promenade, aménagée tout près du port

L'île-du-Prince-Édouard - Attraits touristiques - L'ouest de l'île de la ville, compte quelques belles boutiques et offre un superbe point de vue sur le port. Des croisières dans le port partent du Spinnakers' Landing.

L'**Eptek Art & Culture Centre** *(dons appréciés; juil et août lun-sam 9h à 17h, dim 12h à 17h; sept à mai lun-sam 10h à 16h, dim 12h à 16h; 130 Harbour Dr.,* ☎*902-888-8373)* est un centre d'exposition national où sont présentées des expositions itinérantes d'œuvres d'artistes canadiens.

Tout près se trouve le **Sports Hall of Fame & Museum** *(2$; juin à août lun-ven 10h à 17h30, sam 12h à 17h30; reste de l'année sur rendez-vous; 124 Harbourside Dr., Wyatt Centre,* ☎*902-436-0423, www.peisportshalloffame. ca)*, le temple de la renommée sportive de l'Île-du-Prince-Édouard, qui rend hommage aux athlètes et intervenants du monde du sport qui ont fait particulièrement honneur à la province.

On peut découvrir de belle façon une partie de l'histoire de Summerside aux **Wyatt Heritage Properties** ★ *(juin à sept lun-sam 10h à 17h, oct à mai mar-ven sur rendez-vous; 85 Spring St.,* ☎*902-432-1296, www. wyattheritage.com)*. Ce site patrimonial comprend trois propriétés situées à proximité l'une de l'autre. La **Wyatt House** *(85 Spring St.)*, une jolie résidence construite en 1867, appartenait à l'une des grandes familles de l'île. On peut aujourd'hui la visiter pour découvrir le mode de vie à l'époque. Le **MacNaught History Centre** *(75 Spring St.)*, construit en 1887, abrite aujourd'hui des archives et un centre historique. On peut y voir notamment une exposition d'objets anciens. Enfin, on peut également visiter le **Lefurgey Cultural Centre** *(205 Prince St.)*, restauré à la suite de l'incendie qui l'avait endommagé en mars 2004.

L'**International Fox Museum and Hall of Fame** ★ *(dons appréciés; juin à sept 9h à 17h; 286 Fitzroy St.,* ☎*902-436-0177)* présente, entre autres grâce à une collection de photographies, l'histoire de l'industrie de l'élevage du renard à l'Île-du-Prince-Édouard, qui, après avoir timidement commencé à la fin du XIXe siècle, représentait environ 17% de l'économie de la province dans les années 1920. À cette époque, un couple de renards argentés pouvait se vendre jusqu'à 35 000$. Aujourd'hui, des efforts sont entrepris pour relancer cette industrie naguère prospère.

Pour une initiation à la musique traditionnelle écossaise, rendez-vous au **College of Piping and Celtic Performing Arts of Canada** *(619 Water St. E.,* ☎*902-736-5377 ou 877-224-7473, www.collegeofpiping.com)*. Des cours et des spectacles de cornemuse, de danse écossaise, de gigue et de tambour écossais sont proposés au public, de même qu'une visite des coulisses et une exposition interactive.

Miscouche

Situé à peine à 8 km à l'ouest de Summerside par la route 2, Miscouche offre une excellente introduction à l'univers des Acadiens de l'île dans son **Musée Acadien de l'Île-du-Prince-Édouard** ★ *(4,50$; juil et août tlj 9h30 à 19h; sept à juin lun-ven 9h à 17h, dim 13h à 16h; route 2,* ☎*902-432-2880, www.teleco.org/museeacadien)*, qui présente une exposition permettant de découvrir l'histoire de la communauté acadienne de l'île, depuis 1720 jusqu'à nos jours, à l'aide d'une collection d'objets anciens, de textes, de nombreuses illustrations et d'un diaporama d'une quinzaine de minutes qu'on vous présentera sur demande. Ce musée loge également le Centre de recherches acadiennes de l'Île-du-Prince-Édouard, avec une bibliothèque et des archives pour les recherches généalogiques.

››› *Quittez Miscouche par la route 11 pour vous rendre à Mont-Carmel et Cap-Egmont.*

Mont-Carmel

Mont-Carmel, qu'on a d'abord longtemps appelé «Grand-Ruisseau», a été fondé en 1812 par les familles Arseneault et Gallant. L'**église Notre-Dame-du-Mont-Carmel** ★ *(visite sur rendez-vous; route 11,* ☎*902-854-2208)*, qui se trouve au cœur de la paroisse, dénote de façon éloquente, par sa splendeur, l'importance de la religion catholique chez les Acadiens.

Cap-Egmont

Joli village de pêcheurs donnant sur le détroit de Northumberland, Cap-Egmont, souvent appelé «Grand-Cap» par les gens du pays, occupe une région on ne peut plus paisible. On peut y visiter **Les Mai-**

sons de Bouteilles *(5$; juil et août tlj 9h à 20h, mai et oct tlj 10h à 16h, juin et sept tlj 10h à 18h; 6891 route 11, ☎902-854-2987, www.maisonsdebouteilles.com)*, formées de trois bâtiments construits avec 25 000 bouteilles. Le tout est aménagé dans un parc fleuri.

''' *Suivez la route 11 jusqu'à Mount Pleasant, où vous rejoindrez la route 2. Poursuivez en direction nord jusqu'à Carleton. Prenez à gauche la route 14 pour vous rendre à Glenwood et West Point.*

Glenwood

Dans ce petit village paisible, on peut visiter la **Pioneer Farm** ★ *(1835 MacDonald Rd., ☎902-859-2228, www.pioneerfarm.ca)*, une très jolie ferme avec vue sur la mer et la forêt, qui a la particularité de fonctionner exclusivement à l'énergie solaire et éolienne. Des visites autoguidées y sont proposées, et l'on peut observer de petits animaux de la ferme ou faire une promenade en charrette à foin.

West Point ★

Une intrusion du côté de West Point offre l'occasion de découvrir l'un des lieux les plus pittoresques et les plus paisibles de l'île: le **Cedar Dunes Provincial Park** ★ *(mi-juin à début sept; route 14, ☎902-859-8785)*, un parc comptant plusieurs kilomètres de dunes et de plages désertes. Il constitue l'un des meilleurs endroits où observer la flore et la faune des dunes. On peut également en profiter pour visiter le **West Point Lighthouse** *(2,50$; fin mai à sept tlj 9h à 20h; route 14, ☎902-859-3605 ou 800-764-6854, www.westpointlighthouse.com)*. Construit en 1875, ce phare, un des plus grands de la province, abrite une auberge, un musée et un restaurant.

''' *Remontez la côte par la route 14. À West Cape, prenez à droite la route 142 pour faire une incursion dans les terres et ainsi rejoindre O'Leary.*

O'Leary

O'Leary, une communauté typique de l'île, grande productrice de pommes de terre, est dotée du **Prince Edward Island Potato Museum** ★ *(6$; mi-mai à mi-oct lun-sam 9h à 17h, dim 13h à 17h; 22 Parkview Dr., ☎902-859-2039, www.peipotatomuseum.com)*, le seul musée du Canada consacré à l'histoire de la culture des pommes de terre. L'exposition, bien conçue, fait comprendre la place qu'occupe ce tubercule dans l'histoire de l'alimentation. On y explique également les diverses techniques pour la cultiver.

On trouve également à O'Leary la **Quilt Gallery** *(536 Main St., ☎800-889-2606, www.quiltgallerypei.com)*, qui renferme l'une des plus importantes collections de courtepointes faites à la main et de tissus de l'est du Canada. Une exposition présente les techniques de réalisation des courtepointes, et la boutique propose un important choix de livres, de patrons, de fournitures et de cadeaux.

''' *Revenez à la route 14 et prenez à droite pour remonter la côte et vous rendre à North Cape.*

North Cape ★

Les paysages aux abords de North Cape, la pointe la plus septentrionale de l'île, sont jolis et même souvent spectaculaires. Des falaises de grès rouge plongent dans les eaux bleues du golfe du Saint-Laurent. North Cape, en tant que tel, occupe un beau site sur la côte, où l'on a érigé le **North Cape, Nature and Technology in Perfect Harmony** *(5$; mai, juin, sept et oct tlj 10h à 18h; juil et août tlj 9h à 20h; au bout de la route 12, ☎902-882-2991 ou 902-882-3535)*, un centre d'essai et d'évaluation de la technologie éolienne. Une petite exposition explique les avantages de l'utilisation du vent comme énergie.

''' *Suivez la route 12, qui traverse Alberton et Tyne Valley.*

Alberton

Il semble que Jacques Cartier, lors de sa première exploration de la côte atlantique en 1534, se soit arrêté sur le site actuel d'Alberton, un sympathique petit village possédant quelques jolis bâtiments.

Aménagé dans l'ancien palais de justice construit en 1878, aujourd'hui un site historique, l'**Alberton Museum & Genealogy Centre** ★ *(dons appréciés; juin à sept lun-sam 9h30 à 17h30, dim 13h à 17h; 457 Church St., ☎902-853-4048)* offre une superbe initiation à l'histoire régionale grâce à une collection variée décrivant les activités effectuées dans l'île depuis l'arrivée des premiers colons: les débuts de la pêche, l'histoire militaire, l'industrie de l'élevage du renard argenté, la culture micmaque, l'art folklorique local, etc. On y trouve aussi la plus grande collection de photographies historiques et la plus grande collection de renseignements généalogiques de la région.

Situé à l'embouchure de la rivière Mill, là où elle se jette dans la baie Cascumpec, le **Mill River Provincial Park** *(route 136, ☎902-859-8786)* s'étend tel un vaste jardin. Il comprend un fort beau terrain de golf.

Tyne Valley

La région de Tyne Valley, en bordure de la baie de Malpeque, compte certains des plus beaux paysages ruraux de l'île. À quelques kilomètres au nord de Tyne Valley, on peut visiter le **Green Park Shipbuilding Museum & Yeo House** ★ *(5$; fin mai à fin sept 10h à 17h30; route 12, Porthill, ☎902-831-7947)*, qui rappelle aux visiteurs que, pendant la majeure partie du XIXᵉ siècle, la construction de navires était le moteur économique de l'Île-du-Prince-Édouard.

On peut visiter une exposition présentant l'histoire et les techniques de la construction navale. Un chantier a été reconstitué, et l'on peut y voir un navire en construction. Tout près s'élève la maison Yeo, une superbe résidence ayant appartenu à James Yeo Jr., propriétaire d'un chantier naval au XIXᵉ siècle.

🪂 Activités de plein air

■ Golf

Dans le Mill River Provincial Park (voir plus haut), on a aménagé un parcours de golf à 18 trous, le **Mill River Golf Course** *(à partir de 47$; ☎902-859-8873 ou 800-565-7633)*, qui s'étend sur les abords de la rivière Mill.

■ *Randonnée pédestre et vélo*

Un tronçon du **Confederation Trail** (voir p 242) mène les visiteurs dans l'ouest de l'île, de Kensington à Tignish, dévoilant de fort beaux paysages et traversant nombre de villes et villages, entre autres Summerside et Wellington.

Le **Mill River Provincial Park** (voir plus haut) possède également des sentiers de randonnée.

⌂ **H**ébergement

Charlottetown

The Duchess of Kent Inn
$$-$$$ ≡ ♨ @ ☞
218 Kent St.
☎902-566-5826 ou 800-665-5826
🖷902-368-8482
www.duchessofkentinn.ca
The Duchess of Kent Inn est installé dans une maison patrimoniale construite en 1875. L'endroit a plein de charme et se trouve au centre-ville, à proximité des principaux attraits. Des suites de une à trois chambres y sont proposées.

Heritage Harbour House Inn
$$$ ☞ bc/bp @ ⦿ ☞
9 Grafton St.
☎902-892-6633 ou 800-405-0066
🖷902-892-8420
www.hhhouse.net
L'Heritage Harbour House Inn est en fait un excellent *bed and breakfast* (gîte touristique) situé sur une artère résidentielle à un jet de pierre du Confederation Centre of the Arts. Les chambres sont d'une propreté impeccable, tout comme les salles de bain partagées. La maison est jolie et chaleureuse, et les clients peuvent profiter du salon pour se reposer, lire ou regarder la télévision. Chaque matin, un petit déjeuner continental est servi.

Fitzroy Hall
$$$-$$$$ ☞ ⤳ ☞
45 Fitzroy St.
☎902-368-2077 ou 866-627-9766
www.fitzroyhall.com
De la fin du XIXᵉ siècle, Charlottetown a conservé quelques belles demeures victoriennes. Parmi celles-

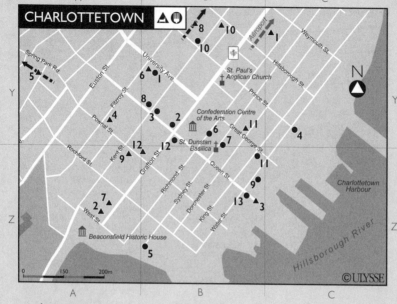

CHARLOTTETOWN

▲ HÉBERGEMENT

1.	CY	Best Western Charlottetown
2.	AZ	Charlotte's Rose Inn
3.	BZ	Delta Prince Edward
4.	AY	Dundee Arms Inn

5.	AY	Elmwood Heritage Inn
6.	BY	Fitzroy Hall
7.	AZ	Heritage Harbour House Inn
8.	BY	Hillhurst Inn

9.	AZ	Rodd Charlottetown
10.	BY	The Duchess of Kent Inn
11.	BY	The Great George
12.	BZ	The Islander Guestrooms & Suites

● RESTAURANTS

1.	BY	Cedar's Eatery
2.	BY	Cow's
3.	BY	Formosa Tea House
4.	CY	Lobster on the Wharf
5.	BZ	Lucy Maud Dining Room

6.	BY	Mavor's Bistro & Bar
7.	BY	Off Broadway Restaurant
8.	BY	Pat & Willy's Cantina
9.	BZ	Peake's Quay Restaurant

10.	BY	Piazza Joe's Night Club
11.	BZ	Sirenella Ristorante
12.	BY	The Pilot House
13.	BZ	The Selkirk

ci, plusieurs ont été reconverties en *bed and breakfast*, comme c'est le cas du Fitzroy Hall. Cette maison, dont la construction remonte à 1872, pourrait véritablement faire office de petit musée, tant sa décoration est réussie. Chaque pièce est garnie d'antiquités et se pare de photos d'époque parvenant à recréer une atmosphère d'antan bien séduisante. Les propriétaires pourront d'ailleurs vous raconter les petites histoires qui hantent encore la demeure.

Hillhurst Inn
$$$-$$$$ 🐾 ⚕ 🍽 @ ◎
181 Fitzroy St.
☎ 902-894-8004 ou 800-994-8004
🖷 902-892-7679
www.hillhurst.com

Le Hillhurst Inn compte parmi les plus belles auberges de l'île. Construite en 1897, cette somptueuse résidence a d'abord appartenu à un dénommé George Longworth, un marchand local ayant fait fortune dans la construction de navires, le commerce et, dit-on, le trafic de l'alcool. Vu la splendeur de l'auberge, on ne peut douter de la richesse de Longworth. La salle à manger et le hall, richement ornementés, sont particulièrement splendides et sont garnis, comme le reste de la maison, de meubles antiques. Les neuf chambres, situées aux étages supérieurs, sont confortables, fort bien décorées et pourvues de salles de bain privées. Toutes les chambres sont différentes les unes des autres. On réserve un accueil très sympathique à la clientèle; le petit déjeuner est copieux et succulent.

L'île-du-Prince-Édouard - Hébergement - Charlottetown

Charlotte's Rose Inn
$$$$ ☎☏@
11 Grafton St.
☎902-892-3699 ou 888-237-3699
www.charlottesrose.ca

Le Charlotte's Rose Inn est également aménagé dans une des élégantes maisons victoriennes qui ont été érigées au XIXᵉ siècle. Celle-ci date de 1884 et a été rénovée avec soin depuis lors. Outre un charme d'hier, ce gîte offre des chambres meublées d'antiquités qui profitent toutes d'une salle de bain privée. Sa localisation a également de quoi ravir, car l'établissement est situé dans la vieille partie de la ville, dans une rue paisible.

The Islander Guestrooms & Suites
$$$$ ☎☏⛍@
146 Pownal St.
☎902-892-1217 ou 800-268-6261
☐902-566-1623
www.theislander.ca

L'Islander Guestrooms & Suites abrite des chambres de bonne qualité, meublées de façon agréable. L'hôtel convient bien aux familles, car il n'est situé qu'à quelques pas des principaux sites touristiques. Si vous voyagez avec un budget réduit, réservez à l'avance pour avoir les chambres les moins chères. Stationnement gratuit.

Best Western Charlottetown
$$$$ ≋☏◎⫻☏☏@⛍
238 Grafton St.
☎902-892-2461 ou 800-937-8376
☐902-566-2979
www.bestwesternatlantic.com

Situé au cœur de Charlottetown, le Best Western Charlottetown propose des chambres et des suites confortables. Il dispose notamment d'un restaurant familial et d'une piscine intérieure.

Dundee Arms Inn
$$$$ ☏☏@
200 Pownal St.
☎902-892-2496 ou 877-638-6333
☐902-368-8532
www.dundeearms.com

Le Dundee Arms Inn est une très élégante auberge aménagée dans une grande résidence bourgeoise de style Queen-Anne qui a été construite en 1903. On s'y sent d'ailleurs aisément à une autre époque, dans des chambres et des pièces communes décorées et meublées avec raffinement. L'auberge comporte de plus une salle à manger très réputée. Aussi, elle dispose de chambres de motel très confortables dans un bâtiment avoisinant; elles sont un tout petit peu moins chères.

Elmwood Heritage Inn
$$$$-$$$$$ ☎◎@△
121 North River Rd.
☎902-368-3310 ou 877-933-3310
☐902-628-8457
www.elmwoodinn.pe.ca

Au bout d'une majestueuse allée bordée d'ormes se dresse le Elmwood Heritage Inn, installé dans une jolie résidence victorienne construite dans les années 1880 par le célèbre architecte William C. Harris. Située dans un environnement paisible à une quinzaine de minutes à pied du centre de Charlottetown, l'auberge abrite quelques chambres et suites fort bien décorées et meublées d'antiquités. Toutes disposent d'une salle de bain privée et d'un balcon. Les deux suites ont chacune un foyer, tout comme la salle de séjour.

The Great George
$$$$$ ☎△◎☏⫻@
58 Great George St.
☎902-892-0606 ou 800-361-1118
☐902-628-2079
www.innsongreatgeorge.com

Unique en son genre, The Great George comprend plusieurs résidences situées dans le même périmètre au cœur du quartier historique de Charlottetown. On peut choisir parmi une belle variété de types d'hébergement qui sauront convenir aux goûts et budgets de chacun. Le bâtiment principal, le Pavillon, comprend des chambres bien aménagées et meublées d'antiquités. On peut également loger dans des chambres plus luxueuses comprenant notamment un foyer et une baignoire à remous. La Harris House, quant à elle, compte quatre chambres spacieuses. Une belle salle de séjour a été aménagée au rez-de-chaussée. Ceux qui préfèrent disposer entièrement d'une résidence choisiront la Carriage House. Cette maison de deux étages compte une chambre, un salon, une cuisine et une salle de bain. Pour les romantiques, les Witter Coombs Suites offrent feu de foyer, douche vitrée pour deux, baignoire à remous, le tout dans une ambiance unique. La J.H. Down House et les Town Houses offrent des appartements bien équipés et dotés de une ou deux chambres. Le petit déjeuner offert gracieusement est servi dans la salle à manger très conviviale du Pavillon.

Delta Prince Edward
$$$$$ ⴱ ≋))) ⛱ ✈ ⚐ @ ⌾
18 Queen St.
☎ 902-566-2222 ou 866-894-1203
🖶 902-566-2282
www.deltaprinceedward.com

Le Delta Prince Edward est sans contredit l'hôtel le plus luxueux et le plus confortable de la province. Il est aussi on ne peut mieux situé, donnant directement sur le port de Charlottetown. Son intérieur est moderne et très bien aménagé, en plus d'offrir quatre restaurants, dont **The Selkirk** (voir p 273), et toutes les installations dignes d'un hôtel de cet ordre. Le Delta Prince Edward est un établissement où se tiennent nombre de réunions d'affaires et de conférences. Ses salles de réunion peuvent recevoir jusqu'à 650 personnes.

Rodd Charlottetown
$$$$$ ⴱ ≋ ⛱))) ✈ @ ⓞ
75 Kent St.
☎ 902-894-7371 ou 800-565-7633
🖶 902-368-2178
www.roddvacations.com

Le Rodd Charlottetown, un excellent hôtel du centre-ville ayant très fière allure, a été conçu pour convenir autant aux gens d'affaires qu'aux vacanciers. Rénovées en 1998, ses chambres chaleureuses sont modernes et meublées avec goût. L'hôtel renferme un bon restaurant. Stationnement gratuit.

Le centre de l'île

Victoria

The Orient Hotel Bed & Breakfast
$$ ☙ ⴱ @
34 Main St.
☎ 902-658-2503 ou 800-565-6743
www.theorienthotel.com

L'Orient Hotel Bed & Breakfast cadre à merveille avec l'atmosphère d'une autre époque de Victoria. Construit au début du XXe siècle, cet hôtel charmant possède une décoration et des meubles d'antan. Sans être excessivement luxueux, il s'avère confortable, et l'on y est très bien accueilli. L'Orient recèle par ailleurs un joli salon de thé (voir p 274) donnant sur la rue ainsi qu'une salle à manger.

Victoria Village Inn & Restaurant
$$-$$$ ☙
22 Howard St.
☎ 902-658-2483 ou 866-658-2483
www.victoriavillageinn.com

Située à côté du Victoria Playhouse, cette auberge offre quatre chambres spacieuses et confortables dans une ambiance fort amicale. Le Victoria Village Inn comprend un excellent restaurant qui propose une cuisine régionale biologique. Le petit-déjeuner offert gracieusement est aussi à souligner.

Sea View

Murphy's Sea View Cottages
$$$ ⴱ ⌾
route 20
☎ 902-836-5456

Ces chalets tout équipés, offerts en location pendant l'été, se trouvent le long d'une jolie plage. Des chalets de deux chambres

---

à coucher et d'autres, plus luxueux, avec trois chambres et deux salles de bain, sont disponibles. Ce type d'hébergement peut s'avérer économique pour les familles ou les groupes. Les chambres sont meublées de façon sommaire.

Cavendish

New Glasgow Highlands Campground and Camp Cabins
$ ≋ @
R.R.3
☎ 902-964-3232
ww.campcabinpei.com

Aménagé dans un secteur boisé, ce camping est assez plaisant. Peut y planter sa tente qui veut; les autres peuvent louer de petits refuges.

Country House Inn
$$ ☙ ⌾
R.R.2
☎ 902-963-2055 ou 800-363-2055

Dans la région, le parc national de l'Île-du-Prince-Édouard constitue l'attrait principal; aussi est-il agréable de trouver à se loger convenablement sans trop s'en éloigner. C'est ce que permet cette auberge située à 2 min d'une des belles plages de sable de la côte. Les chambres, garnies d'une foule de bibelots et d'objets hétéroclites, sont simples, mais elles offrent un confort acceptable.

Bay Vista
$$ ☙ ≋ @ ⌾
R.R.6
☎ 902-963-2225 ou 800-846-0601
www.bayvista.ca

Le Bay Vista est un établissement paisible situé non loin des principaux centres d'intérêt de la région. Il est doté d'une piscine et ceinturé d'un grand parterre gazonné où les enfants peuvent s'amuser en toute sécurité. On trouve tout près un populaire restaurant familial. Les chambres sont toutes propres, mais certaines sont plus accueillantes que d'autres: il faut prendre le temps de choisir la sienne.

Shining Waters Country Inn and Cottages
$$ 🐾 ≋ 🍴 @ 🍽

route 13
☎902-963-2251 ou 877-963-2251
www.shiningwatersresort.com

Au cœur de Cavendish, à environ 500 m de la plage, le Shining Waters Country Inn and Cottages allie charme et confort. Cette belle vieille maison entourée de grandes galeries offre des chambres confortables et lumineuses et un accueil cordial. Les clients peuvent se détendre dans un agréable salon très aéré. Pour environ 20$ de plus, on peut loger dans des chalets.

Kindred Spirits Country Inn & Cottages
$$-$$$ 🐾 ≡ ◎ @ �& 🍽

route 6
☎902-963-2434 ou 800-461-1755
▤902-963-2619
www.kindredspirits.ca

Meublé d'antiquités et pourvu d'une décoration exquise, le Kindred Spirits Country Inn & Cottages propose un hébergement de grande qualité à moins de 1 km de la plage de Cavendish. La clientèle peut profiter de plusieurs salles communes pour se détendre, entre autres un superbe salon. Cet établissement compte 25 chambres, dont certaines ont une baignoire à remous. Les personnes qui recherchent plus de confort pourront opter pour une des suites. Enfin, certains pourront préférer aux charmes d'un hébergement familial

les commodités d'un petit chalet à choisir parmi une douzaine.

Anne Shirley Motel & Cottages
$$$ 🍽 ≋ @

route 13
☎902-963-2224 ou 800-561-4266
www.anneshirley.ca

L'Anne Shirley Motel & Cottages, un établissement de bonnes dimensions, se trouve à proximité du centre de Cavendish. On y propose divers types d'hébergement: chambres de motel, appartements de une ou deux chambres et chalets dotés d'une cuisinette et de une ou deux chambres. L'établissement est bien tenu, moderne et accueillant.

Cavendish Motel and Conference Centre
$$$ ♨ ≋ 🍽 ◎

à l'intersection des routes 6 et 13
☎902-963-2244 ou 800-565-2243
www.cavendishmotel.pe.ca

Le Cavendish Motel and Conference Centre est au cœur de ce qui peut être considéré comme le village de Cavendish, mais pas directement sur la plage, et offre en location des chambres rénovées, propres et agréables. Le centre des congrès possède un restaurant qui comprend deux salles à manger avec terrasse donnant sur l'océan.

Lakeview Lodges & Cottages
$$$ ≋ ◎ @

route 6
☎902-963-2436 ou 800-565-7550
▤902-963-2493
www.lakeviewlodge.cc

Les amateurs de plage et de golf trouveront que les Lakeview Lodges & Cottages sont particulièrement bien situés, tout près du parc national de l'Île-du-Prince-Édouard et à quelques centaines de

mètres du Green Gables Golf Course. On y propose quelques chambres de style motel ainsi qu'une vingtaine de chalets pourvus de une ou deux chambres à coucher. L'établissement est bien entretenu et entouré de verdure.

Willow Cottage Inn
$$$ 🍽 ≋

route 6
☎902-963-3385 ou 866-963-3385
www.willowcottageinn.ca

Avec ses arbres matures plantés tout autour, cette auberge offre un environnement propice à la détente et au calme. Les chambres, décorées dans le style victorien, sont confortables, et certaines ont une véranda. Des chalets tout équipés sont aussi disponibles.

Brackley Beach

Brackley Beach North Winds Inn and Suites
$$$-$$$$ 🐾 ≋ 🍽

R.R.9
☎902-672-2245 ou 800-901-2245
www.brackleybeachnorthwinds.com

Le Brackley Beach North Winds Inn and Suites se trouve dans un environnement paisible à environ 2 km de l'entrée du parc national de l'Île-du-Prince-Édouard. Ses chambres sont spacieuses et bien entretenues. Ce motel dispose en outre d'une jolie piscine intérieure.

Shaw's Hotel & Cottages
$$$$-$$$$$ ⅜ ♨ ◎ 🍴 △

99 Apple Tree Rd.
☎902-672-2022
▤902-672-3000
www.shawshotel.ca

Le Shaw's Hotel & Cottages a ouvert ses portes en 1860; depuis, plusieurs générations de la famille Shaw se sont succédé à la barre de ce petit établissement situé à une dizaine de minutes à pied du parc national de l'Île-du-Prince-Édouard. Quoique l'océan ne soit pas très loin, c'est d'abord une ambiance bien rurale qui prévaut au Shaw's Hotel, construit en rase campagne et entouré de bâtiments de ferme. Les chambres sont propres et confortables, bien qu'un peu rudimentaires. On peut également loger dans un des chalets aménagés à proximité. Ces chalets renferment tous un foyer et peuvent compter jusqu'à quatre chambres à coucher. L'établissement comprend aussi un bon restaurant.

New Glasgow

My Mother's Country Inn
$$-$$$$$ ● ● ◎
route 13
☎902-964-2508 ou 800-278-2071
📠902-964-2606
www.mymotherscountryinn.com
Situé dans un endroit paisible et agréable, My Mother's Country Inn niche dans une élégante résidence construite au milieu du XIXᵉ siècle. Cette auberge élégante offre des chambres et des suites confortables et modernes, décorées avec soin. On peut également loger dans ses chalets tout équipés, pourvus de une, deux ou trois chambres à coucher et bien adaptés aux familles. L'environnement est splendide tout autour.

New Glasgow Inn
$$$ ● ●
route 13
☎902-964-2315 ou 877-862-0270
www.newglasgowinn.com
Le New Glasgow Inn compte parmi les établissements les plus agréables du village. Il comprend des chambres et des suites confortables meublées d'antiquités. L'accueil y est franchement sympathique. Les petits déjeuners sont bons et sortent de l'ordinaire.

South Rustico

Barachois Inn
$$$$ ● ⬛ ● ●))) ⓨ @
2193 Church Rd.
☎902-963-2194 ou 800-963-2194
📠902-963-2906
www.barachoisinn.com
Construite dans les années 1870, la jolie résidence bourgeoise qui abrite le Barachois Inn comporte une mansarde reflétant bien le style de l'époque. Le Barachois Inn comprend quatre chambres, dont deux suites, aux meubles et à la décoration d'époque; toutes disposent d'une salle de bain privée. Avec ses grandes galeries et les beaux jardins qui l'entourent, le Barachois Inn a beaucoup de cachet. Il convient tout particulièrement à ceux qui apprécient les charmes et la quiétude d'un séjour à la campagne.

Dalvay Beach

Dalvay by the Sea Inn & Dining Room
$$$$$ ½p ⬛ ≋ @ ◎
16 Cottage Ct.
☎902-672-2048 ou 866-366-2955
www.dalvaybythesea.com
Le Dalvay by the Sea Inn est installé dans une impressionnante résidence victorienne datant de 1895, située à l'extrémité est du parc national de l'Île-du-Prince-Édouard, à quelques centaines de mètres des magnifiques plages de sable blanc. Il s'agit du seul établissement érigé au sein du parc national. Le Dalvay by the Sea a d'abord été la résidence d'été d'Alexander MacDonald, l'un des industriels américains les plus puissants de son époque, et notamment le partenaire d'affaires de John D. Rockefeller. L'établissement compte désormais une vingtaine de chambres et chalets décorés avec grande élégance et dotés de salles de bain privées. Tant par sa localisation unique que par la splendeur de son aménagement, le Dalvay by the Sea figure parmi les meilleurs hôtels de l'île. Pour la saison estivale, il est fortement recommandé de réserver à l'avance. Les visiteurs qui n'y séjournent pas devraient tout de même s'y arrêter, le temps de jeter un coup d'œil aux splendides salles à manger et aux somptueuses salles de séjour.

- - - - - - - - - - - - - - - - - -

L'est de l'île

Little Sands

Bayberry Cliff Inn Bed & Breakfast
$$$ ●
route 4
☎902-962-3395 ou 800-668-3395
www.bayberrycliffinn.com
Un des plus charmants *bed and breakfasts* de l'île, le Bayberry Cliff Inn Bed & Breakfast propose un hébergement de grande qualité. L'aménagement intérieur, très chaleureux et riche en boiseries, a été conçu avec soin et avec goût, et les chambres, toutes différentes les unes des autres, sont très accueillantes. On a eu la bonne idée de percer de grandes fenêtres à l'arrière

de la maison: elles offrent un très bel éclairage naturel et une excellente vue sur la mer. La propriété donne directement sur une falaise de grès rouge.

Montague

Edgecombe's En Suite Bed and Breakfast
$$ 🐾 @ ☞
533 Robert Clements Dr.
☎ 902-838-2610 ou 800-835-5054
Avec seulement deux chambres, l'Edgecombe's En Suite Bed and Breakfast réussit tout de même à satisfaire sa clientèle. La chambre *Oak En suite* est très spacieuse et agréable avec son immense salle de bain, son grand lit et sa décoration romantique. Quant à la *Queen Skye Room*, elle est confortable et présente une décoration soignée. Des bicyclettes sont mises à la disposition des clients.

Roseneath

Rodd Brudenell River
$$$ 🍴 ≈ ⚓))) @ @ ☞
86 Dewars Lane
☎ 902-652-2332 ou 800-565-7633
🖷 902-652-2886
www.roddvacations.com
Ceux qui aiment les longues journées de golf devraient choisir le Rodd Brudenell River, érigé sur un joli site de verdure en face de la rivière, dans le Brudenell River Provincial Park et tout près d'un superbe terrain de golf. Il compte une centaine de chambres et suites ainsi qu'une cinquantaine de chalets situés aux abords de la rivière. Les chambres sont modernes, confortables, très bien meublées et dotées de balcons. Le Rodd offre aussi des activités pour la famille.

Little Pond

Inn at Spry Point
$$$$ 🐾 ⊙ 🍴
Spry Point Rd.
☎ 902-583-2400
🖷 902-583-2176
www.innatsprypoint.com
L'Inn at Spry Point est un havre de paix situé sur une grande propriété donnant accès à une plage privée. Les chambres sont spacieuses, dotées de très grands lits, de meubles modernes et de grandes fenêtres, le tout agencé de couleurs apaisantes qui ajoutent au confort. En outre, certaines chambres sont pourvues d'une baignoire à remous, d'une véranda ou d'une terrasse avec jardin. Un agréable restaurant se trouve au rez-de-chaussée.

Bay Fortune

Inn at Bay Fortune
$$$$-$$$$$ 🐾 🍴 △
route 310
☎ 902-687-3745 ou 888-687-3745
🖷 902-687-3540
www.innatbayfortune.com
Une des plus somptueuses et charmantes auberges de l'île, l'Inn at Bay Fortune, propose hébergement et restauration (voir p 276) de grande qualité. Aménagée dans un bâtiment à l'architecture déroutante, cette auberge occupe un joli site de verdure offrant une superbe vue sur la baie, d'où son nom. Les chambres sont meublées avec élégance, mais aussi avec originalité, et elles sont toutes différentes les unes des autres. Certaines sont même pourvues d'un foyer. Un excellent choix!

Souris

Hilltop Motel
$$ @
Lea Crane Dr.
☎ 902-687-3315 ou 800-445-5734
Le Hilltop Motel offre en location des chambres propres et confortables qui ont l'avantage de ne se trouver qu'à quelques minutes du quai du traversier se rendant aux Îles de la Madeleine.

Matthew House Inn by the Ocean
$$$$ 🐾 @
15 Breakwater St.
☎ 902-687-3461
🖷 902-687-5630
www.matthewhouseinn.com
Plus cher, mais aussi plus élégant, le Matthew House Inn by the Ocean a de quoi ravir: une vue sur la mer et une décoration soignée. Une collection de meubles anciens pare joliment cette demeure victorienne érigée au XIXe siècle. L'auberge offre tout le confort qu'on puisse espérer, notamment en ce qui a trait aux chambres, coquettes et pourvues d'une salle de bain privée. Un grand jardin planté d'arbres majestueux entoure l'auberge.

St. Peters Bay

Inn at St. Peters
$$$$$ ½p ≡ 🍴 △ ☞
1668 Greenwich Rd.
☎ 902-961-2135 ou 800-818-0925
🖷 902-961-2238
www.innatstpeters.com
Cette magnifique demeure qui donne directement sur la baie de St. Peters compte parmi les lieux de séjour les plus luxueux de cette partie de l'île. Ses 16 chambres splendides disposent toutes d'un foyer, d'un coin salon et d'une terrasse privée. L'auberge renferme aussi un très beau restau-

rant de fine cuisine (voir p 276). L'établissement est situé à proximité de la partie est du parc national de l'Île-du-Prince-Édouard et d'excellents terrains de golf.

Lakeside

Rodd Crowbush Golf & Beach Resort
$$$$-$$$$$
≡ ≈ ● ▲ ⊙ ⊸ @ ⊷

632 route 350
☎ 902-961-5600 ou 800-565-7633
▤ 902-961-5601
www.roddvacations.com

Le Rodd Crowbush Golf & Beach Resort est l'un des plus prestigieux établissements hôteliers de l'île. Il se dresse au sein même du célèbre terrain de golf **The Links at Crowbush Cove** (voir p 260) et comprend des chambres ainsi que 24 suites dotées notamment d'un salon et d'une baignoire à remous. Le centre de villégiature compte également des chalets luxueux ayant une ou deux chambres en plus d'un salon, d'un foyer, d'une baignoire à remous et d'une cuisine. Le Rodd est un lieu fantastique, d'autant plus qu'il profite d'un accès à la plage.

- - - - - - - - - - - - - - - - - -
L'ouest de l'île

Summerside

Mulberry Motel
$$ ⊷
6 Water St. E.
☎ 902-436-2520 ou 800-274-3825
▤ 902-436-4210
www.peisland.com/mulberryinn

À l'entrée de la ville, on trouve une série de motels aux chambres peu coûteuses. L'un d'eux est le Mulberry Motel, dont les

chambres offrent un niveau de confort acceptable.

The Silver Fox Inn
$$-$$$ ⊙ ⊷ ⊍ @
61 Granville St.
☎ 902-436-1664 ou 800-565-4033
www.silverfoxinn.net

Le Silver Fox Inn est une très belle auberge située un peu en retrait du port, dans un quartier résidentiel ancien, et entourée d'un joli petit jardin. Chaque chambre a sa propre salle de bain et se révèle bien meublée et très accueillante. L'auberge dans son ensemble est décorée avec raffinement et élégance. L'atmosphère rappelle l'ambiance qui régnait dans la haute société au début du XXᵉ siècle.

Quality Inn Garden of the Gulf
$$$-$$$$ ⊍ ≈ ⊸ @ ⊷
618 Water St. E.
☎ 902-436-2295 ou 800-265-5551
▤ 902-436-6277
www.qualityinnpei.com

Le Quality Inn Garden of the Gulf compte plusieurs installations sportives, entre autres un golf de neuf trous et une piscine intérieure. L'aménagement de cet hôtel moderne a été bien conçu, l'éclairage naturel étant judicieusement utilisé et agréable.

Loyalist Lakeview Resort
$$$$ ⊍ ≋ ⊸ ◉ @ ⊱
195 Harbour Dr.
☎ 902-436-3333 ou 877-355-3500
▤ 902-436-4304

Le plus confortable des hôtels de Summerside, le Loyalist Lakeview Resort, se trouve en plein cœur de la ville, avec vue sur le port situé tout près. Bien qu'elles soient modernes, les chambres ont du cachet et sont meublées

avec goût. Cet hôtel a tout spécialement la faveur des gens d'affaires. En outre, son restaurant, la **Prince William Dining Room** (voir p 276), est particulièrement recommandé.

Mont-Carmel

Chalets Rendez-Vous Cottages
$$ ⊷ ⊸
route 11
☎ 877-894-0697
www.rendezvouscottages.com

Situés au bord de la mer, les 11 Chalets Rendez-Vous Cottages comptent de deux à quatre chambres chacun. Ils sont assez simples mais bien entretenus.

West Point

West Point Lighthouse Inn, Restaurant & Museum
$$$ ⊍ ◎
route 14
☎ 902-859-3605 ou 800-764-6854
▤ 902-859-1510
www.westpointlighthouse.com

Le West Point Lighthouse Inn est un bon endroit où s'arrêter une journée ou deux, le temps de découvrir les magnifiques dunes et les merveilleuses plages de la côte. En fait, seule une chambre est véritablement dans le phare, les autres se trouvant dans un bâtiment connexe. L'établissement est sympathique, et les chambres s'avèrent tout à fait correctes.

Alberton

Traveller's Inn Motel
$$ ⊙ ⊍ ⊷
route 12
☎ 902-853-2215 ou 800-561-7829
▤ 902-853-2894
www.travellersinnpei.com

Sans charme particulier, le Traveller's Inn Motel, à

l'entrée d'Alberton, offre néanmoins un hébergement très acceptable pour le prix.

Woodstock

Rodd Mill River
$$$-$$$$ ⊷ ≋ ♨ ◎))) ⇌ @
route 136
☎902-859-3555 ou 800-565-7633
▤902-859-2486
www.roddvacations.com
Le Rodd Mill River est idéal pour les amateurs d'activités sportives. En plus de l'excellent terrain de golf qu'on trouve à proximité, le Rodd est doté d'une piscine intérieure, de courts de tennis, d'un centre de conditionnement physique et de terrains de squash. Les chambres sont très confortables.

Tyne Valley

The Doctor's Inn Bed & Breakfast
$$ ❦ ♨ ⇌
route 167
☎902-831-3057
www.peisland.com/doctorsinn
Le Doctor's Inn Bed & Breakfast, aménagé dans une maison rurale typique des années 1860 et dotée d'un agréable jardin, offre en location deux chambres en toute saison. L'endroit est très calme, les chambres sont correctes sans être très luxueuses, et l'on peut y prendre d'excellents repas en soirée.

Tignish

Tignish Heritage Inn & Gardens
$$-$$$ ❦⊷♨ & @
School St.
☎902-882-2491 ou 877-882-2491
▤902-882-2500
www.tignish.com/inn
Un ancien couvent construit en 1868 abrite aujourd'hui le Tignish Heritage Inn & Gardens, dans un cadre somme tout inhabituel mais plutôt sympathique. Les chambres, simplement meublées, sont adéquates. Les clients peuvent utiliser la cuisine.

Restaurants

Charlottetown

Voir carte p 265

Cedar's Eatery
$
81 University St.
☎902-892-7377
Une adresse pas chère, différente et bien située au centre de la ville, le Cedar's Eatery prépare les mets ayant fait la renommée de la cuisine libanaise à l'étranger: *kebab*, *falafel*, *shawarma*, *shish taouk*. L'ambiance est jeune, sympathique et sans prétention, et les portions sont généreuses.

Cow's
$
150 Queen St.
☎902-892-6969
Peake's Wharf
☎902-566-4886
Pour se sucrer le bec, les gens font un saut chez Cow's, dont les glaces et les cornets gaufrés ont conquis plus d'un palais.

Formosa Tea House
$
186 Prince St.
☎902-566-4991
Lieu bigarré et même un peu étrange, la Formosa Tea House ne propose que quelques plats seulement, qui se veulent bien plus des collations que de véritables repas. L'endroit est populaire pour prendre le thé dans un décor où l'Asie est omniprésente.

Pat & Willy's Cantina
$-$$
119 Kent St.
902-628-1333
Ce restaurant propose les classiques de la cuisine mexicaine. La décoration est soignée, et les banquettes rendent le repas des plus agréables. Pat & Willy's Cantina se targue d'offrir la plus grande sélection de margaritas des provinces atlantiques. Pour les aventureux, il faut essayer la Tipsy Mexican Margarita.

Lobster on the Wharf
$$
2 Prince St.
☎902-368-2888 ou 902-894-9311
www.lobsteronthewharf.com
Ce restaurant dispose d'un emplacement de prédilection, au bord de l'eau sur le quai de la Confédération. Comme on s'en doute, les fruits de mer forment le cœur du menu. On y sert aussi des steaks et des pâtes. L'endroit est particulièrement populaire auprès des familles. L'établissement compte aussi une poissonnerie pour ceux qui désirent emporter des plats.

Piazza Joe's Night Club
$$
189 Kent St.
☎902-894-4291
Pizzas cuites au four à bois, lasagne gratinée ou *bruschetta*... Piazza Joe's Bistro est un des bons établissements à connaître pour qui apprécie ces spécialités italiennes. L'atmosphère est détendue, les portions sont généreuses et les prix raisonnables, ce qui en fait un endroit parfait pour un repas en famille ou entre amis. Vous pourrez même effectuer quelques pas de danse après votre repas les vendredi et samedi.

The Pilot House
$$

70 Grafton St.
☎902-894-4800

Pub agréable et feutré au décor en bois massif, le Pilot House propose une nourriture de bonne qualité à des prix abordables. On y sert des portions généreuses composées principalement de pâtes, de viandes et de fruits de mer. L'ambiance y est plus tranquille que celle que l'on retrouve généralement dans un pub.

Mavor's Bistro & Bar
$$-$$$

Confederation Centre of the Arts
145 Richmond St
☎902-628-6107

Situé dans le **Confederation Centre of the Arts** (voir p 244), ce bistro à l'ambiance chaleureuse offre un éventail de mets qui vont des salades au risotto de homard en passant par la pizza.

Peake's Quay Restaurant
$$-$$$

36 Water St.
☎902-368-1330
www.peakesquay.com

Le Peake's Quay remporte probablement la palme du restaurant le mieux situé à Charlottetown. En fait, son agréable terrasse, qui serait la plus grande de l'île, donne directement sur la marina de la ville. Le midi, on y propose un menu économique composé de plats légers comprenant de bonnes *quesadillas* aux fruits de mer. En soirée, le menu est plus élaboré, mais toujours relativement peu coûteux. Notez que le Peake's Quay est également un pub où les gens s'attardent en prenant un verre ou deux.

Sirenella Ristorante
$$-$$$

83 Water St.
☎902-628-2271

Petit établissement pouvant aisément passer inaperçu, le Sirenella Ristorante constitue néanmoins l'une des meilleures adresses à Charlottetown. Le menu se compose de spécialités italiennes, les pâtes fraîches et les viandes étant particulièrement mises à l'honneur. La carte de desserts comprend de succulentes glaces italiennes. Le Sirenella possède une petite terrasse.

Lucy Maud Dining Room
$$$

4 Sydney St.
☎902-894-6868

L'Atlantic Tourism & Hospitality Institute offre divers programmes s'adressant aux jeunes désirant se perfectionner dans les domaines du tourisme et de l'hôtellerie. Parmi ces programmes, un retient particulièrement l'attention... celui en cuisine. Afin de mener à bien cette formation qui, outre les cours de cuisine, comprend l'art du service aux tables, la Lucy Maud Dining Room a ouvert ses portes pour accueillir les convives. Certes, il s'agit en quelque sorte du lieu d'apprentissage des étudiants, mais on n'en est pas moins bien servi et bien nourri. Une belle occasion de découvrir les talents de la jeunesse tout en se faisant plaisir. Le menu affiche des spécialités françaises et italiennes. Réservations requises.

Off Broadway Restaurant
$$$-$$$$

125 Sydney St.
☎902-566-4620
www.offbroadwayrestaurant.ca

Pour une ville de cette taille, Charlottetown cache quelques belles trouvailles en termes de restaurants, entre autres l'Off Broadway Restaurant. Son ambiance relaxante, romantique et de bon goût, tout comme son excellent menu, bien concocté, en ont fait le resto branché de la ville. On y offre une bonne variété de plats ayant souvent une touche européenne. Les amateurs de fruits de mer ne seront pas déçus, car ces mets sont largement servis aussi bien en entrées qu'en plats principaux. Le menu se termine par une sélection de desserts, notamment l'«overdose de chocolat» (Chocolate Overdose).

The Selkirk
$$$$

Delta Prince Edward
18 Queen St.
☎902-894-1208

Le restaurant du **Delta Prince Edward** (voir p 267), The Selkirk, est l'une des grandes tables de la province. On y présente un menu varié où les fruits de mer sont très bien représentés. En hors-d'œuvre, les petits gâteaux de homard sont particulièrement succulents. Comme plats principaux, le saumon de l'Atlantique au court-bouillon et la chaudrée de homard et de moules sont excellents. L'atmosphère du Selkirk est, bien sûr, assez chic, mais aussi très chaleureuse.

L'île-du-Prince-Édouard - Restaurants - Charlottetown

Le centre de l'île

Victoria

Landmark Cafe
$-$$
Main St., en face du Victoria Playhouse
☎902-658-2286

Au centre du mignon petit village de Victoria, près de ses deux auberges et pratiquement en face de son chocolatier, se trouve le Landmark Cafe, un resto fort sympathique, simple et chaleureux, dont les murs et les étagères sont garnis de jolies pièces d'artisanat. Le menu se compose de plats légers faits maison: quiches, tourtes, pâtes, salades, desserts, etc.

Mrs Profitt's Tea Room
$-$$
The Orient Hotel Bed & Breakfast
34 Main St.
☎902-658-2503

Pour le thé en après-midi ou un repas plus consistant, le Mrs Profitt's Tea Room offre le cadre charmant d'un hôtel historique de Victoria, **The Orient Hotel Bed & Breakfast** (voir p 267). Le menu n'est pas très élaboré, mais comporte tout de même une belle variété de sandwichs et de desserts.

Margate

Shipwright's
$$-$$$
à l'intersection des routes 6 et 233
☎902-836-3403

Ce café loge dans une belle résidence du XIXe siècle qui trône au centre d'un joli jardin. Le menu présente une sélection de produits de l'île, misant bien sûr sur les plats de poisson et de fruits de mer.

La salle à manger profite d'une vue sur le bel aménagement paysager à l'arrière de l'établissement.

New London

Blue Winds Tea Room
$-$$
route 6
☎902-886-2860

Le Blue Winds Tea Room propose une variété de mets qui vont du traditionnel à la cuisine orientale. Tout ou presque est préparé sur place, et vous ne manquerez pas de sentir les arômes se dégageant de la cuisine dès votre arrivée. Il faut essayer le New Moon Pudding, un dessert dont la recette date du XIXe siècle et qui viendrait du journal de l'auteure Lucy Maud Montgomery.

St. Ann

St. Ann's Church Lobster Supper
$$-$$$
route 224
☎902-621-0635

St. Ann's Church Lobster Supper, un organisme sans but lucratif, propose depuis près de 50 ans des repas de homard, chaque jour (sauf le dimanche) de 16h à 20h30. Le menu consiste en une salade, une chaudrée de fruits de mer, des moules, un plat principal au choix (que diriez-vous de 450 g de homard?) et un dessert. Voilà le type de tradition qu'il ne faut surtout pas manquer lors d'une visite de l'Île-du-Prince-Édouard.

New Glasgow

The Olde Glasgow Mill
$-$$
5592 route 13
☎902-964-3313

Quelques restaurants de qualité attirent en soirée les visiteurs à New Glasgow, qui compte parmi les villages les plus pittoresques de cette partie de l'île. L'un de ces bons petits restaurants est l'Olde Glasgow Mill, qui présente un menu pas très cher et varié laissant une place de choix aux fruits de mer et aux poissons. Bonne sélection de vins au verre.

Cafe on the Clyde
$$
route 224, à l'intersection avec la route 258
☎902-964-4300

Le Cafe on the Clyde, situé à même la **Prince Edward Island Preserve Co.** (voir p 252), est un resto où l'on prend grand plaisir à s'attarder, tant pour la cuisine que pour l'ambiance. Les convives se sentent d'ailleurs rapidement à l'aise dans sa jolie salle à manger ayant vue sur la rivière. Le menu offre, en soirée, un bon choix de spécialités locales de fruits de mer et de poissons. On sert également des repas plus légers tout au long de la journée, ainsi que le petit déjeuner. Avant ou après le repas, on pourra difficilement résister à la tentation de flâner dans la boutique de la Prince Edward Island Preserve Co., où sont vendues diverses victuailles préparées sur place.

New Glasgow Lobster Suppers
$$$

route 258

☎ 902-964-2870

Donnant sur la rivière Clyde, New Glasgow Lobster Suppers est l'un des classiques de la restauration dans l'île. Durant l'été, chaque jour (sauf le dimanche) de 16h à 20h30, ses deux salles à manger accueillent des centaines de personnes. Le charme de l'endroit tient à sa simplicité: dans ses deux salles à manger s'alignent des tables couvertes de nappes à carreaux blancs et rouges. Pour ce qui est du menu, le homard est, bien entendu, à l'honneur. Le repas comprend une entrée servie à volonté, un homard et un dessert maison. Les prix varient selon la grosseur du homard qu'on choisit.

North Rustico

Fisherman's Wharf Lobster Suppers
$$

route 6

☎ 902-963-2669

Fisherman's Wharf Lobster Suppers sert également de traditionnels repas de homard, avec soupe de poisson et fruits de mer à volonté, un immense choix de salades, du pain, un homard et un dessert. Avec sa capacité d'environ 500 personnes, l'endroit n'est pas intime, mais cela fait partie du charme.

Oyster Bed Bridge

Dayboat
$$$-$$$$

5033 Rustico Rd.

☎ 902-963-3833

Le Dayboat, aménagé dans une maison aux allures rustiques donnant sur la rivière Wheatley, est un resto à la fois chaleureux et élégant. On y propose, en soirée, une cuisine élaborée avec, au menu, des fruits de mer, bien sûr, mais aussi nombre d'autres plats bien apprêtés et originaux, aux saveurs internationales. Réservations requises.

Brackley Beach

The Dunes Studio Gallery & Café
$$-$$$

route 15

☎ 902-672-1883

Le Dunes Cafe est un établissement unique en son genre dans l'île. Aménagé dans un bâtiment à l'architecture originale et moderne, au décor très aéré, qui abrite également une remarquable galerie d'art, il propose une cuisine asiatique à prédominance vietnamienne. Les plats offrent un mariage tout à fait intéressant et innovateur d'arômes et de saveurs. On retrouve des sculptures représentant des éléments de temples bouddhistes et hindouistes dans le jardin.

L'est de l'île

Orwell Corner

Sir Andrew MacPhail Restaurant
$$-$$$

route 1

☎ 902-651-2789

Établi sur le site historique de la **Sir Andrew Macphail Homestead** (voir p 255), le Sir Andrew MacPhail Restaurant est un établissement agréable pour prendre un bon repas léger à l'heure du midi ou une pause en après-midi. Le menu est simple, mais les plats sont savoureux. Pour le repas du soir, on doit réserver à l'avance. L'élégance et l'atmosphère de la Macphail Homestead rendent ce petit resto bien sympathique.

Montague

Lobster Shanty
$$-$$$

route 17

☎ 902-838-2463

Le Lobster Shanty propose, dans la plus pure tradition de l'Île-du-Prince-Édouard, de fameux dîners de homard comprenant un homard, d'autres fruits de mer en entrée et un dessert, dans une salle à manger à la décoration simple donnant sur la rivière Montague. On a déjà eu l'honneur d'y recevoir Sa Majesté la reine Elizabeth II et le prince Philip en 1973, ainsi que le prince Charles et Lady Diana en 1983. En plus des fruits de mer, l'établissement est réputé pour ses steaks cuits sur charbons de bois.

Windows on the Water Cafe
$$-$$$

106 Sackville St.
☎902-838-2080

Le Windows on the Water Cafe est un établissement tout à fait agréable pour prendre un repas, surtout lorsque le temps est clément et que l'on peut s'installer sur la jolie terrasse qui surplombe le petit port de Montague. Le menu du midi comprend principalement des sandwichs, des salades, des soupes et des pâtes. En soirée, on peut généralement choisir parmi une dizaine de plats de fruits de mer, de poisson, de volaille ou de viande.

Cardigan

Cardigan Craft Centre & Olde Station Tea Room
$

route 4
☎902-583-2930

Ancienne gare ferroviaire, le Cardigan Craft Centre & Olde Station Tea Room présente un menu assez simple et peu cher: sandwichs, salades et autres petits plats.

Cardigan Lobster Suppers
$$$

route 311
☎902-583-2020

Aménagé dans un magasin général datant d'une centaine d'années, Cardigan Lobster Suppers propose des repas traditionnels de homard à prix raisonnable, de 17h à 21h chaque soir. Comprenant un homard, une entrée de fruits de mer et un dessert, ce type de dîner est une tradition insulaire qu'il ne faut surtout pas manquer. Deux terrasses offrent de belles vues sur la marina.

Bay Fortune

Inn at Bay Fortune
$$$$

route 310
☎902-687-3745

Sans contredit l'une des grandes tables de la région, la salle à manger de l'Inn at Bay Fortune est aménagée de façon splendide, en plus d'offrir une magnifique vue sur la baie. Son chef est l'un des grands chefs de la province et propose une «cuisine du marché» à la fois exquise et originale, et le service est très professionnel. Très belle carte des vins qui a d'ailleurs été récompensée en 2008.

St. Peters Bay

Rick's Fish'N'Chips and Seafood House
$-$$

route 2
☎902-961-3438

À St. Peters Bay, on peut aisément trouver à se rassasier sans se ruiner en se rendant chez Rick's. L'atmosphère est sans prétention et le décor simple, mais on y propose plusieurs plats qui valent le déplacement. Vous aurez une très belle vue sur la baie de St. Peters depuis la terrasse.

Inn at St. Peters
$$$$

1668 Greenwich Rd.
☎902-961-2135

Sans conteste l'une des bonnes tables de l'île, le restaurant de l'**Inn at St. Peters** (voir p 270) propose une cuisine raffinée qui saura plaire aux gourmets. Les plats, tous plus savoureux les uns que les autres, sont concoctés selon l'inspiration du chef à partir des produits locaux les plus frais. Quelques fromages

et des alcools fins complètent le menu. On passe un excellent moment dans sa splendide salle à manger, avec son grand foyer et ses immenses fenêtres offrant une vue sur la baie et les beaux jardins extérieurs.

L'ouest de l'île

Summerside

Brothers Two Restaurant
$-$$

618 Water St. E.
☎902-436-9654

Avec son atmosphère de pub des plus décontractées, le Brothers Two Restaurant est l'une des adresses les plus populaires et animées de Summerside. On y vient pour manger ou simplement pour prendre un verre. Comme dans bien des restaurants de l'île, les fruits de mer et les poissons sont à l'honneur, ce qui n'empêche pas que la carte comporte aussi bien d'autres spécialités. Les portions sont généreuses.

Deckhouse Pub & Eatery
$-$$

Spinnakers' Landing
Harbour Dr.
☎902-436-0660

Aménagé dans un des bâtiments du **Spinnakers' Landing** (voir p 261), le Deckhouse Pub & Eatery est un pub sympathique où l'on sert des repas légers. La terrasse, située à l'étage, offre un agréable point de vue sur le port et la ville.

Prince William Dining Room
$$$

Loyalist Lakeview Resort
195 Harbour Dr.
☎902-436-3302

Salle à manger du **Loyalist Lakeview Resort** (voir p 271), la Prince William Dining

Room propose une cuisine bien apprêtée et un menu assez élaboré comprenant un bon choix d'entrées et de plats principaux. Les fruits de mer et les poissons comptent pour une bonne partie de ce menu, bien qu'on prépare aussi plusieurs types de steaks et différentes recettes de poulet. Il arrive, en soirée, qu'un plat soit à l'honneur, comme l'excellent *surf and turf*, qui présente dans la même assiette un petit steak et la queue d'un homard. Sans être guindée, l'ambiance s'avère élégante, et le service est courtois.

West Point

West Point Lighthouse
$-$$
route 14
☎902-859-3605
Bon endroit où faire une pause lors d'une excursion à la découverte de l'ouest de l'île, le West Point Lighthouse est une auberge (voir p 271) dont le restaurant est ouvert du lever du jour au coucher du soleil. Au déjeuner, le menu se compose d'une variété de plats légers comprenant, bien entendu, des sandwichs au homard, des *chowders* et d'autres fruits de mer. En soirée, la cuisine est un peu plus sophistiquée, proposant des entrées et des plats de résistance plus élaborés, notamment une «assiette du pêcheur» qui inclut cinq espèces de fruits de mer ou de poissons. On y apprête également des steaks et des pâtes. Le restaurant est aménagé de façon simple, dans le bâtiment attenant au phare, et l'on peut s'attabler sur une terrasse.

North Cape

Wind & Reef Restaurant
$$$
au bout de la route 12
☎902-882-3535
Sur le même site que le centre **North Cape, Nature and Technology in Perfect Harmony** (voir p 263), le Wind & Reef Restaurant est un établissement tout à fait approprié pour s'offrir un plat de fruits de mer ou de poisson. La carte compte bien sûr d'autres mets; cependant, on y vient surtout pour son homard, ses crevettes, ses huîtres, son «assiette du pêcheur», etc. Bien que les repas ne soient pas hors de prix, il faut tout de même constater qu'on paie un peu pour le bel emplacement du restaurant. Le midi, des repas plus légers sont servis à moindre prix.

♫Sorties

■ Activités culturelles

Charlottetown

À Charlottetown, depuis maintenant plus de quatre décennies, le **Confederation Centre of the Arts** (voir p 244) présente, chaque été, la comédie musicale *Anne of Green Gables (mi-juin à fin sept; Confederation Centre of the Arts, 145 Richmond St.,* ☎*902-628-1864 ou 800-565-0278, www. confederationcentre.com)*, inspirée de l'œuvre de la plus célèbre ambassadrice de l'Île-du-Prince-Édouard à l'étranger, l'auteure Lucy Maud Montgomery. À la fois drôle et touchante, l'histoire de la petite Anne est aujourd'hui un classique de la littérature jeunesse un peu partout dans le monde. Il est d'ailleurs étonnant de voir à quel point la petite Anne a marqué les jeunes Japonaises, qui comptent désormais pour une part importante des touristes dans l'île. La comédie musicale est bien jouée et vous fera passer une excellente soirée.

Victoria

Victoria Playhouse
20 Howard St.
☎902-658-2025 ou 800-925-2025
www.victoriaplayhouse.com
Pratiquement tous les soirs des mois de juillet et d'août, le Victoria Playhouse présente des pièces de théâtre et des concerts dans sa petite salle de spectacle. Le Victoria Playhouse, avec ses représentations de qualité, possède un charme qui convient très bien à celui de Victoria.

■ Bars et discothèques

Charlottetown

Olde Dublin Pub
131 Sydney St.
☎902-892-6992
Pour les amateurs de musique irlandaise, l'Olde Dublin Pub est l'endroit où aller en soirée. Des spectacles y sont régulièrement présentés, et l'on peut y prendre des repas légers. L'endroit est fort populaire.

The Merchantman Pub
23 Queen St.
☎902-892-9150
Le Merchantman Pub est situé dans un bâtiment tout en briques avec de larges fenêtres sur sa façade. Il comprend trois salles en

plus d'une terrasse arrière. L'endroit est plutôt tranquille, au contraire de l'atmosphère typiquement bruyante d'un pub.

The Gahan House Pub & Brewery

126 Sydney St.
☎902-626-2337

Lieu particulièrement sympathique pour prendre un verre, le Gahan House Pub and Brewery loge dans un joli bâtiment à l'atmosphère chaleureuse. On y vient notamment pour ses bières brassées sur place et pour sa spécialité, le Brown Bag Fish & Chips. Une visite guidée *(8$)* de la microbrasserie est proposée.

■ Fêtes et festivals

Juin

Le **Charlottetown Festival** *(mi-juin à fin sept; Charlottetown, ☎902-566-1267 ou 800-565-0278, www. charlottetownfestival.com)*, qui dure de la mi-juin à la fin de septembre, est l'occasion pour les festivaliers de découvrir le monde des comédies musicales par différentes représentations en plein air ou dans l'un des théâtres de la ville.

Juillet

Visiter l'**Anne of Green Gables Country Fair** *(Cavendish, ☎902-566-3346)* est l'occasion, pour tous ceux qui ont aimé les aventures de la petite héroïne rousse, de plonger dans son monde à travers de la musique, du théâtre, des reconstitutions historiques, des jeux et bien plus encore.

Août

L'Exposition agricole et le Festival acadien de la région Évangéline *(Abram-Village, ☎902-854-3300, www. expositionfestival.com)*, qui existe depuis plus de 100 ans, propose une multitude d'activités pour tous les goûts: repas de homard, compétitions d'hommes forts, artisanat, concours de chant, démonstrations culinaires, défilé, etc.

Septembre

Pour les gastronomes qui ne se prennent pas trop au sérieux, ne manquez pas le **Prince Edward Island International Shellfish Festival** *(Charlottetown, ☎866-955-2003, www.peishellfish.com)*. Au menu: compétitions, dégustations et démonstrations qui vous feront saliver.

◨ Achats

■ Art et artisanat

Charlottetown

Two Sisters

Confederation Court Mall
134 Kent St.
☎902-894-3407

Vous pourrez acheter de belles pièces d'artisanat, des livres et des souvenirs en tout genre à la boutique Two Sisters.

The *bestofpei* Store

156 Richmond St.
☎902-368-8835
www.bestofpei.com

L'île a inspiré plus d'un artiste. Cette boutique présente plus de 2 000 œuvres créées par les artistes de la province. Sculptures, poteries, tricots de laine

et autres sont en vente ici; les pièces sont de bonne qualité.

Brackley Beach

The Dunes Studio Gallery & Cafe

route 15
☎902-672-2586
www.dunesgallery.com

Vous aurez l'embarras du choix dans cette boutique: poteries, bijoux, meubles, objets en verre soufflé, etc. Plus de 50 artisans sont représentés ici. Un café (voir p 275) fait aussi partie de l'établissement.

Abram-Village

Coopérative d'Artisanat d'Abram-Village

à l'intersection des routes 124 et 165
☎902-854-2096

Vous trouverez dans cette boutique des courtepointes, des coussins, des tapis et de l'artisanat acadien. Un petit musée présente les créations des ancêtres acadiens d'Abram-Village.

■ Centre commercial

Charlottetown

Confederation Court Mall

angle Kent St. et University Ave.
☎902-894-9505
www.confedcourtmall.com

Ce vaste centre commercial compte pas moins de 80 boutiques variées, de quoi répondre à tous les besoins.

■ Chocolaterie

Victoria

Island Chocolate
Main St.
☎902-658-2320
Chez Island Chocolate, on prépare sur place des chocolats de qualité qui fondent dans la bouche: de véritables délices.

■ Décoration

Murray River

The Old General Store
Main St.
☎902-962-2459
The Old General Store présente une belle sélection d'articles de maison et de courtepointes.

■ Épicerie fine

New Glasgow

Prince Edward Island Preserve Co.
2841 New Glasgow Rd., à l'intersection des routes 224 et 258
☎800-565-5267
Vous pourrez vous procurer toute une gamme de confitures et de chutneys de qualité à la Prince Edward Island Preserve Co.

■ Jouets

New Glasgow

The Toy Factory
5607 route 13
☎902-964-2299
Si Geppeto n'a pas fabriqué le jouet de vos rêves, vous pouvez tenter votre chance du côté de New Glasgow à la Toy Factory, une petite fabrique de jouets en bois qui propose également des objets rigolos.

■ Librairie

Charlottetown

The Book Emporium
169 Queen St.
☎902-628-2001
On y trouve une belle sélection de livres neufs et d'occasion, ainsi que des ouvrages d'auteurs de la région.

■ Souvenirs

Charlottetown

À Charlottetown, on se rend au **Peake's Wharf** pour se balader sur les quais de bois et profiter du bord de l'eau, tout en faisant un peu de magasinage dans une des jolies boutiques qui s'y sont installées. Artisanat, souvenirs, t-shirts, etc., on y trouve des articles qui plaisent à tout le monde.

Anne of Green Gables Store
110 Queen St.
☎902-368-2663
www.annestore.ca
Les amateurs de souvenirs évoquant le roman *Anne of Green Gables* peuvent aller fouiner dans la boutique du même nom.

Cavendish

Grandpa's Antique Photo Studio
route 6
☎902-963-2088
www.grandpasphotos.com
Vous avez envie d'un souvenir original? Pourquoi ne pas faire un arrêt au Grandpa's Antique Photo Studio afin de prendre une photo en famille? Vous aurez le choix entre plusieurs thèmes, comme l'époque victorienne ou les années 1920.

Summerside

Homestead Antiques, Gifts & Gardens
286 Fitzroy St.
☎902-436-7766
Considérée par plusieurs comme l'une des meilleures boutiques de l'île, Homestead offre assurément de beaux objets. Profitez-en pour faire une balade dans ses magnifiques jardins.

■ Vêtements

Charlottetown

PEI Factory Shops
route transcanadienne
Ceux qui désirent se procurer des produits de marques connues à prix réduits, tels Reebok, Rockport, ou les t-shirts Island Beach Co. au joli design évoquant l'île, ou encore les batteries de cuisine Paderno, peuvent se rendre aux PEI Factory Shops.

Cow's
150 Queen St.
Les vêtements rigolos du magasin Cow's, entre autres les t-shirts et les survêtements, constituent certes un achat fort apprécié tant des enfants que de leurs parents. En outre, c'est une bonne occasion de goûter d'excellentes glaces.

L'île-du-Prince-Édouard - Achats

279

TERRE-NEUVE-ET-LABRADOR

© ULYSSE

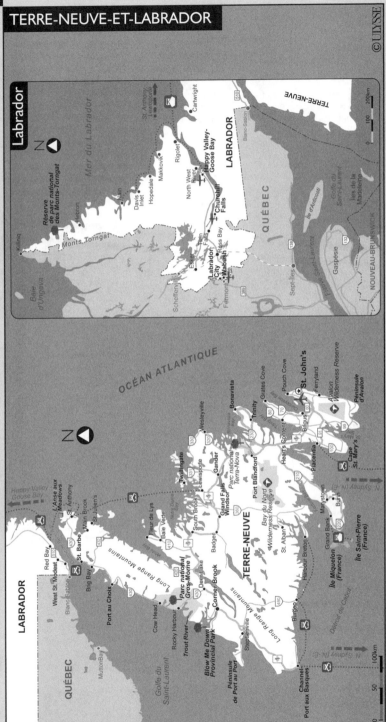

Terre-Neuve-et-Labrador

La route des Vikings

La péninsule d'Avalon

Le Labrador

St. John's

L'ouest de Terre-Neuve

L'est et le centre de Terre-Neuve

Un endroit encore méconnu, Terre-Neuve-et-Labrador se distingue avec force des autres provinces canadiennes de l'Atlantique autant par son histoire et sa culture que par ses paysages. Son isolement, aux confins du nord-est de l'Amérique, contribue à forger cette véritable individualité. *The Rock*, comme on surnomme Terre-Neuve non sans raison, est une île rocailleuse dont les paysages, souvent d'une grande rudesse, ne peuvent laisser indifférents par leurs splendeurs.

La partie ouest de l'île est façonnée par la Long Range, une vieille chaîne de montagnes qui constitue l'aboutissement des Appalaches. Le parc national Gros-Morne, un site du patrimoine mondial de l'UNESCO, offre une occasion exceptionnelle de découvrir ces montagnes qui, en maints endroits, plongent abruptement dans les eaux limpides de profonds fjords. Plus au nord, en direction de L'Anse aux Meadows, qui fut jadis le site d'un camp viking, la route longe de plats paysages côtiers d'une saisissante désolation. Ailleurs, de hautes falaises, des plages de galets ou de minuscules villages de pêcheurs bordent l'océan et présentent des scènes pittoresques et envoûtantes.

La capitale de la province, St. John's, est elle-même érigée sur un site naturel grandiose, en bordure d'une longue rade ceinturée de hautes collines de roc. Outre l'île de Terre-Neuve, cette province comprend également le Labrador, un immense plateau continental recouvert d'une forêt subarctique et de la toundra où s'élève une spectaculaire chaîne de montagnes, les monts Torngat.

Le Labrador, à peine peuplé de 29 000 habitants, s'étend sur près de 300 000 km². Tant l'île de Terre-Neuve que le Labrador, loin des circuits touristiques traditionnels, offrent aux amateurs de plein air d'innombrables occasions de découvrir une nature riche et sauvage. Sans trop de mal, on peut aisément observer des caribous ou des orignaux, des colonies de macareux moines ou de fous de Bassan, ou encore, depuis la côte, admirer le va-et-vient des baleines ou la lente dérive d'un iceberg.

Comme en témoignent de nombreux vestiges de peuplements autochtones mis au jour le long de ses côtes, la province a été habitée presque sans interruption depuis plus de 8 000 ans. Les premiers à s'y établir ont été des Autochtones de la nation dite «archaïque maritime». Les paléoesquimaux (culture Dorset et Groswater) sont arrivés dans l'île il y a environ 3 000 ans. Les Amérindiens que rencontreront sur l'île les explorateurs européens seront toutefois les Béothuks, dont les ancêtres seraient venus s'installer à Terre-Neuve il y a 3 500 ans.

L'île de Terre-Neuve, compte tenu de la relative proximité du continent européen, a été l'un des tout premiers endroits du Nouveau Monde à être connu de l'Europe. Selon la tradition, dès la fin du Vᵉ siècle de notre ère, le moine irlandais Brendan le Navigateur, à la recherche de nouvelles terres à christianiser, aurait franchi l'Atlantique et pris pied dans l'île.

Les premiers Européens dont nous avons la preuve qu'ils ont séjourné dans l'île de Terre-Neuve sont toutefois les Vikings, qui, vers l'an 1000, s'en servaient comme base de leur exploration du continent. Le camp de Leif, à L'Anse aux Meadows, est d'ailleurs le plus ancien site européen mis au jour en Amérique.

Par la suite, quelques siècles se sont écoulés avant que les Européens ne redécouvrent Terre-Neuve. Au XVᵉ siècle, les pêcheurs basques ont fait connaître à l'Europe l'extraordinaire richesse marine des eaux avoisinant l'île. Chaque été, les Basques venaient pêcher la morue dans les bancs de Terre-Neuve et chasser la baleine dans le détroit de Belle Isle. L'aménagement d'un poste de chasseurs de baleines à Red Bay au Labrador remonte au XVIᵉ siècle. L'histoire attribue cependant l'honneur d'avoir découvert Terre-Neuve à Giovanni Caboto (John Cabot), en 1497, qui agissait pour le compte de l'Angleterre.

Dans les 250 années suivantes, les Français et les Anglais rivalisèrent pour le contrôle de Terre-Neuve et de l'Amérique du Nord. En 1583, Sir Humphrey Gilbert prit officiellement possession du port de St. John's et du reste de l'île de Terre-Neuve au nom de la reine d'Angleterre. Dès 1610, les Anglais ont fondé la première colonie officielle à Cupids, dans la baie de la Conception.

Cette prétention de l'Angleterre ne devait toutefois pas empêcher la France de s'installer à Terre-Neuve. En 1662, les Français avait érigé eux aussi, sur les côtes de la péninsule d'Avalon, un poste permanent, dénommé «Plaisance», qui fut jusqu'à la signature du traité d'Utrecht, en 1713, la capitale de la colonie française de Terre-Neuve.

Bien que l'île ait été cédée à l'Angleterre par ce traité, les Français ont néanmoins continué à s'intéresser à l'île; c'est d'ailleurs à St. John's qu'eut lieu, en 1762, la dernière bataille de la guerre de Sept Ans en sol nord-américain, qui se solda par la signature du traité de Paris et la fin de l'Empire français en Amérique. La France a toutefois conservé ses droits de pêche sur les côtes de Terre-Neuve jusqu'en 1904. Dans les siècles qui suivirent, une immigration plus importante, surtout en provenance de l'Irlande, a peuplé les côtes de Terre-Neuve.

En 1869, deux ans après la création de la Confédération canadienne, la population de l'île préféra que Terre-Neuve demeure séparée et forme un Dominion dans lequel la Grande-Bretagne gérerait les affaires extérieures et militaires. Ce n'est qu'en 1949 que Terre-Neuve est devenue la dixième et dernière province à se joindre au Canada. Le nom officiel de la province de Terre-Neuve fut changé pour Terre-Neuve-et-Labrador en 2001.

Ce chapitre vous propose six circuits pour découvrir l'île de Terre-Neuve et le Labrador.

St. John's ★ ★
La péninsule d'Avalon ★ ★
L'est et le centre de Terre-Neuve ★
L'ouest de Terre-Neuve ★
La route des Vikings ★ ★ ★
Le Labrador ★

Accès et déplacements

■ En avion

Terre-Neuve

Air Canada (☎*888-247-2262, www.aircanada. ca*) assure une liaison directe entre St. John's et certaines des grandes villes canadiennes, entre autres Halifax, Montréal et Toronto. Le **St. John's International Airport** *(80 Airport Terminal Access Rd., St. John's,* ☎*709-758-8500 ou 866-758-8581, www.stjohnsairport.com)* n'est qu'à 6 km du centre-ville. Gander, Deer Lake et St.

Anthony possèdent aussi des aéroports accueillant des vols régionaux et internationaux.

Le Labrador

Les aéroports de Wabush, Churchill Falls et Happy Valley-Goose Bay reçoivent chaque jour des vols en provenance de l'extérieur du Labrador, notamment de l'île de Terre-Neuve. Les principales lignes aériennes desservant le Labrador sont **Air Canada** (☎*888-247-2262, www.aircanada. ca)*, **WestJet** (☎*888-448-8888, www.westjet. com)*, **Provincial Airlines** (☎*709-576-1666, www.provair.com)* et **Air Labrador** (☎*800-563-3042, www.airlabrador.com)*.

■ En voiture

À St. John's et dans les autres principales villes de la province, on peut louer une voiture dans les agences suivantes:

Avis
☎ 800-879-2847

Budget
☎ 800-268-8900

Hertz
☎ 800-263-0600

National
☎ 800-227-7368

Thrifty
☎ 800-367-2277

Le Labrador

Une route partiellement pavée (route 389) permet de se rendre de Baie-Comeau, au Québec, jusqu'à Labrador City (elle devient la route 500 au Labrador), Churchill Falls et Happy Valley-Goose Bay. De Happy Valley-Goose Bay, le traversier peut transporter les voitures jusqu'à Cartwright. La route 510 relie Blanc-Sablon (au Québec) à Cartwright. Comme les services sont limités entre Baie-Comeau et le Labrador et le long de la route 500, il est essentiel de faire le plein avant de prendre la route dans la région.

■ En traversier

Terre-Neuve

L'île de Terre-Neuve est accessible par traversier à partir de North Sydney, sur l'île du Cap-Breton, en Nouvelle-Écosse. Les traversiers, administrés par la société **Marine Atlantic** *(☎ 800-341-7981, www. marine-atlantic.ca)*, permettent de se rendre soit à Channel-Port aux Basques (dans le sud-ouest de Terre-Neuve) toute l'année, soit à Argentia (sur la péninsule d'Avalon, dans le sud-est de Terre-Neuve) en été.

La traversée entre North Sydney et Channel-Port aux Basques dure normalement 5h. Il y a au moins une traversée chaque jour, sauf en de rares exceptions, entre North Sydney et Channel-Port aux Basques, mais également en sens inverse. On doit compter environ 100$ par voiture et 35$ par adulte pour l'aller seulement.

La traversée entre North Sydney et Argentia dure environ 14h. Les traversées ont lieu seulement des mois de juin à septembre. Il y a au moins une traversée les lundi, mercredi et vendredi de chaque semaine entre North Sydney et Argentia, mais également en sens inverse. On doit compter environ 210$ par voiture et 100$ par adulte pour l'aller seulement.

On peut également prendre le traversier depuis Blanc-Sablon, au Québec, pour se rendre à St. Barbe, Terre-Neuve *(véhicule et conducteur 22,75$, passagers 7,50$; avr à jan; Provincial Ferry Services, ☎ 866-535-2567, www.tw.gov.nl.ca/ferryservices)*.

Il est enfin possible de se rendre à Terre-Neuve en traversier depuis Happy Valley-Goose Bay, au Labrador. Ce traversier, qui relie Lewisporte (dans le centre-nord de Terre-Neuve), est en service quelques fois par semaine du début du mois de juin au début du mois de septembre. De Happy Valley-Goose Bay, une route non asphaltée (route 500) mène jusqu'à Churchill Falls et Labrador City, puis, au Québec, la route 389 prend le relais jusqu'à Baie-Comeau. Pour réservation: ☎ 866-535-2567.

Le Labrador

Du mois d'avril au mois de janvier, un traversier (voir plus haut) relie St. Barbe, le long de la «route des Vikings», à Blanc-Sablon, au Québec, le long de la côte du détroit de Belle Isle. Blanc-Sablon n'est qu'à 5 km de la frontière avec le Labrador; de là, une bonne route mène à Red Bay (73 km vers le nord par la route 510, et comptez 319 km de plus sur une route non pavée pour atteindre Cartwright). L'horaire des traversées permet de faire un aller-retour en une journée. Des liaisons régulières sont également proposées entre Cartwright et Happy Valley-Goose Bay. À partir de Happy Valley-Goose Bay, un cargo mixte dessert les communautés de la côte nord du Labrador jusqu'à Nain. Ce service est proposé de juin à novembre, et le voyage aller-retour dure cinq jours. Pour information et réservations: ☎ 866-535-2567.

Renseignements utiles

■ Renseignements touristiques

Les visiteurs trouveront des renseignements touristiques dans les sept comptoirs provinciaux et la vingtaine de comptoirs régionaux répartis dans les diverses régions de la province, notamment dans ses principaux ports d'entrée et à St. John's.

Newfoundland and Labrador Tourism
P.O. Box 8730
St. John's, NL A1B 4K2
☎ 709-729-2830 ou 800-563-6353
🖷 709-729-0057
www.newfoundlandlabrador.com

Attraits touristiques

St. John's ★ ★

▲ p 301   ◍ p 308   ⤳ p 311   ◫ p 311

St. John's, capitale de la province, occupe un site spectaculaire sur la péninsule d'Avalon, à l'extrême est de l'île et du Canada. La ville est construite en amphithéâtre aux abords d'une rade fort bien abritée qui donne sur l'océan Atlantique par un étroit chenal, The Narrows; de chaque côté du chenal s'élèvent de hauts pitons rocheux. St. John's est, et a toujours été, avant tout une ville portuaire. La rade de St. John's, d'environ 1,6 km de long sur 800 m de large, forme un excellent port fréquenté par des navires de toutes tailles arborant des pavillons de divers pays. Derrière le port se cache une ville charmante dont les rues sinueuses sont flanquées de coquettes maisons de bois aux couleurs éclatantes.

Dès le XVᵉ siècle, le site de l'actuelle ville de St. John's était fréquenté par des pêcheurs européens de diverses nationalités. En 1583, Sir Humphrey Gilbert prit officiellement possession du port et du reste de l'île de Terre-Neuve au nom de la reine d'Angleterre.

Par la suite, la ville a maintes fois été au cœur des rivalités franco-britanniques

et, à trois reprises, tomba aux mains des Français. Des travaux de fortification, sur Signal Hill, ont alors été entrepris pour la protéger.

Commissariat House ★ *(3$; juin à oct; King's Bridge Rd.,* ☎ *709-729-6730).* Ce joli bâtiment de bois de style georgien, dont la construction s'acheva en 1821, fut d'abord utilisé comme résidence de l'intendance du poste militaire de St. John's, avant de servir de presbytère aux prêtres de la **St. Thomas Anglican Church** *(Military Rd.).* Cette église anglicane, qu'on appelle également l'Old Garnison Church (1836), a servi de chapelle à la garnison britannique du fort William.

La Commissariat House et l'église St. Thomas comptent parmi les rares édifices du centre-ville de St. John's à avoir été épargnés par les grands incendies de 1846 et de 1892. La Commissariat House, désormais un site historique provincial, a été rénovée et meublée comme à l'époque.

La **Government House** *(Military Rd.,* ☎ *709-729-4227),* un autre des quelques bâtiments de St. John's à n'avoir pas souffert des grands incendies, a été construite en 1831 pour servir de résidence officielle au gouverneur de Terre-Neuve. Depuis l'entrée de la province dans la Confédération canadienne, la Government House loge le lieutenant-gouverneur.

Le parterre de la Government House est joliment paysagé; en été, il est quotidiennement ouvert au public. On ne peut toutefois visiter l'intérieur de la résidence que sur réservation. Les fresques qui ornent les plafonds de la Government House ont été exécutées par le peintre polonais Alexander Pindikowski en 1880 et 1881. Pindikowski les peignait pendant la journée, puis retournait, en soirée, à la prison de St. John's, où il purgeait une peine d'emprisonnement pour contrefaçon. Il a aussi décoré les plafonds du Colonial Building, immédiatement à l'ouest sur Military Road.

La **Roman Catholic Basilica of St. John the Baptist** ★ *(Military Rd.),* construite sur un promontoire dominant la ville, a été dessinée par l'architecte irlandais John Jones en 1855. D'abord cathédrale, elle se vit attribuer le titre de basilique en 1955.

Deux tours de 43 m de haut ornent sa façade. L'intérieur est richement ornementé; dans le transept gauche, on peut voir une statue de Notre-Dame de Fatima offerte par des marins portugais ayant survécu à un naufrage sur les bancs de Terre-Neuve. Du parvis, la vue de la ville est splendide.

Anglican Cathedral of St. John the Baptist *(angle Church Hill et Gower St.)*. Cette élégante église, aux pures lignes gothiques, a été conçue en 1847 par l'architecte anglais Sir George Gilbert Scott. Sa construction se termina en 1885, mais, en 1892, un incendie la détruisit complètement. La cathédrale anglicane St. John the Baptist a été reconstruite quelques années plus tard sous la supervision du fils de Sir George Gilbert Scott. On remarquera notamment ses superbes vitraux. Établie en 1699, la paroisse de St. John the Baptist est la plus ancienne paroisse anglicane du Canada.

Depuis juin 2005, le complexe moderne qu'est **The Rooms ★ ★** *(9 Bonaventure Ave.,* ☎*709-757-8000)* rassemble sous un même toit les collections de certaines des grandes institutions provinciales, entre autres le Musée provincial, les Archives provinciales et le Musée des beaux-arts. The Rooms accueille des expositions itinérantes d'ailleurs au Canada et d'autres pays.

Les collections du Musée provincial offrent un excellent panorama de l'histoire humaine de la province et portent en outre sur le mode de vie des six nations autochtones résidant ou ayant résidé sur ces territoires: les Archaïques maritimes, dont on a retrouvé les traces du passage notamment dans le site archéologique de Port au Choix; les Dorsets, présents sur les côtes de l'île jusqu'au début de notre ère; les Béothuks, principale nation amérindienne de Terre-Neuve à l'arrivée des Européens, et qui depuis ont été complètement exterminés; les Micmacs, la nation la plus importante des Maritimes; les Inuits, qui peuplent encore les côtes les plus septentrionales du Labrador; et les Innus, ou Montagnais, qu'on retrouve au centre et au nord du Labrador. Les collections portent également sur la vie des colons et des pêcheurs au XIXe siècle.

Les Archives provinciales regroupent tous les documents gouvernementaux et privés ayant une valeur historique. La collection de photos historiques est particulièrement riche. Par ailleurs, les collections du Musée des beaux-arts présentent de nombreuses œuvres traditionnelles et une importante collection d'art contemporain régional.

Le **Lieu historique national de Signal Hill ★ ★** est juché sur la colline du même nom, elle-même dominée par une tour qui surplombe l'entrée de la rade de la ville. Du sommet, les points de vue sur l'Atlantique, sur la rade et sur la ville sont magnifiques, de jour comme de nuit.

En raison de sa situation favorable, Signal Hill a depuis longtemps été utilisée comme poste d'observation et de communication. Déjà en 1704, c'est à partir d'ici qu'on signalait à l'aide de drapeaux l'arrivée de navires aux autorités militaires et aux marchands de St. John's.

C'est également sur Signal Hill qu'ont été installées, du XVIIIe siècle à la Seconde Guerre mondiale, les défenses de la ville. On peut d'ailleurs encore y voir certains vestiges des installations militaires du XIXe siècle. Signal Hill a été le théâtre, en 1762, de la dernière bataille de la guerre de Sept Ans en Amérique du Nord.

Vaincus à Québec et à Louisbourg quelques années auparavant, les Français parvinrent à prendre St. John's pendant quelques mois, avant d'être défaits par les troupes anglaises du lieutenant-colonel William Amherst. Au cours des mois d'été, on peut assister au **Tatoo** de Signal Hill, une reconstitution d'exercices militaires du XIXe siècle, avec costumes d'époque ainsi que tirs au fusil et au canon.

Au centre d'accueil de Signal Hill, on peut visiter un petit **musée** *(3,95$; mi-juin à début sept tlj 8h30 à 20h, reste de l'année tlj 8h30 à 16h30;* ☎*709-772-5367)* qui présente une exposition sur la pêche et sur l'histoire de la ville et de Terre-Neuve. La **tour Cabot**, le principal bâtiment de Signal Hill, a été construite en 1897 pour célébrer le 400e anniversaire de l'arrivée de John Cabot en Amérique et le 60e anniversaire du règne de la reine Victoria. La tour a servi de poste de signalisation maritime jusqu'en 1960 et abrite aujourd'hui une exposition sur l'histoire de la signalisation maritime sur cette colline.

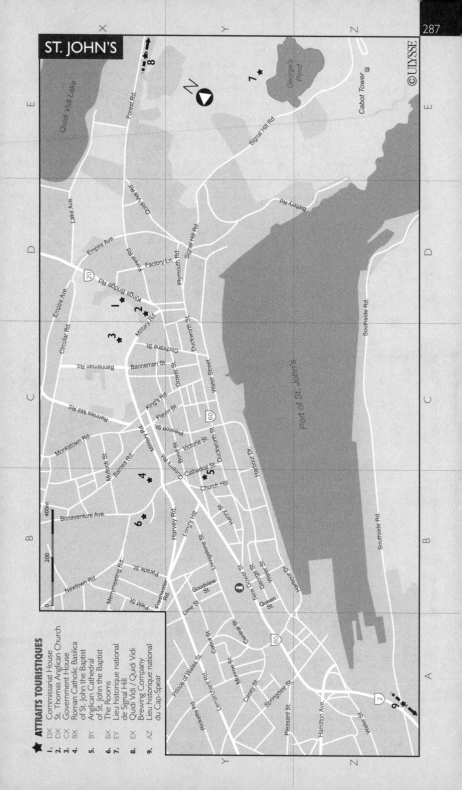

ST. JOHN'S

Quidi Vidi Lake

Forest Rd.

Lake Ave.

Empire Ave.

Quidi Vidi Rd.

Factory Ln.

Plymouth Rd.

Signal Hill Rd.

Battery Rd.

Signal Hill Rd.

Cabot Tower

Port of St. John's

George's Pond

Southside Rd.

Empire Ave.

Circular Rd.

Kings Bridge Rd.

Fraser Rd.

Military Rd.

Cochrane St.

Duckworth St.

Gower St.

Banneman Rd.

Banneman St.

Bannerman Rd.

Rennies Mill Rd.

King's Rd.

Flavin St.

Prescott St.

Victoria St.

Water Street

Monkstown Rd.

Mullock St.

Barnes Rd.

Military Rd.

Queen's Rd.

Bond St.

Cathedral St.

Duckworth St.

Church Hill

Harbour Dr.

Bonaventure Ave.

Harvey Rd.

Long's Hill

Parade St.

Merrymeeting Rd.

Field St.

Freshwater Rd.

Newtown Rd.

Goodview St.

Lime St.

Livingstone St.

Harry St.

New Gower St.

George St.

Water St.

Queen St.

Harbour Dr.

Southside Rd.

Prince of Wales St.

Ricketts Rd.

LeMarchant Rd.

Monroe St.

Cabot St.

Casey St.

Centre St.

Springdale St.

Pleasant St.

Hamilton Ave.

Water St.

400m

200

0

© ULYSSE

L'exposition porte également un regard attentif sur la vie de **Guglielmo Marconi**, qui, le 12 décembre 1901, capta à Signal Hill le premier message d'outre-Atlantique envoyé sans fil. Ce message, un *S* en code morse, avait été envoyé de Cornwall, en Angleterre.

Du dernier étage de la tour Cabot, on bénéficie d'une vue splendide de l'océan. Pour un point de vue sur la rade, on peut se rendre sur les ruines de la **Batterie de la Reine** (Queen's Battery). De là, au pied de la falaise, on voit le rocher où, au XVIIIe siècle, on accrochait la chaîne qui servait à fermer la rade; de l'autre côté, on peut apercevoir les ruines du fort Amherst, où s'élève maintenant un phare.

Des sentiers bien aménagés offrent l'occasion d'agréables balades à Signal Hill. Un sentier permet de marcher à partir de Signal Hill jusqu'à St. John's en longeant la rade.

À l'est de Signal Hill se dresse fièrement **Quidi Vidi** ★, l'un des villages les plus pittoresques de la province. Bordé de parois rocheuses, Quidi Vidi, qui fait partie de la ville de St. John's, est constitué de quelques maisons peintes de couleurs vives, d'une petite chapelle et, bien entendu, d'un port de pêche, actif depuis le XVIIe siècle.

Les locaux de la **Quidi Vidi Brewing Company** *(8$ visite et dégustations; 35 Barrows Rd., ☎709-738-4040, www.quidividibrewery.ca)*, qui abritent, en plus de la brasserie, une boutique proposant des vêtements et des objets à l'effigie de la compagnie, méritent une visite.

À proximité, le lac Quidi Vidi est le lieu où se tiennent le **Royal St. John's Regatta** chaque année, le premier mercredi du mois d'août, depuis les années 1820. Sur un promontoire tout près, on peut visiter les vestiges de la **Quidi Vidi Battery** *(3$; juin à sept tlj 10h à 17h30; ☎709-729-2977)*. Construite en 1762 par les Français, qui pendant quelques mois ont été maîtres de St. John's et de sa région, cette batterie a par la suite été utilisée par les Britanniques, et ce, jusqu'en 1870.

Le **Lieu historique national du Cap-Spear** ★★ *(3,95$; mi-mai à mi-oct tlj 10h à 18h; 11 km au sud de St. John's, le long de la route 11, ☎709-772-5367, www.pc.gc.ca)* renferme le cap Spear, qui est le point le plus à l'est du continent nord-américain. Compte tenu de cette situation géographique, on érige, en 1835, un phare qui devient le second de la province, derrière celui du port de St. John's.

À l'origine, le phare se présentait comme un bâtiment carré entourant une tour, au sommet de laquelle se trouvent sept miroirs paraboliques qui réfléchissent les rayons lumineux émis par sept lampes. Ce phare sera modernisé au fil des années, puis déménagé, en 1955, dans un nouveau bâtiment construit tout près.

On peut désormais visiter l'**ancien phare**, meublé comme l'était la maison de son gardien en 1839. On peut également observer tout près les vestiges des importantes installations militaires qui avaient été élevées à Cap-Spear lors de la Seconde Guerre mondiale. En outre, Cap-Spear est un endroit agréable pour se balader le long de l'océan. Par beau temps, la vue de l'océan et des côtes est spectaculaire.

La péninsule d'Avalon ★★

△ *p 304*   ◷ *p 309*

▸▸▸ *Depuis St. John's, la route 10 vers le sud mène à Witless Bay.*

Witless Bay

La **Witless Bay Ecological Reserve** ★ *(mai à sept; route 10, ☎709-635-4520; voir p 300)* est constituée de quatre îles (et des eaux environnantes) situées au large des villages de Witless Bay et de Bauline East. Ces îles servent chaque été de refuges à des centaines de milliers d'oiseaux de mer qui viennent y pondre leurs œufs et élever leurs oisillons. Plusieurs entreprises proposent des excursions en bateau dans la réserve. Cette activité permet d'observer les baleines à bosse et les petits rorquals qui fréquentent les eaux de la baie Witless en été.

▸▸▸ *Poursuivez en direction sud par la route 10 jusqu'à Ferryland.*

Ferryland

Joli village de pêcheurs à l'ambiance d'une autre époque, Ferryland a été le site, en 1621, de l'une des toutes premières colonies anglaises en Amérique du Nord. George Calvet en a été le promoteur. Il ne demeura toutefois sur les lieux que quelques années et mourut avant que la colonie ne s'installe au Maryland.

Le départ de Calvet ne devait toutefois pas mettre fin à la colonie de Ferryland, qui fut reprise par le navigateur anglais David Kirke. Au **Colony of Avalon Archaeology Site** *(8$; mi-mai à mi-oct 9h à 19h; route 10,* ☎ *709-432-3200)*, où se poursuivent des fouilles archéologiques depuis une vingtaine d'années, on peut maintenant voir les fondations de l'ancienne colonie et les nombreux vestiges révélés au grand jour.

Pour en connaître davantage sur l'histoire de Ferryland et sa région, on peut également se rendre au **Historic Ferryland Museum** *(2$; mi-juin à début sept lun-sam 9h à 17h, dim 13h à 17h; route 10,* ☎ *709-432-2711)*, dont les collections portent notamment sur les débuts de la colonie.

L'**Avalon Wilderness Reserve** ★, une réserve faunique de 1 070 km² située dans le sud-est de la péninsule d'Avalon, attire les pêcheurs et les randonneurs. Pour visiter cette réserve, on doit obtenir un permis dans le parc provincial La Manche *(permis disponibles de fin mai à début sept; route 10, à 11 km de Cape Broyle;* ☎ *709-685-1823)*. Elle est l'habitat naturel d'un petit troupeau de caribous. Dans la partie la plus au sud de la réserve, on peut parfois voir des familles de caribous traverser la route 10.

›››   *Cape St. Mary's est situé à l'extrémité sud-ouest de la péninsule d'Avalon.*

Cape St. Mary's

La **Cape St. Mary's Ecological Reserve** ★ ★ *(juin à sept tlj 8h à 20h, mai et début oct tlj 9h à 17h; le long de la route 100,* ☎ *709-277-1666; voir p 301)* protège la colonie d'oiseaux de mer la plus spectaculaire et la plus aisément accessible de l'Amérique du Nord. En effet, les visiteurs peuvent y admirer des milliers de fous de Bassan qui nichent sur un éperon d'érosion marine

surnommé *Bird Rock*, situé à une quinzaine de mètres d'un point d'observation aménagé sur la falaise.

›››   *Depuis Cape St. Mary's, la route 100 mène à Placentia, sur la côte ouest de la péninsule d'Avalon.*

Placentia ★

Ce village pittoresque, en bordure de la baie de Placentia, a très tôt été étroitement associé à la présence européenne dans l'île. Les pêcheurs basques, dès le début du XVIᵉ siècle, s'arrêtaient déjà à cet endroit, dont la plage de galets se prêtait particulièrement bien au séchage de la morue. Par la suite, en 1662, les Français y ont érigé un premier poste permanent, dénommé «Plaisance», qui fut jusqu'à la signature du traité d'Utrecht, en 1713, la capitale de la colonie française de Terre-Neuve.

Sous le Régime français, le rôle de Plaisance consistait à contenir l'expansion anglaise à Terre-Neuve et à protéger les approches du Canada en temps de guerre et la flotte française de Terre-Neuve. La France ne garda à Plaisance que des effectifs militaires réduits; cela ne devait pas empêcher la petite garnison française de Plaisance d'attaquer à trois reprises St. John's, capitale anglaise de Terre-Neuve, en 1696, en 1705 et en 1709. Seule l'expédition de 1705 ne permit pas aux Français de prendre le fort William, qui surplombait St. John's; la ville fut néanmoins incendiée.

Le **Lieu historique national de Castle Hill** ★ *(3,95$; mi-mai à mi-oct tlj 10h à 18h; route 100,* ☎ *709-227-2401, www.pc.gc.ca)* protège les ruines des fortifications françaises et anglaises des XVIIᵉ et XVIIIᵉ siècles. Pour défendre Plaisance, les Français érigèrent successivement le Vieux fort en 1662, le fort Louis en 1691 et le fort Royal en 1693. Les Anglais, lorsque devenus maîtres de la région, ont quant à eux aménagé le petit fort Frederick en 1721, puis, pendant la guerre de Succession d'Autriche (1740-1748), le New Fort. Castle Hill offre un point de vue exceptionnel sur Placentia et sa baie.

›››   *Depuis la transcanadienne, la route 80 vers le nord mène à Heart's Content.*

Heart's Content

À Heart's Content, on prend une nouvelle fois conscience du rôle de pivot que longtemps joua Terre-Neuve dans les communications entre l'Europe et le Nouveau Monde. L'invention du télégraphe, en 1837, a révolutionné les communications; en l'espace de quelques années, des systèmes de télégraphie reliaient les principales villes en Amérique du Nord, comme en Europe. Rapidement, l'idée d'unir les deux continents par un système de télégraphie vit le jour, mais le défi technologique était de taille.

L'Américain Cyrus W. Field décida de relever ce défi. En 1856, la Field New York, Newfoundland and London Telegraph Co. réussit à installer un câble sous-marin entre la Nouvelle-Écosse et Terre-Neuve; en tout, cette opération avait déjà coûté pas moins d'un million de dollars.

La mise en place d'un câble transatlantique entre Terre-Neuve et l'Europe était toutefois beaucoup plus difficile, compte tenu des distances, de la puissance des courants marins et de la profondeur des eaux. Il fallut sept tentatives infructueuses avant qu'on ne réussisse, en 1866, à installer un câble entre Heart's Content et Valentia, en Irlande, ce qui représentait à cette époque le plus grand exploit technologique de tous les temps.

Le site historique provincial **Heart's Content Cable Station** ★ *(3$; juin à fin sept tlj 10h à 17h30; route 80, ☎709-583-2160)* abrite le bâtiment original ayant été en fonction jusqu'en 1965. On y présente une exposition intéressante et fort bien conçue sur l'histoire du câble transatlantique de Heart's Content et sur l'histoire des communications dans le monde. Les salles d'exposition comptent notamment de nombreuses pièces d'équipement du XIXᵉ siècle.

››› *De Heart's Content, la route 74 puis la route 70 mènent à Harbour Grace, le long de la baie de la Conception.*

Harbour Grace

Ce minuscule village a connu une certaine notoriété dès le XVIIᵉ siècle, alors qu'il était le port d'attache du pirate anglais Peter Easton. Toutefois, Harbour Grace s'est surtout fait connaître non pas à titre de port de mer, mais plutôt comme point de départ de certaines des premières traversées aériennes de l'Atlantique.

À partir de 1919, plusieurs pilotes ont tenté la traversée vers l'Europe depuis Harbour Grace; en 1932, Amelia Earhart fut la première femme à réussir seule cet exploit. On peut en connaître davantage sur l'histoire de ces pilotes en visitant le **Conception Bay Museum** *(2$; fin juin à début sept tlj 10h à 17h; Water St., ☎709-596-5465)*. Le musée expose principalement des photographies et autres modèles réduits des plus célèbres avions ayant fait escale à Heart's Content.

››› *Le long de la baie de la Conception, la route 70 mène à Brigus.*

Brigus ★

Sur les côtes d'une jolie petite baie, Brigus étonne par les silhouettes imposantes de ses multiples résidences de style victorien qui lui donnent les allures d'un village de la Nouvelle-Angleterre. Brigus a été le lieu de naissance du capitaine Robert Bartlett (1875-1946), l'un des grands explorateurs de l'Arctique.

Le père et le grand-père de Bartlett étaient eux-mêmes des navigateurs et des explorateurs qui s'étaient aventurés dans l'océan Arctique. Robert Bartlett poussa plus loin les exploits familiaux en devenant le capitaine du navire de Robert Peary, qui mena certaines des plus importantes explorations de l'Arctique de l'histoire.

L'ancienne résidence de Bartlett est aujourd'hui le **Lieu historique national Cottage-Hawthorne** ★ *(3,75$; mi-mai à mi-oct tlj 9h à 18h; ☎709-753-9262, www.pc.gc.ca)*. La maison a conservé sa splendeur originale; on y présente une exposition sur la vie de Bartlett et sur ses exploits.

L'est et le centre de Terre-Neuve ★

▲ p 304   ⬤ p 309

La péninsule de Burin

Cette longue péninsule isolée, bordée par les baies de Fortune et de Placentia, offre des paysages rocailleux et de belles vues sur l'océan. La grande proximité des bancs poissonneux de Terre-Neuve a poussé les communautés à développer d'importantes industries de la pêche et de la construction maritime.

Marystown est la principale ville de la péninsule. On y trouve plusieurs restaurants, un excellent motel et divers autres services et installations. Depuis Marystown, la route conduit au joli village de **Burin**, qui occupe un site très accidenté en bordure d'une baie parsemée d'îlots de roc. Burin a été fondé au début du XVIIIe siècle et servit de base aux explorations de la côte de Terre-Neuve entreprises par le capitaine James Cook dans les années 1760.

Le village possède plusieurs belles demeures, entre autres celle qui loge le **Burin Heritage Museum** ★ *(entrée libre; juin à sept tlj 10h à 22h; juil et août tlj 10h à 20h;* ☎ *709-891-2217)*. Ce musée compte une douzaine de salles d'exposition consacrées à l'histoire de la région, aux objets quotidiens d'autrefois et aux œuvres d'artistes de la région. Vers le sud, la route 220 traverse de minuscules communautés de quelques maisons seulement érigées sur un plateau rocheux. En maints endroits, la côte est découpée par de hautes falaises qui surplombent l'océan.

La route continue jusqu'à **Fortune**, où l'on peut prendre un traversier pour les îles françaises de Saint-Pierre-et-Miquelon, puis se prolonge jusqu'à **Grand Bank**. Grand Bank compte quelques restaurants et lieux d'hébergement, un **musée** sur l'histoire régionale ainsi qu'un impressionnant **phare**.

Plusieurs sentiers pédestres ont été aménagés à proximité et permettent de découvrir les paysages de la région. Par des photographies, des répliques de navires d'époque et divers autres objets, on peut découvrir l'histoire des pêcheries dans la région au **Provincial Seamen's Museum** ★ *(2,50$; fin avr à mi-oct tlj 9h à 16h45; 54 Marine Dr.,* ☎ *709-832-1484)*. Pour abriter la collection, on a déménagé à cet endroit l'ancien pavillon de la Yougoslavie de l'exposition universelle de Montréal de 1967.

Saint-Pierre-et-Miquelon (archipel français) ★

Les îles de Saint-Pierre-et-Miquelon constituent le dernier fief de l'Empire français en Amérique du Nord. En 1763, par le traité de Paris, la France a remis à l'Angleterre l'ensemble de ses possessions, sauf ces deux îles qui forment aujourd'hui un département français d'outre-mer représenté au parlement de Paris.

Sa population de quelques milliers d'individus seulement, d'origines acadienne, basque ou bretonne, habite principalement à Saint-Pierre, une jolie bourgade érigée sur l'île du même nom, aux maisons de pierres construites en bordure d'un bon port naturel.

Situées à seulement 25 km de la péninsule terre-neuvienne de Burin, les îles de Saint-Pierre-et-Miquelon offrent pourtant une ambiance et un mode de vie bien plus conformes à la France métropolitaine qu'à l'Amérique du Nord.

L'atmosphère et la cuisine de ses bistros ou cafés sont celles de la France. Et qu'il s'agisse de vins ou de spiritueux, de voitures ou de motocyclettes, de nombre important de produits sont directement importés de la métropole.

Ces deux îles s'étendent sur 242 km^2. La plus grande et la moins peuplée, Miquelon, possède de fort jolies plages et des dunes. Dans l'île de Saint-Pierre, porte d'entrée de l'archipel, on peut savourer la cuisine française, arpenter les rues étroites de la bourgade, visiter un petit musée qui se consacre à l'histoire des deux îles, ou simplement échanger avec ses gens très accueillants.

De la fin du mois de juin au début du mois de septembre, on peut se rendre à Saint-Pierre en **traversier** *(*☎ *709-832-0429 ou 800-563-2006)* depuis Fortune, sur la péninsule de Burin. Le trajet dure environ

2h; les frais sont d'environ 100$ par adulte pour l'aller-retour. Le traversier n'est réservé qu'aux passagers seulement.

Les citoyens canadiens ou américains n'ont qu'à présenter une carte d'identité pour se rendre à Saint-Pierre. Les citoyens de l'Union européenne et de la Suisse doivent présenter un passeport. On peut se rendre également dans l'île par avion grâce au service offert par **Air Saint-Pierre** *(☎902-873-3566 ou 877-277-7765)* depuis Halifax, en Nouvelle-Écosse. Pour plus de renseignements sur Saint-Pierre-et-Miquelon, communiquez avec le **Comité régional du tourisme de St-Pierre-et-Miquelon** *(☎508-41-02-00, www.st-pierre-et-miquelon. com)*.

Trinity ★

Village au patrimoine architectural du XIXᵉ siècle particulièrement bien préservé, Trinity occupe un promontoire en bordure d'un excellent port naturel sur la **péninsule de Bonavista ★★**. Son site fut baptisé ainsi par l'explorateur Gaspar Corte Real, qui, le dimanche de la Trinité de l'an 1501, en explora la baie. Grâce aux pêcheries et aux relations commerciales entretenues avec Londres, la métropole, Trinity a par la suite vécu dans une certaine prospérité. Par ailleurs, Trinity a été, en 1615, le siège de la première cour maritime de l'histoire du Canada; la cause entendue opposait les pêcheurs locaux aux pêcheurs saisonniers.

Trinity offre aux visiteurs maintes occasions de renouer avec le passé: le **Trinity Museum** *(3$, incluant le droit d'entrée à la Green Family Forge et à la Hiscock House; fin mai à fin sept tlj 10h à 17h30; route 239, ☎709-464-3599, www.trinityhistoricalsociety. com)* présente une excellente collection de cartes, d'illustrations et de photographies d'époque; la **Green Family Forge** *(fin mai à fin sept tlj 10h à 17h30; Church Rd., ☎709-464-3599)* raconte, à travers une exposition de divers objets, l'histoire de cette forge qui a ouvert ses portes dans les années 1750; la **Hiscock House** *(mi-mai à mi-oct tlj 10h à 17h30; route 239, ☎709-464-3599)* est une maison typique d'un marchand du début du siècle dernier.

La façon la plus originale de s'initier à l'histoire de Trinity demeure toutefois le

Trinity Pageant ★. Il s'agit là d'une succession de petits tableaux, mis en scène et joués par des acteurs dans différents lieux de Trinity, pour raconter l'histoire du village. Cette reconstitution historique se tient le mercredi et le samedi en été à partir de 14h.

Les eaux qui bordent l'île de Terre-Neuve sont fréquentées du mois de mai au mois d'août par plusieurs espèces de baleines. On peut souvent avoir l'occasion de les observer depuis la côte. Pour les voir de plus près, il est conseillé d'effectuer une excursion en bateau. Trinity constitue un bon point de départ, et plusieurs entreprises touristiques proposent de telles excursions.

Bonavista ★

John Cabot a-t-il vraiment ouvert la voie aux grandes découvertes du Canada? Les Terre-Neuviens jurent que oui et soutiennent que c'est à Bonavista que Cabot et son équipage se sont arrêtés pour la première fois, à l'été 1497, après une traversée de l'Atlantique depuis Bristol, en Angleterre.

En réalité, personne ne connaît vraiment le point d'arrivée de John Cabot au Nouveau Monde. Bonavista dispute cet honneur à quelques autres lieux le long des côtes canadiennes. Quoi qu'il en soit, c'est à Bonavista que les Terre-Neuviens et les Labradoriens ont célébré en grande pompe, en 1997, le 500ᵉ anniversaire de l'arrivée de Cabot.

Le village de Bonavista constitue la plus importante communauté de la péninsule du même nom. Ses jolies résidences, vivement colorées, s'entourent de paysages vallonnés qui bordent un port très actif. Bonavista servit aux pêcheurs de toutes nationalités tout au long du XVIᵉ siècle, avant que les Anglais ne s'y installent vers l'an 1600.

Au début du XIXᵉ siècle, le gouvernement de Terre-Neuve a commencé à élever des phares le long des côtes de l'île afin d'y sécuriser la navigation. En 1843, le premier phare de la côte nord de l'île a été construit sur la pointe de **Cape Bonavista**.

Les phares

Jusqu'au XIXᵉ siècle, les échanges entre les diverses parties du Canada et avec le reste du monde se font essentiellement par bateau. Dans certaines régions du pays, la pêche est l'un des principaux moyens de subsistance, si bien que nombre d'embarcations sillonnent les côtes. Aussi la construction d'un réseau de phares le long des côtes et des principales voies navigables du pays, assurant une meilleure sécurité à la navigation, a-t-elle été très tôt une priorité pour les gouvernements.

Ces phares érigés sur des promontoires rocheux ou des îles nécessitaient l'ingéniosité des constructeurs de l'époque. Les premiers d'entre eux étaient constitués d'une robuste tour de pierres surmontée d'un appareil d'éclairage. Ces tours hautes dominant l'horizon formaient le modèle le plus fonctionnel. Cependant, lorsque le phare pouvait être érigé sur un promontoire naturel, les constructeurs s'en tenaient souvent à un modèle plus simple; par exemple, ils bâtissaient une maison (celle du gardien) à laquelle ils ajoutaient un appareil d'éclairage sur le toit. Tous ces phares, notamment ceux construits aux extrémités du Canada, méticuleusement entretenus, symbolisaient en outre cette volonté d'assurer une présence *A mari usque ad mare* (d'un océan à l'autre).

On peut aujourd'hui visiter le **Cape Bonavista Lighthouse Provincial Historic Site** ★ *(3$; mi-mai à mi-oct tlj 10h à 17h30; route 230, ☎709-468-7444)*, qui protège un phare restauré et meublé comme dans les années 1870. Une exposition sur l'histoire des phares et sur la vie quotidienne de leurs gardiens y est présentée. Depuis le phare, le point de vue sur l'océan et les côtes rocheuses est magnifique. Il n'est pas rare, en été, qu'on puisse y observer des baleines. En étant un peu attentif, on peut également apercevoir ces mammifères géants en maints endroits le long des côtes de la baie de Bonavista.

Port Blandford

Cette petite communauté est la porte d'entrée du **parc national Terra-Nova** ★ *(6$; ☎709-533-2801, www.pc.gc.ca)*, qui s'étend sur un peu plus de 400 km² et présente des paysages boisés légèrement vallonnés. Il est bordé par le fjord Newman (Newman Sound) et par le fjord Clode (Clode Sound), qui constituent un prolongement de la baie de Bonavista. Ce parc est l'habitat naturel de plusieurs espèces d'animaux, entre autres l'orignal, l'ours noir, la martre, le castor et le lynx.

Les eaux des fjords sont fréquentées, en particulier du mois de mai au mois d'août, par différentes espèces de baleines, comme le rorqual à bosse, le petit rorqual et le rorqual commun.

La plupart des activités que l'on peut pratiquer dans le parc (camping, randonnée, pêche, canot, observation des oiseaux et, en hiver, ski de fond) sont organisées à partir du secteur de Newman Sound. Un terrain de golf, le Twin Rivers Golf Courses, se trouve à l'entrée sud du parc. Deux belvédères accessibles en voiture permettent de bénéficier de points de vue panoramiques sur le parc: le **belvédère de la colline Blue** ★ *(emprunter un chemin latéral de 1,5 km, à 7 km de l'entrée nord du parc)* et le **belvédère de la colline Ochre** ★ *(emprunter un chemin latéral de 3 km, à 23 km de l'entrée nord du parc)*.

Gander

Cette ville moderne, l'une des plus importantes du centre de l'île de Terre-Neuve, s'élève aux abords du lac Gander. En 1935, Gander fut sélectionnée par le gouvernement britannique (à l'époque, Terre-Neuve était gouverné par une commission du gouvernement britannique) pour être le site d'un aéroport international destiné à servir d'escale aux vols transatlantiques. Ainsi, comme à maintes reprises au cours de son histoire, l'île la plus à l'est de l'Amérique du Nord, devait jouer un rôle de pivot entre l'Europe et le Nouveau Monde.

Avec l'éclatement de la Seconde Guerre mondiale, Gander devint pendant ces années de conflit un aéroport militaire voué à la défense de l'Atlantique Nord et servi de base à des opérations contre les *U-Boats* allemands. Bien que Gander demeure encore aujourd'hui l'un des carrefours du transport aérien international ainsi que du contrôle du trafic aérien, l'avènement des avions à long rayon d'action lui a fait perdre de son importance.

On peut s'initier à l'histoire de l'aviation à Gander au **North Atlantic Aviation Museum** *(5$; été tlj 9h à 18h, hiver lun-ven 9h à 16h; route 1, ☎709-256-2923, www.naam.ca)*. La collection du musée comporte divers objets, notamment des avions, des uniformes de pilotes, des armes et des moteurs d'avions. À environ 4 km à l'est de Gander, aux abords de la route 1, on peut apercevoir le **Silent Witness Memorial**, érigé à la mémoire des 256 membres de la 100e division aéroportée de l'US Air Force ayant perdu la vie dans l'écrasement de leur avion en 1985, tout juste après un décollage de l'aéroport de Gander.

De Gander, la route 330 vers le nord, puis la route 331 et enfin la route 340 mènent au **Boyd's Cove Beothuk Interpretation Centre** ★ *(3$; mi-mai à fin sept tlj 10h à 17h30; route 340, Boyd's Cove, ☎709-656-3114)*. Boyd's Cove a été le site d'un grand village amérindien de la nation béothuk aux alentours des années 1650 à 1720.

Au cours des récentes décennies, d'importantes fouilles archéologiques ont été effectuées dans la région. Le centre d'interprétation présente d'intéressantes collections d'artéfacts ainsi qu'un diaporama sur l'histoire culturel des Béothuks. On peut également mieux connaître le mode de vie des Béothuks grâce à des sentiers d'interprétation aménagés à cet effet et par la visite du site archéologique.

Twillingate

De Boyd's Cove, en continuant plus au nord, on se rend jusqu'à la jolie ville de Twillingate. Cette ville a beaucoup de charme pendant la saison estivale, alors qu'il n'est pas rare que l'on puisse y observer, depuis les côtes ou à bord de bateaux de croisière, des icebergs et des baleines.

Le **Twillingate Museum** *(1$; mi-mai à mi-oct tlj 9h à 17h; route 340, ☎709-884-2825, www.tmacs.ca)*, aménagé dans un ancien rectorat, propose un survol de l'histoire de Twillingate, où est née la renommée chanteuse d'opéra du début du XXe siècle Georgina Stirling, mieux connue à l'époque sous son nom d'artiste, Marie Toulinquet. Boutique sur place.

Pour découvrir les techniques et les outils associés à l'industrie de la pêche, faites un arrêt au **Prime Berth Museum** *(droit d'entrée; mi-juin à fin sept tlj 9h30 à 17h; route 340, ☎709-884-2485)*.

Grand Falls-Windsor

Grand Falls tire son nom des **chutes** spectaculaires de la rivière Exploits qui coule à proximité. Avec sa jumelle, Windsor, elle forme désormais une seule et même ville. Le véritable décollage économique de la région s'est fait avec la construction, en 1909, d'une usine de pâtes et papiers.

Cette usine, désormais la propriété de la société Abitibi-Consolidated, continue d'être un pilier de l'économie locale. Auparavant, la région a été l'un des centres importants de la nation béothuk, ces Amérindiens qui habitaient l'île de Terre-Neuve à l'arrivée des Européens et qui depuis ont été complètement décimés. Le **Mary March Provincial Museum** ★ *(2,50$; fin avr à mi-oct tlj 9h à 16h45; 22 St. Catherine St., ☎709-292-4522)* a été dénommé ainsi en l'honneur de l'une des dernières descendantes des Béothuks, décédée au début du XIXe siècle. Un court métrage raconte la vie des Béothuks. Les collections du musée portent à la fois sur l'histoire humaine et naturelle du centre de la province.

L'ouest de Terre-Neuve ★

▲ *p 306*   ◕ *p 310*   ▯ *p 311*

Channel-Port aux Basques

Situé à l'extrémité sud-ouest de l'île, Channel-Port aux Basques est le point d'arrivée d'un des deux traversiers en partance de North Sydney, en Nouvelle-Écosse (l'autre traversier depuis North Sydney accoste à Argentia, sur la péninsule d'Avalon). Channel-Port aux Basques n'a pas de charme particulier, mais possède quelques restaurants et hôtels ainsi qu'un excellent centre d'information touristique.

La péninsule de Port au Port

Depuis la route 1, on peut se rendre jusqu'à la péninsule de Port au Port via Stephenville. Le long des côtes de la péninsule, qui offrent de très beaux points de vue sur l'océan, s'égrènent quelques petits villages de pêcheurs regroupant l'essentiel de la population de langue française de l'île de Terre-Neuve. Port au Port faisait jadis partie de ce qu'on dénommait alors la «Côte française», où la France conserva des droits de pêche et de transformation du poisson jusqu'en 1904.

Les communautés les plus francophones de la péninsule se trouvent à proximité de Cap St-George. *Un plaisir du vieux temps*, un festival traditionnel francophone tenu à Black Duck Brook (L'Anse-à-Canards), au mois d'août, offre une belle occasion de découvrir la culture locale.

Corner Brook ★

Deuxième ville en importance de la province de Terre-Neuve-et-Labrador, Corner Brook est en quelque sorte la capitale de la côte ouest de l'île. On y trouve plusieurs services gouvernementaux, un collège affilié à la Memorial University ainsi que plusieurs hôtels, restaurants et boutiques. Elle occupe un site splendide en bordure d'un fjord, le Humber Arm, entouré de hautes collines.

Les pêcheurs français connaissaient fort probablement l'endroit depuis longtemps; c'est toutefois le capitaine James Cook qui en reporta le premier l'existence, en 1767, et qui lui donna le nom de Corner Brook. La mise en valeur de la région commença en 1864 avec la construction d'une première scierie. Cependant, le véritable décollage économique eut lieu en 1923, lorsque la ville fut choisie pour accueillir une des plus grandes usines de pâtes et papiers au monde.

Corner Brook est au cœur d'une région qui offre de belles possibilités de découvrir une nature très généreuse. En été, on peut explorer les environs de la ville en prenant part à l'une des croisières en bateau proposées par **Crystal Waters Boat Tours** *(35$/pers.; fin mai à fin oct tlj; Bay of Islands Yacht Club and Marina, ☎ 709-634-2953 ou 866-344-9808).*

Le **Marble Mountain Ski Resort** (voir p 301), la meilleure station de ski alpin de l'ensemble des provinces atlantiques, se trouve tout près.

À environ 60 km à l'ouest de Corner Brook, on peut découvrir les splendeurs du **Blow Me Down Provincial Park** (voir p 297).

Deer Lake

Deer Lake est au carrefour de la route transcanadienne, qui traverse d'est en ouest l'île de Terre-Neuve, et de la route 430, qui mène au magnifique parc national Gros-Morne et à la «route des Vikings». Cette petite ville moderne compte quelques lieux d'hébergement et des restaurants, ainsi qu'un aéroport qui reçoit des vols d'autres centres urbains de Terre-Neuve-et-Labrador ainsi que d'Halifax, en Nouvelle-Écosse.

On y retrouve également des agences de location de voitures. Pour les voyageurs pressés par le temps, un vol de St. John's à Deer Lake permet d'éviter près de 650 km de route. De Deer Lake, le parc national Gros-Morne, l'un des grands attraits de Terre-Neuve-et-Labrador, est à moins d'une heure de route.

La route des Vikings ★ ★ ★

⛺ *p 307*   **☕** *p 310*   **🏠** *p 311*

De Deer Lake, une excellente route mène jusqu'au **parc national Gros-Morne ★ ★ ★** *(10$; mi-mai à mi-oct;* **☎** *709-458-2417 ou 800-414-6765, www.pc.gc.ca)*. De réputation internationale, ce parc de 1 805 km² présente des paysages spectaculaires: des fjords et des lacs, de hauts plateaux, des dunes côtières et des forêts boréales. Le parc est traversé sur toute sa longueur par les montagnes de la Long Range, et Gros-Morne, le plus haut sommet, y atteint 806 m d'altitude. Cette chaîne de montagnes forme l'extrémité nord des Appalaches.

Le parc national Gros-Morne a été désigné site du patrimoine mondial par l'UNESCO en 1987, principalement en raison de son importance géologique: en effet, dans le sud du parc, le mont dénommé «Tablelands», formé par le glissement des plaques tectoniques, offre aux géologues un témoignage éloquent de la dérive des continents. Les paysages du parc ont en outre été largement façonnés par le retrait des glaces à la fin de la période glaciaire.

Le parc national Gros-Morne protège plusieurs mammifères sauvages, notamment des ours, des orignaux et des caribous. Il n'est pas rare qu'on puisse apercevoir des orignaux le long des principales routes du parc. À partir des côtes du parc, on peut également observer plusieurs espèces de baleines pendant la saison estivale.

Outre l'observation de la faune et de la flore, les principales activités offertes au parc Gros-Morne sont le camping, la randonnée pédestre (plus de 100 km de sentiers), la baignade, les excursions en bateau, la pêche et, en hiver, le ski de randonnée. On peut loger à Trout River, Woody Point, Wiltondale, Glenburnie, Shoal Brook, Rocky Harbour, Norris Point, St. Pauls et Cow Head.

Le **secteur sud du parc** vaut la peine d'être exploré à la fois pour la splendeur de ses paysages et pour ses particularités géologiques. Depuis l'entrée sud du parc, la route 431 traverse des paysages vallonnés avant de longer l'un des bras de **Bonne Bay ★**, un fjord profond entouré de la Long Range. La route se rend jusqu'à **Woody Point**, où se trouve le **Centre de découvertes**. Ici, vous pourrez vous renseigner sur la géologie, la faune, la flore et l'histoire du parc. La route continue par la suite jusqu'à l'**étang Trout River ★ ★**, un fjord d'eau douce de 15 km de long qui repose dans une vallée glaciaire à la lisière du plateau Gregory et du mont **Tablelands ★ ★**, que les forces tectoniques ont fait surgir il y a environ 500 millions d'années. On peut découvrir cette partie du parc grâce à une **excursion en bateau** *(mi-juin à mi-sept; trois départs par jour depuis Trout River;* **☎** *709-451-3236)* sur l'étang Trout River.

Les paysages du **secteur nord du parc** sont dominés par les montagnes de la Long Range. Sur la route 430, à quelques kilomètres de **Rocky Harbour**, se trouve le centre d'accueil du parc, où il est possible de regarder un excellent documentaire sur la géologie, la faune et la flore du parc Gros-Morne. On peut vous informer des diverses activités à pratiquer dans le parc; on y organise en outre plusieurs séances d'interprétation de la nature.

De Rocky Harbour, la route mène au phare de **Lobster Cove Head**. L'ancienne maison du gardien du phare renferme désormais une exposition sur l'histoire du peuplement de la côte de la région. Depuis le phare, un sentier conduit vers une plage rocailleuse.

Beaucoup plus au nord du parc, un sentier de 3 km permet de se rendre jusqu'aux abords de l'**étang Western Brook ★ ★**. Ce fjord intérieur, créé à l'ère glaciaire, a 16 km de long et 165 m de profondeur. Des parois rocheuses qui atteignent 650 m de haut plongent dans les eaux claires du fjord.

Une **excursion en bateau** constitue la façon la plus agréable de découvrir la beauté spectaculaire du fjord. L'excursion dure environ 2h30; pour réserver, il faut s'informer à l'**Ocean View Hotel** (voir p 307), à Rocky Harbour, qui sert d'agent de réservations et de billetterie pour l'entreprise **Bontours** *(***☎** *709-458-2016, www.bontours. ca)*. Bordée de plages et de dunes, la **Shallow Bay ★**, à l'extrémité nord du parc, est propice à la baignade.

Depuis le parc national Gros-Morne, la «route des Vikings» longe la côte de Terre-Neuve jusqu'au détroit de Belle Isle et présente des paysages rocailleux d'une saisissante désolation.

Le **Blow Me Down Provincial Park** ★ *(60 km à l'ouest de Corner Brook, route 450,* ☎*709-681-2430)* occupe une péninsule vallonnée qui s'avance dans les eaux de la Bay of Islands entre les ports de Lark Harbour et de York Harbour. Du parc, la vue de la baie et des montagnes Blow Me Down est splendide. Une balade d'environ une demi-heure permet de se rendre jusqu'à un belvédère offrant de beaux points de vue. D'autres sentiers mènent à la pointe de la péninsule. Le parc dispose aussi de quelques emplacements de camping.

Port au Choix

Port au Choix, où la pêche demeure encore l'activité dominante, a longtemps été un port important pour les pêcheurs basques. Son nom lui vient d'ailleurs de *Portuichoa*, un terme basque qui signifie «petit port». Les pêcheurs basques n'ont cependant pas été les premiers à profiter de l'excellente situation géographique de Port au Choix.

Le **Lieu historique national Port au Choix** ★ *(8$; juin à mi-oct tlj 9h à 18h; route 430,* ☎*709-861-3522, www.pc.gc.ca)* présente une exposition d'artéfacts des peuples ayant vécu dans la région bien avant l'arrivée des Européens. Ces vestiges ont été découverts lors de fouilles archéologiques.

Dans les années 1950, on a mis au jour tout près, à Phillip's Gardens, un site qui révèle la présence de paléoesquimaux, soit des Dorsets qui auraient vécu à cet endroit entre les années 200 et 600. La culture Dorset était bien développée; on a pu retrouver des gravures sur pierre et sur os d'une grande finesse.

En 1967, des travaux de construction d'un cinéma ont permis de découvrir un lieu de sépulture de la nation autochtone dite «archaïque maritime» comprenant des ossements humains, des outils et des armes. D'après les analyses, ce lieu de sépulture date de 3 200 à 4 300 ans. Les Archaïques maritimes vivaient essentielle-

ment des fruits de la pêche et de la chasse. Ils avaient su développer une tradition artistique et ornaient leurs vêtements de coquillages, de griffes de phoques et de pendentifs en os. Les outils, les armes et les ornements trouvés dans les tombes permettent de croire que ces Autochtones se préparaient à une vie après la mort qui ressemblerait à la vie terrestre.

Le Lieu historique national Port-au-Choix permet de découvrir une partie des artéfacts des cultures trouvés sur place. On y présente en outre un documentaire traitant du mode de vie de ces peuples. Plusieurs sentiers de randonnée pédestre partent du centre d'interprétation et se rendent jusqu'au site archéologique de Phillip's Gardens et permettent de découvrir les rudes paysages de la région.

St. Barbe

D'avril à janvier, un traversier (voir p 284) mène de St. Barbe à Blanc-Sablon, au Québec. De Blanc-Sablon, une route asphaltée permet de visiter quelques villages du Labrador situés le long des côtes du détroit de Belle Isle (voir p 299) jusqu'à Red Bay au Labrador, puis sur une route non pavée jusqu'à Cartwright.

L'Anse aux Meadows ★

Le **Lieu historique national de L'Anse aux Meadows** ★★ *(9$; début juin à mi-oct tlj 9h à 18h; route 436,* ☎*709-623-2608, www.pc.gc.ca)* est le seul endroit en Amérique du Nord où l'on a découvert des traces du passage des marins scandinaves, ou «Vikings». L'Anse aux Meadows a été désignée par l'UNESCO comme l'un des sites du patrimoine mondial.

Menée par Leif Eriksson, une expédition provenant du Groenland a érigé un camp à cet endroit autour de l'an 1000. Ce camp, dénommé «camp de Leif», comprenait huit bâtiments et servait de port d'attache aux Vikings dans leurs expéditions le long de la côte atlantique. On estime que de 80 à 100 Vikings y habitaient.

Les sagas racontent que les expéditions conduites par Leif Eriksson et sa famille, depuis le camp de Leif, les ont amenés à découvrir les côtes du Labrador, de Terre-Neuve et des terres plus au sud le long du golfe du Saint-Laurent. Leif Eriksson désignait ces terres les plus au sud sous le nom de «Vinland», en l'honneur des vignes sauvages qu'on y retrouvait à l'époque. Le site de L'Anse aux Meadows a été découvert en 1960 par Helge Ingstad et Anne Stine Ingstad.

On peut désormais voir les fondations des huit bâtiments mis au jour par les Ingstad et, par la suite, par Parcs Canada. Tout près, on a reconstitué trois bâtiments de cette époque. D'excellentes visites guidées y sont offertes. Le centre d'accueil présente une intéressante exposition des artéfacts retrouvés sur place. On y projette également un film qui raconte l'histoire captivante des fouilles archéologiques effectuées par Helge Ingstad et Anne Stine Ingstad puis par Parcs Canada.

St. Anthony ★

En bordure d'un excellent port intérieur, St. Anthony possède la plus importante communauté du nord de la péninsule Northern. Depuis 1922, elle est le siège social de la Mission Grenfell, mise sur pied afin d'offrir des soins médicaux aux populations isolées du nord de Terre-Neuve et du Labrador.

La mission a été fondée par le docteur Wilfred Grenfell (1865-1940), qui, à partir de 1894, a développé le premier véritable réseau d'hôpitaux, d'infirmeries et d'orphelinats dans la région.

Pour financer ses projets, Wilfred Grenfell créa une entreprise, Grenfell Handicrafts, qui employait des artisans locaux dans la confection de vêtements d'hiver; les profits étaient versés à la mission. On peut aujourd'hui visiter les **Grenfell Historic Properties** *(5$; début juin à fin sept tlj 9h à 18h; route 430,* ☎*709-454-4010)*, aménagés dans l'ancienne résidence de la famille Grenfell. Ils présentent une collection d'objets rappelant la vie des pêcheurs au tournant du XIXᵉ siècle. Non loin, chez Grenfell Handicrafts, on peut se procurer de jolis vêtements et de l'artisanat local.

Depuis le centre de St. Anthony, on peut se rendre au parc municipal **Fishing Point ★**, situé tout près. De cette pointe, la vue de l'océan est splendide. On peut souvent y apercevoir des baleines et des icebergs pendant la saison estivale. On y trouve aussi un bon restaurant.

Le Labrador ★

▲ *p 308* ⏿ *p 310*

Le Labrador, séparé de l'île de Terre-Neuve par le détroit de Belle Isle, est un immense territoire de près de 300 000 km². Seulement 29 000 personnes l'habitent: des Inuits et des Amérindiens, de même que des Canadiens d'origine française ou anglaise qui résident principalement dans les villages de pêcheurs le long de la côte ou dans les petites villes du centre et de l'ouest du Labrador.

De fait, l'essentiel du territoire demeure une vaste contrée sauvage, encore inexploitée et méconnue. Dans sa partie méridionale, le Labrador présente des paysages légèrement vallonnées, aux nombreux lacs et rivières. Plus au nord, les monts Torngat atteignent jusqu'à 1 676 m d'altitude.

Ces paysages sont couverts d'une forêt subarctique, d'arbustes et d'arbres rabougris, et, dans ses régions les plus nordiques, de la toundra. Ces terres infertiles sont habitées depuis maintenant plus de 8 000 ans.

Les premiers habitants du Labrador ont été les Autochtones de la nation dite «archaïque maritime». Les ancêtres des Inuits, qui résident toujours dans le nord du Labrador, sont arrivés, quant à eux, il y a de cela environ 4 000 ans. Vers l'an 1000 de notre ère, les Vikings ont exploré les côtes de cette partie du continent. Ce sont toutefois les baleiniers basques qui ont été, au cours du XVIᵉ siècle, les premiers Européens à établir des postes le long des côtes du Labrador.

À cette époque, chaque année, environ 2 000 marins basques venaient chasser la baleine dans le détroit de Belle Isle. Red Bay, sur la côte du détroit, était alors un des ports d'attache importants pour les Basques. Les pêcheurs et commerçants français et anglais sont arrivés par la suite; il fallut toutefois attendre la fin du XIXᵉ siècle pour qu'ils s'installent en permanence sur les côtes.

Le XXᵉ siècle a été marqué, dans l'ouest du Labrador, par le développement de projets d'envergure, telles l'exploitation d'immenses mines de fer près de Labrador

City et Wabush et la construction d'un gigantesque barrage hydroélectrique à Churchill Falls.

Le détroit de Belle Isle ★

Le long du détroit de Belle Isle, une route (pavée jusqu'à Red Bay) relie les villages de la côte depuis Blanc-Sablon, au Québec, jusqu'à Port Hope Simpson. On peut se rendre à Blanc-Sablon en traversier à partir de St. Barbe, un village situé dans le nord de l'île de Terre-Neuve, le long de la «route des Vikings». La route longe des paysages côtiers d'une grande rudesse et traverse de minuscules communautés qui subsistent principalement grâce à la pêche.

L'Anse-au-Clair, premier village sur la route, a été fondé au XVIIᵉ siècle par des Français, comme plusieurs autres communautés de la côte. Il possède un joli port de pêche et un bureau de renseignements touristiques aménagé dans une église construite au début du XXᵉ siècle. Plus loin, à L'Anse-Amour, des archéologues ont découvert les restes du monument funéraire le plus ancien en Amérique du Nord, érigé il y a 7 500 ans par les Autochtones de la nation dite «archaïque maritime».

À proximité, on peut visiter le **Point Amour Lighthouse Provincial Historic Site** ★ *(3$; mi-mai à fin sept tlj 10h à 17h30;* ☎*709-927-5825, www.pointamourlighthouse.ca)*. Ce phare est le plus haut de l'est du Canada; sa structure s'élève à plus de 30 m. Tout près de **L'Anse-au-Loup**, le **Labrador Straits Museum** *(3,50$; mi-juil à mi-sept;* ☎*709-931-5234)* présente une collection d'objets relatant l'histoire de la région.

La route 510 se prolonge jusqu'à **Red Bay**, où se trouve le **Lieu historique national de Red Bay** ★ *(8$; début juin à début oct tlj 9h à 18h;* ☎*709-920-2051, www.pc.gc.ca)*. Ce site a été, au cours du XVIᵉ siècle, le plus important port de pêche pour les baleiniers basques. À son apogée, une vingtaine de bateaux et 2 000 marins basques pouvaient passer l'été dans la région à chasser la baleine.

Deux centres d'interprétation sont ouverts au public, et l'on peut y regarder un excellent film sur l'histoire de la pêche à la baleine dans le détroit de Belle Isle. En outre, un bateau permet de se rendre à Saddle Island, où les principales fouilles archéologiques ont été effectuées. Une route non asphaltée se poursuit jusqu'à Port Hope Simpson puis Cartwright.

La côte du Labrador ★

La côte du Labrador, au nord de Cartwright, reste encore inaccessible par la route. On ne peut s'y rendre qu'en avion ou en bateau. Un **cargo mixte** (voir p 284) quitte chaque semaine le port de Happy Valley-Goose Bay, sur le lac Melville, dans le centre du Labrador, et s'arrête dans les communautés isolées sur la côte nord du Labrador pour en assurer le ravitaillement. Ce bateau se rend jusqu'à Nain, dans le nord du Labrador, et la croisière permet d'admirer des paysages inusités.

On dénomme cette partie de la côte «Iceberg Alley» (boulevard des icebergs); au cours du printemps et de l'été, on peut y observer des milliers d'icebergs de différentes tailles, dont certains sont de véritables montagnes de glace de plusieurs millions de tonnes. Au cours du trajet en bateau, des arrêts dans les villages de la côte permettent de visiter certains sites intéressants, mais les plus beaux attraits touristiques de la côte n'en demeurent pas moins ses paysages, son isolement et le chaleureux accueil de ses habitants.

À **Nain**, un **musée** est consacré à la culture inuite. À **Hopedale**, on peut aller au **Lieu historique national de Hopedale** *(*☎*709-933-3881, www.pc.gc.ca)*. Cette mission, établie en 1782 par l'Église morave, comprend une église ainsi que d'autres bâtiments qui comptent parmi les plus anciennes constructions des provinces de l'Atlantique.

De **Mary's Harbour**, on peut se rendre au **Lieu historique national de l'arrondissement historique de Battle Harbour** *(entrée libre; début juin à fin sept;* ☎*709-921-6677, www.pc.gc.ca)*, où le site d'un village de pêcheurs construit au XVIIIᵉ siècle peut être visité. Ce lieu historique protège notamment la plus ancienne église anglicane du Labrador.

Terre-Neuve-et-Labrador - Attraits touristiques - Le Labrador

Le Labrador accueillait en 2005 son premier parc national, la **réserve de parc national des Monts-Torngat** ★ (☎*709-458-2417, www. pc.gc.ca*). Ce parc, situé à l'extrémité nord de la côte du Labrador, protège une immense étendue sauvage subarctique de 9 700 km². Dans cette région habitée par les Inuits et leurs ancêtres depuis des millénaires, les visiteurs peuvent notamment observer des ours polaires et des caribous dans un paysage unique à la limite de l'irréel. Le parc est accessible par bateau ou par avion au départ de Nain, au Labrador, ou de Kangiqsualujjuaq, au Nunavik (Québec).

Le centre et l'ouest du Labrador

Le centre et l'ouest du Labrador sont relativement faciles d'accès en voiture depuis le Québec et, en été, par traversier depuis l'île de Terre-Neuve. La nature sauvage de cette partie du Labrador, les forêts, les multiples lacs et rivières, en ont fait une destination de choix pour les pêcheurs et les chasseurs. Les forêts subarctiques cachent une faune très riche, notamment un très grand nombre d'orignaux et, surtout, le plus important cheptel de caribous au monde.

Labrador City et **Wabush** forment les plus importantes communautés du Labrador. On y trouve plusieurs services, des hôtels et des restaurants. L'économie de la région gravite autour de l'exploitation de la plus grande mine de fer à ciel ouvert au monde. On peut pratiquer diverses activités dans les environs de Labrador City et de Wabush en été, notamment la randonnée, le canot, la voile et le golf. En hiver, un excellent centre de ski de fond offre une quarantaine de kilomètres de pistes.

Pour bénéficier d'un beau point de vue sur la région, on peut se rendre aux abords des **Crystal Falls**. Le reste du Labrador demeure pratiquement inhabité, sauf pour quelques petites villes, entre autres Churchill Falls, qui a été construite à proximité d'un immense barrage hydroélectrique, et Happy Valley-Goose Bay, érigée près d'un aéroport militaire.

🦅 *Activités de plein air*

■ *Observation des baleines*

Une vingtaine d'espèces de baleines, dont environ 5 000 baleines à bosse, visitent les côtes de Terre-Neuve et du Labrador au cours des mois d'été. Les baleines séjournent dans cette région de l'Atlantique du mois de mai au mois de septembre; en juin et en juillet, elles sont particulièrement nombreuses et peuvent être facilement repérées.

Parmi les multiples sites d'observation le long des côtes, mentionnons la «route des Vikings» entre le parc national Gros-Morne et St. Anthony, la région de **Twillingate**, la **péninsule de Bonavista** et la côte est de la **péninsule d'Avalon**. Plusieurs excursions en bateau sont organisées en ces lieux.

■ *Observation des icebergs*

La dérive des icebergs le long des côtes du Labrador et de l'île de Terre-Neuve est certes l'un des phénomènes naturels les plus fascinants que l'on puisse observer. Chaque année, des dizaines de milliers d'icebergs de différentes tailles se détachent des côtes du Groenland, pour lentement dériver vers les eaux méridionales. Ce phénomène débute au mois de mars et se termine au mois de novembre.

Les mois d'avril, de mai et de juin sont les meilleurs moments pour apercevoir les icebergs depuis les côtes. Les côtes du Labrador, le détroit de Belle Isle, le nord de l'île de Terre-Neuve (notamment depuis Twillingate), la péninsule de Bonavista et la côte est de la péninsule d'Avalon constituent généralement de bons postes d'observation en cette période de l'année. À St. Anthony, **Northland Discovery Boat Tours** (*$50/pers.; fin mai à fin sept tlj; route 430, St. Anthony,* ☎*709-454-3092, www.discovernorthland.com*) propose des croisières d'interprétation d'une durée de 2h30 qui permettent de découvrir les icebergs et la faune marine de la région.

■ *Observation des oiseaux*

Dans la **Witless Bay Ecological Reserve** (*mai à sept; route 10, Witless Bay,* ☎*709-635-4520; voir p 288*), on peut observer principalement le macareux moine, l'oiseau emblématique de la province. Il est possible de voir des colonies d'oiseaux depuis le rivage; on peut toutefois les regarder de bien plus près en prenant part à une excursion en bateau. Plusieurs entreprises touristiques organisent des excursions en bateau depuis les villages de la côte, notamment **O'Brien's Whale & Bird Tours** *(début mai à fin sept, départs tlj à 9h30, 11h, 12h30, 14h, 15h30 et 17h;* ☎ *709-753-4850, www.obriensboattours.com)* et **Gatherall's Puffin & Whale Watch** *(début mai à fin oct, jusqu'à cinq départs par jour;* ☎ *709-334-2887, www.gatheralls.com).*

La **Cape St. Mary's Ecological Reserve** *(mai et oct tlj 9h à 17h, juin et sept tlj 8h à 20h; sur la route 100, Cape St. Mary's* ☎ *709-277-1666; voir p 289)*, cette pointe baignée sur trois côtés par l'océan Atlantique, au sud-ouest de la péninsule d'Avalon, est l'habitat naturel d'environ 60 000 oiseaux de mer. Le lieu d'observation le plus intéressant se trouve en face de *Bird Rock*, un rocher situé à 15 m de la rive où nichent plusieurs espèces, notamment des fous de Bassan, des marmettes de Brünnich et des aigles. En outre, il est possible d'apercevoir au large, au mois de juillet, des baleines à bosse. Le centre d'accueil de la réserve offre de précieux renseignements sur le mode de vie des oiseaux de mer.

■ Randonnée pédestre

Les amateurs de randonnée pédestre seront étonnés des possibilités d'excur-sions que leur offre l'île de Terre-Neuve. Le long des côtes spectaculaires de l'île, notamment sur la **péninsule d'Avalon**, d'innombrables sentiers ont été aménagés au fil des années. On retrouve même des sentiers à **St. John's**, la capitale, qui permettent de faire d'intéressantes balades et d'avoir de magnifiques points de vue sur l'océan.

Pour contempler des paysages variés, il faut se rendre dans le **parc national Gros-Morne**. Ce parc compte pas moins de 100 km de sentiers, que ce soit pour de courtes promenades ou des excursions de quelques jours.

■ Ski alpin

Le **Marble Mountain Ski Resort** *(route 1, Steady Brook, 8 km à l'est de Corner Brook,* ☎ *709-637-7600, www.skimarble.com)* est la meilleure station de ski alpin de l'ensemble des provinces de l'Atlantique. Le dénivelé y est de plus de 550 m, et les pentes peuvent être en maints endroits très abruptes; 35 pistes ont été aménagées et conviennent autant aux débutants qu'aux experts. Outre ses excellentes pentes, l'un des grands avantages de Marble Mountain, ce sont les fortes précipitations de neige qui atteignent ici environ 4 m en moyenne par hiver; la saison de ski est donc l'une des plus longues dans l'est du continent.

▲ Hébergement

St. John's

Memorial University of Newfoundland
$
Memorial University Conference Office
☎ 709-737-7657
www.mun.ca
Les résidences d'étudiants de la Memorial University of Newfoundland peuvent être louées de la mi-mai à la mi-août.

The Roses Bed & Breakfast
$$-$$$ ☎ ℅ ☎ @
9 Military Rd.
☎ 709-726-3336 ou 877-767-3722
www.therosesbandb.com
Installé dans une maison victorienne typique du centre-ville de St. John's, ce gîte touristique est un endroit convivial et fort sympathique. Ses hauts plafonds, ses riches moulures et ses planchers de bois lui confèrent une atmosphère chaleureuse. Les chambres, toujours accueillantes, sont garnies d'un mélange hétéroclite d'antiquités de plus ou moins grande valeur et de meubles plus modernes. Dans ce gîte touristique hospitalier, les journées commencent toujours très bien, avec un copieux petit déjeuner servi au dernier étage de la maison, d'où s'offre une vue panoramique sur le port.

Compton House Heritage Inn & Apartments
$$-$$$$ ☎ ℅ ⊚ ▲
26 Waterford Bridge Rd.
☎ 709-739-5789
▤ 709-738-1770
www.comptonhouse.travel
Majestueuse résidence de style victorien transformée

en auberge, la Compton House trône sur une vaste propriété joliment paysagée à proximité de la vallée de la rivière Waterford, à une quinzaine de minutes à pied du centre de la ville. On se sent rapidement à l'aise dans cette jolie demeure au charme d'époque qui est à la fois élégante et accueillante. La salle de séjour, à l'avant du bâtiment, est particulièrement agréable avec sa cheminée; dans la petite bibliothèque et la salle à manger, on peut aussi s'asseoir près d'un feu de foyer. Les chambres sont bien meublées et très confortables. Pour un peu plus de luxe, on peut séjourner dans une suite. Chacune des suites dispose d'un balcon ou d'une terrasse, d'une baignoire à remous et d'un foyer.

Elizabeth Manor Bed & Breakfast
$$-$$$$ ☎ △ ◎

21 Military Rd.
☎ 709-753-7733 ou 888-263-3786
🖷 709-738-7434
www.elizabethmanor.nl.ca

Aménagé dans une belle résidence victorienne entièrement rénovée en 2004, l'Elizabeth Manor propose des chambres confortables décorées d'antiquités.

Quality Hotel Harbourview
$$$-$$$$ ♨ ≈ @

2 Hill O'Chips
☎ 709-754-7788 ou 800-228-5151
🖷 709-754-5209
www.choicehotels.ca/cn246

Le Quality Hotel Harbourview est toujours une valeur sûre. Cet établissement accueillant et bien situé, près du centre-ville, présente un bon rapport qualité/prix. Les chambres,

confortables, bien entretenues et fonctionnelles, manquent toutefois d'un peu d'originalité dans leur aménagement. Construit sur les hauteurs de la ville à proximité du port, l'établissement offre une vue agréable sur la baie.

The Waterford Manor
$$$-$$$$$ ◎ ♨ △

185 Waterford Bridge Rd.
☎ 709-754-4139 ou 888-488-4170
🖷 709-754-4155
www.thewaterfordmanor.com

Érigée à la fin du XIXᵉ siècle pour la famille d'un marchand local, cette somptueuse résidence de style victorien est désormais l'une des plus belles auberges de la province. Des travaux de rénovation lui ont redonné sa grandeur d'époque et l'ont adaptée aux exigences modernes de confort. Les unités, toutes différentes les unes des autres, sont meublées d'antiquités et décorées avec un grand souci du détail. Elles sont toutes très agréables, mais la plus belle d'entre elles, la suite du dernier étage, dispose d'un foyer et d'une baignoire à remous. Le petit déjeuner (inclus dans le prix des suites) peut vous être servi à la chambre ou dans la salle à manger du rez-de-chaussée. Le Waterford Manor, niché dans un joli quartier résidentiel en bordure de la vallée de la rivière Waterford, se trouve à une quinzaine de minutes à pied du centre-ville de St. John's.

Holiday Inn St. John's
$$$$-$$$$$ ⇌ ♨ ⇿ @

180 Portugal Cove Rd.
☎ 709-722-0506 ou 800-933-0506
🖷 709-722-9756
www.ichotelsgroup.com

Situé à environ 5 min du centre-ville de St. John's, à proximité d'un joli parc, le Holiday Inn St. John's propose des chambres confortables à l'aménagement fonctionnel et typique des motels nord-américains. L'établissement dispose d'une jolie piscine et d'un restaurant fort convenable.

The Fairmont Newfoundland
$$$$-$$$$$
≡ ♨ ⇌ ≈ ◎ @ ⅄

115 Cavendish Sq.
☎ 709-726-4980 ou 800-441-1414
🖷 709-726-2025
www.fairmont.com

L'adresse la plus prestigieuse à St. John's est un établissement moderne situé au cœur de la ville. L'aménagement intérieur des lieux est réussi, original et séduisant. Depuis le hall, on accède au Court Garden, un jardin de plantes en gradins avec chutes d'eau. La chaleur et la luminosité de l'endroit tranchent singulièrement avec le climat frais et pluvieux qui enveloppe assez souvent la ville. Les chambres sont spacieuses, coquettes et confortables; elles sont conçues autant pour plaire aux vacanciers que pour répondre aux besoins des gens d'affaires. La plupart d'entre elles offrent une vue imprenable sur le port, la ville et la baie.

ST. JOHN'S △🍴

© ULYSSE

Port of St. John's

▲ HÉBERGEMENT

1. AZ Compton House
   Heritage Inn & Apartments
2. CX Elizabeth Manor
        Bed & Breakfast
3. CX Holiday Inn St. John's
4. AX Memorial University
        of Newfoundland
5. CY Quality Hotel Harbourview
6. DY The Fairmont
        Newfoundland
7. CX The Roses Bed & Breakfast
8. AZ The Waterford Manor

● RESTAURANTS

1. BY Aqua
2. AY Bacalao
3. CY Basho Restaurant & Lounge
4. AX Ches's
5. BY Taj Mahal
6. BY The Cellar Restaurant

La péninsule d'Avalon

Ferryland

The Downs Inn
$-$$ 🐾bc △
route 10
☎709-432-2808 ou 877-432-2808
📠709-432-2659

À environ une heure de St. John's, on peut s'arrêter pour la nuit au Downs Inn, un agréable gîte touristique installé dans un ancien couvent presbytérien. Construit en 1914, ce bâtiment logeait jusqu'au milieu des années 1980 une quinzaine de religieuses. L'âme de la maison a été bien préservée malgré les travaux de rénovation. Les chambres, spacieuses, propres et confortables, disposent chacune d'un foyer, mais non de salles de bain privées.

Trepassey

Trepassey Motel
$$ 🍴 ⇝
Main Rd.
☎709-438-2934
📠709-438-2722
www.trepasseymotel.com

Ce petit motel érigé en bordure de la route 10, à l'extrême sud de la péninsule, occupe un lieu très calme à proximité de l'**Avalon Wilderness Reserve** (voir p 289), où, en été, on peut observer aisément des caribous. Les chambres, meublées de façon plutôt quelconque, sont néanmoins bien entretenues et accueillantes. On propose au restaurant du motel (voir p 309) une cuisine tout à fait convenable.

St. Bride's

Capeway Motel
$$ ⇝
Main Rd.
☎709-337-2163 ou 877-337-2163
www.thecapeway.ca

Situé près de la **Cape St. Mary's Ecological Reserve** (voir p 301), le motel Capeway abrite des chambres confortables et des suites tout équipées, idéales pour les familles.

Placentia

Rosedale Manor
$$ 🐾@ &
Riverside Dr.
☎709-227-3613
www.rosedalemanor.ca

On se sent rapidement très à l'aise au Rosedale Manor, l'une des bonnes adresses de cette partie de la péninsule. Située au cœur du village, tout juste face à la baie, cette jolie résidence d'époque propose des chambres décorées avec soin, garnies de meubles antiques et dotées de salles de bain privées. La propriétaire est à la fois attentionnée et discrète. Si le cœur vous en dit, elle se fera un plaisir de vous raconter quelques épisodes de la petite histoire de la région.

Carbonear

NaGeira House Bed & Breakfast
$$-$$$ 🐾 🍴 ⑩ △
7 Musgrave St.
☎709-596-1888 ou 800-600-7757
📠709-596-4622
www.nageirahouse.com

Une grande et élégante maison, dont le style rappelle celui des cottages anglais, abrite la NaGeira House. Elle renferme

quatre chambres garnies d'un mobilier antique, chacune pourvue d'une salle de bain privée. Cet établissement a l'avantage d'abriter l'un des meilleurs restaurants en ville.

Brigus

The Brittoner
$-$$ 🐾
12 Water St.
☎709-528-3412
📠709-528-3412
www.bbcanada.com/4385.html

Un des plus jolis villages de la province, Brigus, compte de nombreuses demeures victoriennes dont l'une abrite The Brittoner. L'auberge est bien située, au cœur de Brigus, face à la baie, et ses chambres sont confortables et bien entretenues. Un copieux petit déjeuner et un accueil chaleureux complètent agréablement un séjour au Brittoner.

L'est et le centre de Terre-Neuve

Marystown

Marystown Hotel & Convention Centre
$$ 🍴 ≡ ⑩ ⇝
79 Ville Marie Dr.
☎709-279-1600 ou 866-612-6800
📠709-279-4088
www.marystownhotel.com

Situé au cœur de la communauté de Marystown, cet établissement moderne est le plus confortable de la péninsule de Burin. Les chambres, offertes à bon prix, sont bien entretenues et aménagées convenablement. L'agréable restaurant de l'hôtel, le **PJ Billington's** (voir p 309), est le rendez-vous des Saint-Pierrais en visite dans la péninsule.

On y sert une cuisine simple, mais savoureuse et bien présentée.

Grand Bank

The Inn By The Sea
$$ ✆ @
24 Blackburn Rd.
☎709-832-0202 ou 888-932-0202
🖷709-832-0202
www.theinnbythesea.com
Grand Bank est une vieille communauté tournée vers la mer qui compte plusieurs belles résidences historiques. C'est au cœur de cette communauté que se dresse l'Inn By The Sea, une bonne adresse qui offre un hébergement confortable. Les chambres sont chaleureuses et grandes.

The Thorndyke B&B
$$-$$$ ✆
33 Water St.
☎/🖷709-832-0820
☎866-882-0820
Cette demeure, qui fait face à l'océan, a été construite en 1917 par John Thornhill, un pêcheur qui, à son époque, était reconnu comme l'un des meilleurs navigateurs de la région. L'ancienne demeure à deux étages rappelle par son architecture les maisons de la Côte Est américaine. L'aménagement intérieur n'est pas particulièrement luxueux, mais a préservé un agréable cachet d'antan.

Trinity

Village Inn
$$-$$$ ℅ ♨
Taverner's Path
☎709-464-3269
🖷709-464-3700
www.oceancontact.com
Le Village Inn est, malgré sa taille relativement modeste,

l'établissement hôtelier le plus important de Trinity. Dans ce bâtiment situé au cœur du village depuis le début du XXe siècle, les chambres varient grandement en confort et en qualité. Le Village Inn possède un bon restaurant familial (voir p 309). On y organise des excursions d'observation des baleines.

Campbell House
$$-$$$$ ✆ ℅ ♨
57 High St.
☎/🖷709-464-3377
☎877-464-7700
La Campbell House est un *bed and breakfast* installé dans une jolie résidence construite dans les années 1840. Le cachet d'antan de cette demeure bourgeoise, qui s'élève au centre du secteur historique de la ville, a été bien préservé grâce à de minutieux travaux de rénovation. Les chambres sont coquettes et joliment décorées. De la Campbell House, on profite d'une vue agréable sur le village et l'océan.

Port Rexton

Fishers' Loft Inn
$$$-$$$$$ ♨ @
☎709-464-3240 ou 877-464-3240
www.fishersloft.com
Incontournable dans la région, le Fishers' Loft Inn se distingue par le caractère chaleureux de son architecture, la qualité de ses services et le confort de ses chambres. Cinq bâtiments abritent des chambres lumineuses, certaines avec toit cathédral, dont les meubles sont conçus par un artisan de la région. Toutes offrent une

vue splendide sur la baie de Trinity. Le restaurant de l'établissement propose une cuisine savoureuse concoctée à partir de produits frais provenant de la région, voire du jardin! Les environs de l'auberge se prêtent bien aux activités de plein air, entre autres la randonnée et l'observation des baleines.

Port Blandford

Terra Nova Resort & Golf Community
$$$-$$$$$ ♨ ≋ ≡ ● �
route 1
☎709-543-2525
🖷709-543-2201
www.terranovagolf.com
À proximité du **parc national Terra-Nova** (voir p 293) et d'un excellent terrain de golf se dresse, sur une grande propriété, le Terra Nova Resort. Cet établissement luxueux propose des chambres tout confort et des chalets de une ou deux chambres qui conviendront bien aux familles. Il attire, bien sûr, d'abord les amateurs de golf, mais aussi ceux qui tout bonnement veulent profiter de son cadre paisible. L'excellente cuisine que propose son restaurant contribue à agrémenter le séjour.

Gander

Comfort Inn
$$-$$$ ✆ ♨ ● ≡ ⅙ ⌗ @
112 route transcanadienne
☎709-256-3535 ou 800-424-6423
🖷709-256-9302
www.choicehotels.ca
Aux abords de la route transcanadienne, le Comfort Inn est un établissement tranquille qui propose des chambres de bonne qualité.

Hotel Gander
$$-$$$$$ ♛ ⁓ ◎ ⋈
100 route transcanadienne
☎709-256-3931 ou 800-563-2988
▤709-651-2641
www.hotelgander.com
L'Hotel Gander, un bâtiment à deux étages d'allure un peu désuète, loue des chambres très convenables et bien entretenues. Son restaurant propose une cuisine de qualité.

Grand Falls-Windsor

Carriage House Inn
$$-$$$ ≡ ⋈ ◎ @
181 Grenfell Heights
☎709-489-7185 ou 800-563-7133
▤709-489-1990
www.carriagehouseinn.ca
Ceux qui préfèrent le charme et l'ambiance des auberges peuvent opter pour le Carriage House Inn. Cette auberge, l'une des meilleures de cette partie de l'île, occupe une belle propriété joliment paysagée.

Mount Peyton Hotel
$$-$$$$$ ♛ ≡ @ ◎ ⋒
214 Lincoln Rd.
☎709-489-2251 ou 800-563-4894
▤709-489-6365
www.mountpeyton.com
La ville de Grand Falls-Windsor, située environ à mi-chemin entre les côtes est et ouest de l'île, offre plusieurs possibilités d'hébergement, entre autres au Mount Peyton Hotel, un bon établissement qui abrite des chambres confortables quoique décorées de façon un peu impersonnelle.

L'ouest de Terre-Neuve

Channel-Port aux Basques

St. Christopher's Hotel
$$-$$$ ♛ ≡ ⋈ ⋒ @ ⋒
146 Caribou Rd.
☎709-695-3500 ou 800-563-4779
▤709-695-9841
www.stchrishotel.com
Le St. Christopher's Hotel, bien situé à proximité des principaux centres d'activité de Channel-Port aux Basques, dispose de chambres aménagées simplement, mais propres et spacieuses.

Cape St. George

Inn at the Cape
$$-$$$ ½p ≡
1250 Oceanview Dr. (route 460)
☎709-644-2273 ou 888-484-4740
www.innatthecape.com
Avec son grand balcon offrant une vue magnifique, son petit déjeuner et son buffet du soir inclus dans le prix de la chambre, l'Inn at the Cape présente un excellent rapport qualité/prix.

Corner Brook

Bell's Inn
$-$$ ⋒ ◎
2 Fords Rd.
☎709-634-5736 ou 888-634-1150
▤709-634-1114
www.bellsinn.ca
Le Bell's Inn, une moderne et confortable demeure d'un quartier résidentiel, surplombe le centre-ville de Corner Brook, à une dizaine de minutes à pied des principales rues commerçantes. Les chambres sont spacieuses

et agréables; elles disposent chacune d'une salle de bain privée. Le matin, un bon petit déjeuner est servi dans une cuisine lumineuse à l'arrière de la maison. L'accueil est sympathique, et les propriétaires sont à la fois disponibles et discrets.

Glynmill Inn
$$-$$$$$ ♛ ≡ ⋈ ⋒ @
1 Cobb Ln.
☎709-634-5181 ou 800-563-4400
▤709-634-5106
www.glynmillinn.ca
Au cœur de la ville se dresse le Glynmill Inn, le plus réputé des établissements hôteliers de la région de Corner Brook. Ce bel édifice de style Tudor trône sur une grande et paisible propriété joliment paysagée et très fleurie qui donne sur l'étang Glynmill. Les chambres du Glynmill Inn sont confortables et coquettes. L'établissement compte deux restaurants, dont l'élégant **Wine Cellar** (voir p 310), un agréable bar ainsi que des salles de conférences.

Greenwood Inn Suites
$$-$$$$ ⋒ ◎ ⁂ ♛ ≡ ⋈ @
48 West St.
☎709-634-5381 ou 800-399-5381
▤709-634-1723
www.greenwoodcornerbrook.com
Dans la rue principale de Corner Brook, tout juste à proximité des principaux centres d'activité de la ville, cet hôtel propose des chambres spacieuses ainsi que plusieurs services et installations, notamment une piscine intérieure et un restaurant.

La route des Vikings

Norris Point

Sugar Hill Inn
$$-$$$$ 🖐 🌀))) ♨ ≡ ◎ @
route 431
☎ 709-458-2147 ou 888-299-2147
▤ 709-458-2166
www.sugarhillinn.nf.ca

En arrivant à Norris Point, dans la partie sud du parc national Gros-Morne, vous verrez sur un coteau joliment paysagé le Sugar Hill Inn, l'une des bonnes auberges de l'ouest de l'île. Toutes les chambres proposées sont coquettes et dotées d'une salle de bain privée. Un sauna et un bain à remous sont mis à la disposition de la clientèle. En outre, la salle à manger du Sugar Hill Inn sert une excellente cuisine.

Rocky Harbour

Ocean View Hotel
$$-$$$$ ♨ ◎
Main St.
☎ 709-458-2730 ou 800-563-9887
▤ 709-458-2841
www.theoceanview.ca

L'Ocean View Hotel propose des chambres spacieuses, confortables et propres, mais sans charme particulier. L'établissement est bien tenu et dispose d'un bon restaurant familial.

Cow Head

Shallow Bay Motel & Cabins
$$-$$$))) ♨ ≈
Main St.
☎ 709-243-2471 ou 800-563-1946
▤ 709-243-2816
www.shallowbaymotel.com

À l'extrémité nord du parc national Gros-Morne, tout juste à proximité d'une belle plage de sable fin, se dressent les quelques maisonnettes et bâtiments qui constituent le Shallow Bay Motel & Cabins. L'endroit est paisible et offre un excellent point de vue sur le golfe du Saint-Laurent. Sans être particulièrement luxueux, les chambres et les chalets sont tous confortables. L'établissement dispose aussi d'une piscine extérieure et d'un restaurant qui propose des plats simples mais bien apprêtés.

Main Brook

Tuckamore Lodge
$$$-$$$$ 🖐 🌀))) ♨ ◎ @
1 Southwest Pond
☎ 709-865-6361 ou 888-865-6361
▤ 709-865-2112
www.tuckamorelodge.com

Situé au cœur d'une belle région sauvage, le Tuckamore Lodge plaira aux amants de la nature, car, outre un hébergement offrant un bon confort, il propose une foule d'activités de plein air. On y loge dans un des deux chalets de bois offrant une vue splendide sur le lac, dont chacune des chambres, au mobilier de bois, sont garnies d'œuvres d'artistes locaux. L'endroit est paisible à souhait.

L'Anse aux Meadows

Marilyn's Hospitality Home
$-$$ 🖐 ᵇᶜ/ₚ
Hay Cove
☎ 709-623-2811 ou 877-865-3958
www.bbcanada.com/1466.html

À environ 1 km de L'Anse aux Meadows, dans la petite communauté de Hay Cove, qui compte quelques maisons seulement, on peut passer la nuit à la Marilyn's Hospitality Home. Marilyn, une dame fort sympathique, toujours disposée à raconter la petite histoire de la région, propose des chambres très bien entretenues. Le matin venu, on sert aux invités un très copieux petit déjeuner. L'accueil est simple et gentil.

Valhalla Lodge Bed & Breakfast
$$ 🖐 ♨))) ◎
route 436
Gunner's Cove
☎ 709-623-2018 ou 877-623-2018
▤ 709-623-2144
www.valhalla-lodge.com

Le Valhalla Lodge est aménagé dans une simple mais jolie demeure construite au sommet d'une colline d'où l'on peut profiter d'une vue spectaculaire sur l'océan. En retrait de l'animation du village, il bénéficie d'un environnement paisible. Il dispose d'un bon resto. L'accueil est des plus courtois.

St. Anthony

Haven Inn
$$-$$$ ♨ @ ≡ ◎ �
Goose Bay Rd.
☎ 709-454-9100 ou 877-428-3646
▤ 709-454-2270
www.haveninn.ca

Sur un coteau surplombant St. Anthony, le Haven Inn renferme des chambres convenables quoique décorées avec peu d'originalité. St. Anthony est la plus importante communauté de cette partie de l'île.

Terre-Neuve-et-Labrador - Hébergement - La route des Vikings

Cape Onion

Tickle Inn
$-$$ 🖐bc 🖐

R.R.1
☎709-452-4321 ou 866-814-8567
🖷709-452-2030
www.tickleinn.net

À un peu plus d'une demi-heure de route de L'Anse aux Meadows ou de St. Anthony se trouve le Tickle Inn, une sympathique petite auberge située dans un cadre enchanteur face à l'océan et ceinturé de paysages vallonnés. L'endroit, on s'en doute, est paisible et très propice à de longues balades à pied et à l'observation des baleines et des icebergs au large. Les chambres sont bien entretenues et accueillantes. La salle à manger du Tickle Inn propose l'une des meilleures cuisines de la région.

Le Labrador

L'Anse au Clair

Beachside Hospitality Home
$ 🖐bc

9 Lodge Rd.
☎709-931-2338
🖷709-931-2275

Les quelques villages le long de la route bordant le détroit de Belle Isle abritent plusieurs *bed and breakfasts* qui permettent aux visiteurs de découvrir le sens proverbial de l'accueil des habitants du Labrador. L'un d'eux est la Beachside Hospitality Home, aux chambres agréables.

Northern Light Inn
$$-$$$$ 🖐 ≡

58 Main St.
☎709-931-2332 ou 800-563-3188
🖷709-931-2708
www.northernlightinn.com

À L'Anse au Clair, on peut aussi loger au Northern Light Inn, le plus grand établissement de la côte, aux chambres de type motel.

West St. Modeste

Oceanview Resort
$$-$$$ 🖐 ● ≡ 🖐 @

184 Main St.
☎709-927-5288
🖷709-927-5894
www.oceanviewresort.ca

À l'Oceanview Resort, on loge dans des maisonnettes de bois qui comprennent une chambre à coucher, une cuisinette, un petit salon et une salle de bain. On y bénéficie d'une belle vue sur le détroit de Belle Isle. Sur place, on trouve également un restaurant (voir p 310), dont la cuisine compte parmi les meilleures de la région, et une boutique d'artisanat qui offre un bel éventail de pièces.

Wabush

Wabush Hotel
$$-$$$ ≡ 🖐

9 Grenfell Dr.
☎709-282-3221
🖷709-282-3061

Les villes jumelles de Labrador City et de Wabush comptent quelques établissements hôteliers aux chambres confortables mais sans grand charme. Le plus important d'entre eux est le Wabush Hotel, un établissement dont l'architecture rappelle celle d'un grand chalet.

🍴Restaurants

St. John's

Voir carte p 303

Ches's
$-$$

9 Freshwater Rd.
☎709-726-3434
www.chessfishandchips.ca

Ches's est incontestablement le roi du poisson-frites à St. John's! Installé dans le même local de la Freshwater Road depuis 1956, ce sympathique petit restaurant est devenu une adresse incontournable. Dans une atmosphère on ne peut plus conviviale, on y sert à prix très abordables les célèbres poissons-frites, ainsi que des hamburgers et du poulet. Les produits de la mer ne sont plus pêchés par le propriétaire lui-même, Che's Barbour, comme c'était le cas à l'époque, mais l'ambiance demeure celle d'antan. Ches's a trois autres succursales dans la région de St. John's: sur Topsail Road, sur Highland Drive et à Mount Pearl.

Taj Mahal
$$

203 Water St.
☎709-576-5500

Le Taj Mahal, un restaurant à la riche décoration victorienne, prépare une authentique cuisine indienne. Son menu élaboré compte notamment plusieurs spécialités *tandoori*. Le poulet *tikka*, les crevettes *tandoori* et le poisson *malai tikka* sont particulièrement réussis. Le pain *naan* est succulent, tout comme le riz cuit à la vapeur.

Aqua
$$-$$$
310 Water St.
☎709-576-2782
www.aquarestaurant.ca

Aqua s'est taillé une place de choix parmi les grandes tables de St. John's. Au menu: une formidable sélection de mets aux influences thaïlandaises et des plats de fruits de mer succulents, toujours impeccablement présentés. Excellent service.

Bacalao
$$-$$$$
65 Lemarchant Rd.
☎709-579-6565
www.bacalaocuisine.ca

Bacalao égaie la «nouvelle cuisine terre-neuvienne» grâce à une heureuse combinaison de saveurs, de produits frais de la région et de présentations irréprochables. Le mot espagnol *bacalao* signifie «morue» en français.

The Cellar Restaurant
$$-$$$$
189 Water St.
☎709-579-8900
www.thecellarrestaurant.ca

Le Cellar s'affirme par une cuisine innovatrice qui séduit les sens. Qu'il s'agisse de plats de pâtes, de fruits de mer ou de viande, on est souvent ébloui par l'originalité des saveurs, la fraîcheur des aliments et la présentation des plats.

Basho Restaurant & Lounge
$$$$
283 Duckworth St.
☎709-576-4600

D'une qualité inégalée, la cuisine japonaise fusion proposée chez Basho en fait l'une des meilleures tables des provinces atlantiques.

La péninsule d'Avalon

Trepassey

Trepassey Restaurant
$-$$
Trepassey Motel
Main Rd.
☎709-438-2934

Le Trepassey Restaurant, derrière la façade du **Trepassey Motel** (voir p 304), est l'endroit idéal pour le repas de midi. Les plats proposés, notamment de fruits de mer et de poisson, sont simples mais bien préparés et pas très chers. L'aménagement des lieux est accueillant; on y bénéficie d'une belle vue sur la baie.

St. Bride's

Atlantica Restaurant
$-$$
route 100
☎709-337-2860

À St. Bride's, en direction de Cape St. Mary's, on peut s'arrêter pour un petit repas à l'Atlantica Restaurant. Le menu affiche des plats plutôt simples, notamment du poisson, des pétoncles et des crevettes frites. On y sert également des hamburgers et d'autres plats de type casse-croûte.

L'est et le centre de Terre-Neuve

Marystown

PJ Billington's
$$
Marystown Hotel & Convention Centre
79 Ville Marie Dr.
☎709-279-1600

Dans une chaleureuse atmosphère de pub anglais, avec de multiples bibelots et cadres qui ornent les murs, le PJ Billington's fait la cuisine la plus satisfaisante de la péninsule de Burin. Le menu affiche des fruits de mer et des poissons, mais aussi de délicieux steaks, des côtes levées et des brochettes de poulet.

Grand Bank

Manuel's
$-$$
3 Main St.
☎709-832-0100

À Grand Bank, on peut s'arrêter prendre une petite bouchée au Manuel's, un restaurant familial qui propose du poulet et du poisson-frites, des hamburgers ainsi que quelques autres plats simples.

Trinity

Eriksson Premises
$$
☎709-464-3698

Le restaurant Eriksson mijote, dans l'atmosphère chaleureuse d'une vieille résidence bourgeoise, des plats simples composés principalement de fruits de mer et de poissons.

Village Inn
$$
Taverner's Path
☎709-464-3269

Le restaurant du **Village Inn** (voir p 305) mitonne une cuisine familiale sans grande originalité mais bonne. Le restaurant se révèle confortable, les plats sont copieux, et l'ambiance s'avère sympathique.

L'ouest de Terre-Neuve

Corner Brook

Casual Jack's
$-$$
70 West St.
☎709-634-4242
Dans une ambiance jeune et très décontractée, Casual Jack's sert une cuisine de pub constituée notamment de plats de poulet, de côtes levées et de steaks que l'on peut accompagner d'un choix de bières pression. Des téléviseurs diffusent en permanence des émissions sportives qui tiennent lieu de divertissement.

Thirteen West
$$-$$$
13 West St.
☎709-634-1300
Une cuisine à la fois raffinée et inspirée, et une salle à manger décorée avec goût, font du Thirteen West l'une des meilleures adresses de la province. Le midi, on propose plusieurs excellents plats à moins de 10$. En soirée, le menu affiche un bon choix de plats principaux, entre autres des fruits de mer au gratin, des linguines aux palourdes, des poitrines de poulet sautées au vin blanc ou de l'agneau grillé. La liste des desserts comprend une excellente crème caramel et un succulent gâteau au fromage. Pendant la saison estivale, on peut s'attabler à l'extérieur, sur la jolie terrasse.

Wine Cellar
$$-$$$
Glynmill Inn
1 Cobb Ln.
☎709-634-5181
Le Wine Cellar, aménagé dans une pièce circulaire aux murs de pierres, est l'un des deux restaurants du **Glynmill Inn** (voir p 306). Ce restaurant élégant à l'atmosphère feutrée se spécialise surtout dans la préparation de steaks. La carte affiche en outre une sélection de vins et d'alcools fort convenable.

La route des Vikings

Rocky Harbour

Fisherman's Landing
$$
☎709-458-2711
Restaurant familial sans prétention, le Fisherman's Landing propose un menu de fruits de mer et de poisson, mais également de viande et de volaille. Le service est courtois bien qu'un peu expéditif, et les tarifs sont modérés. Le matin, on y sert de copieux petits déjeuners.

St. Anthony

Lightkeeper's Seafood Restaurant
$$-$$$
Fishing Point
☎709-454-4900 ou 877-454-4900
On ne pouvait trouver meilleur emplacement pour un restaurant. Situé à l'extrémité de Fishing Point, le Lightkeeper's Seafood Restaurant offre un point de vue remarquable sur l'océan, un spectacle fascinant ponctué à l'occasion de la lente dérive d'un iceberg ou du va-et-vient d'une baleine. Ce joli panorama s'accompagne avec bonheur de l'excellente cuisine qu'on y sert. Le menu affiche principalement des plats de poisson et de fruits de mer, entre autres un succulent crabe des neiges. En outre, la carte des vins est assez variée.

Le Labrador

L'Anse au Clair

Basque Dining Room
$$
Northern Light Inn
58 Main St.
☎709-931-2332
Une bonne adresse à connaître, surtout pour sa belle variété de plats de fruits de mer et ses délicieux desserts.

Red Bay

Whaler's Restaurant
$-$$
☎709-920-2156
Cet établissement propose une cuisine simple mais bonne; on le recommande tout particulièrement pour ses *chowders*.

West St. Modeste

Oceanview Resort
$
184 Main St.
☎709-927-5288
Le restaurant de l'**Oceanview Resort** (voir p 308) est connu dans la région pour ses plats de fruits de mer, toujours fraîchement pêchés et bien apprêtés. On y profite d'un service sympathique.

Happy Valley-Goose Bay

Mary Brown
$
445 Hamilton River Rd.
☎709-896-3292
Pour une bouchée sans trop dépenser, le Mary Brown propose une bonne cuisine de type familial.

Aucun plat extravagant, mais le poulet frit y est toujours bon.

Parmi les autres bonnes tables de Happy Valley-Goose Bay figurent les restaurants du **Labrador Inn** *($$-$$$; 380 Hamilton River Rd.,* ☎*709-896-3351)* et de l'**Aurora Hotel** *($$-$$$; 382 Hamilton River Rd.,* ☎*709-896-3398)*, qui offrent, tous les jours, un menu varié. Deux valeurs sûres dans la ville.

♪Sorties

■ Bars et discothèques

St. John's

Les Terre-Neuviens aiment faire la fête, et la vie nocturne de St. John's en est certes l'un des meilleurs témoignages. On trouve à St. John's bon nombre de bars et discothèques, mais surtout une quantité incroyable de pubs irlandais, anglais ou écossais. Le meilleur endroit où s'initier à la vie nocturne de St. John's est incontestablement **George Street**. La rumeur veut que cette artère compte le plus grand nombre de pubs situés l'un à la suite de l'autre au Canada.

■ Fêtes et festivals

Juillet

Wreckhouse International Jazz & Blues Festival
St. John's
☎709-739-7734
www.stjohnsjazzfestival.com
Pendant cinq jours à la mi-juillet, le festival Wreckhouse propose une série de concerts (en salle et en plein air) de jazz, de blues et de musiques du monde.

Août

Newfoundland & Labrador Folk Festival
Bannerman Park
St. John's
☎709-576-8508 ou 866-576-8508
www.nlfolk.com
Au début d'août, la ville de St. John's célèbre la musique traditionnelle de la province. Concerts, contes et danses sont alors au menu.

◻Achats

St. John's

L'**Avalon Mall Regional Shopping Centre** *(Kenmount Rd.)* est le plus important centre commercial de St. John's. Il renferme environ une centaine de boutiques,

de grands magasins et de marchés d'alimentation.

Water Street serait, semble-t-il, la plus ancienne artère commerciale d'Amérique du Nord. On y trouve quelques intéressantes boutiques. Pour de beaux vêtements de laine, on peut se rendre chez **Annika's** *(172 Water St.,* ☎*709-754-1146)* ou à la **Newfoundland Weavery** *(177 Water St.,* ☎*709-753-0496)*.

Corner Brook

Nortique of Newfoundland
11 Confederation Dr.
☎709-634-8344
Cette belle boutique, à proximité du bureau de renseignements touristiques de Corner Brook, propose une gamme intéressante de souvenirs, de produits d'artisanat et de beaux vêtements de laine.

St. Anthony

Grenfell Handicrafts
Grenfell Historic Properties
route 430
☎709-454-4010
On peut acheter de l'artisanat de Terre-Neuve et du Labrador au sein de la boutique Grenfell Handicrafts.

Références

Index

Les numéros de page en **gras** renvoient aux cartes.

Index - C

Index - H

324

Index - P

Lexique français-anglais

Salut!	*Hi!*
Comment ça va?	*How are you?*
Ça va bien	*I'm fine*
Bonjour	*Hello*
Bonsoir	*Good evening/night*
Bonjour, au revoir	*Goodbye*
À la prochaine	*See you later*
Oui	*Yes*
Non	*No*
Peut-être	*Maybe*
S'il vous plaît	*Please*
Merci	*Thank you*
De rien, bienvenue	*You're welcome*
Excusez-moi	*Excuse me*
Je suis touriste	*I am a tourist*
Je suis Canadien(ne)	*I am Canadian*
Je suis Belge	*I am Belgian*
Je suis Français(e)	*I am French*
Je suis Suisse	*I am Swiss*
Je suis désolé(e),	*I am sorry,*
je ne parle pas	
l'anglais	*I don't speak English*
Parlez-vous	
le français?	*Do you speak French?*
Plus lentement,	
s'il vous plaît	*Slower, please*
Comment vous	
appelez-vous?	*What is your name?*
Je m'appelle...	*My name is...*
époux(se)	*spouse*
frère, sœur	*brother, sister*
ami(e)	*friend*
garçon	*son, boy*
fille	*daughter, girl*
père	*father*
mère	*mother*
célibataire	*single*
marié(e)	*married*
divorcé(e)	*divorced*
veuf(ve)	*widower/widow*

■ Directions

Est ce qu'il y a	*Is there a*
un bureau	*tourist office*
de tourisme près d'ici?	*near here?*
Il n'y a pas de...	*There is no...,*
Nous n'avons pas de...	*We have no...*
Où est le/la ...?	*Where is...?*
à côté de	*beside*
à l'extérieur	*outside*
à l'intérieur	*into, inside, in, into, inside*
derrière	*behind*
devant	*in front of*
entre	*between*
ici	*here*
là, là-bas	*there, over there*
loin de	*far from*
près de	*near*
sur la droite	*to the right*
sur la gauche	*to the left*
tout droit	*straight ahead*

■ Pour s'y retrouver sans mal

aéroport	*airport*
à l'heure	*on time*
aller-retour	*return ticket, return trip*
aller simple	*one way ticket, one way trip*
annulé	*cancelled*
arrêt d'autobus	*bus stop*
L'arrêt, s'il vous plaît	*The bus stop, please*
arrivée	*arrival*
autobus	*bus*
autoroute	*highway*
avenue	*avenue*
avion	*plane*
bagages	*baggages*
bateau	*boat*
bicyclette	*bicycle*
bureau de tourisme	*tourist office*
coin	*corner*
départ	*departure*
est	*east*
gare	*train station*
horaire	*schedule*
immeuble	*building*
nord	*north*
ouest	*west*
place	*square*
pont	*bridge*
quartier	*neighbourhood*
rang	*rural route*
rapide	*fast*
en retard	*late*
retour	*return*
route, chemin	*road*
rue	*street*
sécuritaire	*safe*
sentier	*path, trail*
sud	*south*
train	*train*
vélo	*bicycle*
voiture	*car*

■ La voiture

à louer	*for rent*
un arrêt	*a stop*
Arrêtez!	*Stop!*
attention	*danger, be careful*
autoroute	*highway*
défense de doubler	*no passing*
essence	*gas*
feu de circulation	*traffic light*
impasse	*no exit*
limitation de vitesse	*speed limit*
piétons	*pedestrians*
ralentir	*to slow down*
stationnement	*parking*
stationnement interdit	*no parking*
station-service	*service/gas station*

■ L'argent

argent	*money*
banque	*bank*
caisse populaire	*credit union*
carte de crédit	*credit card*
change	*exchange*
chèques de voyage	*traveller's cheques*
Je n'ai pas d'argent	*I don't have any money*
L'addition, s'il vous plaît	*The bill please*
reçu	*receipt*

■ L'hébergement

ascenseur	*elevator*
auberge	*inn*
auberge de jeunesse	*youth hostel*
basse saison	*off season*
chambre	*bedroom*
climatisation	*air conditioning*
déjeuner	*breakfast*
eau chaude	*hot water*
étage	*floor (first, second...)*
gérant	*manager, owner*
gîte touristique	*bed and breakfast*
haute saison	*high season*
hébergement	*dwelling*
lit	*bed*
logement	*accommodation*
piscine	*pool*
propriétaire	*owner*
rez-de-chaussée	*main floor*
salle de bain	*bathroom*
toilettes	*restroom*
ventilateur	*fan*

■ Les achats

acheter	*to buy*
appareil photo	*camera*
argent	*silver*
artisanat local	*local crafts*
bijouterie	*jewellery*
blouse	*blouse*
blouson	*jacket*
cadeaux	*gifts*
cassettes	*cassettes*
chapeau	*hat*
chaussures	*shoes*
C'est combien?	*How much is this?*
chemise	*shirt*
le/la client(e)	*the customer*
cosmétiques	*cosmetics*
coton	*cotton*
crème solaire	*sunscreen*
cuir	*leather*
disques	*records*
fermé(e)	*closed*
J'ai besoin de...	*I need...*
Je voudrais...	*I would like...*
jeans	*jeans*
journaux	*newspapers*
jupe	*skirt*
laine	*wool*
lunettes	*eyeglasses*
magasin	*store*
magasin à rayons	*department store*
magazines	*magazines*
marché	*market*
montres	*watches*
or	*gold*
ouvert(e)	*open*
pantalon	*pants*
parfums	*perfumes*
pellicule	*film*
pierres précieuses	*precious stones*
piles	*batteries*
revues	*magazines*
sac	*handbag*
sandales	*sandals*
tissu	*fabric*
t-shirt	*T-shirt*
vendeur(se)	*salesperson*
vendre	*to sell*

■ Divers

bas(se)	*low*
beau	*beautiful*
beaucoup	*a lot*
bon	*good*
chaud	*hot*
cher	*expensive*
clair	*light*
court(e)	*short*
étroit(e)	*narrow*
foncé	*dark*
froid	*cold*
grand(e)	*big, tall*
gros(se)	*fat*
J'ai faim	*I am hungry*
J'ai soif	*I am thirsty*
Je suis malade	*I am ill*
joli(e)	*pretty*
laid(e)	*ugly*
large	*wide*
lentement	*slowly*
mauvais	*bad*
mince	*slim, skinny*
moins	*less*
ne pas toucher	*do not touch*
nouveau	*new*
Où?	*Where?*
pas cher	*inexpensive*
petit(e)	*small, short*
peu	*a little*
pharmacie	*pharmacy, drugstore*
plus	*more*
quelque chose	*something*
Qu'est-ce que c'est?	*What is this?*
rien	*nothing*
vieux	*old*
vite	*quickly*

■ La température

Il fait chaud	*It is hot outside*
Il fait froid	*It is cold outside*
nuages	*clouds*
pluie	*rain*
soleil	*sun*

Lexique français-anglais

■ Le temps

année	*year*
après-midi	*afternoon*
aujourd'hui	*today*
demain	*tomorrow*
heure	*hour*
hier	*yesterday*
jamais	*never*
jour	*day*
maintenant	*now*
matin	*morning*
minute	*minute*
mois	*month*
janvier	*January*
février	*February*
mars	*March*
avril	*April*
mai	*May*
juin	*June*
juillet	*July*
août	*August*
septembre	*September*
octobre	*October*
novembre	*November*
décembre	*December*
nuit	*night*
Quand?	*When?*
Quelle heure est-il?	*What time is it?*
semaine	*week*
dimanche	*Sunday*
lundi	*Monday*
mardi	*Tuesday*
mercredi	*Wednesday*
jeudi	*Thursday*
vendredi	*Friday*
samedi	*Saturday*
soir	*evening*

■ Les communications

appel à frais virés (PCV)	*collect call*
appel outre-mer	*overseas call*
attendre la tonalité	*wait for the tone*
bottin téléphonique	*telephone book*
bureau de poste	*post office*
composer l'indicatif	
régional	*dial the area code*
enveloppe	*envelope*
fax (télécopieur)	*fax*
interurbain	*long distance call*
par avion	*air mail*
tarif	*rate*
télécopieur	*fax*
télégramme	*telegram*
timbres	*stamps*

■ Les activités

baignade	*swimming*
centre culturel	*cultural centre*
cinéma	*cinema*
équitation	*horseback riding*
faire du vélo	*cycling*
musée	*museum, gallery*
navigation	
de plaisance	*sailing, pleasure-boating*
pêche	*fishing*

plage	*beach*
planche à voile	*windsurfing*
plongée sous marine	*scuba diving*
plongée-tuba	*snorkelling*
se promener	*to walk around, to stroll*
randonnée pédestre	*hiking*
vélo tout-terrain (VTT)	*mountain bike*

■ Tourisme

atelier	*workshop*
barrage	*dam*
bassin	*basin*
batture	*sandbank*
belvédère	*lookout point*
canal	*canal*
chenal	*channel*
chute	*waterfall*
cimetière	*cemetery*
colline	*hill*
côte sud/nord	*south/north shore*
couvent	*convent*
douane	*customs house*
écluses	*locks*
école secondaire	*high school*
écuries	*stables*
église	*church*
faubourg	*neighbourhood, region*
fleuve	*river*
gare	*train station*
grange	*barn*
hôtel de ville	*town or city hall*
jardin	*garden*
lieu historique	*historic site*
maison	*house*
manoir	*manor*
marché	*market*
moulin	*mill*
moulin à vent	*windmill*
palais de justice	*court house*
péninsule	*peninsula*
phare	*lighthouse*
pont	*bridge*
porte	*door, archway, gate*
presqu'île	*peninsula*
réserve faunique	*wildlife reserve*
rivière	*river*
voie maritime	*seaway*

■ Gastronomie

agneau	*lamb*
beurre	*butter*
bœuf	*beef*
calmar	*squid*
chou	*cabbage*
crabe	*crab*
crevette	*shrimp*
dinde	*turkey*
eau	*water*
fromage	*cheese*
fruits	*fruits*
fruits de mer	*seafood*
homard	*lobster*
huître	*oyster*
jambon	*ham*
lait	*milk*
langouste	*scampi*

légumes	*vegetables*	15	*fifteen*
maïs	*corn*	16	*sixteen*
noix	*nut*	17	*seventeen*
œuf	*egg*	18	*eighteen*
pain	*bread*	19	*nineteen*
palourde	*clam*	20	*twenty*
pétoncle	*scallop*	21	*twenty-one*
poisson	*fish*	22	*twenty-two*
pomme	*apple*	23	*twenty-three*
pomme de terre	*potato*	24	*twenty-four*
poulet	*chicken*	25	*twenty-five*
viande	*meat*	26	*twenty-six*
		27	*twenty-seven*
		28	*twenty-eight*
■ **Les nombres**		29	*twenty-nine*
		30	*thirty*
1	*one*	31	*thirty-one*
2	*two*	32	*thiry-two*
3	*three*	40	*forty*
4	*four*	50	*fifty*
5	*five*	60	*sixty*
6	*six*	70	*seventy*
7	*seven*	80	*eighty*
8	*eight*	90	*ninety*
9	*nine*	100	*one hundred*
10	*ten*	200	*two hundred*
11	*eleven*	500	*five hundred*
12	*twelve*	1 000	*one thousand*
13	*thirteen*	10 000	*ten thousand*
14	*fourteen*		

Mesures et conversions

Mesures de capacité

1 gallon américain (gal) = 3,79 litres

Mesures de longueur

1 pied (pi) = 30 centimètres
1 mille (mi) = 1,6 kilomètre
1 pouce (po) = 2,5 centimètres

Mesures de superficie

1 acre = 0,4 hectare
10 pieds carrés (pi²) = 1 mètre carré (m²)

Poids

1 livre (lb) = 454 grammes

Température

Pour convertir des °F en °C:
soustraire 32, puis diviser par 9 et multiplier par 5.

Pour convertir des °C en °F:
multiplier par 9, puis diviser par 5 et ajouter 32.

Lexique français-anglais - **Mesures et conversions**

Nos coordonnées

Nos bureaux

Canada: Guides de voyage Ulysse, 4176, rue Saint-Denis, Montréal (Québec) H2W 2M5, ☎514-843-9447, fax: 514-843-9448, info@ulysse.ca, www.guidesulysse.com
Europe: Guides de voyage Ulysse sarl, 127, rue Amelot, 75011 Paris, France, ☎01 43 38 89 50, voyage@ulysse.ca, www.guidesulysse.com

Nos distributeurs

Canada: Guides de voyage Ulysse, 4176, rue Saint-Denis, Montréal (Québec) H2W 2M5, ☎514-843-9882, poste 2232, fax: 514-843-9448, info@ulysse.ca, www.guidesulysse.com
Belgique: Interforum Benelux, Fond Jean-Pâques, 6, 1348 Louvain-la-Neuve, ☎010 42 03 30, fax: 010 42 03 52
France: Interforum, 3, allée de la Seine, 94854 Ivry-sur-Seine Cedex, ☎01 49 59 10 10, fax: 01 49 59 10 72
Suisse: Interforum Suisse, ☎(26) 460 80 60, fax: (26) 460 80 68

Pour tout autre pays, contactez les Guides de voyage Ulysse (Montréal).

Écrivez-nous

Tous les moyens possibles ont été pris pour que les renseignements contenus dans ce guide soient exacts au moment de mettre sous presse. Toutefois, des erreurs peuvent toujours se glisser, des omissions sont toujours possibles, des adresses peuvent disparaître, etc.; la responsabilité de l'éditeur ou des auteurs ne pourrait s'engager en cas de perte ou de dommage qui serait causé par une erreur ou une omission.

Nous apprécions au plus haut point vos commentaires, précisions et suggestions, qui permettent l'amélioration constante de nos publications. Il nous fera plaisir d'offrir un de nos guides aux auteurs des meilleures contributions. Écrivez-nous à l'une des adresses suivantes, et indiquez le titre qu'il vous plairait de recevoir.

Guides de voyage Ulysse
4176, rue Saint-Denis
Montréal (Québec)
Canada H2W 2M5
www.guidesulysse.com
texte@ulysse.ca

Les Guides de voyage Ulysse, sarl
127, rue Amelot
75011 Paris
France
www.guidesulysse.com
voyage@ulysse.ca

Nos coordonnées - Écrivez-nous

Tableau des distances

Distances en kilomètres

Exemple : la distance entre Halifax (N.-É.) et Saint John (N.-B.) est de 315 km.

Ville	Augusta (Maine)	Charlottetown (Î.-P.-É.)	Corner Brook (T.-N.)	Edmundston (N.-B.)	Fredericton (N.-É.)	Halifax (N.-É.)	Labrador City (T.-N.)	Moncton (N.-B.)	Montréal (Qué.)	Québec (Qué.)	St. Anthony (T.-N.)	Saint John (N.-B.)	St. John's (T.-N.)	Souris (Î.-P.-É.)	Summerside (Î.-P.-É.)	Sydney (N.-É.)
Charlottetown (Î.-P.-É.)	820															
Corner Brook (T.-N.)	1530	772														
Edmundston (N.-B.)	520	676	1389													
Fredericton (N.-É.)	434	373	1095	289												
Halifax (N.-É.)	904	280	835	760	415											
Labrador City (T.-N.)	1454	1345	2055	944	12234	2240										
Moncton (N.-B.)	622	175	901	475	200	275	1153									
Montréal (Qué.)	484	1200	1916	540	835	1250	1284	1025								
Québec (Qué.)	352	960	1694	313	585	982	1062	785	270							
St. Anthony (T.-N.)	1989	1231	468	1850	1554	2513	2513	1359	2375	2153						
Saint John (N.-B.)	402	344	1054	400	111	315	1334	146	931	709	1512					
St. John's (T.-N.)	1715	957	687	1572	1281	1020	2240	1086	2101	1879	629	1239				
Souris (Î.-P.-É.)	898	77	795	755	463	288	1422	268	1284	1062	1253	421	980			
Summerside (Î.-P.-É.)	785	78	849	639	350	325	1310	156	1171	949	1308	308	1034	154		
Sydney (N.-É.)	1152	367	429	1008	695	422	1676	497	1520	1280	888	675	614	416	476	
Yarmouth (N.-É.)	363	574	1144	577	288	344	1511	323	711	606	1602	177	1329	597	486	766

Tableau des distances

Commandez au www.guidesulysse.com

La livraison est gratuite si vous utilisez le code de promotion suivant: **GDEPAC**
(limite d'une utilisation du code de promotion par client)

Les guides Ulysse sont aussi disponibles dans toutes les bonnes librairies.

GUIDES DE VOYAGE ULYSSE

Boston
24,95$ 19,99€

Canada
34,95$ 27,99€

Cape Cod, Nantucket, Martha's Vineyard
22,95$ 19,99€

Gaspésie, Bas-Saint-Laurent, Îles de la Madeleine
24,95$ 19,99€

Montréal
24,95$ 19,99€

New York
24,95$ 17,99€

Nouvelle-Angleterre
34,95$ 27,99€

Ontario
32,95$ 24,99€

Le Québec
34,95$ 24,99€

Ville de Québec
24,95$ 19,99€

Québec et Ontario
29,95$ 23,99€

Toronto
24,95$ 19,99€